MENEM
LA VIDA PRIVADA

OLGA WORNAT

Menem
La vida privada

INVESTIGACIÓN PERIODÍSTICA:
Katherine Cortés Guerrieri

DOCUMENTACIÓN Y ARCHIVO:
Carola Iujvidin

PLANETA
Espejo de la Argentina

Espejo de la Argentina

Diseño de cubierta: Mario Blanco
Diseño de interior: Orestes Pantelides

© 1999, Olga Wornat

Derechos exclusivos de edición en castellano
reservados para todo el mundo:
© 1999, Editorial Planeta Argentina S.A.I.C.
Independencia 1668, Buenos Aires
Grupo Editorial Planeta

ISBN 950-49-0312-6

Hecho el depósito que prevé la ley 11.723
Impreso en la Argentina

A mis hijos Mario, Nicolás y Flavia

A mis padres, Bernardo y Dionisia

PRÓLOGO

¿Tienen los políticos derecho a una vida privada? Sí, siempre y cuando su práctica cotidiana no entre en contradicción con sus declaraciones políticas. Cuando en el personaje en cuestión se diluyen los límites entre lo público y lo privado y sus actos personales influyen en su desempeño oficial, la obligación del biógrafo o del periodismo es tratar de desentrañar la verdad e informar quiénes son realmente esas personas a las que se les ha atribuido un valor emblemático.

La prensa francesa, sometida a una implacable legislación que protege la intimidad, todavía se autocritica de su complicidad en el silencio que rodeó la movilización de una parte del aparato del estado de Mazarine Pingeot, la hija extramatrimonial de François Mitterrand.

Lamentablemente, los prejuicios –muchas veces fundados– respecto de las intromisiones en la intimidad, han dejado en manos de una prensa de corte sensacionalista la función de recordar que la vida privada de los políticos tiene relación con su actuación pública.

En Estados Unidos le correspondió a una revista de chismes como *National Enquirer* revelarle al mundo que Dick Morris, consejero de Bill Clinton para su reelección en 1996, llevaba una doble vida. Considerado por la prensa seria como el todopoderoso estratega en comunicación del Presidente, la publicación de sus fotos con una prostituta de doscientos dólares puso al descubierto que su concepción de los valores familiares no tenía demasiado en común con los que abogaba Clinton en sus discursos.

Salvando las distancias, las fotografías del ex juez Francisco Trovato en *tenue* de yatchman posando para la revista *Caras* desencadenó una investigación que acabó con el ex magistrado tras los barrotes.

Una vida privada desenfrenada y un discurso público tan anacrónico como el de Torquemada forman parte –junto con los desempleados, la injusticia social, las acusaciones de corrupción e impunidad– del legado que le deja Carlos Menem a su país. Durante esta década la estupefacta opinión pública ha asistido, tan ávida como impertérrita, a la exhibición mediática de las miserias y oropeles de sus principales funcionarios, acostumbrando al ciudadano a que delito y poder suenen uno como la contracara del otro.

Paradigma de la confusión entre lo público y lo privado, de Carlos Menem muchos recordarán el infantil disgusto del Presidente cuando descubrió que la célebre Ferrari Testarossa que le había sido regalada ("es mía mía, mía") no le pertenecía sino que era propiedad del Estado argentino. Una óptica que lo ha convencido de que la residencia de Olivos realmente le pertenece, al igual que la que le correspondió en La Rioja en sus épocas de gobernador, donde su dormitorio aún se mantiene intacto, sin que el actual mandatario pueda hacer uso de su cama.

Solidario con Clinton en esa mala pasada que le jugó su voracidad sexual, la actitud de Menem con los poderosos se contrapuso siempre con el "orden moral" que intentó imponer a los suyos. Ejemplo de la beatería oficial imperante en estos años han sido las posiciones oficiales argentinas en los congresos internacionales respecto de la maternidad responsable que equipararon al país a Nicaragua y a los países islámicos más duros.

En su desesperación por complacer al Papa, Menem –que hasta el día de hoy no ha reconocido al hijo extramatrimonial que tuvo con la diputada peronista Marta Meza, y al que sin embargo recibe en Olivos– imaginó la defensa de unos vaguísimos derechos del niño por nacer.

Trampas de la memoria, fue su ex mujer, Zulema Yoma, quien salió a recordarle que él mismo la había acompañado a hacerse un aborto.

Valgan estas líneas para comprender el interés que pueden despertarle a un investigador los sórdidos entretelones de quien durante una década dirigiera con impulsos absolutistas a la República Argentina.

SYLVINA WALGER

LA MUERTE DEL HIJO

Todo sucederá.
Podrá la muerte cubrirme con su fúnebre crespón.
Pero jamás podrá apagarse en mí
la llama de tu amor.
No son los muertos los que en la dulce calma
la paz disfrutan de la tumba fría,
muertos son los que tienen muerta el alma
y viven todavía.

Fragmento de un poema de GUSTAVO ADOLFO BÉCQUER
escrito sobre una fotografía ajada de Carlos Menem junior,
en la cocina de la casa de su madre.

Carlos Menem quiere estar solo. Tiene los ojos enrojecidos. Le pide a Ramón Hernández, su secretario privado, que lo acompañe hasta la residencia. Necesita salir del tumulto. Los abrazos y los saludos de condolencias lo ahogan. Siente que la tierra se abre bajo sus pies. Cientos de manos lo tocan. Mientras, en la sala contigua permanece desde hace varias horas el féretro cubierto por un manto negro con la media luna y la estrella islámica. El olor de las flores lo marea. Los alcahuetes de siempre lo abrazan y lo besan. Eufóricos, le cuentan que afuera hay miles de pobres que hacen cola para entrar. En el aturdimiento puede distinguir a sus adversarios políticos y a sus amigos. Los grandes empresarios. Los personajes de la farándula.

Graciela Fernández Meijide, Octavio "Pilo" Bordón y Chacho Álvarez se apretujan junto a Santiago Soldati, Amalita Fortabat, Jorge Antonio, Francisco Macri, Andrea del Boca, Ramón "Palito" Ortega, Graciela Borges y Susana Giménez.

Todos lloran y se disputan un lugar a su lado.

Él sólo quiere estar lejos. Piensa un segundo y mira la puerta cerrada de la sala que alberga sus desdichas. Hombres y mujeres de distintas edades, algunos con sus hijos en brazos, giran alrededor del ataúd en medio de la capilla ardiente atiborrada de flores. Se detienen un momento, besan el cajón con los dedos, se persignan y se alejan con la cabeza baja. Puede sentir el susurro de sus voces ásperas.

Esa noche, la más larga de su vida, toma conciencia de que ese lu-

9

joso féretro de cedro, con seis manijas doradas, guarda los restos destrozados de su hijo.

Es la medianoche del 15 de marzo de 1995.

Carlos Menem, tambaleante y ayudado por su secretario, camina los pocos metros que lo separan de la casa principal. El jardín está envuelto en una media luz aterradora. Todo allí es aterrador. Las sombras de los árboles se recortan contra el cielo plomizo. Las aguas de la piscina reflejan figuras y oscuros presagios. Sube las escalinatas blancas del chalet en penumbras y se dirige hacia el Salón Blanco. El mismo living que sirve de escenario a las tertulias nocturnas con adulones, amigos y algún empresario que pide favores. Le dice a Ramón que no encienda las luces. Desde allí escucha los gemidos de Zulema, que bajan desde su dormitorio.

—Menos mal que está dopada —dice casi en un murmullo.

Zulema en su dormitorio. "Qué absurdo", piensa al pasar. Hace un gesto con la cabeza tratando de evitar que su mirada siga las escaleras que conducen hacia la habitación del primer piso.

Busca su sillón de siempre. No siente sus piernas ni sus manos. Tiene la sensación de flotar en el espacio de otro tiempo. Toma el celular y disca un número de teléfono. "Apagado o fuera del área de cobertura", le dice una voz femenina del otro lado. Insiste, pero del otro lado siempre aparece la misma voz. Y Carlos Menem se niega a aceptar esa realidad, cruel como el espanto. Él, que lo tenía todo. El dueño del poder y la gloria. Él, que llegó de la nada. El hombre "predestinado a triunfar", como decía doña Mohibe, su madre.

—Ramón, llamálo al Carlitos. Buscálo, que debe andar por ahí. El movicom no contesta, pero seguro que anda por ahí...

—Jefe, tranquilo. Por favor... Carlitos está muerto.

—No, Ramón, no puede hablar, no escucha el teléfono. Traélo a Carlitos, Ramón... Traélo, por favor.

El secretario lo observa con preocupación.

Todo parece derrumbarse en esa habitación en la que la noche anterior reían y comían pizza con champán. Sus pensamientos pasaban de una cosa a la otra a la velocidad de la luz. Había logrado lo único que ambicionaba: la reforma de la Constitución y la posibilidad de ser reelecto. Era el candidato del peronismo y su intuición le decía que iba a ganar otra vez. Había conseguido lo que muchos creían un imposible. Como siempre, el mundo de la política se rendía a sus pies.

Apenas veinticuatro horas antes, en ese mismo lugar, la vida le sonreía y él se sentía invulnerable.

Se queda varios segundos en silencio, hasta que un gemido asciende despacio desde sus entrañas. Su cuerpo se sacude en espasmos y sollozos. Se tapa el rostro con las dos manos y llora como nunca en la habitación a oscuras. Su secretario, en un gesto protector, le pasa las manos sobre los hombros.

–No quiero vivir, Ramón. No quiero vivir después de esto. Traéme la pistola, que me pego un tiro... ¡Yo tengo la culpa de todo!

El parte médico era inapelable: Carlos Menem junior había muerto a las tres y diez de la tarde del 15 de marzo de 1995. Tenía veintiséis años y hacía muy poco que había reanudado con su padre una relación enturbiada por las peleas familiares.

Paradójicamente, el día anterior Carlos Menem se había realizado un chequeo en el Instituto Cardiovascular de Buenos Aires, a un año y medio de una operación en la arteria carótida.

–Todo salió bárbaro. Estoy diez puntos –dijo a los periodistas que lo esperaban en la puerta.

Se sentía en su mejor momento y nada le importaba más que el poder que iba a conservar después de las próximas elecciones presidenciales de mayo. El Pacto de Olivos había permitido sellar un acuerdo con Raúl Alfonsín y reformar la cláusula de la Constitución que impedía su reelección. Aquella mañana primaveral del 4 de noviembre de 1993 brillaba en su vida como una moneda de oro: en el pico más alto de su popularidad, con tres elecciones ganadas al hilo, era el dueño de haber despojado al radicalismo de su dominio sobre la Capital Federal y el plan económico caminaba sobre ruedas. En la casa del ex canciller radical Dante Caputo, a dos cuadras de la residencia presidencial de Olivos, Carlos Menem y Raúl Alfonsín habían pateado el tablero de la política argentina.

La sorpresa también había alcanzado a su hermano, Eduardo Menem, y al secretario general de la presidencia, Eduardo Bauzá. El plan perfecto. De un zarpazo había dejado fuera de carrera a Eduardo Duhalde, que se enteró de la novedad del convenio recién cuando llegó a jugar tenis a Olivos, sonriente, vestido de short, zapatillas y con la raqueta en la mano. Nunca disfrutó tanto del éxito de una estrategia como cuando vio el rostro desencajado de su antiguo compañero de fórmula.

–Eduardo, ¿qué hacés vestido así? Vamos, apuráte que Alfonsín nos espera...

Carlos Menem despreciaba a Eduardo Duhalde y, por sobre todas las cosas, le tenía desconfianza. Presentía que detrás de aquella mirada esquiva y aquellos silencios se escondía la semilla de la traición. Conocía la intimidad de las conversaciones en la quinta de San Vicente. Las burlas y los celos del entorno duhaldista. Los apodos despectivos que usaban para referirse a sus orígenes árabes. La ambición de ocupar su lugar. Íntimamente estaba convencido de que tenía que sacarlo a Duhalde del medio. Y en eso estaba.

"El poder no se comparte", repetía hasta el cansancio.

Él era el único dueño de ese poder.

Un día después, el mazazo. Las piruetas del destino. Los informes que le pasaron eran fríos, escuetos: a las 11.45 de la mañana, con cielo semidespejado, viento escaso, veinticinco grados de temperatura, pronóstico de lluvias débiles hacia la noche, el helicóptero rojo y blanco Bell Jet Ranger III, matrícula LV-WFZ, serie 4263 (última generación, mil quinientos kilos, ciento noventa kilómetros por hora) que piloteaba Carlos Menem junior, enredó su hélice trasera en un cable de mediana tensión y se clavó de punta en un maizal, en el Km. 211 de la Ruta Nacional 9, camino a Ramallo. Silvio Oltra, el copiloto, murió instantáneamente. Carlitos llegó al hospital San Felipe de San Nicolás una hora después, con el cráneo aplastado, derrame cerebral, fracturas múltiples, politraumatismos y graves heridas internas. La gente del lugar lo reconoció por el buzo antiflama, en cuya pechera llevaba grabado su nombre.

Carlos Menem tiene los ojos hinchados. No puede sacarse la imagen de Carlitos con la cabeza aplastada como una torta. Irreconocible. A lo largo de esa noche infinita, varias imágenes explotan en su mente atormentada. El sonido del respirador artificial. Las manos que lo desconectan. El gesto impotente de su médico, Alejandro Tfeli, que le anuncia la muerte. Las paredes frías del quirófano del hospital de San Nicolás. El llanto de Zulemita. Sus manos apretando las de su hijo, todavía tibias. Y la vida que se escapaba.

Vertiginosamente. A los saltos.

Zulema, en el pasillo, doblada en dos por el dolor. Sostenida por su hermano Emir y su hija, se resiste a aceptar lo que está sucediendo.

Su propia voz entre tinieblas. Titubeante. Y aquella pregunta impensable:

—Zulema, ¿querés verlo? Carlitos acaba de morir...

—No voy a entrar, Menem. No voy a entrar a ver a mi hijo tirado como un perro en una camilla. No es justo que lo tenga que ver en una lápida... ¡No quiero! —le contestó ella desesperada, con el rostro bañado en lágrimas.

Carlos Menem recuerda el interminable viaje en helicóptero desde casa de gobierno. Esa mañana se encontraba reunido con Gustavo Beliz, Claudia Bello, Jorge Argüello y otros integrantes de la lista verde del PJ, que había obtenido la minoría en las elecciones internas en la Capital Federal. Los músculos de su cara se endurecieron al oír la noticia. Los pies no le alcanzaron para llegar hasta la máquina, mientras Hugo Anzorreguy –jefe de la Secretaría de Inteligencia del Estado (SIDE)–, Ramón Hernández y Alejandro Tfeli hacían esfuerzos por disimular el pánico. Sus intentos de abrir la puerta de la nave en pleno vuelo y lanzarse al vacío. Sus manos tironeando las manijas y las fantasías de morir junto a su hijo. El abrazo oportuno de su secretario privado. El miedo. Aquel aterrizaje en medio del diluvio en el campito de la Virgen del Rosario.

Ahora él está ahí, tirado en la penumbra del living de todos los días. Sumergido en sus pesadillas. Las llamas del infierno le queman las entrañas. Las mismas que Zulema le vaticinó durante años. El castigo de Dios.

Y aquel interrogante vacío.

–Zulema, ¿cómo querés que lo enterremos? –preguntó con un hilo de voz a su ex mujer.

–Te pido por favor que lo hagan por el rito musulmán. Mi hijo era musulmán y quiero que respeten sus creencias… Menem, te pido por lo que más quieras que respeten la religión de mi hijo.

El ataúd con el cadáver de Carlos Saúl Menem fue trasladado en una ambulancia directamente desde San Nicolás hasta el edificio del Centro Islámico. El urólogo Alejandro Tfeli (en realidad T'faili) acompañó el cuerpo desde que le quitaron el respirador artificial hasta su colocación en el cajón. Era la tarde del 15 de marzo de 1995 cuando el cortejo fúnebre estacionó en la avenida San Juan 3053 y descendieron el féretro en medio de una nube de fotógrafos, curiosos y custodios.

En la sala principal del subsuelo se acomodaron los integrantes de la familia Yoma, Tfeli, Same El Kadre y sus hombres del Centro Islámico y un religioso convocado para la ceremonia. El aire de la habitación en penumbras era oprimente, dominado por un penetrante olor a muerte. Las miradas enrojecidas resbalaban sobre el cajón, en el medio del cuarto despojado.

–No se puede abrir. El cadáver está destruido –advirtió Tfeli, en árabe.

Los integrantes del Centro recibieron indicaciones en voz baja del médico presidencial y, obedientes, cubrieron el féretro con un manto negro en el que se destacaban los símbolos religiosos. Amira Yoma, compungida, abrazó a su novio, el periodista Jorge "Chacho" Marchetti. Últimamente, la suerte no parecía estar de parte de la pareja, que ya había debido posponer en dos oportunidades el enlace. Y ahora otra vez. Mientras hablaba por el celular con una amiga, la hermana menor de los Yoma se lamentaba llorosa:

—¡Qué desastre! Pensar que toda la prensa estaba pendiente de mi casamiento. Era la fiesta del año y ahora la tengo que suspender…

Emir Yoma, con los ojos hinchados, se acomodó junto a su hermana Delia y su sobrino Yalal Nachrach. Observaban impávidos el escenario inmóvil, helados por la tragedia. Según la religión musulmana, cuando alguien se muere, su cadáver debe ser lavado cuidadosamente con agua por un religioso. Mientras esta operación se realiza, el hombre pronuncia una *azala* u oración para que el alma del difunto se prepare para llegar a Dios. El paso posterior consiste en envolver siete veces al muerto con un *cafan* o tela, dejando libre la cabeza. Al muerto se lo deposita directamente en el piso de cemento de la fosa, apoyado sobre el costado derecho de su cuerpo. El sepulcro se cierra con una plancha pesada de cemento. Y nada más. En el caso de Carlitos esta ceremonia no se pudo realizar por el estado de destrucción del cadáver y porque –según explican los entendidos– la religión musulmana prohíbe expresamente tocar el cuerpo de quien ha sido muerto con violencia.

Veinte minutos duró el funeral en el frío subsuelo de la avenida San Juan. En la quinta de Olivos, el personal doméstico y de seguridad despejaba la sala de la Jefatura para realizar allí la capilla ardiente oficial. Los cables de los informativos decían que a partir de las ocho de la noche la gente podía pasar a dejar sus condolencias en la residencia presidencial, donde se iba a exponer el féretro con el cadáver.

Alabado sea Alá, Señor del Universo,
el Compasivo, el Misericordioso,
Dueño del día del Juicio,
A ti solo servimos y a Ti solo imploramos ayuda,
Dirígenos por la vía recta
la vía de los que tú has agraciado,
no de los que han incurrido en la ira,
ni de los extraviados.

Las palabras del imán retumbaron contra las paredes blancas de la sala. Era la oración de despedida de Carlos Saúl Menem, hijo.

Emir Yoma cerró los ojos. Pensó en Zulema y un líquido amargo le inundó la boca. Pensó en Lucho, el mejor amigo de su sobrino. Recordó que lo había llamado desde San Nicolás para pedirle que entrara cuanto antes al departamento de Carlitos y retirara el contenido de la caja fuerte que estaba al lado de la cama. "Sacá todo sin que se entere Zulema y avísame", le dijo al joven, minutos después de que Carlitos dejara de respirar.

"¿Habrá sacado todo?", se preguntó.

Abrió los ojos y se vio envuelto por la cerrazón de la sala. El cajón cerrado, el aire denso. Ayudó a meter el féretro en la ambulancia. Salió a la calle y miró el cielo cargado de nubes. Los curiosos se apretujaban, la morbosidad en sus miradas.

Supo en ese instante que ellos –los Yoma y los Menem– nunca más volverían a ser los mismos.

Carlos Menem mira el vaso de agua en sus manos. Alejandro Tfeli le mete en la boca un Rohipnol, el hipnótico que toma todas las noches. Necesita dormir. La casa sigue a oscuras y el silencio se quiebra por los gemidos de Zulema, que duerme en su cama, abrazada a su hija. Antes que el sopor atenúe sus sentidos, se levanta y sube las escaleras alfombradas. Necesita cerrar los ojos y soñar que está lejos de allí y que nunca va a despertar, que todo sigue igual que antes. Desde lejos le llegan los murmullos de la muchedumbre que hace cola para tocar el cajón envuelto en la bandera negra. Es de madrugada y sus hombres hacen guardia. Temerosos, intrigantes, toman champán Chandon y comen bocaditos. Imaginan estrategias absurdas o posibles. Desde el chalet a oscuras puede adivinar sus conversaciones sin temor a equivocarse.

–¿Cómo vamos a hacer para sacarlo a Carlos de esto? Tiene que salir a hacer campaña… –se preocupa el sindicalista Jorge Triaca.

–No sé cómo lo vamos a sacar, pero aunque sea en silla de ruedas va a tener que salir. Yo estoy juntando a los muchachos para que mañana, cuando pase la caravana para el cementerio, estén a los costados del camino con banderas. Ya vas a ver cuando este hijo de puta vea los carteles que dicen "Carlitos, mártir del peronismo". Hay que aprovechar esta desgracia. El pibe está muerto y nosotros estamos vivos. Dejémonos de joder. Como sea, hay que ganar las elecciones –responde con su vozarrón el sindicalista Luis Barrionuevo.

Todos asienten con la cabeza. El aire de la madrugada trae extraños olores del jardín.

–Ya saben cómo es Carlos, a la larga siempre sale –dice Miguel Ángel Vicco, ex secretario privado de Menem, por esos días sobreseído del escándalo de la leche podrida–. Pero esto es más jodido. Es el hijo, che… Lo peor de todo va a venir cuando Zulema reaccione. A mí me parece que acá se va armar un quilombo…

Emir Yoma, virtual ministro sin cartera y asiduo involucrado en las tortuosidades de la familia, guarda silencio. Un mozo, con los ojos llorosos, interrumpe la charla con una bandeja. Hay copas de champán y otras de vino.

–Quilombos hubo siempre. Ya van a ver cómo se pone mañana cuando vaya al cementerio y vea los carteles. Y bueno, a lo mejor la muerte del pibe sirve… Hay que esperar que pasen unos días. Cuando Carlos salga a la calle y la gente lo vea, se va a compadecer y lo va a votar –remató Barrionuevo, el hombre que se hiciera famoso con la frase "Hay que dejar de robar por dos años" y que un año antes protagonizara junto a Enrique "Coti" Nosiglia, el Pacto de Olivos, la movida política más importante de los últimos años.

La luz del amanecer se filtra por los grandes ventanales de la residencia. Las ánimas que se apoderaron de su alma y de su cuerpo se resisten a abandonarlo. Las puede ver y siente pánico. Todavía cree que en cualquier momento sonará el teléfono y será su hijo. Que es mentira que está muerto.

Carlos Menem se levanta, toma la pastilla para la diabetes que le alcanza Tfeli y se mira en el espejo del dormitorio. El cristal le devuelve, detrás de él, la imagen desdibujada por las sombras de su ex mujer y su hija, que duermen abrazadas en su cama.

Mira sus manos manchadas por la vejez, en la izquierda, el anillo con la piedra negra que le dio su madre antes de morir, y que él nunca se quitó. La piedra sagrada con poderes mágicos que perteneció a su tío, un hombre importante de Damasco. Un Akil, la rama aristocrática de la familia. Mientras su secretario privado lo viste, revuelve sus recuerdos y sus culpas. Mira las manos morenas de Ramón, que le calza las medias de hilo de seda. Más allá, los zapatos negros lustrosos.

Veintiún años antes, otra muerte lo introdujo en la misma casa donde hoy él es abrumado por la pena. Su figura era joven, el pelo, oscuro tupido, y un poncho rojo y negro cubría su espalda. Estaba en la flor de su vida y de sus ambiciones: era gobernador de La Rioja. El más joven de todos. El heredero de los caudillos.

La noche del 1° de julio de 1974 llovía interminablemente sobre un

Buenos Aires extraño. Una Argentina incomprensible, insensata, lloraba desconsolada en las calles teñidas por la violencia.

"Ahora se terminó todo", les había dicho a su asesor Enrique Kaplan y a Hugo Mott, gobernador de Catamarca, que lo acompañaban, mientras sus ojos se clavaban sobre aquel cuerpo helado. En el ataúd, envuelto en el uniforme militar que no había podido vestir en dieciocho años y bordeado por la mortaja de seda y puntillas, reposaba el cadáver de Juan Domingo Perón.

Menem recuerda con nitidez las manos rígidas cruzadas sobre el pecho cubierto con la banda presidencial. Manos manchadas por el paso inexorable del tiempo, como las suyas ahora. La impiedad de la muerte. El llanto acongojado de los mucamos. La desesperación del séquito presidencial. Isabelita, ojerosa y de estricto luto, y el Brujo López Rega. El eterno vacío del mismo chalet donde él maldice ahora la muerte de su hijo y mira sus propias manos. También envejecidas. Manchadas.

—Ahora se terminó todo —repite su voz desde el fondo de los años. Otra vez.

Titubeante, baja por las escaleras, atraviesa el jardín húmedo de rocío y avanza hacia el corazón de sus despojos: la sala de la Jefatura donde espera el ataúd con el cuerpo de su hijo. Afuera no hay nadie. Los pocos que quedaban fueron desalojados por la custodia. Un suspiro helado baja del cielo y se le pega en la garganta. Tirita de espanto dentro del traje oscuro.

Sus hombres —Alejandro Tfeli y Ramón Hernández— no se despegan de su lado. Cierran las puertas de la sala y él permanece a solas frente al cajón abierto.

Mira la cara de su hijo muerto y él también quiere morir. Llora mientras coloca entre las manos heladas del cadáver, apenas envuelto en una sábana blanca, una medallita de oro que lleva escrito "Dios" en árabe. Hace la señal de la cruz varias veces sobre la frente de su primogénito, y se la besa con desesperación.

Antes que el sol aparezca, pide a sus hombres que lo lleven a saludar a la familia del corredor de autos Silvio Oltra, el compañero de Carlitos que murió instantáneamente. Abraza a los padres y les ofrece ayuda para pagar los costos del entierro.

Vuelve raudamente a la quinta y se prepara para el final.

A media mañana, y tal cual lo planificaron sus hombres, la caravana fúnebre que traslada los restos de Carlitos Menem junior se desvía de la ruta original hacia el cementerio islámico de San Justo, para recorrer los barrios de San Martín, controlados políticamente por Luis Barrionuevo y su mujer, Graciela Caamaño. Al costado del camino, hombres, mujeres y muchachones –"el pobrerío", en la jerga menemista– movilizados por el dirigente de los gastronómicos, agitan cartelones con consignas, vivan a Carlos Menem y tiran flores al cortejo.

Desde el auto que acompaña a su hijo hasta la última morada, los vidrios bajos dejan ver una mano con los dedos en V que se mueven lentamente. A su lado, su hermano Eduardo y su cuñado Emir observan inmutables el paisaje descolorido. El resurgir de las cenizas de la tragedia más atroz, anunciado por los íntimos la noche anterior, comienza a cumplirse religiosamente. Como toda la vida.

Mientras el coche negro desanda el camino, en el dormitorio del primer piso de la residencia de Olivos, Zulema Yoma ruega por el regreso de su hijo. La acompañan su hija Zulemita y los amigos de Carlitos. Con los rostros demudados, Valeria, Hugo Santacrocce, Jorgito González, César Perla y Charlie Burguin, escuchan por primera vez la frase:

–Me lo mataron. A mi hijo me lo mataron. No me digan cuando se lo lleven… no me quiero enterar…

No muy lejos de allí, Carlos Menem agarra la manija del féretro y camina hacia la fosa por el camino de tierra, pedregoso y húmedo. Las piernas le tiemblan y el barrio pobre se le incrusta en los ojos a través del agua de sus lágrimas.

–Mirá dónde te tengo que dejar… no quiero –dice, perdido, mientras el ataúd "más caro de la Argentina" desaparece en el fondo del nicho de cemento de la familia Yoma. Se tapa la cara y llora en el hombro de su amigo de toda la vida, Bernabé Arnaudo.

Camina despacio hacia el helicóptero que lo lleva de regreso a Olivos. En la mitad de la escalera, gira el cuerpo, levanta el brazo derecho y saluda al enjambre de gente que se agolpa a lo lejos. Hace la V de la victoria.

Era la mañana del 16 de marzo y la campaña electoral por la reelección estaba en su apogeo.

Residencia de Olivos. La galería de entrada a la casa está iluminada. El reloj marca las 22 del viernes 17 de marzo de 1995. Amigos de toda la vida y familiares conversan en voz baja. Casi un murmullo. Un teléfono suena a lo lejos. Emir Yoma, jefe del clan familiar y tío preferido de Carlos Menem junior; su hermana Amira –jumper a cuadros, botas marrones y cara lavada, sin lentes de contacto– entra y sale como un torbellino; el inefable Armando Gostanian, recostado en una de

18

las columnas. Esa noche no hay espacio para la vulgaridad y los chistes estúpidos.

A un costado, Miguel Ángel Vicco conversa con el empresario Franco Macri. Adentro, el secretario general Eduardo Bauzá y el ministro Carlos Corach discuten en un susurro problemas de Estado. Movicom en mano, monitorean la marcha del gobierno y le informan a Carlos Menem cuando la situación les parece propicia. Ramón Hernández sólo está atento a los gestos de su jefe. Tfeli no le pierde pisada. Va y viene por la casa con un enorme portafolios negro cargado de medicamentos.

Todo huele a ausencia definitiva. Soy una intrusa en el lugar al que se me permitió ingresar con la única condición de no llevar grabador ni cámara de fotos.

Zulemita sale apresurada. Pasa a mi lado como un vendaval. Tiene el rostro empapado y con una mano se tapa la boca. Corre por el jardín a oscuras y entra a la pequeña capilla ubicada a pocos metros de la residencia. Carlos Menem va tras ella con el rostro desencajado. Sigo sus pasos con curiosidad y temor. Ellos están abrazados en una tristeza infinita. Carlos Menem eleva una plegaria y su hija lo acompaña, quebrada por los sollozos. Entrelaza sus dedos con los de su padre. Lo besa varias veces en la mejilla húmeda, en los labios.

–Papi, ¿qué vamos a hacer sin el "Chancho" (apodo familiar de junior)? ¿Qué vamos a hacer? ¿Por qué se murió, papi? ¿Por qué nos pasan estas cosas?

Afuera, el sonido de coches que se detienen en el estacionamiento. Amigos, alcahuetes y miembros del gabinete que se acercan a saludar a la familia. Hay pizzas picantes y suaves preparadas por los cocineros de la residencia. Vinos de la bodega familiar y gaseosas.

Adentro de la capilla, Menem llora abrazado a su hija. Los vitrales del techo dejan ver un cielo claro que recorta las figuras sobre las paredes. Como sombras.

La escalera alfombrada que conduce al dormitorio del primer piso está apenas iluminada. Delia Yoma, hermana de Zulema, "la condesa", como la apodan sus íntimos, guía mis pasos.

Hundida en la cama, pálida y ojerosa, está Zulema Yoma. Perdida adentro de un sencillo camisón de batista rosada, toda ella transmite fragilidad. En su mano izquierda estruja un rosario musulmán de cuentas negras. En la mesita de luz, un vaso con agua y el Corán. Su voz es apenas audible. Con el alma rota en mil pedazos, se niega a pensar que de ahora en más va a tener que sobrevivir a la muerte de su hijo más amado. Reseña sus miedos recurrentes. Sus vaticinios. La maldad del poder.

–Qué dolor, madrecita. Qué dolor. Que me digan cómo voy a hacer para salir de esto. ¿Qué va a ser de mi vida sin mi Chanchito? Pero Dios sabe por qué se lo llevó. Dios sabe… su destino estaba marcado. Su muerte tiene que tener un sentido…

Zulema murmura una plegaria en árabe. Hace cuarenta y ocho horas que no se levanta de la cama. Con la cabeza sobre la almohada de hilo blanco, cierra los ojos y pide por Alá. Musulmana hasta la médula, se aferra a la religión que heredó de sus padres. De su tierra.

–¿Sabés, madre, qué fue lo último que me dijo mi hijo? "Mamá, tenés que hacer algo", me dijo. "Vos sabés, Carlitos, la política es muy sucia. La política y el poder no tienen nada que ver conmigo. Sólo nos trajeron desgracias", le contesté. "Ayudálo al viejo y hacé algo por los pobres, mamá. Hacé algo, te necesitan. Al viejo lo alejan de la gente. Lo traicionan." Y después se fue. Esa fue la última vez que lo vi.

Zulema cae nuevamente en un espeso sopor y de sus labios resecos brotan extrañas palabras. Incomprensibles. Habla todo el tiempo de Alá y aprieta mis manos. La poca luz de la habitación deja ver infinidad de retratos familiares sobre una cómoda. Algunos recientes, la mayoría amarillentos, una imagen de la Virgen de Luján. Huellas de tiempos lejanos, cuando la muerte era apenas una posibilidad remota. Desde un rincón observan la escena su sobrino Yalal Nachrach, "el hezbollah", como lo llaman por su aspecto físico, y su madre Delia, ex esposa de un militar sirio. Minutos después ingresan con el rostro pálido Eduardo Menem, el "hermano", y su mujer, Susana Valente. Antiguos enemigos de Zulema, cuando se acercan a la cama parecen haber hecho a un lado las intrigas y los odios que los enfrentaron.

Estamos en el dormitorio de Carlos Menem.

–¿Cómo está Zulema? –me pregunta Menem con preocupación apenas desciendo las escaleras. No sé qué decir. Hace un gesto de resignación con la cabeza y se aleja por el pasillo. Tiene los ojos envejecidos y se advierte su esfuerzo por disimular el dolor. Está encorvado y camina con dificultad. Parece un pájaro quebrado por una tempestad divina. Se aleja por el pasillo, abre una puerta y se dirige lentamente a su sillón predilecto, el que todos tienen prohibido ocupar: el sillón del Jefe. En el living donde compartía amigables tertulias con sus amigos frente al televisor y en el mismo lugar donde estuvo haciéndose bromas con su hijo la noche anterior a la tragedia.

Hoy nada parece igual. Los habitués que hablan de cuestiones in-

20

trascendentes y frívolas. El empresario periodístico Constancio Vigil, el "ruso" Gerardo Sofovich, Mario Falak y su amigo íntimo, Marito Valladares Lastra, el "gordo" Armando Gostanian, Marcelo "Teto" Medina, el futbolista Navarro Montoya, el cineasta Víctor Bó, el procesado empresario Carlos Spadone, Alejandro Granados, dueño de la parrilla de Ezeiza "El Mangrullo" que vio nacer al menemismo, y marido de la candidata a diputada por la provincia de Buenos Aires, Dulce Visconti de Granados, una atractiva mujer sobre la que se rumorea que una excesiva intimidad con el "Jefe" habría facilitado su inclusión en la lista del duhaldismo. A Menem todo le parece lejano. La pantalla encendida del televisor transmite un partido de fútbol. Él festeja como un autómata el triunfo de River, su equipo.

Me siento en el escalón alfombrado. El entorno me observa fijamente, con agresividad. Se escucha a Franco Macri criticar despectivamente a Domingo Cavallo. Carlos Menem oye las risas y las bromas que antaño lo divertían. Hoy todo le da lo mismo. Tiene el control remoto en las manos y cambia de canal. Una y otra vez. Todos miran el zapping presidencial. Él entrecierra los ojos. Parece dormir, pero sigue jugando con el control remoto. La escena es surrealista.

–Yo tengo la culpa de todo. Es mi culpa –dice en voz muy baja.

Los alcahuetes estiran el cuello y se desesperan por captar sus palabras.

–Yo lo hice así, a mi imagen y semejanza. Cuando tenía seis años le regalé un karting y a los trece lo dejé manejar. Nunca le puse límites para nada. A Carlitos siempre le gustó caminar al borde del abismo… como a mí.

–Presidente, creo que sentir culpa no lo va ayudar a superar esta tragedia… –digo sin pensar.

Sé que lo peor para mí es contradecir al hombre al que en ese círculo lo tratan como a un emperador.

–Solamente nos va a salvar la fe –responde Carlos Menem, y vuelve a sus pensamientos mientras pasa su mano por la frente. Está recostado en su sillón preferido, de pana natural. El televisor sigue lanzando imágenes sordas e inútiles.

–Es terrible la vida y el precio que hay que pagar por la felicidad. Me dio todo y un día me quitó lo que más quería. Cómo serán las cosas que aquella mañana antes de que se fuera tuve un presentimiento y le dije: "Carlitos, ¿para qué van en helicóptero? Vayan en auto". "Papá, no te preocupes, que no va a pasar nada", me contestó con un abrazo. Y se fue contento. Parece que estaba escrito que tenía que ser así. Cosas del destino…

Se le quiebra la voz y aprieta compulsivamente el control remoto. Piensa en Zulema otra vez. Teme por ella. Pero es consciente de que más teme por él mismo.

José María Cabrera tiene treinta y cinco años y es sacerdote de la orden de los dominicos. Conoce a Zulema desde que sus hijos eran niños, cuando Carlos Menem era gobernador de La Rioja. Sabe de primera mano de las desdichas eternas del matrimonio. Y aunque Zulema es musulmana practicante, su presencia la ayuda a sobrellevar el trance, de manera que la acompaña día y noche. No la deja sola un instante.

"Él me da mucha paz y conoce como nadie todos mis padecimientos… los que todos saben", confiesa ella con la voz cansada y la mirada perdida. Al mismo tiempo explica que los tranquilizantes le bajan la presión. Estamos en el comedor de la residencia. En la mesa enorme hay tortas de chocolate y dulce de leche y masas finas. Los mozos sirven café. Están Zulemita y sus amigas. Entran y salen la modista Elsa Serrano, Elenita Forer, una antigua vecina, Graciela Graziozi, la diseñadora de bijouterie, la mujer del coiffeur Miguel Romano. Zulema toma del brazo al sacerdote y le pide que la acompañe a caminar.

–Necesito tomar aire. Necesito hablar. Siento que el corazón me va a explotar.

Los dos se alejan por el jardín iluminado por el sol de la media tarde.

Con su atuendo blanco y su paso silencioso, Cabrera se ha vuelto una presencia necesaria en Olivos por esos días. Tranquiliza a Zulema y es depositario fiel de sus angustias. Un fantasma como este otro en el que me ha convertido la trágica muerte de Carlitos Menem junior. Aquellos absurdos días de marzo de 1995 fui una testigo, una periodista que anduvo en puntas de pie entre esas sombras, registrando con la mirada y la memoria cada pedazo de historia, cada detalle revelado, cada instante significativo, para luego volcarlos en un anotador arrugado sobre el mármol de Carrara del toilette.

Carlos Menem la sostiene con los brazos. Ella camina con dificultad. El sol de la mañana del sábado 18 de marzo les golpea en la cara. Hace calor y un viento caliente se cuela por los poros. Más atrás, agarrada del brazo de su tío Emir, los sigue Zulemita. Carlos Menem está vestido de sport y Zulema lleva pantalón blanco y una camisa de broderie del mismo color. Están presentes amigos, funcionarios y familiares. Todos caminan en silencio hacia la pequeña capilla de la residencia donde, finalmente, a las diez y media comenzará la misa de homenaje a cargo del sacerdote de la diócesis de San Isidro, Marcelo Mascitelli. Durante el corto trayecto, Menem no dejará de abrazar a la madre de su hijo. Ella buscará su mirada constantemente. Pero es sólo un momento. Un instante fugaz en un espacio donde nada es lo que parece ser y donde las pasiones se llevan a límites impredecibles. Cinco años después de que fuera violentamente expulsada mediante un decreto presidencial, Zulema Yoma está de regreso en la quinta de Olivos. Paradojas de la vida. El tiempo que va y viene. El amor y el odio.

El cielo y el infierno.

–Es difícil entender la muerte de los que amamos. Yo sé, señora, de su sufrimiento. Sé que usted quisiera estar hoy en el lugar de su hijo. Pero recemos por el perdón de sus pecados y pidamos que el Señor lo tenga en la gloria. Recemos para que algún día usted pueda encontrarse con él en el cielo.

El sacerdote, delgado y enjuto, habla mirando fijamente a los ojos de Carlos Menem y de su ex mujer. A un costado del altar, Zulemita se dobla en dos, con la cara entre las manos, y llora desconsolada. Su tío Emir trata de sostenerla. Menem corre presuroso en busca de su hija y la trae a su lado. Abrazados, entrelazan sus manos con las de Zulema. La ceremonia continúa. Atrás, el gabinete menemista en pleno asiste con cara de preocupación. La marcha de la campaña electoral no está ausente de las conversaciones en voz baja. En realidad, es el tema excluyente.

"Ojo, hay que hablar lejos de Zulema", advierten los operadores políticos, con las encuestas que miden la reacción de la gente ante la tragedia debajo del brazo. "La popularidad de Carlos creció. La gente le tiene lástima y lo va a votar. Una desgracia con suerte", murmuran intrigantes en el fondo de la capilla. Allí están Carlos Corach y Alberto Kohan aventando los miedos electorales. Ganar de cualquier manera es la idea.

De pronto, desde lo alto, el sonido de un helicóptero corta la quietud de la mañana. Zulema Yoma eleva sus ojos al cielo, los cierra inmediatamente y un sollozo la sacude. Todos los recuerdos se desencadenan en un segundo. Y todos los helicópteros, por un momento, son aquel helicóptero fatal de Ramallo.

Camino a la casa, el jefe de custodia presidencial, el comisario Guillermo Armentano, se acerca a Zulema y le dice que una persona la quiere saludar. El hombre en cuestión, un morocho de contextura delgada, con el rostro blanco como el papel, se encuentra apartado de la comitiva, observando. Zulema lo mira. Él se acerca sigiloso. Titubeante. Con voz temblorosa dice:

–Señora, yo era el jefe de la custodia de Carlitos. No puedo creer lo que pasó. Yo ayudé a su hijo a subir las cosas al helicóptero, acá en Olivos. Como faltaba un bolso, él me dijo que fuera a buscarlo y que nos encontrábamos en Rosario, porque estaba apurado. Yo tendría que haber viajado con él...

–¿Y vos cómo te llamás?

–Yo soy el oficial Barcelona, de la Policía Federal.

Zulema retira rápidamente la mano. Ese hombre tenía la responsabilidad de velar por la seguridad de su hijo. Una sospecha comienza a incubarse en su corazón. Duda. Aparta la mirada de aquellos ojos que la miran vacilantes y se aleja ayudada por su ex marido y Zulemita. Segundos después, los tres desaparecen adentro de la residencia.

Tras la ceremonia, un almuerzo íntimo en el comedor. Comida árabe traída especialmente por Yalal Nachrach, hijo de Delia y compañero de salidas de Zulemita: keppes y empanaditas de carne, queso y espinaca. Después de la siesta, el ritual del té. Y con el té, monseñor Antonio Quarracino, vestido íntegramente de rojo y acompañado por su secretario personal. No resulta extraño ver a uno de los hombres más importantes de la Iglesia departiendo amigablemente con Carlos Menem. Era conocida la estrecha relación de Quarracino con el poder menemista. "Un amigo de siempre, gracias por venir en este momento tan difícil para nosotros", exclamó Carlos Menem apenas lo vio, y se refugió a llorar en su hombro, ante la mirada desconfiada de Zulema. Nadie imaginaba todavía que años más tarde, y antes de morir, monseñor Quarracino se vería envuelto en uno de los más sonados escándalos financieros: la quiebra del Banco de Crédito Provincial, que estafó a miles de ahorristas, ameritando que el mismísimo Vaticano enviara un equipo del servicio secreto a investigar.

Cerca de la tardecita, llegan juntos los obispos de Morón y San Isidro, monseñores Justo Laguna y Jorge Casaretto. Críticos furiosos del gobierno, sin embargo no dudaron en acercarse, sobre todo atendiendo a un pedido de amigos de Zulema Yoma. Fueron atendidos con respeto. Carlos Menem disimuló el fastidio que le producía su presencia y les tendió la mano y los convidó con masitas árabes de hojaldre y pistacho y tortas dietéticas enviadas por Alberto Cormillot. Cuando apareció por la puerta la figura del gran rabino Ben Hamu, se sintió aliviado. En medio de la congoja, después de que el hombre le diera el pésame, dijo:

24

–Le voy a confesar una cosa: yo soy un iluminado por Dios. –El religioso lo miró sorprendido. Él continuó–: ¿Sabe por qué? Porque yo tengo tres religiones: soy musulmán porque mis padres, mis hijos y mi mujer son musulmanes; soy judío porque mi nodriza fue una mujer judía, y yo me hubiera muerto si no me daba de mamar esa señora; y soy católico porque en ese momento mi madre le pidió ayuda a la Virgen y la Virgen se la dio, y, además, por convicción.

–Si esto me lo dice cualquiera, yo no le creo. Pero me parece que este hombre tiene las tres religiones –aceptó el gran rabino, sin salir de su asombro, mientras se encaminaba hacia la salida.

La tarde transcurre lentamente. Las anécdotas del pasado van y vienen. Zulema toma el té y come un pedazo de torta de dulce de leche, su preferida. Vuelve a decir que los tranquilizantes le bajan la presión. Recuerda a su hijo todo el tiempo. Los chistes, las bromas constantes, las pequeñas mentiras, la constante complicidad, las novias, sus rabietas, sus miedos y la permanente protección del padre, que lo consentía en todos sus caprichos. El poder y sus peligros. Las últimas palabras de su hijo le retumban en su cabeza adormecida por los somníferos que le suministra regularmente Luis De La Fuente, el influyente médico del Instituto Cardiovascular.

–Al lado del papi pasan cosas extrañas, vieja. Veo muchas cosas sucias…

A veces, una sombra pasa por sus ojos oscuros. Mira al padre Cabrera, y él entiende el mensaje. Se levantan y salen a caminar por el parque.

–Son los momentos en que siento que no voy a poder soportar tanto dolor –confiesa Zulema al regreso.

Las horas del sábado 18 de marzo de 1995 –tres días después de la muerte de su hijo– se deslizan inevitablemente. En la galería del chalet, alcahuetes, amigos y operadores conspiran imaginando el futuro cercano. Le temen a Zulema. El miedo que les produce aquella presencia femenina en Olivos se refleja en sus rostros pálidos. En cuanto ella aparece, ellos se alejan rápidamente, con la mirada baja. Y para colmo, coinciden, todavía falta lo peor.

–Zulema no vio el cadáver de su hijo y tampoco fue al cementerio –dice el médico presidencial–. Y eso en algún momento va a explotar por algún lado. Hay que estar preparados. Además, seguro que le va a echar la culpa a Carlos. Acuérdense que Carlos autorizó la compra del helicóptero y ella nunca estuvo de acuerdo.

–Mientras el quilombo pase después de las elecciones, no hay problema –acota por lo bajo el empresario hotelero y cortesano habitual Mario Falak. Y agrega la frase que algunos laderos no se animan a decir en voz alta–: A ver si Zulema se tira por la ventana… ¡Miren si se suicida…!

El imán –túnica negra cerrada hasta el cuello y turbante blanco– está sentado frente a Zulema y su hija. Son las ocho de la noche y está a punto de comenzar la ceremonia diaria de la oración por el espíritu de Carlos Menem junior. En el salón comedor del primer piso, decorado ostentosamente por el arquitecto Alberto Rossi, pegado al dormitorio de Carlos Menem, se amontonan algunos amigos, la familia Yoma en pleno y el infaltable Tfeli. Munido cada uno de su Corán, entonan a coro una plegaria en árabe de homenaje a los muertos. El ambiente está impregnado de desconsuelo. Zulemita está sentada al lado de su madre, que la abraza como si fuera una nena y le seca las lágrimas con un pañuelo. Entre los dedos de Zulema, un rosario árabe o *mahgda*.

–En estos momentos el muerto está ahogado bajo la tierra –dice el religioso–, tenemos que ayudar con nuestras plegarias para que su espíritu se libere y alcance el Paraíso junto a Dios.

Zulema cierra los ojos, desbordantes de lágrimas. Consuela a su hija, pero no puede dejar de llorar. El aire de la habitación es cada vez más irrespirable.

–De nada sirven los llantos y los lamentos –continúa el imán–, tenemos que rezar una Sura del Corán todas las veces que podamos. Hay que pedir perdón por sus pecados y que Dios se lo lleve a su lado. Su espíritu sólo quiere estar junto a Alá.

Zulema escucha tratando de ahogar el lamento que le sube por la garganta. Sabe que no hay que llorar. Que eso impide que el alma de un musulmán deje la tierra y ascienda al cielo.

Carlos Menem, rodeado por el séquito de siempre, juega con el control remoto en el living. El llanto de Zulema le taladra los oídos. Los cortesanos elevan sus lamentos cada vez que él pasa o los mira. Se le cuelgan como lloronas del campo. Gesticulan y gimen con exageración.

–Jefe, no puedo creerlo. ¡Yo lo quería tanto a Carlitos! –exclama uno, olvidando que Carlitos lo despreciaba.

–No hay derecho, tan buen pibe, tan buen hijo –apunta otro, mirando por el rabillo a Menem.

Éste hace un gesto de rechazo con las manos y expresa su hartazgo:

–Que la terminen, no quiero ver más gente llorando delante mío. Me enferma escucharlos. ¡Por favor! ¡No puede ser que lloren más que yo, que soy el padre…!

Ellos obedecen. Son las órdenes del Jefe.

Se siente agotado. Fastidiado. Infinitamente triste y solo.

Aterrorizado por sus sombras.

Carlos Menem, el astuto animal político que con mayor impunidad ha caminado la Argentina en los últimos veinticinco años, está ahí, y quisiera estar en ninguna parte.

COMO CAÍDO DEL CIELO

> Están presente y pasado, presentes
> tal vez en el futuro, y el futuro
> en el pasado contenido.
> Si está eternamente presente el tiempo
> todo, todo el tiempo es irredimible.
>
> T. S. ELIOT, *Cuatro cuartetos*

—Yo nací en Anillaco. Mi pupo está enterrado ahí porque es común que las parteras entierren el cordón bien escondido y profundo, como una especie de ofrenda a la tierra. Me sentiría feliz si me entierran en ese lugar —fabula Carlos Menem cada vez que le preguntan por sus orígenes.

Dice que nació a los pies del cerro Velazco, en un pueblo polvoriento, de pocos habitantes, a ciento diez kilómetros de La Rioja, y le agrega una leyenda tan improbable, como imprecisa, pero que justifica el convencimiento de su predestinación: que después del parto, su madre, Mohibe Akil, envuelta en una palidez cadavérica, casi en estado de coma, vio la imagen de la Virgen del Valle al pie de la cama y, minutos después del trance, revivió por milagro.

Aunque Menem insista con que nació en Anillaco, palabra que en quechua quiere decir, "gota caída del cielo", en realidad llegó al mundo por obra de una comadrona, en la casa que habitaban sus padres, en la calle Basan y Bustos 562 —en aquel entonces, Tellechea—, el 2 de julio de 1930, a las siete y cinco de la mañana.

—Sé que he nacido en Anillaco, aunque me anotaron en La Rioja —jura y perjura Menem. Y explica—: Aunque ese nombre no figure en los libros de historia. En el *Facundo*, Sarmiento describe: "país desolado, clima abrasador, suelo seco, semejante a Palestina". Pero Scalabrini Ortiz le dio la respuesta acertada a aquella "tierra sin nada, tierra de profetas". Y supe entonces que cada uno de nosotros podía elaborar su propio destino y que, en la medida en que lo asumiera, podía interpretar el destino ajeno.

La fábula que Menem tejió sobre su llegada al mundo le dio a su vida un espíritu místico, plagado de anécdotas imposibles de comprobar –algunas mentirosas–, que montaron un lugar imaginario, con invisibles fronteras entre la realidad y los espejismos. El apellido Menehem, en árabe, tiene también un significado religioso: "El elegido de Dios".

Sus acciones públicas y privadas, en los años por venir, serían el reflejo de la influencia que estos cuentos fantásticos tuvieron en su formación política y en su concepción sobre la vida. Él los fue utilizando con habilidad, de acuerdo con las circunstancias y los auditorios.

Carlos Menem fue el primer hijo de Saud y Mohibe.

La mujer había perdido un primer embarazo avanzado –dicen que era una nena– y por eso la llegada al mundo del primogénito fue festejada con alborozo por el flamante matrimonio.

Sin embargo, antes de la aparición de Mohibe en la vida de Saud Menehem, él tuvo otra familia en La Rioja.

Con ellos convivió varios años y de aquella relación, estable y pública, quedaron dos hijos.

Con apenas catorce años, Saud llegó en 1912 al puerto de Buenos Aires procedente de Yabrud. Había partido desde Damasco hasta Beirut, y desde esta ciudad libanesa salió en barco rumbo a la Argentina.

El primer inmigrante árabe había llegado al país en 1860. Particularmente desde Yabrud, de los siete mil habitantes que tenía el pueblo en el siglo pasado, más de dos mil se embarcaron hacia América en búsqueda de nuevos horizontes laborales. La Argentina vivía tiempos de ebullición política y de prosperidad económica. Se producía azúcar, vino, telas, productos metalúrgicos; los frigoríficos ingleses y americanos se peleaban por las carnes argentinas, mientras subían los precios para alegría de la oligarquía ganadera. El presidente Roque Sáenz Peña promulgaba la ley que reglamentaba el voto secreto y obligatorio y se asistía al ascenso del radicalismo yrigoyenista al poder.

Saud escapaba, como tantos, de las guerras intestinas que azotaban su país, entonces bajo la dominación del Imperio Otomano. Su hermano mayor, Mahmud, que se encontraba viviendo en La Rioja desde 1906, no hacía más que contarle maravillas de esta tierra. En una de las extensas misivas que intercambiaban, Saud le avisó que había decidido largarse a probar suerte.

La situación interna en Siria no daba para más. A la miseria se sumó la guerra. Los turcos, que dominaban la zona desde 1534, cambiaron de régimen en 1908, fundaron la república, y al comenzar la Primera Guerra Mundial, Damasco pasó a ser su cuartel general, aliado a los alemanes contra el Egipto inglés. Lawrence de Arabia, Faysal de Siria y el vizconde Allenby los derrotaron. En 1919, nacía una nueva Siria, semiindependiente por un corto lapso y gobernada por Faysal.

Por esos años, la historia en el mundo estallaba en contrastes políticos, sociales, económicos y culturales. La Primera Guerra Mundial y sus consecuencias, la Revolución Rusa, las luchas sociales en Europa Central, las convulsiones asiáticas, el aislacionismo americano. Surgía Freud y el psicoanálisis; Einstein, Kafka y Picasso. En Rusia moría –asesinado– Rasputín y el poeta Rubén Darío, en Nicaragua.

Pero Saud Menehem estaba bastante ajeno a todo esto. Ni siquiera lo conmovían los movimientos políticos en su tierra natal. Instalado en La Rioja, se pasaba los días recorriendo los caminos polvorientos sobre el lomo de una mula. Su mayor obsesión era hacerse rico. Cuando le preguntaban por sus ideas políticas, decía con media palabra: "Yo ser aragoyenista".

A diferencia del noventa por ciento de sus comprovincianos, que se habían instalado en el barrio capitalino de San Cristóbal, Saud, entusiasmado por su hermano, se radicó en el Norte. Ahí también vivían unos primos, Tufik y Ángel, cuya hija, María Gregoria, se incorporaría años después a la casa de Saud y Mohibe, donde la trataron como a una hija. En La Rioja, Saud se sentía como en casa.

Durante los primeros tiempos, los hermanos fueron los típicos "turcos" que vendían baratijas por los escarpados caminos de la provincia. Una tierra que era casi un calco de su país natal: cerros azulados, caminos pedregosos, sol ardiente, inviernos cortos, aridez.

Sarmiento la describió así, en *Facundo*: "El aspecto del país es por lo general desolado, la tierra seca, sin agua corriente. El campesino hace represa para recoger el agua de las lluvias y dar de beber a sus ganados. He tenido siempre la preocupación de que el aspecto de la Palestina es parecido a La Rioja, hasta el color rojizo u ocre de la tierra, la sequedad de algunas partes, y sus cisternas; hasta en sus naranjos, vides e higueras de exquisitos y abultados frutos, que se crían donde corren algún cenagoso y limitado Jordán. Hay una extraña combinación de montañas y llanuras, de fertilidad y aridez, de montes adustos y erizados, y colinas verdinegras tapizadas de vegetación tan colosal como los cedros del Líbano".

La habilidad y la astucia de la raza hicieron que los dos hermanos, se convirtieran rápidamente en prósperos comerciantes.

Abandonaron la recorrida a lomo de mula y fundaron el almacén de ramos generales y la bodega El Velazco. Mahmud hacía tiempo que estaba casado con Herminia de la Vega, tenía cinco hijos y vivía en Anillaco. Saud se instaló en el almacén de la calle Bazán y Bustos, que además le servía como vivienda.

Era famoso por su habilidad con los números y lo perdían los juegos de azar y las mujeres. Cuentan en la provincia que, a pesar de su tosquedad y su fealdad, no hubo fémina riojana que no cayera frente a sus juegos de seducción y sus vanas promesas de amor, expresadas medio en árabe y medio en español.

En Anillaco tuvo un fugaz amorío con su empleada doméstica, Casilda Contreras, que al poco tiempo concibió un hijo suyo, de nombre Elías, al que el padre nunca reconoció pero al que hasta el día de hoy se conoce como "el hermano de Carlos Menem". Elías vive en Anillaco y fue comisario del pueblo.

Una tarde de verano de 1921, el amor arrastró a Saud como un huracán.

En la casa de su hermano, conoció a una morocha de sugestiva belleza, Valentina Leiva, huérfana de padres, de apenas dieciséis años. La joven, originaria de Aminga, había sido criada por la familia de Mahmud, y Herminia, su sobrina menor, la consideraba como su hermana. El flechazo fue mutuo y, después de un largo romance, Saud llevó a Valentina a vivir con él a La Rioja.

La joven, obnubilada, no quiso escuchar las advertencias de Herminia, que apenas se enteró de la propuesta de su tío, le dijo:

– Valentina, ojo con los árabes: son mujeriegos, pícaros y mentirosos. Vos tendrías que hacer como mamá: obligó a papá a convertirse al catolicismo y le exigió casamiento por iglesia.

Pero el consejo no hizo mella en aquella adolescente enamorada, que veía en Saud al hombre de su vida. Se instalaron en la casa de Bazán y Bustos: ella realizaba las tareas del hogar y lo ayudaba con la atención del almacén.

En 1924, nació Amado, el primer hijo de la pareja y en 1926, una mujer, a la que bautizaron María Estela. Aunque la relación no se había formalizado ni a Saud se le pasaba por la cabeza concretarla, la pareja vivía feliz.

En 1928, Saud recibió una carta de Siria. Era su madre, que le rogaba que regresara a Yabrud, porque le había encontrado esposa.

31

Mohibe Akil era una joven que hacía honor a su nombre, que en idioma árabe significa "belleza deslumbrante", de buena posición económica, vecina de su mismo pueblo. Saud la recordaba vagamente. Tenía quince años y era musulmana, pero, extrañamente, junto a sus primas, se había educado en un colegio de monjas católicas de Yabrud. Mohibe pertenecía a una antiquísima familia, descendiente de las primeras tribus que habitaron Siria.

Las dos familias se conocían desde siempre y, como se estilaba entre los árabes, el casamiento de sus hijos fue arreglado de antemano.

Saud, que ya había cumplido treinta y cinco años, obedeció sin chistar las órdenes de su madre. Preparó las maletas y partió a Damasco. No dijo una sola palabra a su familia riojana sobre los motivos de aquel periplo. Besó a su mujer y a sus hijos como si nada, y dejó instrucciones para el cuidado de sus negocios.

Cuentan que Valentina lo vio alejarse con un presentimiento en el alma, pero espantó los malos pensamientos y continuó con la vida de todos los días: cuidó a los hijos, limpió la casa y atendió el almacén. Cada tanto recibía cariñosas y escuetas cartas de Saud. Él le contaba anécdotas de su familia, de su pueblo, y preguntaba por sus hijos. Sobre todo, por Amado, el varón.

La situación política en Medio Oriente volvió a convulsionarse. Siria y el Líbano pasaron a estar bajo el protectorado de Francia y Palestina, a manos británicas. En la Argentina, Hipólito Yrigoyen había ganado en 1928 por segunda vez la presidencia y, con este triunfo, nacía un movimiento de masas, cargado de cismas, ambivalencias y heterodoxias. La Rioja no vivía ajena a las luchas nacionales: gobernada por el radicalismo, yrigoyenistas, antiyrigoyenistas y conservadores se peleaban por el manejo del poder local.

—Valentina, te traigo una mala noticia. Saud se casó en Damasco y viene a La Rioja con su esposa. Te tenés que ir de la casa…

Se lo dijo Mahmud una mañana, cuando ya había transcurrido más de un año de su partida.

La mujer abrió los ojos como faroles y enmudeció.

—No te preocupes, las cosas no van a cambiar. Saud me pidió que te alquile un departamento en la calle Pelaggio Luna. No te va a faltar nada, ni a vos ni a tus hijos.

Cuentan que Valentina corrió hasta el dormitorio y lloró sin consuelo durante varias horas. Amaba a Saud Menehem más que a nada en el mundo, pero, ¿qué podía hacer, si ella era pobre, había quedado deshonrada por el concubinato y encima no era árabe? Como si fuera poco, Amado y María Estela, sus hijos, ni siquiera llevaban el apellido del padre.

Con la cara bañada en lágrimas, ordenó el dormitorio que había compartido con Saud y en el que había parido a sus hijos. Sus grandes ojos oscuros recorrieron las paredes de adobe, el lecho que cobijó tantas noches de pasión, el espejo de la cómoda antigua que cada amanecer reflejó su rostro adormecido, cuando se levantaba a cebarle el mate a Saud.

Los recuerdos de los días felices se atropellaron en su cabeza.

Con una mezcla de furia y resignación, preparó sus cosas, acomodó los vestidos que ella misma se había cosido con los cortes de tela que él le traía de sus viajes, y que le acentuaban la cintura de avispa y las caderas redondeadas. Los puso en un baúl junto a la ropa de sus hijos. Mientras lo hacía, recordaba la mirada brillante de Saud sobre su cuerpo y los piropos que le susurraba, cada vez que ella lo esperaba envuelta en aquellas prendas, que le resaltaban el cuerpo casi perfecto.

Presa de un sentimiento ambiguo, Valentina lustró a mano los pisos de la casa, lavó las cortinas y vistió la cama matrimonial con sábanas blancas, almidonadas y perfumadas. Y en el florero de la mesa de luz, colocó un ramillete de jazmines frescos del jardín. El dormitorio quedó impecable.

Saud disfrutaría de su primera noche con Mohibe envuelto en las sábanas de hilo que Valentina había lavado, planchado y tendido.

Recordó otra vez los consejos de Herminia. "Cuidáte mucho de los árabes. Son mujeriegos y mentirosos…". Pero ya era tarde para lágrimas.

El lugar que le habían preparado era bonito y estaba amueblado con buen gusto. Mahmud le traía puntualmente el dinero para su manutención, pero a Valentina nada de eso le importaba. Evocaba la casa que había tenido que dejar por la fuerza, las flores del jardín que ella había cultivado con sus manos, y una gran desazón le oprimía entonces el alma.

Saud la visitaba regularmente, pero, ahora, como amante.

A los pocos días, Valentina se hartó. Le dijo que se sentía humillada, denigrada, y que se quería ir. Él le rogó que no lo abandonara y por primera vez le dijo que la amaba. Pero ella fue inflexible. Preparó sus cosas y se marchó a vivir al campo. Sola y con dos hijos pequeños, la vida se le hizo difícil. A la tristeza por el desengaño amoroso se le sumó el desgaste de la pobreza. Al poco tiempo, conoció a un campesino que se enamoró de ella y le ofreció matrimonio.

Y lo más importante: le aseguró que la aceptaba con sus hijos.

Valentina aceptó, con la ilusión de que el tiempo la ayudaría a curar las heridas y que aprendería a querer a ese hombre. Necesitaba un poco de paz, un hogar honorable donde criar a sus hijos y olvidarse de aquel sirio duro y parco que la había abandonado para emprender un viaje y regresar casado.

—Era una mañana de verano y estábamos con Amado en el patio de la casa. Mamá nos había dado un vaso, al que le ponía un chorrito de miel. Nosotros lo colocábamos debajo de la teta de la vaca, exprimíamos y caía leche tibia. Nos gustaba mucho tomar la leche directamente de la vaca. Vivíamos en una casa en la entrada de La Rioja y éramos muy pobres. Amado tenía siete años y yo tenía cinco. De pronto, vi que estacionaba un Ford A en la entrada, azul, con estribo. Amado gritó "Papá, papá" y salió corriendo hacia el auto. Saud agarró a mi hermano, lo metió adentro del auto y se lo llevó. Me quedé paralizada, mirando el auto que se iba levantando polvo y corrí a la casa.

—¡Mamá, mamá! ¡Papá se robó al Amado!

María Estela "Cacha" Leiva tiene los ojos húmedos. Las manos flacas, de dedos largos, se mueven nerviosas, espantando las tristezas encalladas en su corazón. Casi sesenta y ocho años después de aquel episodio, una tardecita de verano en La Rioja, en el consultorio médico de una de sus hijas, me reveló una historia de desamor increíble.

—Soy la hermana de Carlos Menem. Y él sabe que lo que digo es cierto. Lo mismo que Amado y mis otros hermanos, que toda la vida me negaron públicamente, por vergüenza o qué sé yo. O tal vez, porque siempre fui pobre. Don Saud, mi padre, nunca me reconoció, me discriminó, por esas cosas que tenían los árabes, que amaban más al hijo varón. Durante largos años viví con el corazón destrozado por el dolor. Era terrible ser hija natural en La Rioja de aquellos tiempos. Cada vez que en la escuela la maestra me preguntaba el nombre de mi papá, yo bajaba los ojos y no podía contestar. Yo sabía que la maestra conocía el nombre de mi padre. Todos en La Rioja lo sabían. Cuando Carlitos ganó la Presidencia en el '89, me acuerdo que unos periodistas le preguntaron a Amado y a Carlos si tenían una hermana mujer. Y ellos contestaron que no, que sólo eran cuatro varones. Me negaron. Esa noche lloré mucho, me dolió en el alma. Cuando Carlitos era gobernador, yo era jefa administrativa contable de la residencia de jubilados, que funcionaba adentro de la residencia de la gobernación. Zulema me conoció bien y me ayudó siempre. Fui testigo de todos sus sufrimientos, de su soledad. Vi crecer a Carlitos y a Zulemita, dos chiquitos buenos, golpeados por la mala vida que había en aquella casa. Siempre había escándalos y peleas. Cuando Carlos cayó preso, a mí me vinieron a buscar los militares y me tuve que ir de La Rioja un tiempo. Como estaba muy cerca del obispo Angelelli, me acusaron de subversiva. Carlos Menem es mi hermano y lo quiero, aunque en estos años nunca se acordó de mí. Nunca me llamó para preguntarme cómo estaba. Era un hombre bueno y humilde, pero no sé qué le paso. ¿Serán los entornos? Viví como pude, nunca les pedí nada y sufrí mucho dolor. Me costó mucho perdonarle a don Saud el desprecio que me hizo. Yo era su hija y él me condenó a vivir como una paria…

Después de que Saud se robara a Amado, Valentina cayó en una profunda desesperación. Recurrió a todo lo que estuvo a su alcance para recuperarlo. Habló con Mahmud, con Herminia, con los curas, golpeó la puerta de la casa de la calle Bazán y Bustos, escribió cartas, lloró días enteros.

Pero el poder económico de Saud Menem pudo más. Y ella no recuperó a su hijo.

Con el consentimiento de Mohibe, Amado –que todavía llevaba el apellido Leiva– fue anotado inmediatamente con el apellido Menem, en el Registro Civil de la ciudad, y lo instalaron a vivir en la casa familiar.

Comenzaba el año 1931 y Carlos Menem, el primogénito de Saud y Mohibe, tenía casi un año. Un bebé moreno, que gateaba por la casa, balbuceando, y era la luz de los ojos de su madre.

Amado, previa autorización de su padre, visitó por primera vez a Valentina recién al año de su partida.

"Cacha" recuerda que su hermano llegó cargando una caja enorme, atiborrada de comestibles y costosas telas para vestidos. Valentina cosía para afuera y la situación de la familia –que además tenía otros hijos– era precaria.

–De Saud tengo pocos recuerdos. Hasta el día de hoy, me cuesta decirle papá… –dice la mujer, con la voz quebrada.

Cuando "Cacha" tenía ocho años, una día, su mamá la mandó a comprar azúcar. En el almacén, estaba Saud, conversando con unos amigos. Apenas la vio, la levantó en sus brazos y la sentó sobre el mostrador. La miró fijo a la cara y metió la mano en el bolsillo de su saco. Tomó un billete y lo colocó bajo el elástico de la manga abullonada del vestido, azul con pintitas blancas, de su hija.

"Vaya con su madre, m'ija", le dijo. Ella apretó fuerte la plata y salió corriendo para la casa. Dice que no le agradeció. Cuando llegó y le contó a su madre sobre el encuentro, se armó un lío terrible. El marido de Valentina le dio una paliza por recibir plata de Saud.

–Siempre me acuerdo de aquel día, de su mano metiendo la plata ba-

35

jo la manga de mi vestido. Doña Mohibe me conocía y me trataba bien. "Cachita", me decía. Ella sabía bien quién era yo, aunque nunca hablamos del tema. Cuando Saud murió, en 1975, me llamaron y fui al velorio. En la casa estaban todos mis hermanos: Carlos, Amado, Eduardo y Munir. El cajón estaba en el medio de la sala. Me acerqué y lo miré un rato largo. La nariz grande, igual a la mía y a la de Carlos. Y no sentí nada, no se me cayó una lágrima. Tenía el corazón como una piedra. Tenía tanto rencor contra él… Todos mis hermanos me miraban. Ellos con sus apellidos y yo la hija bastarda. Recién, en 1989, cuando mi hermano ya era Presidente, un día fui a la iglesia del Niño Jesús y hablé largamente con el padre Oscar Duarte. Recordé muchas cosas, aquel vestido azul que tenía cuando me dio la plata, mi mamá llorando cuando él se robó a mi hermano, el juicio que ella le hizo por la tenencia… Me acuerdo que en aquel tiempo el abogado le dijo a mamá que Saud tenía más de treinta casas sólo en La Rioja. Era usurero. Hace poco, estuve muy mal. Se me murió un nieto, la luz de mis ojos. Agonizó en el hospital Garrahan de Buenos Aires, después de una larga enfermedad. Un día me animé y lo llamé a Eduardo para pedirle que me ayudara a pagar la pensión donde estaba viviendo mientras cuidaba a mi nieto. Todo salía tan caro. Me atendió Susana Valente, mi cuñada. "No podemos, Cachita, hay recortes de gastos, sabés. Llamáme en una semana y voy a ver qué hago." A los tres días, mi nieto se murió. Así es la vida para mí, será cosa del destino. Amado tampoco habló más conmigo. Desde que se casó de nuevo, con Mirta, nunca más me visitó. ¿Será que quiere olvidar sus orígenes? Ahora es rico y yo soy pobre. Todos mis hermanos son ricos. Él lleva el apellido de papá y yo no. Aquel día en la iglesia, no sé qué me pasó. Pero me arrodillé y, de repente, empecé a llorar. El padre Oscar me acarició la cabeza. Y yo no podía parar de llorar. Lloré una hora seguida, o más. "Hija, perdoná a tu padre y a tus hermanos. A Amado, a Carlos, a Eduardo, a Munir. Tu padre desde el cielo, necesita tu perdón. Necesita descansar en paz…"

Los días en la casa de los Menem transcurrían plácidos.

Mohibe, una morena altiva, de carácter fuerte y grandes ojos negros, dirigía la familia con mano de hierro. Algunas noches, alrededor de la mesa cargada de exquisiteces árabes, se reunían los inmigrantes sirios más importantes y discutían sobre la marcha de los acontecimientos en Medio Oriente.

La casa era amplia y mantenía la estructura original, la misma que alguna vez habitaron Valentina y sus hijos. Un patio enorme, un jardín poblado de flores, una sala para recibir visitas, el comedor, la cocina, el baño y las habitaciones de los varones.

El matrimonio practicaba la religión musulmana y la lectura del Corán fue transmitida a los hijos, aunque con cierta libertad. La pareja se había adaptado a los hábitos del país. Conservaban las costumbres de su tierra, pero incorporaron las de la nueva patria.

Saud cumplía con los preceptos del Islam, lo mismo que Mohibe, quien, apasionada con la Virgen, visitaba las iglesias de la zona. Su religión prohíbe a los musulmanes venerar imágenes religiosas, pero a ella se la podía ver colaborando en el Convento de San Francisco, ubicado a pocas cuadras de la casa familiar, o peregrinando hasta el santuario de la Virgen del Valle, la misma que, según Carlos Menem, se le apareció con un tul en la cabeza poco después de haberlo parido.

A la habitación que Amado y Carlos compartían se sumaron Munir, en 1932, y Eduardo, cuatro años más tarde. La prima María Gregoria fue, hasta que se casó, la segunda madre de Carlos. Mohibe tenía una salud frágil y le costó mucho recuperarse de su primer parto. María preparaba para Carlos sus platos preferidos: *tahine*, hecho con garbanzos, pasta de sésamo, limón, ajo y sal. Y el *keppe*: carne cruda molida, trigo candeal, cebolla y condimentos. El *labreo* o cuajada, que su prima le dejaba en la cocina, sigue siendo su comida predilecta. María Gregoria era también la que le ponía límites: le daba fuertes palmadas en la cola cuando él desaparecía sin permiso.

La niñez de Carlos Menem fue como la de cualquier chico de provincia.

Se escapaba a la hora de la siesta con su hermano Munir y los hermanos José y Elías Yoma para tomar por asalto el convento de los franciscanos, hasta que los curas se hartaban y los sacaban a patadas.

Carlos fue siempre el preferido de Mohibe.

Con Saud, en cambio, la relación era distante, conflictiva. El padre era severo, represivo y violento, y Carlos le tenía terror. El hombre casi no estaba en la casa –recorría la provincia o pasaba varios días en Anillaco– y dejaba en manos de su mujer el manejo del hogar, pero, cuando intervenía, exhibía un carácter duro, lindante con la brutalidad.

El almacén de ramos generales era el centro de actividades sociales.

Tenía hasta un surtidor primitivo con palanca para bombear la nafta, que el mismo Carlos Menem se encargaba de despachar cuando se encontraba en la casa. Tenía carnicería, almacén, frutería, ferretería y la tienda, que atendía Mohibe. Travieso, insolente y vago, Carlos Menem reivindicó siempre aquellos años de la niñez, en los que su mayor pasión consistía en romper los límites impuestos por sus padres.

Cursó la primaria en la escuela normal mixta Pedro Ignacio de Castro Barros, donde fue compañero del locutor Enrique Alejandro Mancini. Sus compañeros de entonces lo recuerdan como un chico tranquilo y alegre. Tenía una pésima caligrafía y para mejorar la escritura su madre lo obligaba a llenar cuadernos enteros. A Carlos nada le atraía más que perderse por las calles, robar chocolates del almacén de su padre o esconder cigarrillos encendidos en los bolsillos de sus compañeros. Tenía la costumbre de desaparecer durante horas o hacer bromas de mal gusto.

–Carlos llevaba las situaciones al límite, como si quisiera quebrar el mal carácter de Saud. Buscaba desesperadamente el afecto de su padre. Una caricia, un beso o una palabra –reveló una prima.

Dicen que Saud Menem nunca le dio un beso a su hijo ni le dijo que lo quería. Con sus transgresiones, Carlos quería llamar su atención y todo lo que conseguía eran castigos. Desafiaba a su padre y, al mismo tiempo, su presencia le provocaba un miedo que lo paralizaba.

Un día, en Anillaco, se escuchó un grito y algo que golpeaba en el agua del pozo. Buscaron a Carlos por todas partes. Saud creía que se había caído a la cisterna. Era casi de noche y el brocal estaba en penumbras. Después de unos minutos de tenso silencio, se escuchó una carcajada que venía de la profundidad del pozo. Era Carlos, que se sostenía aferrado a la escalera de cuerda. Había tirado una tabla, para que todos creyeran que él se había caído al agua y se había muerto. Cuando apareció, su padre le dio una terrible paliza, que le dejó marcas en todo el cuerpo. Saud estaba convencido de que la mano dura y los golpes eran la mejor manera de educar a su hijo.

–Mi padre era un duro. Era bravo… –dijo Menem una vez, cuando le preguntaron por la relación que tenía con su padre. Entornó los ojos, chasqueó la lengua y continuó–: Recuerdo que una vez, yo ya no era un niño, me fui a jugar un partido de fútbol a Catamarca. De La Rioja a Catamarca. Y no le avisé. Cuando volví, mi padre estaba esperándome. Muy amable y con voz muy suave me preguntó dónde había estado. Yo le conté. Me dijo si nos había ido bien, siempre muy amable y muy dulce. Me preguntó cómo habíamos salido. Le conté que habíamos ganado. Me preguntó si me sentía bien. Después, me dijo que el baño estaba listo. Me invitó a que me diera un baño para sacarme el cansancio del viaje. Yo fui y me bañé y cuando terminé, el viejo me cagó a lonjazos. ¡Me dio tantos lonjazos! Sí, mi padre era un intolerante. ¡Muy bravo!

Carlos Menem conoció los placeres del amor a escondidas, en los zaguanes o en los fondos de alguna casa. Estaba haciendo el secundario, en el colegio nacional Joaquín V. González y una morocha de su mismo curso lo volvía loco. Por ella "anduvo perdiendo los pantalones dos años", dijo un compañero. Era extremadamente delgado, con el rostro casi aniñado y la mirada profunda. Le gustaban el fútbol, el boxeo y el teatro vocacional. Y era muy pícaro.

–Hice box hasta que entré a la facultad de Abogacía. Un día llegó un circo a La Rioja. Acampó a dos cuadras de mi casa. Yo iba todos los días a ver cómo era aquello. En la puerta de la carpa había un oso enorme y un tipo que ofrecía una entrada gratis a quien se atreviese a pelear al animal. Yo no lo dudé ni un momento, me puse los guantes y me agarré a piñas con el oso. Así empecé a boxear.

Fábula o historia real, oso de verdad u hombre disfrazado de oso, es difícil de saber, pero el mismo Menem se encargó de contar esta anécdota infinidad de veces.

Durante los veranos hacía de galán en obras de teatro vocacional que organizaba con sus hermanos en el club Atlético de Anillaco, para juntar plata para la parroquia. *M'hijo el dotor*, *El viejo Hucha* y *El rosal de las ruinas* lo tuvieron de protagonista. Su mayor anhelo era ser galán de cine. Y desde estos años de adolescencia empezó su atracción por la farándula y los famosos.

"Es que soy un actor frustrado", repite hasta el día de hoy.

La vida en la provincia seguía siendo sencilla.

En la familia no hubo grandes cambios, salvo que su hermano Amado se peleó con su padre y fue expulsado de la casa. Mientras vivía en la bodega de Anillaco, Amado se había puesto de novio con Olga, una joven del lugar, con la que se casó y tuvo tres hijos –al poco tiempo, ella se murió de un cáncer fulminante–. Una noche, mientras estaba flirteando con ella, se descuidó, y la pileta donde se maceraba la grapa se desbordó y la calle se convirtió en un río.

Saud, furioso, llegó a Anillaco, lo molió a golpes y lo echó a la calle.

Amado regresó a vivir con su madre y Valentina, feliz, recuperó por un tiempo a su hijo, después de varios años de ausencia.

Carlos y sus amigos no tenían paz. Las siestas bullangueras de aquellos adolescentes en la Quebrada del río de los Sauces estaba alejada de los acontecimientos del 17 de octubre, que alumbraron el nacimiento del peronismo, mientras en Europa finalizaba la Segunda Guerra Mundial.

En 1946, por orden de la ONU, los franceses abandonaban Siria y la noticia de la independencia de la tierra natal fue festejada con alegría por los inmigrantes radicados en La Rioja.

En esos días, Carlos Menem era un ardiente nacionalista y reivindicaba la figura de Facundo Quiroga, el Chacho Peñaloza y Felipe Varela. Ellos eran sus ídolos.

"Un día me hizo salir del curso entre burlas y empujones, porque yo intenté una defensa de Sarmiento. Él nunca lo denigró, pero se había convertido en un acérrimo defensor de Quiroga. Y ahí nomás gritó: 'Hay que sacar a este riojano del curso, porque lo está defendiendo a Sarmiento', y me empezaron a tirar tizas, borradores, de todo", recuerda Adolfo Alem, uno de sus compañeros de secundario.

Leía cuanta biografía de los caudillos pasaba por sus manos. El *Facundo* de Sarmiento era su libro de cabecera. Lo mismo que los libros de José María Rosa y Dardo de la Vega, rector del Colegio Nacional y autor de varios trabajos sobre el tema. De la Vega encendía sus pasiones nacionalistas, con una concepción más democrática que la que esgrimía "Pepe" Rosa. Carlos Menem hizo sus primeras lecturas sobre el caudillismo bajo la influencia de este profesor riojano.

Por las noches, bien tarde, recorría los prostíbulos. Pequeños, casi clubes de barrio, ahí se jugaba a los naipes y a la taba, y él coqueteaba con las mujeres. La pista de baile La Tierrita, cerca del cementerio, lo encontró algunas madrugadas levantando polvo, apretado a la cintura de alguna chinita. Dondequiera que desembarcaba se convertía en el centro de las miradas. Buscaba todo el tiempo llamar la atención, con su vestimenta, con sus piropos, con lo que fuera. Todos festejaban sus chistes y sus ironías. La plaza 25 de Mayo de La Rioja era el centro de reunión social del pueblo. La banda del Regimiento tocaba la retreta frente al Club Social mientras deambulaba la gente por los alrededores, en la tradicional vuelta al perro. Allí se destacaba Menem como piropeador y picaflor, aunque, al mismo tiempo, era muy reservado con sus conquistas femeninas.

A los dieciocho años empezó a ir a la iglesia a rezar y ayudaba en las misas. Leía la Biblia con interés. Su padre se enteró y se armó un escándalo: furioso, intentó levantarle la mano, pero Carlos hizo un ademán y lo atajó en el aire. El padre comprendió que su hijo ya era mayor de edad.

–¿Cómo se te ocurre ir a una iglesia católica? Nosotros somos musulmanes...

–Yo necesito rezarle a Dios, no me importa a cuál...

Aunque Menem haya contado infinidad de veces que hacía de monaguillo en el convento de San Francisco, esta fue la primera noticia que su familia tuvo de su interés por el catolicismo.

Se recibió de bachiller en 1949. No pudo hacer la colimba –revistó algunos meses como voluntario– porque sacó número bajo, y casi inmediatamente se marchó a estudiar Abogacía a Córdoba. La situación económica en su casa no era buena. Saud había sufrido un descalabro con sus deudas de juego y sus malos negocios. Un día, unos funcionarios judiciales cayeron por la casa y embargaron todo, menos las sillas del comedor.

Con su hermano Munir vivieron en una pieza alquilada en la casa de unos paisanos amigos de sus padres, de apellido Flores, en el barrio de Nueva Córdoba. En el bar de la facultad mantenía largas charlas sobre revisionismo histórico, un tema que lo obsesionaba. Cada vez que alguien quería saber sobre Facundo Quiroga o el Chacho Peñaloza, sus compañeros decían:

–Llámenlo al "turco" Menem.

Salía de serenatas y cantaba boleros y tangos, aunque, según cuentan los que lo conocieron entonces, lo hacía muy mal. Repartía muy bien su tiempo entre la pasión por las mujeres y los cabarets y el estudio y los deportes. En esto último, Carlos Menem se destacó.

–Yo no sé si en Córdoba hacíamos deportes por el gusto de realizarlo o por el frío. Porque en la casa teníamos calefón a alcohol y era terrible bañarnos cuando las temperaturas eran muy bajas. De modo que, tres veces por semana, hacía incursiones por el gimnasio universitario, para aprovechar el agua caliente –explicó años después.

Gracias al básquet, en Córdoba tuvo el primer acercamiento con el peronismo.

En 1951, su equipo ganó la copa de los Campeonatos Evita en el Luna Park, y los mismísimos Perón y su mujer le entregaron el premio en las manos.

Eran épocas de gloria para el peronismo. Menem regresó muy impresionado por el carisma del General y la pasión que Evita despertaba en las masas, pero ese sentimiento no logró acallar sus fervientes ímpetus nacionalistas. Continuaba con sus ansias de emular a Quiroga y podía repetir con asombrosa facilidad frases enteras del libro de Sarmiento. Había creado el Centro de Estudios Rosistas y se pasaba horas revisando las epopeyas de los caudillos federales.

Por esos días, les decía a sus compañeros –que lo miraban azorados– que, en la descripción que Sarmiento hacía del caudillo, él encontraba que los dos tenían cierto parecido físico. Aunque todavía no se le había dado por imitarlo a la perfección, en las patillas y la copiosa pelambre, se conmovía cuando leía:

"Facundo pues era de baja estatura y fornida; sus anchas espaldas sostenían sobre un cuello corto una cabeza bien formada, cubierta de pelo espesísimo, negro y ensortijado. Su cara un poco ovalada estaba hundida en medio de un bosque de pelo, a que correspondía una barba igualmente espesa, igualmente crespa y negra, que subía hasta los juanetes, bastantes pronunciados, para descubrir una voluntad firme y tenaz. Sus ojos negros, llenos de fuego y sombreados por espesas cejas, causaban una sensación involuntaria de terror en aquellos sobre quienes alguna vez llegaban a fijarse…".

En esta época se acentuó su concepción fatalista sobre la vida y la muerte. Sus pensamientos tenían las señales de sus antepasados, pero delatan la influencia de sus obsesivas lecturas sobre Quiroga.

–¿Cómo voy a temer a la muerte, si con ella empieza la vida? Se muere para empezar a vivir. Pero, además, nadie se muere en la víspera. La muerte me tiene tan sin cuidado que nunca intenté imaginármela. Cuando pasó lo de Barranca Yaco, a Facundo le habían avisado de la emboscada, le habían hecho advertencias. Él, sin embargo, desechó todos los recaudos, todos los cuidados. Dijo entonces algo que es muy cierto: "A los hombres no los matan las balas, los mata el destino".

Carlos Menem no vivió por estos años grandes amores. Veía una mujer y se le arrimaba, nada trascendente. Como buen nativo de Cáncer, le tiraban mucho el hogar, sus sábanas, su cama, sus amigos, y solía extrañar mucho a su madre. Se vestía correctamente, aunque le atraían los colores alegres y chillones. Y, antes de salir, se bañaba –literalmente– en perfume. Se lo olía a la distancia.

En la universidad se sentaba siempre en la primera fila, para no perder palabra de lo que escuchaba. Había tomado la costumbre de estudiar de memoria y repetir como un loro. "Después leo y lo cuento exactamente como ellos lo contaron", decía siempre. No se sabe cuánto aprendió de leyes con este sistema, pero aprobó sin problemas todas las materias. Carlos Menem volvió a La Rioja, cuatro años más tarde (aunque él afirma que fueron tres), en febrero de 1955, con el título de abogado en la mano.

42

–Fue un flechazo. Nos enganchamos apenas nos vimos. Los dos sabíamos que era una relación prohibida, pero no nos importó. Paseábamos abrazados por la calle y hacíamos el amor todo el tiempo y a cualquier hora. La gente hablaba, pero a nosotros no nos preocupaban las murmuraciones del pueblo. Estábamos tan enamorados…

Ana María Luján conoció a Carlos Menem en la primavera de 1957.

Era una llamativa morocha de veintiséis años y las relaciones con su marido, el teniente coronel Abel Díaz, se habían transformado en un infierno.

Ana María pertenecía a una familia rica y conservadora de la provincia: su tres tíos habían sido gobernadores y su padre, Abdon Luján, profesor de psicología, de filosofía y de literatura española, fue diputado nacional durante el gobierno de Agustín Justo.

Desde jovencita Ana María tuvo un carácter rebelde y transgresor. Aunque se había criado bajo los severos códigos de una familia tradicional, hacía todo lo contrario de lo que se les permitía a las mujeres de aquella época. Le gustaba calzarse ropas de montar y salía en compañía de su padre a cabalgar por los caminos de Aimogasta, un pueblito ubicado a algunos kilómetros de La Rioja. Escandalizaba a su madre y a sus vecinos con sus gustos excéntricos y sus lecturas: *El amante de Lady Chatterley* de D. H. Lawrence, y *Cuerpos y almas*, una novela de historias morbosas de médicos que era un *boom* en esa época.

A los veinte años se casó. Al año nació su hijo Ricardo, y dos años más tarde, su hija Ana María.

La mañana que Ana María Luján llegó al estudio de Carlos Menem, en la calle Catamarca numero 9, tenía la convicción de que aquel joven abogado recién recibido la iba ayudar a salir de la difícil situación que atravesaba. Acababa de separarse, trabajaba como maestra y militaba en el peronismo en la clandestinidad, razón ésta por la que su familia le cerró las puertas un largo tiempo.

Apenas Carlos Menem llegó a La Rioja, le ofrecieron la Fiscalía de Estado, pero no aceptó. El peronismo se derrumbaba y las versiones de un golpe de Estado estaban en boca de todos. En una pieza de la casa paterna instaló su primer estudio de abogado y, paralelamente, se incorporó en Córdoba al estudio de Germán Kammerath Gordillo. Las noches lo encontraron en los lugares habituales: en un prostíbulo, con las cartas del truco o el póker en las manos y una mujer exuberante. Y otras veces, recorría las calles entonando serenatas, acompañado de Bernabé Arnaudo o Antonio Erman González.

El bombardeo del 16 de junio de 1955 lo conmocionó de manera tal que su nacionalismo histórico empezó a mutar en una identidad política más concreta.

A partir del golpe, las cosas tomaron otro color. Las cárceles se poblaron de peronistas y Carlos Menem se convirtió en ferviente defensor de presos políticos. Cuando el general Valle se levantó en armas en junio de 1956, Menem y sus amigos estaban jugando al truco en el Club Social. Se levantó exaltado y sus compañeros lo vieron correr por la calle, entonando a los gritos la marcha peronista. Esa noche, durmió por primera vez en una comisaría. Cuando al otro día lo soltaron, otra noticia lo fulminó: los fusilamientos en los basurales de José León Suárez.

Y, según él mismo cuenta, a partir de entonces se selló definitivamente su amor por la causa peronista, y, junto a la de su amado Facundo, sumó la figura de Juan Domingo Perón.

Tirados en la cama, mientras compartían un cigarrillo después del amor, Carlos le leía a Ana María párrafos de su libro preferido. Una descripción de Quiroga, que Sarmiento recogió de un compañero de infancia:

"Que no era ladrón antes de figurar como hombre público. Que nunca robó, aun en sus mayores necesidades, que no sólo le gustaba pelear, sino que pagaba por hacerlo y por indultar al más pintado, que tenía mucha aversión a los hombres decentes, que no sabía tomar licor nunca, que de joven era muy reservado, y no sólo quería infundir miedo sino aterrar, para lo que hacía entender a los hombres de su confianza, que tenía agoreros o era adivino, que con los que tenía relación los trataba como esclavos, que jamás se ha confesado, rezado, ni oído misa, que cuando estuvo de general lo vio una vez en misa, que él mismo decía que no creía en nada".

Este tramo, marcado por Menem a finales de los cincuenta, muestra casi con exactitud las contradicciones, ambivalencias y arbitrariedades de su propia personalidad, poderosamente influenciada por estas lecturas.

Carlos comenzó a dejar crecer sus patillas y, en 1957, fue nombrado presidente en la clandestinidad de la Juventud Peronista de La Rioja. Mientras tanto, y con los vecinos escandalizados por su romance, Menem y Ana María se reían de todos y soñaban con el futuro.

–Ahí va la novia del abogado de los presos. ¿No tiene vergüenza? ¿Por qué la habrá dejado el marido? –murmuraban las vecinas cuando veían a Ana María atravesar la plaza del pueblo, con su andar desafiante y su estilo refinado.

Ana María Luján era culta, hablaba bajito y pausado. Su pasión por el peronismo había empezado en la UES y el fervor por la causa estaba más vivo que nunca. Regresaba de la escuela y caminaba las pocas cuadras que la separaban del lugar donde se hacían las reuniones políticas clandestinas. Ahí permanecía discutiendo hasta entrada la madrugada.

Su padre, un *bon vivant*, amante de la buena mesa y de los finos modales, no estaba de acuerdo con aquel romance. Carlos Menem no era precisamente el príncipe azul que él había imaginado para su hija. En la esquina de la casa paterna había un bar de árabes que comían y tomaban en la vereda. Hablaban a los gritos y se peleaban con frecuencia. "Anita, si seguís con ese tipo, vas a terminar como esos turcos mugrientos", advertía Abdon Luján a su hija.

Los amantes mantenían largas conversaciones sobre política.

Ella, dueña de una mayor experiencia en la materia, intentaba dar forma a los caóticos pensamientos de él. Le recomendaba lecturas para su formación política y le daba consejos. Aparecieron en su vida *El sofisma de la política*, de Jeremy Bentham, y la *Historia de Roma* y *El Arte de la guerra* de Nicolás Maquiavelo.

Pragmático, amoral y ambicioso, en aquellas apasionadas noches con Ana María Luján, Carlos Menem fue dibujando su futuro.

Estaba convencido de que, por designio de Dios, llegaría a ser Presidente.

Dicen que nada es para siempre.

Un día, los tórtolos comprobaron esta afirmación, en carne propia y sus sueños de amor terminaron hechos trizas.

Saud y Mohibe estaban cansados de las murmuraciones del pueblo y ansiaban para su hijo una mujer adecuada: árabe y de buena familia.

Mohibe viajaba con frecuencia a Buenos Aires, con un objetivo claro: encontrar esposa para Carlos. Recorría el barrio de Constitución, donde vivían los inmigrantes de Yabrud, y exclamaba ante los azorados paisanos:

—Mi hijo ha sido llamado por la Virgen del Valle a ser Presidente. Carlos Menem llegará alto…

Mohibe sentía que su hijo estaba predestinado, y ella era capaz de hacer cualquier sacrificio por él.

—¿Qué anda haciendo por aquí, doña Mohibe? ¿Qué necesita? —le preguntaban.

—Estoy buscando una esposa para Carlos —explicaba ella, mientras sus ojos escrutaban a las hijas casaderas de sus paisanos.

—Pero, ¿qué quiere?

—Una mujer especial. La mujer que quiero para mi hijo tiene que tener inteligencia, linaje y saber aguantar los avatares de la política en un segundo plano…

–Doña Mohibe, pide demasiado. No va a encontrar esa mujer. Además, su hijo está muy enamorado…

–Esa no le conviene, no es para él. Él necesita una mujer virgen, que pueda casarse de blanco y que le dé muchos hijos…

Carlos Menem lloró y suplicó, pero no hubo caso.

Su padre fue inflexible y su madre, más compasiva, le pidió que lo hiciera por ella. Y él, ¿cómo se iba a negar? Quería a su madre por encima de todo. Mohibe Akil era el faro de su vida. Cada noche, antes de irse a dormir, ella le ponía el jazmín en la mesa de luz. Ella lo protegía de los castigos y las reprimendas de su padre.

Saud Menem repetía, con su hijo Carlos, lo mismo que su madre había hecho con él. Obligarlo a casarse con una mujer a la que no amaba.

Los Menem habían encontrado la esposa conveniente para su hijo mayor y ajustado los preparativos para que viajara a Siria a conocer a la novia. Los Yoma eran una familia acomodada de Damasco y durante el tiempo que vivieron en Nonogasta, un pueblo al norte de La Rioja, tomaron contacto con los Menem.

Zulema Fátima era, de todas las hijas del matrimonio, la más bella.

–Tía, me voy a casar con Zulema, como dice mamá. Si le doy un disgusto, jamás voy a ser feliz. Dios me va a ayudar después a resolver este sufrimiento… –le dijo a la prima de su madre, con el rostro cubierto de lágrimas, antes de partir a Damasco.

Haifa Akil lo escuchó en silencio y lo besó en la frente.

Carlos Menem pasó la última noche con Ana María. Hicieron el amor tantas veces como les dieron sus fuerzas y lloraron juntos.

En el invierno de 1964, los Menem y los Yoma presentaron a sus hijos en el salón de la casa de Damasco. Carlos quedó impresionado con la belleza de Zulema y, sobre todo, por sus ojos y aquella boca, enorme y generosa.

Ella, apenas lo vio, se enamoró de él.

Con los años, él recrearía ese episodio en otra romántica fábula.

–Y ustedes se preguntarán cómo encontré una riojana y de Nonogasta en esa Damasco misteriosa, la más árabe de las capitales de Medio Oriente… El tradicional hogar de los Yoma Gazal albergaba a sus nueve hijos, entre ellos la "Zuli", como me gusta decirle. Tenía veintiún años y una pinta bárbara. De pura casualidad, caminaba por una calle de Damasco, la capital de Siria, cuando me la crucé, y no me guardé el piropo, quizás algo subido de tono. "¿Querés pasar la noche conmigo?", le dije.

"¡Argentino tenías que ser!", fue su respuesta. Por suerte para mí, después pude recomponer ese mal comienzo, y de los seis meses que estuve en Siria, veinte días fueron de noviazgo.

El 1º de octubre de 1964, Carlos Menem llegó a Madrid.

El legendario empresario peronista de origen sirio Jorge Antonio lo llevó, después de algunos trámites engorrosos, a conocer a Juan Domingo Perón. El sueño de su vida. Desde Madrid llamó varias veces a Ana María y le juró que la amaba. De paseo por los negocios de la capital española, compró perfumes y una mantilla bordada para ella. Y para Zulema, una muñeca.

Jorge Antonio, nacido en 1917, padre de once hijos, cuatro propios y siete adoptados, amante de los caballos y del póker, había llegado exiliado a Madrid en 1960, con una inmensa fortuna a cuestas. Era propietario de un piso de seiscientos metros en el Paseo de la Castellana y era la llave para acceder a Juan Domingo Perón. Después de enviudar de su primera mujer, Esmeralda Rubin, Antonio se casó con una española, ligada con una familia rica y poderosa.

El 8 de octubre, al mediodía, Jorge Antonio, acompañó a Menem en su primer encuentro con Perón, en la residencia de Puerta de Hierro. Además de Carlos Menem, de traje azul y camisa blanca, estaban Jorge Camus, de San Juan, Fernando Bramuglia, hijo de Atilio, ex ministro de Relaciones Exteriores de Perón. Isabelita y el brujo López Rega asistieron al encuentro.

–Usted es muy joven, ¿no? –preguntó el General.

–No tanto, hay que mantenerse…

–¿Y a qué se piensa dedicar?

–Soy abogado, pero me gusta la política. Por eso vengo a ver a los hombres sabios, para que me ilustren…

Perón habló con todos y les recomendó la lectura de sus libros. Isabelita le preguntó a Menem por su pueblo natal. También ella era riojana. Perón hizo una broma al respecto.

–Cuando una manga de langostas atraviesa la Argentina, antes de pasar por La Rioja se llevan su propia vianda, porque allí andan todos muertos de hambre…

Todos festejaron la humorada y brindaron por el cumpleaños del General.

Al otro día, el mismo Jorge Antonio dice que Perón le preguntó por "aquel muchacho riojano". Él salió a buscarlo y lo encontró en un hotel de tres estrellas de la Gran Vía y le pidió que se quedara unos días más.

–Jorge, no lo pierda, ese muchacho tiene premio… –le dijo Perón.

Carlos Menem regresó a La Rioja y se dedicó a la política y a la profesión. Su romance con Ana María seguía viento en popa, mientras en su casa paterna Mohibe preparaba su casamiento con Zulema.

–El casamiento de Carlos fue un arreglo familiar, pero casamiento al fin. Por eso yo viví esta relación como atrás de un cortinado, en la clandestinidad. Él muchas veces quiso mandar todo al diablo y estar siempre conmigo. Pero yo no quise, no porque no lo deseara sino porque eso significaba el fin de su carrera política. Por Carlos fui capaz de los mayores sacrificios. Además, estaban mis hijos y no quería que a ellos les afectaran las habladurías. Él siempre fue un tierno, con un gran carisma. Yo admiré sólo a dos hombres en mi vida: mi padre y Carlos Menem. Jamás discutimos, jamás tuvimos un altercado, jamás me gritó ni me levantó la voz. Por eso, en mi vida hubo dos días tristes: el día que murió mi padre y el día que Carlos se casó –confiesa Ana María casi treinta años después, cuando su amado Carlos Menem ya era Presidente y ella ocupaba un despacho de asesora presidencial, con rango de secretaria de Estado, a pocos pasos del suyo.

Antes de casarse con Zulema, Carlos Menem –cada vez más convencido de su catolicismo– se hizo bautizar por el presbítero Esteban Inestal, en la catedral de La Rioja, en una ceremonia íntima. A partir de entonces, Inestal se convirtió en una figura clave de su vida: es su amigo y su confesor. Sexagenario, en la actualidad atiende la parroquia de Chilecito, exiliado de la ciudad por el actual obispo Sigampa debido a sus posiciones progresistas: Inestal estuvo comprometido con la pastoral social del asesinado obispo Angelelli, lo secundó como secretario canciller del obispado de La Rioja y tuvo mucho que ver con el acercamiento de Menem al obispo, en la década del setenta. Inestal recibió el cuerpo de Angelelli el 4 de julio de 1976 e impidió el allanamiento militar de la sede, argumentando que era extraterritorial, potestad del Vaticano. Esteban Inestal es uno de los hombres que guarda los secretos más íntimos de Carlos Menem.

En realidad ya estaba bautizado. Cuando Carlos Menem nació, Romana Pelliza, una vecina de la casa paterna, creyendo que moriría, llamó a un sacerdote y lo hizo bautizar. La mujer había asistido a Mohibe en el parto y estaba francamente asustada. Madre e hijo no se veían nada bien.

El casamiento con Zulema se hizo bajo el rito musulmán. La ceremonia religiosa tuvo lugar en el barrio de Constitución de Buenos Aires, en la casa de Diba Akil, su prima, bajo la bendición de Hammed El Kadre, padre de Envar El Kadre, convertido luego en jefe de la guerrilla peronista. Después de la bendición, todos se sentaron felices a la mesa, cubierta de exquisitos bocaditos árabes. Carlos Menem tenía la mirada opacada por la tristeza. Muchas veces recordaría aquel instante. La música típica, las voces inconfundibles del idioma paterno, el futuro de su vida. Mohibe y Saud exultantes. Todos felices, menos él.

Mientras colocaba el anillo en el dedo de la mano izquierda de Zulema, no podía dejar de pensar en Ana María. En su piel suave, aceitunada, que lo enloquecía. En esos ojos negros que le perforaban el alma. Sentía sus propios ojos rojos, ardientes, de tanto contener el llanto. Pensó en huir del lugar, como cuando era un niño y se escapaba de las palizas de su padre. Recordó las promesas hechas a su madre y se contuvo. Días después, fue la fiesta en el Club Sirio Libanés de La Rioja. Zulema, virgen y de blanco, como quería Mohibe.

–Nunca te voy a dejar, nunca. No me importa lo que me pase, pero te juro que siempre vamos a estar juntos. Siempre te voy a amar… –le prometió Carlos a Ana María la misma noche de su casamiento, mientras hacían el amor a las apuradas en la cama que los había cobijado durante tantos años. Se había escapado de la fiesta sólo para estar con ella una vez más.

–Papá, le traigo una mala noticia. Murió mamá…

Saud Menem estaba en la vereda de la casa. Pegó un grito y caminó tambaleándose hasta el sillón del living. Se agarró la garganta y sintió que le faltaba el aire. Amado salió corriendo a buscar al médico. El hombre llegó y le tomó la presión. La tenía por el piso.

–No puede ser… no puede ser… Ella era el amor de mi vida… La única…

Tirado en el sillón del living de la casa familiar, mientras lloraba sin consuelo, bajo la mirada del médico y de su hijo mayor, Saud recordó a Valentina Leiva.

La mujer que había abandonado por mandato familiar para casarse con Mohibe había muerto de un paro cardíaco la mañana del 5 de agosto de 1967, en la ciudad de Rosario.

En las vísperas de los años setenta, La Rioja no vivía momentos de prosperidad. El centralismo porteño condenaba a las provincias chicas y pobres a la postergación y el olvido. La terrible situación económica provincial empujaba a los jóvenes a emigrar a las grandes capitales, en busca de un destino diferente del de empleados públicos o campesinos. Las luchas montoneras de los caudillos contra el poder de Buenos Aires eran cosas del siglo pasado. Ahora, en los pobladores, sólo había pasividad y rendición de pleitesía a las cúpulas gobernantes, que manejaban la provincia como un feudo.

Se acercaban años de violencia y muerte.

La provincia estaba intervenida por Guillermo Iribarren, un conservador de Nonogasta, designado por el dictador Juan Carlos Onganía. El joven abogado Eduardo Menem, uno de los hombres de mayor confianza de Iribarren en la provincia, fue designado ministro de gobierno. Eduardo era todo lo contrario de Carlos. Encerrado en sí mismo, reconcentrado, callado, observador y profundamente conservador. Un capricorniano típico. Mohibe debía rogarle lo que les prohibía a los más grandes: "Por favor Eduardito, dejá de leer y andá a afuera a jugar". Eduardo: sencillo y callado. Carlos: ostentoso y extrovertido. Eduardo usaba pantalón gris y saco azul. Carlos, pantalones rayados o a cuadros, con llamativos zapatos blancos, muy onda sesenta. Carlos mujeriego y Eduardo recatado. En aquellos años, Carlos le había puesto un apodo a su hermano. "Cucharita", le decía, porque "levanta y no pincha". Se burlaba así de la poca suerte que tenía su hermano con las mujeres, mientras él no daba abasto.

Durante el gobierno de Onganía, Eduardo miraba con gesto despectivo las movilizaciones peronistas desde la ventana de su despacho en la casa de gobierno, mientras Carlos las agitaba a gritos desde la calle. Eduardo siempre admiró el carácter festivo y abierto de su hermano, aunque tenía sentimientos encontrados hacia él. Un psicólogo hablaría de los fenómenos de competencia, de la dicotomía éxito-frustración, del amor y la envidia. La psicóloga Adriana Serebrenik lo puso en términos más llanos: "En general, el menor admira profundamente al hermano más próximo. Puede copiarlo hasta en los rasgos más íntimos, lo que suele llevar a una frustración, porque jamás lo alcanzará. O puede convertirse en su antítesis más absoluta, para de ese modo destacarse sobre el otro y llamar la atención de los padres. Es una especie de envidia encubierta".

Este argumento puede tal vez explicar la sinuosa relación que Carlos Menem tuvo toda la vida con su hermano Eduardo.

Las relaciones entre Carlos y Zulema caminaban al borde de la cornisa.

Él continuaba con Ana María como si nada hubiera cambiado en su vida. Y para eso, contaba con la complicidad de su familia, que aceptaba la situación. Zulema quedó embarazada de su primer hijo, Juan Domingo, que murió a las pocas horas de nacer. Y en noviembre de 1968, llegó Carlitos.

En La Rioja, los chismes del pueblo se propalaban como en un incendio.

Las vecinas murmuraban todo el día: "Ella, la Luján, sigue andando con el Carlos. Dicen que va a la casa de ella cuando los hijos no están. Y cuando la cosa a él se le pone brava con la mujer, los dos viajan a Buenos Aires a escondidas".

A Ana María, los rumores de la gente no la rozaban. Estaba convencida de que eran comentarios de mediocres y envidiosos. Carlos la pasaba a buscar por su casa con un Rambler prestado por un amigo. Estacionaban en un camino de las afueras y estaban horas besándose. Muchas veces hicieron el amor en el auto, y a los dos les divertía la posibilidad de que algún vecino los pudiera pescar *in fraganti*.

–Cuando pasaba un tiempo sin vernos (por culpa de Zulema), nos escapábamos a Buenos Aires. El hotel Impala era nuestro nidito de amor. Nos pasábamos tres días encerrados, sin ver a nadie y sin comer. Nos amábamos con pasión. Él me contaba de sus penurias y hablábamos de política. Soñaba con ser presidente y yo le aconsejaba. Zulema hacía cosas que lo llenaban de odio y él lloraba abrazado a mi falda. Y entonces, yo lo calmaba. Nunca le tuve celos a Zulema. Al contrario, sentía pena por esa mujer. Ella no era feliz. Lástima que tampoco Carlos fuera feliz –confesó ella una vez.

En mayo de 1969 estallaba el Cordobazo y se abría una nueva etapa en la Argentina. Nacían las organizaciones guerrilleras y era secuestrado, y posteriormente asesinado, por Montoneros el general Pedro Eugenio Aramburu, acusado de ocultar el cadáver de Eva Perón. El general Perón, desde su exilio madrileño, con un discurso exaltado, apoyó la violencia de "sus muchachos". Y Carlos Menem, a tono con la ola, se colocó al lado de los revolucionarios. Todo lo contrario de sus hermanos Amado y Eduardo.

El obispo Angelelli era el personaje más popular de la provincia y su prédica arrastraba multitudes. Carlos Menem lo apoyaba con entusiasmo.

En medio de un nuevo escándalo, Zulema Yoma se marchó a Siria con Carlitos. Carlos se volvió loco y amenazó con suicidarse. Su padre Saud intervino, junto con Eduardo y Amado: visitaron a Zulema y le ofrecieron darle la bodega, a cambio de que ella dejara a su hijo con ellos. No hubo arreglo.

–¡Qué se creen, hijos de puta! ¿Que me van a comprar?

Durante el tiempo en que Zulema estuvo ausente, Carlos se refugió en los brazos de Ana María. Y la relación con los hijos de ella, Ricardo y Anita, se intensificó. "Lo adoraban", dijo una amiga.

Carlos Menem aparecía por la casa cargado de regalos para la madre y sus hijos. Jugaban juntos y, con el tiempo, ellos fueron cómplices de aquella relación prohibida. Ricardo era el más apegado. Cuando Menem asumió la presidencia, se preocupó de que los hijos de Ana María estuvieran bien ubicados. Ricardo fue primero custodio de Carlos Menem y después secretario de logística de la SIDE. Ana María, la menor, se casó con Nicolás Granillo Ocampo, hermano de Raúl Granillo Ocampo, luego implicado en el affaire del tráfico de armas.

–Por esos años, un día estábamos en mi casa y vino Zulema. Se armó un lío terrible, lo quería matar. Toda La Rioja se enteró del escándalo. Doña Mohibe trataba de interceder y cuando Zulema se fue a Siria, la madre de Carlos me pidió perdón. Una vez, Zulema me mandó los chicos, que lloraban y me pedían que abandonara al padre. Era terrible. Yo consultaba a brujas y videntes. Todas me decían lo mismo: "Ustedes jamás se van a separar". Yo nunca me sentí "la otra". Fui la primera y no le saqué nada a nadie. Al contrario, a mí me sacaron a mi hombre. Carlos quería tener un hijo conmigo, me rogaba, me pedía por favor. Sobre todo en la época en que Zulema se fue a Siria. Yo quedé embarazada, pero no lo quise tener. A veces me arrepiento de haber tomado aquella decisión, pero fue mejor así –recuerda.

Ana María no se puede quejar. Con los años no le fue nada mal.

De la asesoría presidencial en la Rosada pasó a encargarse de las relaciones comerciales con Taiwán. Recibe una jubilación de privilegio de tres mil seiscientos pesos y los lenguaraces de la Cancillería le pusieron un apodo sugestivo: "Aduana paralela". Vive en un lujoso dúplex en Recoleta, alejada de las modestas habitaciones del hotel Impala, en Libertad y Arenales, el nidito de amor adonde ella y Carlos se escapaban cuando eran pobres. Sus gustos son refinados: viste caro y con ropa de marca. En su guardarropa no faltan los trajes de Armani, los zapatos de Blaschnik y las carteras de Vuitton. Viaja a Europa tres veces al año y veranea en Punta del Este.

Cuando no está en Taiwán, Ana María agasaja a su viejo amor con comidas árabes. Ella dice que es como su madre. Una vez al mes, Carlos Menem la visita; a veces, en compañía de Eduardo y Susana, sus antiguos aliados. Juntos, recuerdan viejos tiempos.

En 1970, el gobierno de Onganía se hacía cada vez más impopular.

Temblaba el país bajo los efectos del Cordobazo, cuando el justicialismo riojano solicitó permiso al ministro Eduardo Menem para hacer un acto en el que el principal orador sería su hermano Carlos. Se pretendía festejar el 17 de Octubre. Eduardo les negó la autorización y permitió sólo un mitin a puertas cerradas. Nada de marchas por las calles céntricas. Los peronistas riojanos jamás se lo perdonaron.

–Doctor, no nos puede hacer esto… –decían tratando de convencerlo.

–No se equivoquen. El peronista es Carlos, no yo.

Y aunque Eduardo jura que esta anécdota no es cierta, en enero de 1971, dos años antes de que su hermano asumiera la gobernación de la provincia, llegaba a gobernador, de manera involuntaria. Iribarren falleció, víctima de un cáncer en los huesos y Eduardo debió asumir en su reemplazo. Su gestión duró sólo quince días.

Se hablaba de la apertura democrática y "el hermano Eduardo" se ilusionó: mandó imprimir miles de folletos con su discurso como gobernador, donde elogiaba al gobernador fallecido, que fueron repartidos en todas las dependencias oficiales. Hasta apareció *Cuarto Poder*, un periódico en donde se resumía la labor cumplida y se sugería su candidatura.

Carlos y Zulema seguían a las trompadas. Carlitos tenía cuatro años y Zulemita, dos. Los chicos eran testigos de las violentas trifulcas. La situación económica de Menem era difícil: estaba cargado de deudas. Su pasión por la noche y el juego le generaba grandes conflictos financieros. Los hermanos Yoma, con la curtiembre, bancaban los gastos del matrimonio. El estudio de la calle Catamarca se había convertido en un antro frecuentado por personajes extraños, prostitutas y marginales de la política. Allí se hablaba de juego clandestino, usura y drogas.

En 1972, Menem participó como invitado del "Operativo Retorno", que traía a Perón de regreso al país. Un charter cargado de personalidades políticas del peronismo, de la cultura y de la farándula. Una vez en el aire, Menem se sentó entre Ricardo Obregón Cano, gobernador de Córdoba y vinculado con la izquierda peronista, y Vicente Saadi. No dejó estribillo sin entonar y cantó una y mil veces la marcha peronista.

–¿Cómo están los riojanos? –preguntó Perón, mirando a Menem, que ya emulaba a Quiroga.

–Bien, General. Dispuestos a sacar al país adelante –dijo en tono ceremonioso.

El 20 de febrero de 1973, La Rioja amaneció empapelada con afiches con un retrato de Quiroga, el "Tigre de los Llanos", y otro de Menem.

Carlos se convirtió en el candidato peronista por aclamación y arrasó en las elecciones del 11 de marzo de 1973.

El 8 de julio asumió en San Antonio, el pueblo donde nació su idolatrado Facundo. Envuelto en un poncho colorado, juró debajo de una bandera que rezaba: "Organizarse para la toma del poder". Estaban presentes el obispo Angelelli y los jefes de la Juventud Peronista, que respondían a las organizaciones guerrilleras. Había banderas de FAR y Montoneros.

–Venga, señora, acérquese, no me tenga miedo… –le dijo Angelelli a Zulema, que miraba el acto desde un rincón, asustada–. Con el que tiene que tener cuidado usted es con su marido… –remató el obispo.

Angelelli acompañó a Menem en la campaña, en pos de un reclamo: la entrega de las ciento veinticuatro hectáreas de la finca Azzalini a una cooperativa de trabajadores del pueblo. Los Azzalini habían decidido cerrar la finca por improductiva y los trabajadores, habitantes de Aminga, habían quedado desocupados.

Los trabajadores reclamaban hacerse cargo de la tierra. Angelelli los movilizó y las misas se habían transformado en actos multitudinarios. Menem aprovechó los vientos y se puso al frente. Su hermano Amado, ultraconservador y católico de derecha, organizó a la oposición. Se llamaron "Defensores de la Fe" y se lanzaron a una guerra ideológica contra el obispo. Amado mandó una carta al cardenal Raúl Primatesta, acusando a Angelelli de comunista y pidiendo su remoción. Amado y Mirtha Coronel, su segunda mujer, encabezaron una manifestación de vecinos y echaron a pedradas a Angelelli de Anillaco. Carlos Menem estaba en Roma y cuando regresó, prometió castigo a los culpables. El 22, la Legislatura aprobó la expropiación de las tierras, pero no para la cooperativa sino para su venta a particulares.

Angelelli estaba seguro no sólo de que Menem lo había traicionado sino que, además, había estado atrás de la conspiración en su contra. Comprobó que no estaba equivocado con sus sospechas y con aquellas advertencias a Zulema, durante el acto de asunción.

–Este hombre no sólo es un traidor sino también un cobarde –solía decir Angelelli, con todas las letras, en la intimidad del obispado.

La derechización del gobierno de La Rioja avanzaba a pasos agigantados, a la par que desde Buenos Aires, el brujo López Rega y su temible banda de asesinos lo sospechaban de ayudar a los Montoneros. Por esos días, en su ambivalencia eterna, Menem proclamaba discursos encendidos en los que trataba de estar bien con Dios y con el diablo. Y pensó seriamente en acompañar a la viuda de Perón como compañero de fórmula en las próximas elecciones presidenciales.

Por esos días, y en ese contexto, Isabel llegó a La Rioja, invitada por el gobernador, que sólo quería congraciarse con ella. La llevó a la casa donde ella había nacido y para quedar bien con el Brujo, que no se separaba de su lado, dijo:

–A este pueblo le duele cuando alguno de los criminales de turno mata a nuestros hermanos de las Fuerzas Armadas.

Todos aplaudieron exaltados.

En la provincia, Menem estaba solo. Había clausurado el diario *El Independiente*, el combativo diario de la provincia que lo había acompañado durante la campaña. Los militantes de la Juventud Peronista y los grupos cristianos, aglutinados alrededor de la figura de Angelelli, habían sido abandonados a su suerte. Menem ya no los protegía sino que, mediante sus críticas, los empujaba a convertirse en nuevas víctimas de la represión de los grupos de paramilitares instalados en la zona con su consentimiento.

En su afán por conseguir fondos para su campaña electoral, Héctor Basualdo, un personaje oscuro de la agrupación derechista peronista Guardia de Hierro, se convirtió en su contacto con los grupos árabes: Yasser Arafat, Khadafi. Y en Panamá, con el general Omar Torrijos –muerto en un dudoso accidente en 1981–. Menem corría rallies y en una de estas incursiones deportivas, en el Paraguay, tomó contacto con el dictador Alfredo Stroessner. La Rioja y el Paraguay hicieron extrañas migas comerciales: en febrero de 1975, a un mes del golpe militar, Menem le devolvió a Stroessner los muebles franceses que habían pertenecido al mariscal Francisco Solano López.

Ese gesto de generosidad le sirvió para convertirse en amigo y socio del militar, en la actualidad exiliado en Brasil. Unas cuantas fotografías de la época lo muestran abrazado a Stroessner y sus temibles laderos.

Carlos Menem colgó el teléfono y lloró.

Zulema sacó un Valium del cajón de la mesa de luz del dormitorio y lo metió en la boca de su marido.

El secretario privado de Isabel Perón le había avisado a Menem que la viuda había sido detenida por la Marina y que todo "estaba terminado".

–No puede ser, no puede ser… –dijo con voz apenas audible.

Tomó el somnífero y se acurrucó en la cama en posición fetal.

El día anterior, el 23 de marzo de 1976, ante la inminencia del golpe militar, y emulando a Salvador Allende, Menem había anunciado por la radio que, si había un golpe de Estado, a él sólo muerto iban a poder sacarlo de su despacho de la Casa de Gobierno.

Unos golpes en la puerta le advirtieron a Zulema que los militares buscaban a su marido.

–¡Levantáte, carajo, que te vienen a buscar! ¡Dejá de llorar, Carlos Menem, y portáte como un hombre!

Mientras el teniente coronel Jorge Malagamba lo esperaba en el comedor de la residencia, acompañado por Zulema, Menem se vistió despacio, besó las fotos de sus hijos y de su mujer. Secó las lágrimas que corrían por su cara.

–No hacen falta tantos soldados. Soy un hombre pacífico. Si me llamaban por teléfono, me hubiera presentado detenido.

De la residencia riojana, Menem fue trasladado al Regimiento de Infantería 15, y una semana después se lo llevaron a Buenos Aires, para encerrarlo en el buque *33 Orientales* con los demás dirigentes políticos y sindicales. Estuvo tres meses encerrado, en el barco encallado en el apostadero naval de Buenos Aires, sin poder ver la luz del sol. Un día, un guardia se apiadó de sus lamentos y lo sacó a la cubierta para que pudiera mirar el cielo y sentir el frío del invierno. Menem estaba incomunicado y no podía recibir visitas ni cartas ni llamados telefónicos. Se entretenía tomando mate y jugando a los naipes, y en las misas diarias oficiaba de ayudante del capellán Lorenzo Lavalle.

Uno de sus compañeros de cautiverio, el sindicalista Jorge Triaca, asegura que Menem se la pasaba rezando y algunas veces caía en trances místicos. El ultraconservador presidente de la Confederación Episcopal Argentina, y entusiasta colaborador de la dictadura militar, monseñor Adolfo Tortolo apareció un día por el barco a dar una misa. "Ustedes son los únicos culpables y alguna vez nos volveremos a encontrar, si no en la Tierra, será en el Cielo." Carlos Menem, que hacía de monaguillo, no movió un músculo de su cara y siguió como si nada. Con el que se llevaba muy mal era con el sindicalista Lorenzo Miguel. El mandamás de los metalúrgicos no soportaba los lamentos constantes de Carlos Menem. Miguel había sido torturado y había aguantado sin decir una palabra. Eso le había hecho ganarse el respeto de todos. El libro *El Jefe*, de Gabriela Cerruti, relata que Miguel decía: "Menem era insoportable en el buque, se pasaba el día llorando como un maricón".

Carlos Menem recordaría, en junio de 1983, ante la periodista Ana María Bertolini, de la revista *Siete Días*, sus días de encierro.

"Los momentos más duros, los pase en el buque *33 Orientales*. Y tal vez porque el hombre es un bicho de tierra, no me sentía bien en un barco. Además, vivimos momentos bastantes dramáticos: permanentemente ingresaban al apostadero filas de detenidos que iban a parar a la bodega del barco, y escuchábamos de noche los gritos de dolor de esas personas. Era evidente que los estaban torturando. A mí no me torturaron físicamente, lo mío fue tortura moral".

Desde allí, Carlos Menem fue trasladado al penal de Magdalena, donde sufrió el golpe más fuerte de su vida: su madre Mohibe murió en La Rioja y el gobierno militar le prohibió asistir al velorio. Enloquecido de dolor, juró vengarse.

En la cárcel, Carlos Menem recibía visitas femeninas varias, y cada vez que Zulema llegaba, se desataban terribles discusiones.

El 29 de julio de 1978 fue liberado con libertad condicional, junto con el sindicalista Rogelio Papagno y el ex embajador Jorge Vázquez, años más tarde, padre del gran amor de su hijo Carlitos, la modelo María Vázquez. De Magdalena pasó a estar en calidad de confinado a Mar del Plata. De ahí a Tandil y de esta ciudad a Las Lomitas, un pequeño y caluroso pueblo de Formosa donde permaneció un año. Ahí conoció a Marta Meza y vivió con ella un romance que lo ayudó a soportar la soledad; en 1981 nació su hijo Carlos Nair, al que nunca le dio su apellido.

Fue liberado en 1981 y regresó a La Rioja. Se dedicó otra vez a la política, las mujeres y la noche. La relación con Zulema estaba rota y ella vivía con los chicos en Buenos Aires. Carlos Menem estuvo unos días en su provincia y luego se instaló en el departamento de la calle Cochabamba, en el barrio de Constitución. Comenzaba a subir los primeros escalones hacia el poder.

Menem se había contactado en Mar del Plata con los hombres del "masserismo", una entelequia armada por el almirante Emilio Eduardo Massera, que a fines de los años setenta, cuando se alejó del gobierno militar, pretendió convertir en un partido político, con fuerte tinte peronista, para acceder al poder. Massera soñaba con ser Perón y para eso necesitaba el aparato del Partido Justicialista. Con ese único fin, el temible almirante –acusado en 1985 de gravísimas violaciones a los derechos humanos, en la actualidad con prisión domiciliaria–, le salvó la vida a Isabel Martínez.

Menem, ni lerdo ni perezoso, le abrió las puertas a todo lo que venía.

No importaban los antecedentes de los personajes o el origen de la plata que traían. Empezaba a sumar para llegar a la Presidencia, y en ese camino todo era válido. Los verdaderos arquitectos de la relación con el "masserismo" fueron el almirante Eduardo Fracassi, secretario general de la Marina en la época en que Menem estaba confinado en Mar del Plata, y el almirante Aurelio "Za Za" Martínez, personaje de prestigio en el

Centro Naval, ubicado en pleno centro de Buenos Aires. Los dos comían con Menem cuando éste estaba en Mar del Plata.

Años después, cuando Martínez ocupó el cargo de director de Migraciones, estuvo involucrado en el escándalo del pasaporte argentino otorgado al traficante de armas Monzer Al Kassar. Otros acólitos del almirante que se engancharon con Menem en esos años fueron el ex locutor Juan Carlos Rousselot, Mario Caserta, Luis Santos Casale, Humberto Toledo, Alberto Pierri, Alberto Samid y los hijos del almirante, Eduardo y Emilio. Julio Amoedo, luego senador por Catamarca y marido de la hija de Amalita Fortabat, Inés Lafuente, era otro de los habitués. La dorada reina del cemento y una de las mujeres más ricas de la Argentina, personaje habitual de la revista *Forbes*, también frecuentaba a Massera. Ella y su hija no ocultaban sus simpatías por el jefe de la Marina. Sobre todo Inés. El mismo Massera se jactó, en el reportaje que esta periodista le hizo en 1994 para la revista *Gente*, de que era su "íntima amiga".

En 1980, después del fracaso estrepitoso de la operación de la "contraofensiva", los Montoneros se acercaron a Vicente Saadi, quien poco tiempo después los conectó con Menem. Se conformaba la línea interna, Intransigencia y Movilización, y los guerrilleros pusieron cuatro millones de dólares para financiar el diario *La Voz*. A pesar de estos movimientos políticos que desembocarían en las elecciones de 1983, Carlos Menem se sentía solo y abrumado. Deambulaba por Buenos Aires, acompañado de Vicco, Gostanian, Spadone, Grinberg y el "gordo" Caletti.

Odiaba llegar al departamento de Cochabamba. Sobre todo le espantaba abrir la puerta y darse cuenta de que estaba solo.

Caminaba por Corrientes hasta que llegaba el amanecer, pasaba la noche jugando al póker o visitaba a Eva Gatica. A veces, Vicco se quedaba con él, charlando sobre mujeres o contando chistes. Se metían en los teatros de revistas y conversaba con las vedettes y los actores. O permanecía sentado, con los ojos llorosos, preguntando por sus hijos, a los que no veía desde que había salido de la cárcel.

–Déjenme pasar, carajo. ¡Quiero ver a mi marido! –Decía Zulema exaltada, en la puerta del Hospital Español el 31 de marzo de 1982.

Carlitos y Zulemita estaban aferrados a las polleras de su madre. Zulema entró como un vendaval y abrió de un golpe la puerta de la habitación. Carlos Menem estaba con Janet Bouzon, dueña de una boutique del barrio de Belgrano, con la que desde hacía varios meses mantenía un fogoso romance. Zulemita y Carlitos se le tiraron encima a la mujer, rubia y exuberante, y le daban patadas en las piernas. Zulema la agarró de un brazo y la increpó. La mujer a su vez la empujó. Carmelo Díaz trataba de separarlos a todos.

–¡Por favor chicos, es una enfermera! Zulema, calmáte, por favor… –suplicaba Menem, tirado en la cama.

–¡¿Y desde cuándo una enfermera anda con zapatos de taco y cartera?! –gritaba Zulemita.

La pelea fue de tal dimensión que atrajo a los médicos y enfermeras.

En un segundo, el suero que Menem tenía conectado al brazo derecho voló por el aire, y todos terminaron en el piso.

El 30 de marzo de 1982, el día anterior, la dirigencia política y sindical había realizado una movilización contra la dictadura militar. Hubo una violenta represión y mil quinientos participantes terminaron entre rejas. Menem fue derivado al hospital Español, intoxicado por los gases lacrimógenos.

Después del escándalo, Zulema se presentó en la comisaría octava y radicó una denuncia por agresiones contra Carmelo Díaz, que según sus dichos la había sacado a los empujones del hospital. Carlos Menem se derrumbó y permaneció diez días internado, sin comer, llorando en posición fetal. Clamaba por sus hijos y por Zulema. Todo el tiempo repetía que se quería morir.

A los tres meses estaba recuperado y preparando las valijas.

En junio de 1982, Menem llegó a Trípoli, por una invitación de la embajada de Libia. Lo acompañaba Herminio Iglesias para participar del Primer Congreso de Lucha Internacional contra el Imperialismo y el Racismo, organizado por los comités revolucionarios de Muammar Khadafi. Con ellos estaban, además, el secretario del PJ, Néstor Carrasco, y Horacio Calderón, el contacto libio-argentino vinculado con tráfico internacional de armas. Menem había sido invitado porque todos confiaban que hablaba árabe. Grande fue la sorpresa cuando le tocó decir el discurso y comprobaron que no sabía ni decir "buenos días" en el idioma de sus padres. La invasión de Israel al Líbano abortó un encuentro entre Menem y Khadafi, y todos salieron a pasear y a divertirse.

Una semana más tarde, mientras las tropas argentinas se rendían ante las inglesas, dando fin a la guerra de Malvinas, Carlos Menem desembarcaba en Madrid, donde lo esperaban sus cuñados Emir y Karim. Pasaron unos días en Marbella, una bellísima colonia árabe enclavada en la Costa del Sol española, y planificaron la reconciliación con Zulema. Se avecinaba la apertura democrática y él no sólo necesitaba tener a su indomable mujer al lado sino también el apoyo financiero que le ofrecía su familia política.

En el invierno de 1983, Carlos y Zulema sellaron su reconciliación con un viaje a Bariloche, con sus hijos. Zulema realizaría tareas de Acción Social de la provincia y sus asesores, Jorge Mazuchelli y Antonio Palermo, serían sus representantes en Buenos Aires. Erman González, el contador de las empresas Yoma, el futuro director del Banco de La Rioja.

En el Hotel Plaza de La Rioja, Menem había montado su cuartel político y personal. Allí se entero, el 30 de octubre, del resultado de las elecciones de 1983, que coronaron a Raúl Alfonsín, como Presidente. A las ocho de la noche, cuando comenzó a insinuarse la tendencia a favor del radicalismo, apostó y le envió un telegrama a Alfonsín: "Felicitaciones por el triunfo. Desde La Rioja, lucharemos por el federalismo y la consolidación de la democracia social. Afectuosamente. Carlos Menem".

El 11 de noviembre de 1983, tras la derrota electoral, se reunió el Consejo Nacional, para formar el Consejo Federal que Carlos Menem había propuesto, en reuniones más informales. Pero él dio el faltazo. A las seis de la tarde, mientras Deolindo Bittel anunciaba que había quedado conformado el ámbito, con las únicas ausencias de La Rioja y Jujuy, por televisión se lo veía a Menem, entrando al hotel Panamericano y subiendo al piso diecisiete, donde había instalado sus oficinas Raúl Alfonsín. Los dos se abrazaron frente a los fotógrafos.

Mientras ellos se elogiaban mutuamente, el peronismo reunido insultaba a Menem en diez idiomas. Éste no hacía más que repetir el esquema de toda la vida: se resguardó bajo el paraguas del obispo Angelelli, bajo el de Isabelita, bajo el de Massera, bajo el de los Montoneros y ahora bajo el de Alfonsín.

El dueño del poder hasta 1989.

Durante esos años, Menem gobernó muy poco en La Rioja. Se lo veía en Buenos Aires o recorriendo la provincia. Su vida era caótica. Su piloto Germán Arballo se vio envuelto en una oscura situación con compra de aviones para el gobierno provincial, con papeles truchos. En realidad, decían que con los aviones del gobernador Arballo realizaba misteriosos aterrizajes en la pista de Chañar de Muyo. El piloto de Carlos Menem estaba relacionado íntimamente con Hilario Chiodi "El Canario", croupier del casino provincial, viejo conocido de Menem, detenido en ese momento en una cárcel española, acusado de narcotráfico.

La situación con Zulema estalló nuevamente en 1984, después de una escandalosa pelea a golpes de puño, frente a Bernabé Arnaudo, que los separó.

–Loca de mierda, te voy a matar… No me vas a cagar más la vida…
–gritaba desaforado Menem, mientras apretaba el cuello de su mujer, tirada arriba de su escritorio del despacho de la gobernación.

Cuando intentaron internarla en un psiquiátrico, se volvió a Buenos Aires con los chicos.

–Para volver al lado de Carlos exijo que se purifique el gobierno de La Rioja. Si un matrimonio no funciona como pareja, menos puede funcionar políticamente –dijo Zulema en un reportaje de la revista *Para Ti*–. Tuve una vida extremadamente difícil, por la gente que rodea a mi marido. Primero el carácter extremadamente autoritario de mi suegra, a quien todos los Menem obedecían ciegamente. Segundo, porque Carlos nunca olvidó a Ana María Luján. La seguía viendo. Era muy difícil contradecir la autoridad de Mohibe. Fíjese que ninguno de los hermanos de Menem se casó con la mujer que amaba…

Carlos Menem se pasaba los días en Buenos Aires, con los hábitos de siempre. Acompañado siempre por bellas mujeres de la farándula. "Esas minas son para Carlos como tachas de revólver, no las puede dejar pasar", es la definición de un amigo. La vedette Thelma Stefani fue su compañía en este tiempo. Ese mismo año, la revista *Libre* publicaba una extensa nota titulada "El romance de la vedette y el gobernador", acompañada de una producción fotográfica con Stefani, posando totalmente desnuda. Al mismo tiempo, Menem buscaba apoyo político para la campaña presidencial de 1989.

Según su pitonisa, ése sería su momento. La oportunidad que no debía dejar pasar.

–¿Hace un día peronista? –le preguntó a Torralba, con el mate de plata en la mano.

El 14 de mayo de 1989 había un sol espléndido y los cerros azulados se recortaban majestuosos contra el cielo azul. La Rioja estaba de fiesta.

Carlos Menem se había levantado a las seis de la mañana y, después de desayunar, salió para Anillaco en helicóptero, a cumplir con la cábala de toda la vida: votar en la escuela Castro Barros.

La campaña electoral había quedado atrás.

El camión de basura, que fue la avanzada, era un recuerdo. Héctor "Ronco" Lenci, el sospechoso dirigente marplatense, vinculado con los casinos y el juego clandestino, había comprado un ómnibus, lo había acondicionado y puesto en marcha. Tenía una sala de reuniones, una suite para el Jefe, télex, televisor y bar.

Una suerte de Armada Brancaleone acompañó las recorridas por los lugares más pobres del país: sindicalistas, montoneros, masseristas, videntes, lopezrreguistas y menemistas de la primera hora. Carlos Menem fascinaba a las masas al modo de los pastores evangelistas.

Primero la victoria sobre Antonio Cafiero y después la campaña nacional, camino a la Rosada.

La noche antes de ir a votar, como siempre, rezó un avemaría y un padrenuestro. Leyó un párrafo de la Biblia. Sobre la mesa de luz de la residencia riojana había dos libros: *Noches blancas*, de Dostoievsky, y *La dama de las camelias*, de Alejandro Dumas.

Los primeros cómputos los escuchó tomado de la mano de Zulema, con la que se había reconciliado por enésima vez, con la bendición de la Iglesia Católica.

La foto con ella, que era otra de sus cábalas, no estuvo ausente. Era lo que las brujas le aconsejaban para su buena suerte política.

En unos días, todo se precipitó, y el país se convirtió en un caos.

Alfonsín abandonó con anticipación el gobierno y Menem, aterrorizado, se tiró en la cama de la residencia preso de un estado de pánico. No quería asumir y en su lugar, intentaba enviar a su hermano Eduardo.

–¡Estúpido! No llegué hasta acá para ver a tu hermano Presidente. Antes, te mato, Carlos Menem. ¡Te levantás de la cama y te hacés cargo de la situación! –dijo Zulema.

El 4 de julio, Menem renunció a la gobernación riojana. Tenía el mismo traje verdoso con el que había esperado los resultados del 14 de mayo.

El 8 de julio se levantó de buen humor. Su hechicera le había aconsejado este día y no el 9: "Los astros te favorecen".

Se vistió y esperó al edecán militar que lo vino a buscar al piso de la calle Posadas, su base de operaciones políticas y familiares en Buenos Aires. En la calle, unos chicos riojanos le cantaron una chaya. Se acercó y los besó.

Pensó en su madre y se emocionó.

Quince minutos tardó Raúl Alfonsín en quitarse la banda presidencial y cruzarla sobre el pecho de Carlos Menem. Zulema rompió el protocolo, subió al estrado y abrazó a su marido. Él miró de reojo a una señorita, ubicada al costado y le dijo "te amo". Más allá, casi juntas, estaban varias de sus amantes. Les sopló a todas un beso con la palma de la mano. Abrazó a sus hijos, Carlitos y Zulemita. Y juró como Presidente.

En el Salón Blanco de la Casa Rosada, aquel invierno de 1989, todo olía a fiesta, a felicidad y a gloria.

"ELLA NUNCA ME ENTENDIÓ"

> Nace aquí una cuestión ampliamente debatida: si es mejor
> ser amado que temido o viceversa. Se responde que sería
> menester ser lo uno y lo otro; pero puesto que resulta difícil
> combinar ambas cosas, es mucho más seguro ser temido
> que amado cuando se haya de renunciar a una de las dos...
>
> *NICOLÁS MAQUIAVELO, El Príncipe*

Cerró la puerta de roble y se desplomó en su sillón frente al escritorio, al que todavía le costaba reconocer como propio. El despacho inmenso, las molduras gastadas, las pinturas descascaradas que atestiguaban otras angustias, la chicharra absurda del timbre.

–Hay demasiada gente cerca de uno. Por más que uno quiera evitar la custodia, siempre hay gente que te sigue. Cuando hay mucha gente junto a uno, surge la soledad, que es la ausencia de las cosas de uno. La soledad es la responsabilidad siempre, a cada momento. Yo estuve muy solo en la cárcel y en Las Lomitas. Pero era muy distinto. Porque ahí, vivir o morir me involucraba sólo a mí. Y ahora cualquier acción es para millones –reflexionó en voz alta.

Las palabras de Carlos Menem coronaban los finales de un agitado mes de diciembre de 1989, cuando todavía no había cumplido seis meses de gobierno.

A pocos pasos se desarrollaba la reunión de gabinete, de la que había salido apresurado. Dios y sus demonios se debatían en su mente. El fantasma de la caída de su antecesor, Raúl Alfonsín, se entrometía en sus noches y en sus días. Al fin y al cabo, su gobierno también era un caos azotado por la inflación y las internas políticas.

El dólar no dejaba de subir, los precios corrían escaleras arriba, las exportaciones se desmoronaban imparables, reinaba un desabastecimiento creciente y el plan del holding Bunge y Born hacía agua por los cuatro costados. Los sindicalistas cargaban con sus críticas, los ministros exigían peronizar el gobierno y los rumores de cambios de gabinete eran tapa de los diarios. Su popularidad descendía como por un tobogán.

Su imagen en el peor momento.

–Nosotros no fracasamos nunca –se jactó Jorge Born–. Si esto no funciona, es por la falta de credibilidad política. Lo que pasa es que acá hay ministros suyos que cobran coimas por las privatizaciones. Hay corruptos en su gobierno. Todo el mundo lo sabe. Si ellos siguen, esto es un desastre…

–Mire, Jorge, todo el mundo me viene con acusaciones, pero nadie me trae una prueba concreta. Ni una sola, ¿me entiende? Y yo no puedo moverme con rumores y chismes –le respondió Menem.

–Presidente, yo no sé si hay pruebas de corrupción. No sé si puede haber pruebas de corrupción. Pero si tienen cara de pato, cola de pato y hacen "cua", lo más probable es que sean patos.

Menem despidió a Jorge Born con una sonrisa forzada. El empresario transpuso la puerta con un rictus amargo. Sólo se había sentido peor una vez en su vida: cuando en los años setenta Montoneros lo secuestró junto con su hermano Juan y el holding debió pagar sesenta millones de dólares para que los liberaran.

Ahora era Menem quien imaginaba para él un destino de barro.

–Este hijo de puta me las va a pagar. ¿Quién se cree que es? No voy a parar hasta verlo en cana. ¿De qué corrupción me vienen a hablar éstos, cuando se pasaron la vida currando con los gobiernos de turno? Mientras estaban en el gobierno sacaban para fuera la guita de la empresa. ¿Y ahora me viene a hablar de moral? Esta vez lo ejecuto y después explico. Muchachos, como decía el General: hay que desplumar a la gallina sin que cacaree…

En realidad, los hermanos Born y el socio de la empresa, Juan Hirsch, no eran precisamente un trío de cuáqueros. No se deslumbraban con polleras, pero sí con los negocios y el dinero, y para obtenerlos eran capaces de cualquier cosa. Durante la primera y la segunda presidencia de Juan Domingo Perón habían sido tenidos como sangrientos explotadores de los humildes, casi a la altura del legendario Robustiano Patrón Costa.

"Cuando uno recibe en audiencia al embajador norteamericano hay que estar muy atento; con el representante británico, hay que distinguir entre lo que dice y lo que realmente quiere decir; pero cuando llega un señor con portafolios de Bunge y Born, hay que temblar", solía decir Perón. Él, sin embargo, no tuvo empacho alguno en clavarles una gruesa espina en la planta del pie cuando estableció los precios sostén para los productos agropecuarios y creó el IAPI (Instituto Argentino para la Promoción del Intercambio), que se llevaba la parte del león en la exportación de cereales y oleaginosas.

B&B nunca pudo convencer a los gobiernos militares y civiles de que la economía del país podía arreglarse como ellos suponían, liberalizando la economía, hasta que a alguien en la empresa se le ocurrió la idea salvadora: "La única forma de implantar la libertad de mercados es que la haga un peronista".

Los estrategas del holding dirigieron su mirada hacia un riojano pintoresco, de ascendencia árabe y patillas a lo Facundo Quiroga, que había dado el batacazo al ganarle la elección interna a Antonio Cafiero. Y hacia él apuntaron sus esperanzas.

Conocían a Julio Bárbaro y a Juan Bautista Yofre, a la sazón vocero del candidato y ex periodista de *Ámbito Financiero* que años antes había dado charlas sobre política a los gerentes de Bunge y Born. Ellos les sirvieron de nexo.

Horacio Verbitsky cuenta en su libro *Robo para la Corona* que el 3 de enero de 1989 Yofre acompañó en un vuelo privado a La Rioja al vicepresidente ejecutivo del holding, Néstor Rapanelli, y al encargado de los negocios petroleros de Pérez Companc, Oscar Vicente, ambos representantes de los dos mayores grupos económicos del país.

Llevaban una doble misión. Querían interesar a Menem en la última moda de los *Chicago boys*: el programa econométrico, que consistía en tomar en cuenta todos los factores coyunturales, con prescindencia de lo político, y dejar que la computadora diera las mejores opciones; así se alcanzaría el equilibrio financiero, sostenían. La otra inquietud era canalizar los aportes financieros del grupo hacia la campaña justicialista sin que "se extraviaran los vueltos".

Según Verbitsky, "Rapanelli sostenía que una entrega anterior del dinero no había llegado completa al candidato, e insistió en dejar en sus manos la nueva cuota. Yofre está convencido de que esa gestión nunca le fue perdonada por quienes manejaban la agenda de Menem para estas cuestiones: sus secretarios Miguel Ángel Vicco y Ramón Hernández, su cuñado Emir Yoma y Eduardo Bauzá, y que por ello debió renunciar como vocero del candidato un mes más tarde".

De los tres millones de dólares que los Born aportaron para la campaña justicialista, los recaudadores oficiales –Eduardo Menem, Armando Gostanian, Eduardo Bauzá y Luis Barrionuevo– dijeron que recibieron sólo setecientos mil, es decir, el veinticinco por ciento. El resto se evaporó entre las burbujas del champán de la victoria.

Nunca habían sido destinatarios de aportes tan generosos. Menem se mostraba fascinado ante la posibilidad de sumar a Bunge y Born y sus millones al gobierno. Sobre todo, sus millones.

–Muchachos, estos son los mismos tipos que antes se burlaban de mí y ahora están desesperados por trabajar para mí –le decía a Vicco.

Deslumbrado por las luces de la Recoleta, Menem buscaba la manera de concretar su anhelo de la "reconciliación nacional". El abrazo del perdón entre militares y montoneros, con la bendición del ex secuestrado, era lo que le faltaba para alcanzar el cielo.

El holding colocó a los dos primeros ministros de Economía del menemismo. El primero, Miguel Roig, un opaco ingeniero, fumador empedernido, duró menos que un suspiro: apareció muerto en el baño de su departamento de Plaza San Martín, a la semana de su asunción. Paro cardíaco debido a las tensiones del cargo y el exceso de nicotina, se determinó.

No fue esa la opinión de Menem.

–Se suicidó. Lo mataron los mismos que lo pusieron –dijo en tono apocalíptico en el Salón Blanco, frente al cajón.

Miguel Roig dejó una carta dirigida a Menem en la que le explicaba por qué había tomado la decisión de quitarse la vida. El Presidente la leyó en su despacho en presencia de Zulema Yoma y del nuncio Ubaldo Calabresi. Hubo quien aseguró haber visto a Roig colgado de la ducha del baño, al regresar de una comida en la embajada de Francia.

El segundo titular del Palacio de Hacienda fue Néstor Rapanelli, vicepresidente ejecutivo de la empresa, que asumió presionado por Menem y por su jefe, Jorge Born. No pasaría mucho tiempo antes de que se arrepintiera. Rapanelli no entendía de política y los códigos del menemismo le resultaban más incomprensibles todavía. Sólo sabía de números y éstos también le eran adversos. El país se volvió un caos y Menem, fiel a su estilo, pronto encontró un culpable del desgobierno: Rapanelli y los B&B.

–Todo influye. La caída de las exportaciones, la existencia de dos CGT, las luchas intestinas en el gabinete, las versiones sobre cambios después del 10 de diciembre, las expectativas de conflicto entre el grupo B&B y yo… Y, por culpa propia, algunas desprolijidades en el diagrama de las políticas económicas –admitía Menem.

Mientras un Rapanelli desencajado ensayaba tibias explicaciones en el Congreso bajo los insultos de los diputados del sindicalismo, en la suite presidencial del hotel Alvear se decidía el recambio de gabinete. De nada había servido el salvavidas de emergencia del plan B&B II. O sea:

devaluación del cincuenta y siete por ciento, dólar oficial a mil y aumento de tarifas del setenta por ciento.

En octubre de 1989, tal vez el mejor momento del plan B&B, el cuarenta por ciento de la población en el Gran Buenos Aires recibía el doce por ciento del ingreso global y el diez por ciento más rico se quedaba con el treinta y siete por ciento del producto. En diciembre la brecha entre ricos y pobres se agrandó, muchos naufragaron, pero unos cuantos recibieron salvavidas.

Dentro del diez por ciento de los privilegiados se contaba la familia Yoma. Amira, sin participación en el emporio de la curtiembre, escaló en un santiamén desde un modesto departamento en Wilde, donde vivía con Ibrahim Al Ibrahim, el marido sirio del cual se estaba divorciando, a otro bastante más chic en la avenida Coronel Díaz. Y de la venta puerta a puerta y en oficinas públicas de cinturones, cortes de tela y camperas de cuero, que cargaba en grandes bolsos, al flamante cargo de secretaria de Audiencias de la Presidencia. Lejos estaba ya de los tiempos de estrecheces. Mario Rotundo contaba que, durante la campaña, Ibrahim ni siquiera tenía reloj, y que en un gesto casi compasivo él le regaló uno de buena marca comprado en Suiza. No era todo: además, ella se había encargado de conseguirle a Ibrahim –que ni siquiera sabía hablar castellano– un empleo como director de Aduana de Ezeiza.

–Firmá acá. Carlos dejó instrucciones para que lo hagas, él está perfectamente al tanto de esto –le dijo Amira a Duhalde el 4 de septiembre de 1989 al extenderle el decreto de nombramiento de Ibrahim. Y el vicepresidente, que había asumido provisionalmente el cargo mientras Menem cumplía una gira por el exterior a lo largo de 33.700 kilómetros, firmó a ojos cerrados el famoso decreto 682 por el que tiempo más tarde, cuando estalló el "Yomagate", los menemistas le cargaron a Duhalde la responsabilidad.

La secretaria de Audiencias había cumplido sus treinta y siete años el 18 de agosto, pero se aguantó sin chistar hasta lograr aquel cometido. Con el decreto finalmente en mano, llamó al Alvear Palace y reservó el Roof Garden para su fiesta: tenía ya suficientes razones para festejarlos a lo grande. Leonina ella, y por eso mismo con la íntima necesidad de ser el centro de la atención y de la admiración ajenas, encontró la manera de demostrar que una turca riojana había desembarcado en Buenos Aires para "empatar" a los porteños.

Trescientos invitados, entre grandes empresarios, altos funcionarios y los incondicionales amigos y parientes, se sentaron el 8 de septiembre en torno de treinta y cinco mesas para degustar kebbe, centolla y salmón ahumado, cordero "a la moda del cheff" y, de postre, helado con forma de racimo de uvas bañado en salsa de champán. El aduar y el Ritz en comunión culinaria, y todo por sólo treinta mil pesos, que, según Emir Yoma, "bancaron los amigos".

La concurrencia fue tan heterogénea como el menú: desde Herminio Iglesias hasta María Julia Alsogaray, pasando por Mirtha Legrand, Omar Fassi Lavalle, Ítalo Luder y Gino Bogani... y Amalia Lacroze de Fortabat codeándose con Jorge Triaca, Lorenzo Miguel y Saúl Ubaldini.

Pero la mesa vecina a la derecha de Amira permaneció vacía: Carlos Menem, que ya había regresado, no asistió. Y Zulema Yoma tampoco. La razón no era esta vez una simple reyerta conyugal sino la incomodidad del Presidente: no quería aparecer levantando su copa junto con el secretario de la CGT, que por esos días, en el comienzo de su aún secreto flirteo con Amira, expresaba las primeras críticas contra el rumbo económico. El "faltazo" no alcanzó a ser compensado por la presencia de Zulemita, quien no disimuló su aburrimiento ni siquiera cuando su tía Amira demostró sus siempre reconocidas dotes de bailarina árabe, contoneándose en la pista.

–No quiero saber nada con esta gente. Lo que me mostraron sobre la vida que lleva este hombre me da asco. Las fiestas en Olivos y en el Alvear... No quiero estar con ellos –dijo Jorge Born.

El empresario no estaba molesto sólo por la fiesta de Amira. Tenía informes de su propia tropa de inteligencia sobre las actividades nocturnas de Menem y su entorno. Y estos informes lo impulsaron a pegar el portazo. Julio Bárbaro lo escuchó en silencio y trató de detenerlo. Pero no hubo caso. Rapanelli se quedó "colgado de la brocha" y al poco tiempo renunció.

Es probable que Jorge Born, al fin y al cabo miembro de una elite, considerara aquellas reuniones como guarangadas de arribistas, indignas de su presencia. Pero años después alimentaría jugosos comentarios al asociarse con Rodolfo Galimberti, el jefe y ejecutor de la operación montonera "Mellizos", en la que fueron secuestrados él y su hermano y durante la que fueron asesinados un alto empleado de la empresa y el chofer del auto en el que viajaban.

La amistad fraternal entre Born y Galimberti daría tema a una novela psicológica o a un análisis de una de las peores perversiones del ser humano. Primero, el empresario incorporó a su secuestrador a la compañía en un alto cargo –que éste le retribuyó con el reloj de oro que le había robado en aquella ocasión–; después, asistió a su casamiento en Punta del Este, tan sonriente y feliz como el novio. Y, por último, se integró como socio de Galimberti y de Jorge Rodríguez –novio de Susana Giménez– a Hard Communication, empresa, concesionaria de un 0-600 que alcanzó el más alto ranking de popularidad cuando estalló el escándalo de las llamadas telefónicas truchas al programa de Susana Giménez y los reclamos del padre Julio Grassi, quien, a cambio de franciscanos aportes para los niños con necesidades básicas insatisfechas, les servía de fachada para llenarse los bolsillos.

Esa Navidad de 1989, en sólo una semana, los precios habían subido en promedio setenta por ciento y la Argentina estaba en llamas. En la intimidad, Menem, furioso, acusaba a Born de traición.

–Estos hijos de puta dijeron que iban a traer tres mil millones de dólares y después se borraron –rugía en pleno baño de inmersión, en Olivos, frente a Vicco y su cuñado Emir, que lo escuchaban sentados, uno en el inodoro y el otro en el bidet.

Como un jeque, Carlos Menem había imaginado que aquellos millones prometidos por los hombres de B&B bajo el tórrido sol riojano, se materializarían en sus manos y que él podría finalmente anunciar la concreción de la "revolución productiva", consigna de su campaña. Una lectura ingenua y desprolija, que nada tenía que ver con el sofisticado mundo de las multinacionales.

Además de Ubaldini, nada fastidiaba más a Menem en esa época que la presencia de los carapintadas. La última vez que había visto a Mohamed Alí Seineldín había sido en Olivos, a fines del '89. El militar –que estaba preso por los levantamientos contra Alfonsín– llegó de uniforme, invitado por Zulema. Menem se sentó de mala gana a la mesa, y mientras el militar desglosaba sus pedidos, aquél se puso a hacer zapping con el televisor. Hasta que Zulema lo increpó:

–Carlos, apagá ese televisor y escuchá al coronel, no seas maleducado, carajo.

Pero Menem estaba muy lejos de allí. Escuchó al coronel y pareció decirle que sí a todo. En su cabeza ya estaba instalado el operativo "descarte" de los carapintadas, que en los hechos le habían sido útiles, primero para desestabilizar el gobierno de Alfonsín, y luego para llegar a la Presidencia.

Veinte días después de la fiesta de Amira, el Presidente hizo su primer viaje oficial a los Estados Unidos. Durante esa semana Menem se sintió en la gloria. El 24 de septiembre, David Rockefeller, gran amigo de Amalita Fortabat, lo agasajó con una cena privada en el piso 64 del Rockefeller Center de Nueva York.

—¿Cómo está la Argentina, Presidente? —le preguntó el magnate buscando que Menem volviera a responderle con el chiste con que había sorprendido a los periodistas al llegar.

—La Argentina está como ese tipo que viene cayendo desde el décimo piso y al llegar al cuarto le preguntan: "¿Cómo anda?". Y él contesta: "Bueno, por ahora voy muy bien" —respondió.

Y todos volvieron a reír.

La anécdota, rescatada por Ricardo Parrota en *Las mejores anécdotas de Menem*, es una de las mil que se recogen en ese libro.

"Cuando Broadway estalló ante sus ojos, Menem se detuvo (…) No alcanzaba a ver el último piso del Empire State Building. Con los ojos muy abiertos y actitud de recogimiento, musitó: De Anillaco a Nueva York… ¡parece un cuento!"

El 26 de septiembre fue para él su día de gloria: el presidente de la primera potencia del mundo lo esperaba en la puerta de la Casa Blanca para estrecharle la mano. En Washington era un brillante día de otoño, de mucho sol y temperatura agradable.

—En Argentina decimos que días como éstos son días peronistas —comentó Menem para entibiar el diálogo.

George Bush no debió haberlo entendido, porque sólo contestó con una exclamación.

—Oh.

Pero alguna cuerda afín debe de haberle tocado, de alguna manera debió de haberlo conmovido, ya que la entrevista, originalmente pactada en estrictos veinticinco minutos, se extendió a cuarenta y cinco. Y no sólo eso: Bush lo llevó a sus aposentos, le presentó a su esposa, y Menem acarició sus perros. Al término de ese histórico encuentro se había gestado una amistad que hasta la actualidad parece seguir incólume, y que generaría fructíferos negocios para ambos. (Se dice que es George Bush quien maneja el dinero de Menem.) Cuando le preguntaron a Bush qué le había parecido el presidente argentino, se produjo el siguiente diálogo:

—Bueno, Menem es… ¿Cómo decirlo? Entre él y yo… somos… ehhh… a ver… ¿cómo decirles?

Bush seguía sin encontrar la palabra precisa, y Menem se sintió obligado a ayudar:

—Somos del mismo palo —explicó.

—¡Eso!

En Washington, en una de sus habituales escapadas del protocolo, Menem se vistió muy elegantemente y se fue a cenar al sofisticado restaurant The Palm, con Amalita Fortabat, Guido Di Tella y Alberto Kohan, a los que se agregó sin invitación un funcionario del consulado argentino que le preguntó si había venido con Zulema:

–No, estoy solo. ¿No me ve feliz?

–¿Por qué dice eso? Yo conocí a su señora y me parece una mujer encantadora, muy dulce y muy linda –insistió el funcionario.

–Lo que pasa es que usted estuvo quince minutos con ella y yo llevo veintitrés años de casado –respondió Menem provocando la carcajada general.

El único viaje oficial que Menem y Zulema Yoma hicieron juntos se produjo a fines del mes siguiente. Ella lo acompañó a la Cumbre de Presidentes Americanos que se celebró el 29 de octubre en Costa Rica, donde Alicia Martínez Ríos, una amiga muy querida del Presidente, oficiaba de embajadora. Aquello bastó para no repetir la experiencia. La diplomática se había encargado de dejar mal parada a la primera dama argentina delante de la primera dama costarricense. Y Zulema, que por poco no la zamarrea en público, habría explicado:

–¿Sabe por qué la trato mal a esta mujer? No es porque yo sea una histérica, ni una loca, ni una guaranga, como ella dice. Es porque esta señora es la amante de mi marido. Si no me cree, vaya y fíjese: tiene el dormitorio de la residencia repleto de fotos suyas besándose con Carlos Menem.

El acto central de la Cumbre se realizó en la Plaza Central de la capital, ante una muchedumbre. El palco destinado a los presidentes estaba resguardado por un vidrio antibalas de doce metros de largo y cuatro de alto y cinco centímetros de espesor. Helicópteros norteamericanos artillados sobrevolaban el lugar para proteger a George Bush, a quien rodeaban setecientos custodios.

Menem se sintió asfixiado entre tantos guardaespaldas –él había llevado solamente dos– y, poco a poco, haciendo fintas, logró escabullirse del palco a prueba de balas, y ponerse del lado de la multitud, que lo rodeó alborozada y comenzó a gritar "Argentina, Argentina", "Menem, Menem", lanzando sombreros al aire y agitando banderines.

Al escuchar vivar su nombre, levantó los brazos e hizo con los dedos la V de la victoria.

Los otros presidentes, incluido Bush, para no ser menos, tuvieron que bajarse del palco, y entonces fue el acabóse. Los setecientos custodios yanquis se desesperaron, llevándose por delante a varios mandatarios y cancilleres en su ímpetu por proteger a Bush. Y los pilotos de los helicópteros, que no entendían lo que estaba pasando, comenzaron a hacer vuelos rasantes sobre las cabezas de todos los presentes, levantando polleras, sombreros y polvareda. El presidente del Perú tuvo que aferrarse a una columna para no ser arrastrado por el torbellino, y el de Venezuela fue pisado veintinueve veces por los gigantescos custodios de Bush.

El comienzo del año '90 se presentaba convulsionado en lo político y en lo personal. Eduardo Bauzá dejó el Ministerio del Interior para ocupar el de Acción Social y Antonio Erman González –el oscuro contador riojano "sin visión política", como lo definió alguna vez Roberto Dromi– pasó de la vicepresidencia del Banco Central a la cartera de Economía que Rapanelli dejaba vacante.

Julio Mera Figueroa, un ex montonero, ahijado político de don Vicente Leonides Saadi, a la vez que proveniente de la aristocracia conservadora salteña, asumió como ministro del Interior. Traía como antecedente inmediato haber organizado, en diciembre de 1989, el regreso al país de los restos del general Juan Manuel de Rosas desde Inglaterra, alimentando la vieja pasión necrofílica de los argentinos.

Antonio Erman González venía de la Democracia Cristiana, pero acompañaba en la función pública al caudillo riojano desde su asunción como gobernador, y hasta amenizaba las reuniones oficiales, guitarra en mano, entonando boleros. En la provincia el comentario es moneda corriente: "Es medio hermano de Menem". Años después, sobre el final del mandato, González sería un hombre clave en el tráfico de armas, el affaire más comprometido del gobierno. En la cocina de su casa, gordo y con la cara cubierta por una extraña alergia, lloraría su desgracia y el abandono al que lo condenó su jefe, "hermano" y amigo.

Apenas se sentó en el despacho del Ministerio, Erman anunció la liberalización del mercado cambiario y de los precios. Álvaro Alsogaray, el ingeniero aeronáutico, gurú del liberalismo y antiperonista furioso, batió palmas festejando la medida y desde Estados Unidos llegaron mensajes de apoyo.

Carlos Menem necesitaba mostrar firmeza en el ajuste y en la reforma del Estado. Era la condición para que el país del Norte aprobara una línea de créditos de mil quinientos millones de dólares que ayudaría a cerrar las cuentas fiscales.

Pero las cosas no mejoraron. Los precios estaban disparados y la sociedad hervía convulsionada. Para completar el panorama, "Sup-Erman" González –como empezaron a llamarlo– decidió la conversión en bonos del Estado de todos los depósitos a plazo fijo de más de seiscientos dólares, lo que originó una catarata de protestas y causas judiciales. Aunque descomprimió así la suba del dólar y eliminó de cuajo el déficit cuasi fiscal, produciendo un considerable ahorro de intereses al Fisco, durante una semana las empresas no pudieron retirar la plata del banco para pagar a sus empleados y mucha gente se vio por largo tiempo impedida de usar su dinero.

La mañana del 25 de enero de 1990, en Olivos, mientras se encontraba reunida con sus amigas, Zulema Yoma descubrió, metiendo descuidadamente el pie debajo de la alfombra, que por allí corría un cable. Tiró de él y apareció un micrófono. Miró debajo de la mesa y encontró otro. Ni las cortinas ni los arreglos florales ni los teléfonos se habían salvado de la voracidad de los espías. Fue así como explotó el famoso affaire de las escuchas ilegales y los teléfonos pinchados.

–En esa casa no hay seguridad ni para el Presidente ni para su familia –declaró furibunda, mostrando a la prensa metros y metros de cables, audífonos y otros enseres.

Su asesor, el médico Jorge Mazuchelli, se sumó a la polémica. Le dijo a *La Nación* respecto de los teléfonos pinchados que "esto es algo que no pueden ignorar el secretario general de la Presidencia (por Alberto Kohan) ni el secretario de Seguridad (por el brigadier Andrés Antonietti). Hay pruebas y documentos sobre la existencia de escuchas; hace meses que la señora de Menem venía notando algo raro en los teléfonos y la situación hizo eclosión el viernes último, cuando se decidió a denunciarla por radio…".

Carlos Menem ordenó realizar una investigación a fondo y se descubrió que en Olivos, en la Casa de Gobierno, en su despacho y en los de los ministros había micrófonos ocultos. El brigadier Antonietti, a quien se le encargó la investigación, aseguró que había micrófonos dentro mismo de las "macetas del jardín".

Se detectaron veinticinco teléfonos pinchados en Olivos y diez en la Casa Rosada. Los funcionarios, paranoicos, instalaron equipos de música funcional para cuando debían tratar temas importantes y se acostumbraron a hablar personalmente los asuntos más confidenciales.

Zulema no sólo denunció ante la prensa que sus conversaciones telefónicas eran interceptadas: reveló también que había recibido amenazas de muerte y que el espionaje ponía en peligro ya no sólo a la familia sino a todo el gobierno.

–Sólo Dios tiene derecho a quitarme la vida, por eso seguiré con mi lucha contra la corrupción y por la justicia social –aseguró.

Menem relativizó estas declaraciones diciendo que "el que quiere cometer un atentado no amenaza, lo hace y punto" y que "este tipo de cosas pasan siempre en el mundo de la política".

En marzo, el asunto volvió a ser noticia cuando el juez federal de San Isidro, Alberto Piotti, libró un oficio para que respondieran por escrito los secretarios general de la Presidencia, Alberto Kohan, y legal y técnico, Raúl Granillo Ocampo. Piotti había considerado conducente la presentación escrita de la primera dama y requirió, en consecuencia, que se profundizara la investigación sobre espionaje. Zulema Yoma se presentó en el juzgado espontáneamente, por derecho propio y sin patrocinio legal.

A pesar de las evidencias, funcionarios del entorno presidencial, en off, atribuyeron esos hechos a otras cuestiones. Una fuente de la SIDE aseguró a la revista *Somos* que Zulema estaba harta de Olivos, que necesitaba una excusa para mudarse al departamento de la calle Posadas, y que esta era la manera que había encontrado para hacerlo.

Efectivamente, Zulema Yoma ya no dormía en la residencia, pero en el mismo living en el que Menem se reunía con sus hombres a discutir cuestiones políticas ella recibía a los hombres que criticaban duramente la política del gobierno: el sindicalista Saúl Ubaldini, quien según se publicó reiteradamente vivía un apasionado noviazgo con Amira Yoma; el dirigente de la ortodoxia peronista Herminio Iglesias –que saltó a la fama en el acto de cierre de la campaña justicialista de 1983, cuando incendió un cajón con las siglas de la UCR–; el pseudoperiodista y agente de servicios varios Guillermo Patricio Kelly, que por esos días lanzaba duras acusaciones contra el gobierno, en las que hablaba de mafias y de tráfico de drogas; y el coronel Seineldín, quien ya había protagonizado un levantamiento contra Raúl Alfonsín y volvería a hacer lo mismo contra Menem en diciembre del '90.

Pero no todas fueron pálidas. A partir de marzo, la economía dio un pequeño respiro, y aunque Menem andaba mal con Zulema, estaba en pleno romance con los liberales. Bernardo Neustadt se había convertido en su mejor vocero, confidente y primer militante de la causa menemista. Por lo menos tres veces por semana se lo veía en Olivos, y hablaban con asiduidad por teléfono.

El 6 de abril, la Argentina asistió a una insólita movilización hacia Plaza de Mayo organizada por el periodista con la ayuda del dirigente gastronómico Luis Barrionuevo ("El país se arregla con que paren de robar dos años", "Nadie hace la plata trabajando"), el empresario televisivo Gerardo Sofovich y el director del diario *Ámbito Financiero*, Julio Ramos. Aquella que había servido de escenario a multitudinarias concentraciones del peronismo y a gigantescas manifestaciones de protesta contra las dictaduras militares de turno, fue ese día la Plaza del Sí... a Menem.

Una colorida marea de jóvenes liberales, familias paquetas, señoras rubias enjoyadas, empresarios y estudiantes de universidades privadas, tras dejar sus coches en algún estacionamiento pago, se congregó junto a las columnas de peronistas y –sobre todo– marginales traídos por Barrionuevo directamente desde las villas miseria del Gran Buenos Aires a razón de un choripán y un tetrabrik por cabeza.

La imagen de por sí era surrealista. Los grupos se miraban con recelo. Y a duras penas el sindicalista logró calmar a sus hombres, que cada tanto insultaban a la gente paqueta o les arrebataban las carteras.

Carlos Menem se asomó al balcón –contra el consejo de algunos de sus hombres, que preferían no prestar su cara al espectáculo– y aseguró que no hablaba como jefe del partido sino de la Patria.

El liberalismo, con Adelina Dalesio de Viola y María Julia Alsogaray a la cabeza, lo aplaudía exultante, mientras que el peronismo empezaba a acusarlo de traidor.

A medida que tejía sus redes con los empresarios más poderosos de la Argentina –aquellos que durante la campaña se burlaban de su estilo estrafalario y de sus discursos nacionalistas, más ajustados al sentir de las montoneras del siglo pasado, pero que luego se sentaron alrededor de la mesa del comedor de Olivos para participar de los incipientes negocios– Carlos Menem iba abandonando sus antiguas lecturas.

Su pasión por el riojano Facundo Quiroga dejó paso a las *Memorias de Adriano*, de Marguerite Yourcenar.

"Por aquel entonces había empezado a sentirme Dios. No vayas a engañarte: seguía siendo más que nunca el mismo hombre nutrido por los frutos y los animales de la tierra, que devolvía al suelo los residuos de sus alimentos, que sacrificaba el sueño a cada revolución de los astros, inquieto hasta la locura cuando le faltaba demasiado tiempo la cálida presencia del amor. Mi fuerza o mi agilidad física o mental se mantenían gracias a una cuidadosa gimnasia humana. ¿Pero qué puedo decir sino que todo aquello era vivido divinamente? Las azarosas experiencias de la juventud habían llegado a su fin y también su urgencia por gozar del tiempo que pasa. Yo era dios sencillamente porque era hombre."

Por las noches, antes de hundirse en el letargo, releía varias veces el párrafo en el que el gran emperador romano, a través de la pluma maravillosa de la Yourcenar, se relata a sí mismo en el final del camino.

Conocer las vidas de reyes y emperadores, sumergirse en la historia, se había convertido en su obsesión. Otra de sus lecturas favoritas en esos días era un libro en el que Napoleón interpretaba a Maquiavelo.

—Carlos, ¿sabés qué les hacían a los emperadores romanos? Cuando volvían triunfantes de las guerras, el Senado les ponía un esclavo que todo el tiempo les decía: "Sos mortal, sos mortal" —comentó Vicco, medio en broma, medio en serio, una noche mientras comían.

—Decíme… ¿vos sos pelotudo o te hacés? ¿A qué venís con eso ahora? —le preguntó azorado Menem, empujando el plato.

Había aprendido los secretos de la práctica oriental del control mental para que sus sentimientos no afloraran a la superficie. O por lo menos, así decía siempre. En realidad, su tía Haifa Akil un día le había acercado un libro que hablaba del tema.

—Leélo, Carlos, te va a servir. Bueno, si creés, claro —había dicho ella en su despacho de la gobernación riojana.

—Yo creo en todo, tía. En todo. Por las dudas, ¿sabés?

Desafiaba las bajas temperaturas invernales de los países que visitaba, ante la mirada sorprendida de presidentes extranjeros, funcionarios y periodistas, que lo miraban caminar sobre la nieve y bajo vientos helados que cortaban la cara, como si nada. Jamás un sobretodo. Mientras sus hombres tiritaban bajo la impiedad de las bajas temperaturas, él se reía desafiante.

"El conquistador del mundo", imaginaba para sí, en la quietud.

"El más grande de todos. El rey", repetían los genuflexos que seguían sus pasos.

Carlos Menem lograba que todos cayeran rendidos a sus pies. Siempre lo lograba. Era algo que había pasado a formar parte de su estilo. Los entornos que lo adulaban. Personajes mediocres, actores de mala muerte, futbolistas, conductores de televisión y empresarios ambiciosos. Había logrado medir el grado de obsecuencia de cada uno, hasta dónde podía tensar la cuerda, las oscuras simulaciones, las competencias por complacerlo, las traiciones solapadas.

Y los usaba.

Uno de ellos, regordete y de mirada esquiva, dueño del Alvear Palace Hotel, donde Amira festejó su trigésimo séptimo cumpleaños, se destacó desde el primer momento. Mario Falak ingresó en el entorno de manera práctica: primero prestó una suite para que Menem y sus amigos hicieran allí sus reuniones políticas. Con el tiempo, el antiguo edificio de la avenida más elegante de Buenos Aires fue testigo de los encuentros íntimos de funcionarios con mujeres de la noche o amantes ocasionales. Entre las paredes enteladas del Alvear Palace, en aquellas habitaciones en las que durmieron príncipes y actrices extranjeras, se manejaban delicados asuntos de Estado: el recambio de un ministro, los entretelones de las primeras privatizaciones. Los primeros negocios millonarios que sirvieron para engrosar las arcas públicas ávidas de plata fresca. Y las personales, de los que tenían la suerte de ser designados por el Jefe para monitorear las operaciones.

Carlos Menem puso inmediatamente en práctica un método.

Nada le divertía más que enterarse de qué hablaban los hombres de negocios y sus operadores políticos en aquel paisaje lujurioso de la avenida Alvear. Pero, por encima de todo, quería saber –como el Príncipe– qué decían de él y si a alguno lo quería "caminar" en las retribuciones. Un día mandó a colocar micrófonos entre los cortinados y las telas que cubrían las paredes. Cuando una noche, en Olivos, el jefe de la SIDE le acercó las primeras desgrabaciones de las escuchas, en las que uno de sus adláteres, reunido con un conocido empresario, decía cosas irreproducibles sobre él, Menem las recibió con una carcajada, como un chico.

–¿Vieron? El poder sirve también para hacer estas cosas.

Como un eco de sus deseos, los micrófonos más sofisticados quedaron instalados entre las sedas francesas del centenario hotel. Aun así, allí vive Ramón Hernández, su secretario privadísimo, Bauzá y Corach atienden sus asuntos públicos y privados, y el propio Eduardo Duhalde tiene en el segundo piso la suite 234, en la que realiza sus reuniones políticas. Cada vez que quiere mandar un mensaje a Balcarce 50, no hace más que llevar a su invitado a la habitación. Todo lo que se hable allí llegará más temprano que tarde a los oídos de Carlos Menem y a los de sus ministros más poderosos.

Para acompañar sus momentos de ocio o para medir las lealtades y traiciones. En especial estas últimas, las que se clavan como puñales en su espalda. Para eso quiere Menem que se realicen las escuchas.

Aquel hombre regordete de mirada esquiva, hijo de inmigrantes sirios sefardíes, cuando ganó Menem, en 1989, había sollozado bajo el cuadro de Alfonsín que adornaba su despacho. Había gritado: "¿Qué voy a hacer? ¡Ahora vienen los negros peronistas y me van a sacar el hotel!". Pero nada de eso pasó, y él se convirtió en el soldado más probadamente fiel de la causa menemista. Y en uno de los más ricos.

Bajo las arañas del lobby de estilo francés pululaba, siempre listo, Mario Falak. Sus adulaciones eran insólitas. Patéticas. Y con la misma velocidad con que supo ganarse un lugar bajo la sombrilla del "número uno", sus arranques de genuflexión le granjearon en el entorno varios enemigos.

Entre los que lo miraban torcido se anotan sin disimulo Zulema y Emir Yoma, Miguel Ángel Vicco, Erman González y Ramón Hernández.

Relatan algunos testigos que una noche, en la recámara del primer piso de la residencia, mientras Carlos Menem se preparaba para asistir a una comida con empresarios, Mario Falak entró desaforado en el dormitorio y se arrodilló frente a aquél, que estaba sentado en la cama, a medio vestir.

—Carlos, no podés ir con estos zapatos. Son ordinarios. Tenés que usar zapatos con hebilla de oro. Cinturón con hebilla de oro. ¡Sos el rey de la Argentina! ¿Entendiste? ¡El rey!

—Hijo de puta, no podés ser más alcahuete. ¿Querés hacer quilombo? ¿Que se entere todo el mundo? —le reprochó Vicco tomándolo de las solapas.

—Por favor, Miguel, no me pegues. Nadie se va a enterar. Le pido a Ricciardi que se lo haga y listo. Ni siquiera va a querer cobrar…

Menem dirigió a sus secretarios una mirada inequívoca y dijo fastidioso:

—Ramón, apuráte con las medias que llegamos tarde a la cena.

Hernández se agachó ante su jefe y le colocó los calcetines de seda.

Menem despreciaba a los alcahuetes con la misma pasión con que los necesitaba a su lado para alimentar la ilusión de su gloria.

Los consejos de Falak tal vez hicieron mella en él, porque hacia esa época hasta su aspecto físico cambió, dando paso a un estilo más acorde con las circunstancias y los roces sociales con el establishment: el caudillo riojano abandonó para siempre los trajes violeta de piel de tiburón que lo habían hecho tan famoso, así como sus amados zapatos blancos con tacón, que eran la comidilla de las revistas del corazón.

Maureen Orth, la afamada periodista de la no menos célebre *Vanity Fair*, que lo había entrevistado unos meses antes, en noviembre de 1989, no había sido amable con él. Hasta se había burlado de su aspecto. En el encabezamiento de su artículo, había escrito: "Carlos Saúl Menem luce como un lagarto envejecido de pista de club nocturno de provincia. Es chiquito y oscuro, con una gran frente, ojos acuosos, una nariz importante, un protuberante labio inferior y unas extrañas patillas estilo zorrino. Pero, como su esposa bien sabe, las mujeres adoran la totalidad de su viril metro sesenta. Su reputación hace a Gary Hart parecer el Papa. Menem no es el habitué de un remoto café de tango, por supuesto. Es el presidente de la Argentina y está en este momento comprometido en la mayor campaña de seducción de su vida. Menem tiene que convencer a su desesperado país de que, si sus hombres hacen lo que él dice, su tierra, otrora rica pero ahora económicamente sangrante, puede ser rescatada del borde del abismo. Y, como toda seducción, ésta también requiere de cierta bravura. Entonces, por varios meses, desde que asumió el poder este verano, Menem ha involucrado a la Argentina en un juego calculado de '¿Quién es el macho?', '¿Quién es el más macho en esta tierra?' ".

Él, por supuesto. Y no solamente porque tomara la potente píldora PPG –que hacía furor en el gabinete–, que su médico personal, Tfeli, por recomendación de Fidel, le traía junto con los cigarros Partagás directamente de Cuba. Se rumorea que, mucho antes de que circulara el Viagra en la Argentina, Menem tenía su afrodisíaco personal, el cual tomaba sin empacho ante las señoritas con la excusa de que servían para matar los espermatozoides. Y que, cuando las pastillas escaseaban, sus ministros acudían a él, en busca de refuerzos. Tfeli siempre se encargaba de que el stock del "jefe" fuera inagotable. Él era tan macho que, desafiado de esa manera por *Vanity Fair*, y alentado por Mario Falak, juró convertirse en "The Best", el hombre mejor vestido del mundo.

Por eso, una tarde, en un ataque de generosidad poco habitual, llamó a su devoto mayordomo riojano Armando Torralba y le regaló todo su guardarropa. El pobre hombre lloraba como un chico, sin creer lo que veía.

En La Rioja, en una habitación llena de polvo, junto al retrato de sus padres muertos y un par de ajadas fotos en las que se lo ve muy joven junto a Menem, gobernador y patilludo, "Torralbita" conserva hasta el día de hoy aquella ropa como un tesoro. Abre las puertas del ropero antiguo y exhibe los trajes y los zapatos lustrosos que Carlos Menem le dejó en herencia, prolijamente envueltos en fundas de plástico y con intenso olor a naftalina.

–Ellos nunca me dieron nada, es cierto. Soy pobre, pero soy fiel. Carlos y Zulema son como mis padres. Son la familia que perdí. Estos ojos vieron todo lo que pasaba ahí adentro. Las cosas más tristes y las más gloriosas. Él a mí me comentó que pensaba indultar a los militares. A veces llegaba al dormitorio y lo encontraba llorando y diciendo que no quería vivir. Siempre que se deprimía, me llamaba. Y yo, feliz, porque en esos momentos él pensaba en mí, que no soy nadie. Me conformo con que de vez en cuando Carlos me llame para que le cebe mate y le cuente lo que dice la gente de él. Como hice siempre. Yo fui testigo de la historia –me dice con voz tenue, mientras acaricia una imagen de la Virgen del Valle, otro regalo de Zulema.

Tras el éxito de la Plaza del Sí, que lo tuvo como protagonista exclusivo, Menem empezó a frecuentar la casa George, de la elegante avenida Alvear.

Junto con la ropa, otras cosas empezaron a cambiar: las patillas que le llegaban casi hasta las comisuras de la boca, en señal de virilidad y exotismo, y que despertaban infinitas fantasías en las mujeres, desaparecieron bajo las manos ágiles de Tony Cuozzo, el peluquero recomendado por Eduardo Duhalde, que llegó para ocuparse de su brushing y sus tinturas.

A Menem le inquietaba la caída del cabello, en otra época abundante y ondeado: le habían aparecido algunos claros en el medio de su cabeza. Pero rápidamente encontró una solución. Su nueva amiga íntima, la empresaria austríaca de los cristales, Maia Swarovsky, perdida de amor por él, le trajo de regalo de Alemania una novedad que provocó polémicas en el entorno: un peluquín que de mala gana Cuozzo le adhería al cuero cabelludo para disimular la incipiente calvicie.

Menem se miraba en el espejo: le gustaba. Le quitaba años y le daba cierto aire de playboy que ya extrañaba. Pero el apósito le traía algunas complicaciones. Cuando hacía calor, le picaba mucho y tenía que realizar enormes esfuerzos para rascarse la cabeza con disimulo, y cuando había mucho viento se le desacomodaba peligrosamente, para terror general de su séquito.

Sabía que sus cambios capilares eran objeto de burlas y críticas: algunos humoristas comenzaron a incluirlo en sus parodias y hablaban del "gato", haciendo referencia al postizo importado de Alemania. También conocía las risas de sus alcahuetes a sus espaldas.

Pero, como siempre, poco y nada de lo que pensaran los demás le importaba. Él era el único dueño del poder. Y estaba seguro de la seducción que sus excentricidades ejercían sobre los argentinos.

Una mañana, Eduardo Bauzá sacó a relucir su sentido del humor.

–¿Sabe cómo le dicen, Jefe?: "jazz", porque lo inventaron los negros para que lo disfruten los blancos.

Carlos Menem estaba tan encantado con el chiste que hasta lo contó en una reunión de gabinete. Por aquellos días, sin embargo, la cosa no estaba para chistes: en apenas semanas, y sólo al Uruguay, se habían fugado tres mil millones de dólares; largas colas desfilaban frente a las embajadas buscando visas para emigrar; y los servicios de Inteligencia enviaban informes que hablaban de la posibilidad de estallidos sociales y saqueos.

Menem pasaba de la euforia a la depresión en cuestión de segundos.

Entonces, llamaba a Teresa Damonte, su pitonisa preferida. Cuatro veces por semana, ella acudía a su despacho de la Rosada. Si él estaba en alguna reunión, Teresa sacaba la llave que Menem le dejaba escondida adentro de un jarrón y entraba a su habitación para esperarlo allí.

–¿Por qué son tan desagradecidos? ¡Mirá las cosas que me gritan! A estos negros, si le das mierda, comen mierda, les da lo mismo. ¿No se acuerdan cómo estaban antes? ¿Qué hago?

Se lamentaba sentado en su cama, mientras escuchaba los insultos que le llegaban desde la calle.

Uno de aquellos días, después de asegurar que él iba a gobernar seis años, amenazó con el estado de sitio para detener a los especuladores de la City. Pese a esto, desde la embajada de Estados Unidos Terence Todman enviaba buenas señales al gobierno: transmitía el apoyo del FMI y del Banco Mundial a sus intentos por salir del infierno tan temido.

Durante la Semana Santa de 1990, en la catamarqueña villa de descanso El Rodeo, propiedad de la familia Saadi, y en medio de un mitin político contra el sector de los Celestes –cuyas figuras más representativas eran el presidente de la bancada justicialista de Diputados, José Luis Manzano, y el hermano Eduardo–, Zulema se avergonzó públicamente del gobierno. Sus declaraciones provocaron las iras de su marido y un frente de hastío en el gobierno.

–Si se apalea o reprime a la gente pobre, estoy dispuesta a cambiar de vereda. Eso es algo que yo no podría tolerar por más que mi marido se llame Carlos Menem. Me parece abominable que se apalee a cualquier ciudadano hambriento. ¿Cómo puede ser que a alguien que protesta porque tiene hambre, encima, se lo golpee o se lo mate? –dijo.

Además, aseguró que el Presidente estaba "secuestrado" y desarrolló su idea de cómo rescatarlo. Zulemita y Carlitos compartían la impresión de que el entorno pretendía separar a sus padres, y no perdían oportunidad para decirlo.

El clima fue haciéndose más denso a cada minuto que pasaba, hasta que el 25 de abril estalló la tormenta. La opinión pública y el gobierno fueron sacudidos por otro escándalo: toda la ciudad de Buenos Aires apareció cubierta de afiches con graves denuncias e inmediatamente se involucró a Zulema Yoma en el asunto. Un cartel enunciaba: "Lealtad al Presidente pero no a los delincuentes", y lo firmaba un autodenominado "Comando de Moralización Peronista". En otro se leía: "Eduardo Pan de Azúcar Menem; José Luis Petroquímica Manzano; Eduardo Guardapolvo Bauzá; Roberto Cometa Dromi". A los cuatro se los mencionaba como integrantes de un denominado "Cartel de Mendoza".

Parecía un chiste, pero no lo era: a los cuatro funcionarios la gente los relacionaba con los escándalos de corrupción más notorios de la época. A Manzano, con la oscura privatización de la Petroquímica Bahía Blanca: a Bauzá, con la compra directa de guardapolvos con sobreprecio, una causa que todavía continúa abierta en la Justicia; Dromi fue –y sigue siendo– sospechoso de haber recibido coimas de las empresas partícipes de las privatizaciones que él, como ministro de Obras y Servicios Públicos, manejaba; y el nombre de Eduardo Menem había aparecido junto al de Armando Gostanian, presidente de la Casa de la Moneda, como titular de una cuenta bancaria conjunta de doscientos cincuenta mil dólares, en el banco Pan de Azúcar de Uruguay, en momentos en que se hablaba de la importancia capital de no sacar el dinero fuera del país.

En el juzgado de Instrucción a cargo de Roberto Marquevich se abrió ese mismo 25 de abril una causa por desacato, figura legal hoy extinguida del código procesal. Uno de los imputados fue el abogado Ramón Ruiz, quien, al presentarse ante el juez, acusó al secretario de Turismo, Omar Fassi Lavalle, de ser el responsable de la confección de los carteles.

Dijo, además, que un domingo de fines de abril de 1990 había sido convocado por Fassi Lavalle a una reunión de la que participó Zulema, y que en ese encuentro la esposa del Presidente le había manifestado la necesidad de hacer una campaña de replanteo en el peronismo, a favor de los pobres y contra la corrupción.

–Está loca, y la única manera que tenés de pararla es separándote. No tenés más remedio. O ella o el gobierno –le dijo Eduardo a su hermano ni bien se enteró.

Para Eduardo Menem no había duda de que Zulema era la autora intelectual de los afiches. No era la primera vez que se valía de una cosa así para recomendarle a su hermano que se divorciara. Era una historia conocida que la familia de Carlos Menem nunca aceptó a Zulema como esposa.

Por esos días, el gobierno argentino recibía al presidente del Paraguay y su mujer. Zulema no asistió a la recepción oficial y el gobierno explicó que había tenido un resfriado. La realidad era otra. Carlos Menem estaba en el vestidor y Zulema en el dormitorio, acompañada del coiffeur, Javier Matheus.

Zulema le preguntó qué le parecía el vestido que tenía preparado para la ocasión. Carlos le contestó de mala gana y la acusó de participar en la historia de los afiches, lo cual Zulema negó a los gritos.

"Ella salió de allí con moretones y él con el pecho rasguñado. El vestido que Zulema pensaba usar esa noche, Carlos lo destrozó y quedó tirado sobre la cama", contó un confidente.

"Ella le gritó barbaridades, le gritó puto, drogadicto y ladrón y hasta le arrojó una tetera de porcelana con agua hirviendo, que por suerte se estrelló contra la pared", dijo otro.

Carlos Menem, que se había lanzado a la conquista del mundo, había pactado con el establishment y los Estados Unidos, no podía tolerar las críticas de su mujer. Así que en la madrugada del martes 8 de mayo, Menem dejó la quinta de Olivos con la decisión de no volver y a partir de ese momento pernoctó en distintos sitios.

Ya conocía el sistema. Lo había vivido anteriormente. No era esa la primera vez que abandonaba una residencia oficial. Tampoco, la primera vez que Zulema exigía condiciones y lo amenazaba con ponerle en contra a los hijos. Esta vez, sin embargo, Menem tenía una ventaja: ya no eran chicos y podían decidir, no estaban, como antes, pegados a la pollera de la madre.

–Una mañana, en los primeros días de mayo, Carlos Menem se levantó como todas las mañanas y se fue a trabajar. Yo siempre duermo cuando él sale de casa. Nunca más volvió. Nunca me llamó por teléfono. No se fue porque hubo una discusión. No se fue porque nos tiramos con los platos por la cabeza como otras veces. Se fue sin explicaciones, sin un grito. Una mujer puede comprender cuando un marido se va del hogar dando un portazo. No voy a decir que nuestra relación es ideal, ni que mi matrimonio es perfecto. Pero después de veinticuatro años, no es para semejante cosa. Está cambiado, algo le pasa –declaró Zulema a los periodistas, tratando de poner paños fríos al candente asunto.

Pero no era verdad. Habían pasado cosas ahí adentro. La discusión había sido muy violenta y de ella fueron involuntarios testigos casi todos los empleados de la residencia.

–Quiere arreglar, pero esto se terminó. Y se terminó para siempre. ¿Qué se cree? ¿Que la Presidencia es un bien ganancial? Esta vez no me va a apretar como hacía en La Rioja. Se terminó… –juró Menem.

El Presidente se mudó provisionalmente a la casa de Miguel Ángel Vicco, dueño de un elegante tercer piso ubicado frente a la embajada británica. Por las noches, se sentaba en el living debajo de un inmenso retrato de Eva Perón pintado por Borla que ocupa casi toda la pared, y permanecía largo rato, con la mirada en el vacío, embotado. Apaciguaba la angustia con un cigarrillo o una medida de whisky importado. En la mañana, en silencio, se quedaba incontables minutos mirando las copas de los árboles.

En aquella casa se realizaron reuniones de gabinete y se atendieron delicados asuntos de Estado. En el año '90 el país era un hervidero difícil de aplacar. Protestas, paros, escándalos por corrupción eran cosa de todos los días.

Aunque cada mañana Vicco y Hernández recorrían inmobiliarias buscando un piso para que Menem pudiera vivir más cómodo, nada de lo que encontraban era adecuado para las exigencias del cargo. La situación ya era insostenible. Zulema, atrincherada en Olivos y rodeada de un conspirativo séquito de personajes extraños, tejía y destejía especulaciones y le enviaba mensajes a través de los medios de comunicación.

Una tarde, recostado en el sillón de pana gris, Menem daba largas pitadas a su cigarrillo mientras meditaba una decisión. Su cabeza no podía dejar de pensar. Sólo tenía que calcular los tiempos, como siempre. Tratar de que las consecuencias fueran lo menos costosas posibles.

Consultó con los más íntimos: su hermano Eduardo y su bruja personal. Teresa se opuso, le pidió que tuviera piedad, que era la madre de sus hijos, que sus hijos iban a quedar muy lastimados. Él la miró y sólo dijo: "¿Por qué siempre me pinchás el globo?". Eduardo era el que más lo empujaba hacia una decisión terminante en contra de su cuñada. Menem escuchó con expresión contrariada. Midió riesgos y consecuencias y finalmente tomó una decisión: le avisó a su amigo Constancio Vigil que para salvaguardar su prestigio y preservar el poder había decidido separarse de su esposa.

La noticia fue tapa exclusiva de la revista *Somos*, el 14 de mayo de 1990 y cayó como una bomba en la residencia de Olivos, donde permanecía Zulema con sus hijos. Decía: "Menem se separa de Zulema".

Zulemita rompió en llanto mientras Carlitos insultaba a los gritos a su padre y al entorno.

Fue como una declaración de guerra. Y detrás vinieron los fuegos.

El 23 ardió Troya: Menem cesanteó a Mazuchelli como asesor presidencial y Zulema lo reivindicó como su asesor personal en el área social. En tiempos de la campaña electoral, el relevado asesor había integrado la delegación que visitó países de Europa. Pero ahora Menem estaba decidido a desprenderse de funcionarios ligados con su mujer.

Llegó así el 25 de mayo. ¿Aparecería o no Zulema en la Catedral? Ella contempló esa posibilidad, como una manera de limar las asperezas. Hombres de la oficina de Ceremonial se hicieron presentes para ayudarla con la ropa y las instrucciones. El nuncio Calabresi fue a verla el día 23 y le dijo que por "la Patria y la familia", debía concurrir. Zulema le dijo que sí. Pero el 24, a la mañana, Emir Yoma dijo que no:

–No vayas, porque les han encargado a unos tipos que te tiren huevos podridos. Te van a insultar, Carlos se va a enfermar y ya hay un decreto, que dice que va a ser reemplazado por Eduardo. Se va a armar quilombo...

En ese contexto de conspiraciones, Zulema se negó a asistir a los actos oficiales de la celebración patria: no fue al tedéum ni al tradicional chocolate, y tampoco le envió a Menem los atributos del mando presidencial. En realidad, no le hacían falta: el Presidente tenía triple juego de banda y bastón, y uno de ellos estaba en la Rosada. Pero desde los pasillos del poder surgió una falsa versión que fue rápidamente propagada por los medios: "Si los quiere, que Menem en persona venga a buscarlos a Olivos", fue la frase cuya autoría atribuyeron a Zulema.

El 24 a la noche, Carlos Menem había cenado en el restaurante Félix de Avellaneda con la empresaria Amalia Lacroze de Fortabat, su amiga, y con el periodista Bernardo Neustadt. Contaron chistes correntinos, evocaron anécdotas de La Rioja, comieron ravioles y no hablaron ni una sola palabra de política.

Carlos Menem regresó tarde del restaurante y durmió en su recámara de Balcarce 50. A la mañana lo despertó la fanfarria Alto Perú, entonando "Avenida de las Camelias". Apenas se levantó, Ramón le dijo que Zulema no vendría. Sin banda, sin bastón y sin primera dama. Estaba harto. Usó las réplicas y participó del tedéum acompañado por Eduardo Duhalde y su mujer. Cuando el acto finalizó, subió al helicóptero y se fue a comer asado a la parrilla de su amigo, Alejandro Granados, por cuya ambiciosa mujer, Dulce Visconti, Menem parecía sentir una atracción especial.

A la noche del mismo 25, Zulema percibió que algo malo estaba a punto de pasar. Llamó por teléfono a Jorge Antonio y otra vez al nuncio apostólico Ubaldo Calabresi. Necesitaba ayuda: quería recomponer la situación. Los tres hablaron en el living de la residencia.

–Monseñor, por favor, háblele a Carlos Menem, párelo a este loco, que algo está por hacer contra nuestra familia... Se lo pido por mis hijos.

Tras un largo silencio, finalmente el embajador del Papa dijo:

–Mire, señora, yo no puedo hacer nada. Tiene que tener resignación cristiana y aceptar lo que venga. Ya no se puede hacer nada –y se retiró velozmente.

Esta actitud no hizo más que confirmar las sospechas de Zulema respecto del tornado que se avecinaba. Ella sabía que cualquier decisión que Menem tomara tendría la venia de la Iglesia Católica.

El conservador obispo de Mercedes, Emilio Ogñenovich, lo confirmaba horas después por las radios. El hombre, de conocida postura antidivorcista, dijo: "La Iglesia Católica no se opone a las separaciones de hecho, en determinadas circunstancias. Nadie puede negar que el presidente Menem es un padre que vive preocupado por sus hijos".

En esos días tenía preparada una larga visita al exterior. Sus hombres entraron en pánico, porque toda la ropa había quedado en la residencia de Olivos y nadie se animaba a ir a buscarla y enfrentarse con Zulema.

–Por favor, dejémonos de pavadas. Soy el Presidente y puedo tener lo que quiera. Compren todo nuevo.

Los hombres de ceremonial hicieron abrir a la madrugada la casa George, de la avenida Alvear. Se llevaron dos docenas de trajes y camisas, que completaron el guardarropa presidencial para el largo viaje que debía emprender de inmediato.

En el salón VIP de Aeroparque se despidió de sus problemas y se apresuró a subir al Boeing 707 que lo llevaría a Malasia, Tahití, Polinesia, Paraguay –donde se realizaría ese año la Asamblea de la Organización de Estados Americanos– y, por último a Italia, a presenciar el debut de la Selección Argentina en el Mundial de Fútbol 1990. En total, doce días en improvisada gira de salvataje de apariencias.

Él era ya un experto en esas lides: sólo en los seis meses de 1989 había recorrido 73.481 kilómetros. Había visitado Asunción, San José de Costa Rica, Madrid, La Paz, Brasilia, Río y Belgrado. En 1990, su periplo sería aún más extenso: abarcó América, Asia, África y Europa a lo largo de 177.662 kilómetros. Él quería ser conocido y reconocido en el mundo. Y lo estaba consiguiendo.

En su ausencia, el peronismo se debatía en una crisis de alcances insospechados. Los recién llegados al poder, encandilados por la conversión presidencial al liberalismo, soñaban con construir el "Partido Menemista". María Julia Alsogaray, con plenos poderes para privatizar ENTel, entraba y salía del despacho presidencial sin pedir audiencia, mientras el PJ se sumergía en un estado deliberativo que lo llevó a atomizarse. Eduardo Duhalde lanzaba la Liga Federal y Palito Ortega hacía su ingreso al peronismo inaugurando la era de los famosos devenidos políticos.

–Presidente, ¿es verdad que su situación matrimonial está pasando por una crisis seria? –preguntó un periodista extranjero.

–¿Y por qué me hace esa pregunta, eh? ¿Qué me contestaría si yo le pregunto cómo anda con su mujer? –respondió Menem con el fastidio pintado en la cara.

Escapar del fuego abrasador de Zulema era la consigna. Aunque en el camino quedaran sus hijos. Ya vería qué estrategias usar para recuperarlos. Ahora sólo tenía que ganar tiempo. En la Argentina, los rumores de su separación recorrían todas las redacciones. Zulemita y Carlitos lo esperaron en Paraguay para pedirle que volviera a Olivos. Les mintió: le dijo que sí, pero no quería saber nada.

Haciendo, pese a todo, gala de buen talante, Zulema se rió con la revista *Humor*, cuya tapa le hacía decir: "Menem me tiene patilluda".

Atrincherada en Olivos, Zulema no daba el brazo a torcer, pero al mismo tiempo enviaba señales de humo de una probable reconciliación, sin percatarse de que la lucha estaba entablada en términos de rendición incondicional. El 7 de junio, Día del Periodista, agasajó en el quincho de la residencia a más de sesenta profesionales de los medios con un asado, en cuyo transcurso volvió a echar leña al fuego, y al mismo tiempo, a ofrecer una tregua.

–Hay funcionarios que hasta cobran las audiencias con el Presidente. Son los mismos corruptos que quieren romper nuestro matrimonio. Entre Menem y yo no hay problemas, los inventan los corruptos para atacarme el corazón, que es la base y el pilar de la familia. Cuando venga Menem, espero tener un diálogo familiar para superar los problemas, como ocurrió en anteriores oportunidades. El nuestro es un matrimonio político. Son casi veinticinco años de matrimonio y hay dos hijos. El año próximo espero poder festejar nuestras bodas de plata en esta quinta, aunque eso depende de los dos y de Dios –auguró aquí y allá, recorriendo las mesas de sus invitados.

Zulema hacía los honores acompañada por su vocera Marilú Giovanelli, Antonio Minino Palermo y el infaltable Jorge Mazuchelli, el médico que atesoraba sus angustias más íntimas. Los tres se prodigaron en atenciones y la primera dama estrechó todas las manos.

"Yo sigo esperando con mucha fe/ seguiré pensando que has de volver/ No puede ser que tú sigas sin saber cuánto sufro yo/ Que desde donde estés, me escuches o no/ Quiero que sepas que yo te esperaré", cantaba Mazuchelli, a la vez que rasgaba una guitarra, por pedido de Zulema.

El banquete y lo que allí se habló apareció en todos los medios e inmediatamente transmitido por fax a Menem, que recibió la información en una escala del viaje. Sumamente irritado, dio pie al consejo de algunos de sus incondicionales.

–Jefe, tiene que sacarla de ahí. Mire lo que hace, usa la quinta como si fuera presidente… –murmuraban.

–Sáquenla como sea, pero sáquenla. No quiero saber más de esta mujer… –fue la orden de Menem.

A todo esto, el trámite judicial por el affaire de los afiches había seguido su curso. El 8 de junio, como quien ofrece un postre de acíbar para el asado, Marquevich procesó a Ruiz y a Fassi Lavalle y los citó a declarar junto con Zulema, en calidad de imputada no procesada. Ipso facto, Omar Fassi Lavalle fue defenestrado del Ente Nacional de Turismo.

–Hay que tener mucho cuidado en la forma en que se desplaza a una persona. Deben tenerse pruebas, los argumentos en la mano –dijo Zulema en una tibia defensa, tratando de no echar más leña al fuego.

Lo que ignoraba era que su suerte se había definido hacía tiempo. El 28 de mayo de 1990, antes de salir de viaje, Menem dejó firmado el decreto 1026, que Raúl Granillo Ocampo le redactó con esmero y dedicación dignos de un secretario técnico de su envergadura.

Dos pequeños artículos pondrían límites a los excesos protocolares de Zulema. A partir de aquí sería él quien determinaría qué personas podrían entrar o permanecer en la residencia presidencial, ya que no se trataba de un hogar de familia sino de un lugar destinado exclusivamente para el primer magistrado.

Una orden escrita *ad hoc* expulsaba a su mujer y a sus hijos de la residencia oficial. No tenía fecha de ejecución, dando a entender que habría que aguardar el momento más oportuno. Pero Menem, al salir de viaje, ya le había puesto un límite infranqueable a la permanencia de Zulema en Olivos.

–Cuando vuelva quiero que todo esto esté solucionado. Esta casa es mía –dijo a sus hombres.

El brigadier Andrés Antonietti, alias "el conde de Montecristo", que odiaba a Zulema y competía en el entorno de alcahuetes por las preferencias del Jefe, encontró la manera de llegar a ocupar un lugar de privilegio: se ofreció para manejar el plan de desalojo como una operación militar, y así la encaró con un eficiente servicio de inteligencia.

Sin pensarlo, la primera dama favorecería la estrategia de su enemigo. El 12 de junio, Zulema y Zulemita salieron de Olivos para ir al departamento de la calle Posadas, y dentro de la residencia quedó solo Carlitos. La noche anterior, Carlitos le dijo a Zulema que había visto movimientos raros y gente extraña merodeando el chalet.

–Vieja, andáte rápido que hay una ambulancia estacionada. Me parece que te quieren internar en un loquero.

Y la metió en un auto, que salió raudamente por el túnel que da a la avenida Libertador.

Antonietti evaluó que ese era el momento justo para cumplir la orden presidencial. Ya no se trataba de expulsar a Zulema y Zulemita. Sólo bastaba con impedirles el reingreso. En cuanto a Carlitos, lo más posible era que se fuera tras la madre y la hermana, pero, por si acaso, el brigadier no dejó de empuñar un tubo de gas paralizante. No era cuestión de agarrarse a trompadas con el hijo del Presidente.

Así fue como se vio a Zulema Fátima Yoma de Menem, vestida de jogging azul y en zapatillas, abrazada a su hija Zulemita, tratando de comunicarse con su hijo a través de la mirilla de la quinta presidencial de Olivos, adonde les impidieron la entrada cuando regresaron.

–Quedáte tranquila, mamá. Estoy aquí, no me dejan salir, pero ya voy. No hagas nada por favor.

Ella trataba de comunicarse personalmente, pero las órdenes de la guardia eran terminantes: ni ella podía ingresar ni el hijo podía salir.

–Me lo tienen secuestrado a mi Carlitos. El hijo del Presidente ha sido secuestrado en plena democracia –vociferaba Zulema.

Pese a esto, a los pocos minutos el Jaguar rojo manejado por Carlos Menem Junior transpuso la puerta de la calle Villate. Ya en la calle, bajó del auto y se enredó en los brazos de su madre y de su hermana. A esa altura, la tranquila calle del barrio de Olivos era un tumulto de vecinos, periodistas y cámaras de televisión.

–Nos echó el Presidente por decreto. Nos dejó a mí y mis hijos con la ropa que tenemos puesta, y ni siquiera podemos entrar a buscar nuestras cosas. Pero me voy a manejar con la ley y no con los funcionarios de este gobierno, que son todos unos indecentes y corruptos –gritaba Zulema.

–Los que rodean al Presidente, a mi padre, lo están dominando. Es el entorno, lo cercaron. Hay todo un ejército en Olivos, es como si fuese una dictadura –agregó Junior, con el rostro desencajado y los ojos fuera de órbita.

Zulemita no hacía más que llorar desconsoladamente, abrazada a su madre.

Esa misma noche, en la cocina del departamento de Posadas, frente a la familia Yoma y el empresario Jorge Antonio, que trataba de aquietar las aguas, Junior redactó una carta dirigida a su padre, que al otro día divulgó en conferencia de prensa. La misiva, dos carillas escritas a máquina, fue difundida por todos los medios.

"No sabía si escribir al primer mandatario de la Nación o a mi padre, ya que tanto uno como otro nos debe más de una explicación, pero ante la confusión que vos y algunos de tus 'amigos' están creando, decidí escribirle a mi padre, el Presidente. En primer lugar, quiero que sepas que tengo mucha bronca, porque este último tiempo se han dedicado a atacar a mi madre hombres del gobierno, periodistas o comunicadores sociales; y usó de libreto a tu familia cuanto cómico quiso ocuparse de la cuestión. En medio de mi bronca me dije que eran bajezas indignas de un padre y que quienes dirigían eso se valían del poder para hacerlo. No te escribí entonces, porque estuvimos dedicados a defendernos de cada personaje que nos agredía. Y por el contrario, esperé que recapacitaras y dije públicamente que estaba dispuesto a luchar hasta las últimas consecuencias para recuperarte, porque lo dije también: te amo.

"Pero ya no aguanto más. Te esperé antes, cuando disfrutabas tu viaje al exterior porque creí en vos. Te estuve esperando ahora, porque no podía creer que fueras vos, mi padre, el que habla de Dios, de la Patria y de los humildes, quien echara a su familia como lo hiciste, de la forma humillante que lo hiciste, y nos sometas a una falta de respeto y a una agresión sistemática, a tu esposa y a tus hijos, a los que una vez dijiste querer. ¿Qué te pasó? ¿Te marcó el poder? ¿O son tan fuertes las influencias internas o externas de quienes te rodean hoy, que te han hecho cambiar la visión sobre nuestro país, tu gente, tus amigos y tu familia? Ya no puedo creer en vos. No tuviste siquiera la hombría de pedirnos cara a cara que nos fuéramos de la quinta presidencial. Nos mandaste soldados para que nos echen. ¿Es que somos tan peligrosos?"

Al día siguiente, el secretario legal y técnico, Raúl Granillo Ocampo, informó oficialmente que el primer mandatario había decidido que su esposa "abandone" la residencia de Olivos.

El 2 de julio de 1990, en Anillaco, Menem estaba triste.

Ni los excesos ni la algarabía de sus adláteres podían contra la pesadumbre que le provocaba la ausencia de sus hijos. Las maldiciones de Zulema. Las eternas extorsiones de los Yoma. Las presiones constantes. Miraba los regalos apilados en la suite del primer piso y nada de aquello lo arrancaba de su sopor. Sombríos sesenta años.

El sindicalista de los petroleros Diego Ibáñez, ex compañero de cárcel por quien Menem sentía un aprecio especial que no disimulaba, le trajo un juego de té de plata. Duhalde, su compañero de fórmula, le regaló un encendedor de oro. Julio Mera Figueroa, una escultura salteña y Enrique Kaplan, su jefe de ceremonial y primer peluquero, un sillón masajeador japonés gris, recién llegado al país.

Mientras que Luis Barrionuevo había proclamado que el mejor regalo para el jefe era "mi lealtad", María Julia Alsogaray se había lucido obsequiándole un par de gemelos de oro en los que estaba grabada la fecha de entrega de ENTel a sus dueños privados, 8 de octubre de 1990, día de su cumpleaños y, paradójicamente, también del de Juan Domingo Perón, ambos librianos, ambos pendulares, pero sideralmente distintos.

Menem sentía que los sesenta años que cumplía le pesaban como plomo. Se negaba a pensar su vida en números. Trataba de espantar el futuro. Durante dos días, en los amplios salones del Automóvil Club de Anillaco, el gabinete en pleno bailó al compás de mariachis y odaliscas. Hubo asado, chivito, empanadas caseras y vino de la bodega familiar.

Con sombrero de ala ancha y poncho marrón sobre los hombros llegó a saludarlo el viejo Quinterito, el hombre que allá, en el fondo de los tiempos, lo veía pasar, trepado al viejo Ford A de su padre, recorriendo la quebrada y los cerros. El mismo que desgajaba la memoria, relatando viejas anécdotas de su infancia a los visitantes ávidos de curiosidades presidenciales.

Lorenzo Miguel, el líder histórico de los metalúrgicos y de Las 62 Organizaciones, se plantó frente al micrófono con una copa de champán en la mano y les dedicó un discurso a Menem y a Perón.

–Carlos Menem, este movimiento, que se inició en 1945, fue para hacer una revolución social, todavía inconclusa, que hoy todos estamos esperando. Estamos junto a vos en este tiempo que puede ser de transacción (*sic*), quizás para que otros vengan y puedan concretar el sacrificio de lo que está haciendo este gobierno –dijo.

El mítico caudillo de la UOM, rígido como una estatua sin edad, levantó la copa y todos gritaron enloquecidos al compás de los bombos. Una mujer morena disfrazada de odalisca comenzó a contonear las caderas siguiendo el ritmo de la música interpretada por un conjunto de libaneses.

María Julia Alsogaray fue la primera en salir a bailar. Por esa época era la adquisición menemista más preciada: una flor que en la madurez había descubierto repentinamente la sensualidad de sus formas y el poder de su apellido sobre aquellos hombres ordinarios que cantaban la marcha peronista, hablaban de los pobres y no pronunciaban ni una palabra en inglés.

Se acomodó el escote del vestido negro ajustadísimo, sonrió y pidió su turno en el micrófono.

–Señor Presidente, voy a hablar en nombre de los que no somos justicialistas pero estamos en la misma vereda. Los que no creímos y estamos empezando a creer. Los que lo queremos mucho y queremos que se sienta bien. Señor Presidente, lo queremos mucho. Feliz cumpleaños.

Una nueva ovación coronó las palabras de "La Diosa", apodo que eligió el entorno para bautizar al paradigma del liberalismo a ultranza en quien Menem había depositado sus sueños privatizadores.

Unos días después, en el complejo turístico de Las Leñas, María Julia perpetraría la metida de pata más destacada de su carrera de funcionaria menemista.

Una noche, la entonces subdirectora de la revista *Noticias*, Teresa Pacciti –hoy directora de *Caras*– estaba revisando el último material llegado de la temporada invernal. Ante sus ojos desfilaron varias decenas de pequeñas diapositivas. Las fue mirando una por una con la lente de aumento sobre la mesa de transparencias. Susana Giménez, Graciela Borges… enfundadas en trajes de nieve…

Hasta que una llamó poderosamente su atención: mostraba a una mujer aparentemente desnuda, sólo cubierta por un tapado de visón.

–¿Y ésta quién es? ¡Mirá, che, qué parecida a María Julia! –arriesgó.

Decidida a salir de dudas, llamó a Las Leñas al jefe de fotografía, Osvaldo Dubini, quien estaba cubriendo la temporada.

–No *se parece* a Marijú, *es* Marijú. Estaba un poco mareadita, había tomado mucho champán y la convencimos para que posara con el tapado de la Borges –confirmó Dubini.

–Tenemos la tapa –anunció Teresa ni bien colgó la comunicación.

Efectivamente, María Julia fue la tapa de la revista *Noticias* de esa semana. Y fue un escándalo. Los peronistas del gobierno se restregaron las manos y se ensañaron con ella, dispuestos a obtener su expulsión del gobierno. Eduardo Menem entró furioso a Olivos reclamándole su renuncia.

–¡Es una vergüenza! Salió casi desnuda. ¿Qué va a decir la Iglesia de nosotros?

Pero Vicco (de quien se dice vivía entonces un fogoso romance con María Julia) salió en su defensa, y en un aparte con Menem, le recordó:

–Carlos, ¿vos nunca te equivocaste? Perdónala, estaba borracha y no se dio cuenta.

Y Menem la perdonó. Poco le importaban los lamentos puritanos de su hermano, que nunca entendía nada. María Julia era la reina astuta, ambiciosa y calculadora de su ajedrez político. Nadie mejor que ella para manejar algunos asuntos importantes de su gobierno.

En esa fiesta de cumpleaños en Anillaco, María Julia no tuvo la exclusividad de la sensualidad. La presunta odalisca se deslizaba moviendo las caderas. El sindicalista Armando Cavalieri, excitado por los movimientos de la joven, le seguía el compás y a los manotazos trataba de subirla a bailar a la mesa en la que Carlos Menem tomaba sopa con pedacitos de pan.

Armando Gostanian, el amigo de toda la vida y flamante titular de la Casa de la Moneda, se meneaba con una botella de champán sobre la cabeza y, exaltado, aseguraba que, si "el Jefe" se lo pedía, mandaría a imprimir miles de dólares. Eduardo Duhalde, el vice, superó al "Gordo Bolú" –como llamaba el Presidente a Gostanian en la intimidad– cuando, afiebrado, se lanzó a la pista haciendo equilibrio con una damajuana de vinos "Menem" en la cabeza.

El homenajeado presenciaba el banquete en silencio. La cadencia de la música lo arrastraba hacia sus recuerdos más profundos. Su infancia en la casa de la calle Bazán y Bustos, en La Rioja, y aquella melodía que su madre tarareaba mientras se deslizaba por la cocina, controlando el trabajo de las criadas. El sabor del "taboule", el olor de la menta y la canela y aquellos viejos acordes que le entristecían el alma.

Extrañaba a sus hijos, y no tenía esperanzas de que la relación pudiera restablecerse. Era paradójico, porque en realidad, poco y nada se había ocupado de ellos en su vida. Ahora, ellos ni siquiera querían escuchar su nombre, según le habían contado sus cuñados, Amira y Emir. Sus ojos se detenían en la aspereza de los cerros que se recortaban en la ventana. Carlos Menem conocía aquel paisaje como la palma de sus manos. Cada rincón, cada milímetro de tierra guardaba las huellas de sus botas. Y el hálito de los vientos, sus invocaciones a los espíritus de sus antepasados. Sus escapadas en soledad por los caminos pedregosos. El vértigo de sus secretos más recónditos. Aquellos que no revelaba ni a su sombra.

Los invitados reían levantando las copas. Los podía ver desdibujándose como nubes en su mirada.

Estaban también el geólogo Alberto Kohan, el empresario Jorge Antonio, Erman González, su hermano Eduardo Menem, el embajador Omar Vaquir y sus secretarios Miguel Ángel Vicco y Ramón Hernández.

De repente, su mirada se posó en Lorenzo Miguel. Le agradeció su presencia con un gesto. Conocía el desprecio que el padrino sindical sentía por su figura. Los celos. La añeja competencia. Los recuerdos dolorosos de la cárcel. Situaciones escabrosas, íntimas, que él prefería olvidar y que el "Loro" Miguel no se privaba de relatar con lujo de detalles a todo el mundo.

Mientras Menem repetía hasta el cansancio lo que había sufrido porque según él, estando preso, los militares le habían negado el permiso para asistir al entierro de su madre, Miguel aseguraba que mentía, que se había negado a ir para poder usarlo de argumento en su carrera política y "quedar como una víctima". Estos agravios alimentaron una relación tormentosa desde sus inicios.

Algunas veces, Lorenzo Miguel le recordaba a Zulema. El sindicalista se llevaba bien con ella. Eran parecidos. Ambos conocían como nadie las flaquezas y debilidades de Menem, y explotaban con destreza su vulnerabilidad.

Pero el dueño del poder era él y nadie más. Íntimamente sabía que encontraría una manera elegante de doblegarlo. De sacárselo de encima. Sólo era cuestión de esperar el momento adecuado. Por lo pronto, Miguel nunca ocuparía un sitio de relevancia en la mesa de las negociaciones, en la que se repartía el poder. Había dado vuelo a aquellos sindicalistas que no le disputaban el mando. A los que tenían enconos con el metalúrgico, les daba una porción mayor: el gastronómico Luis Barrionuevo, el petrolero Antonio Cassia, el ferroviario Rubén Pedraza, el plástico Jorge Triaca.

De hecho, la poderosa alianza con el holding de Bunge y Born contó con la participación de Triaca, algo que a Miguel le ponía los pelos de punta.

–Ninguno de los dos nos buscamos. Lo conozco perfectamente bien. Me volqué hacia él porque sabía que iba a ganar. Nada más –dijo con sinceridad el mandamás de los metalúrgicos en 1988, cuando, apenas quince días antes de celebrarse las internas partidarias, le dio su apoyo al riojano, dejando en la desolación a Antonio Cafiero.

Se le sumó con sus huestes, entonces tan poderosas que con un suspiro podían hacer tambalear un gobierno. Aportó infraestructura, militantes y hasta algún dinero para afiches. Pero su mayor contribución fue acercar a Roberto Rocca, titular del poderoso grupo Techint, quien, según se cree, le entregó a Menem ochocientos mil dólares para la campaña electoral del '89.

Carlos Menem salió del baño y entró en el dormitorio tenuemente iluminado por la luz que se filtraba a través de los cortinados. Eran las cuatro y media de una tarde destemplada de julio. Hacía un mes que había expulsado a Zulema y a sus hijos de Olivos, en medio de un escándalo internacional. Hacía dos, exactamente desde el amanecer del 8 de mayo, que no tenía contacto con sus hijos.

Aquella tarde de invierno de 1990 el sol rebotaba, como siempre que había buen tiempo, sobre los muebles dorados y la cama de acolchado de hilo blanco del dormitorio presidencial de la Casa Rosada. Menem envolvió su cuerpo con una robe de chambre blanca de tela de toalla. En silencio se observó en el espejo. Se vio ojeroso y pálido.

Su masajista personal, Fanny Cuello, desesperaba. La mujer no podía hacer milagros con los estragos que provocaban en la piel de la cara de Carlos Menem sus interminables pesadillas. Las mismas de siempre.

Miró sus manos mojadas y sintió náuseas. Una angustia asfixiante le subía despacio por la garganta, el somnífero de la siesta no lograba atenuarla.

Sentía el frío como un cosquilleo molesto. Y ese vacío en la boca del estómago... El olor de las flores parecía caer a plomo, en un aire demasiado denso. Desde la calle seguían llegando las protestas.

–¿No tiene frío, Presidente? –recordó que había preguntado con asombro días antes el cronista de un prestigioso diario inglés al verlo en traje de fina alpaca bajo una temperatura de cinco grados bajo cero.

–Nunca. No siento frío ni calor. Yo practico control mental. Ustedes deberían hacer lo mismo... –había explicado.

Otra vez, ante la misma pregunta, se había despachado con una explicación más extensa:

–El secreto es el control mental. Se trata de una disciplina de la mente que Dios nos dio a los hombres. Ejercitando nuestro poder mental, controlándolo, se dominan situaciones muy difíciles. Y mientras algunos toman píldoras o se "pichicatean" para llevar adelante sus tareas, yo me las arreglo con mi mente. Y si dije alguna vez que soy autodidacto en la materia, es porque esto nació conmigo.

Pero esa tarde de finales de julio de 1990, en su propio dormitorio, él tenía frío. No en la piel, en el alma. Un frío indomable, estresante. No había control mental que lo aliviara. Carlos Menem tenía los ojos húmedos, hinchados de dormir pesado. Y estaba cargado de malos augurios.

Eduardo Bauzá, en ese momento uno de sus hombres de mayor confianza, lo esperaba parado en el centro de la habitación. Todas las tardes, a la misma hora, después de la siesta, ambos se juntaban a discutir asuntos de Estado. Las conspiraciones de sus enemigos. Las estrategias para su gloria.

Menem no podía quejarse. En lo político, finalmente, las cosas estaban saliendo de acuerdo con sus planes. Estaba en camino de doblegar a sus enemigos, el establishment local e internacional lo miraba embobado, los negocios marchaban a pasos acelerados y George Bush, con tal de que él desactivara el proyecto Cóndor, se había convertido en su "amigo". Y su socio.

Pero ese nudo en la boca del estómago lo atormentaba.

Menem se quitó la bata y se sentó desnudo sobre la cama. Sintió otro chucho de frío. No en la piel, adentro. Y ese agujero extraño en las entrañas.

–No puedo más, Flaco. Los chicos me odian, no me hablan, no quieren ni verme. Dicen barbaridades de mí. No aguanto más las presiones de Zulema, de Emir...

–Carlos, es lo mejor que pudiste hacer. Así no podías vivir... Dejáte de joder y tranquilizáte.

Y le repitió a Bauzá lo mismo que le dijo a Teresa, esa mañana.

–Esa mujer nunca me entendió, nunca. Y yo... siempre la he amado...

–Carlos, la echaste como un perro, con los militares. Fue horrible... –replicó la pitonisa.

–No fui yo, fue Antonietti. Él fue el de la idea, y Eduardo... Tiráme las cartas Teresa, por favor...

–Carlos, las cartas... no te dicen cosas buenas. Vas a tener un llamado malo, hay traiciones...

Se tapó el rostro con las manos y lloró. Su cuerpo flaco se sacudió en la cama. En la mesa de luz, una fotografía de Mohibe, su madre, y una rosa. Del otro lado, los retratos de sus hijos. Sonrientes.

Un año después, Zulema Fátima Yoma presentaba una demanda de divorcio en el Juzgado de Primera Instancia número 9 de la provincia de Buenos Aires, ante la jueza Delma Cabrera. No habría retorno.

Pero, a pesar de eso, el futuro era suyo, le pertenecía. El poder. Los placeres. Las riquezas. La historia. Ser amado y ser temido.

DIVÓRCIATE Y ANDA

> Se imaginaba entonces a los hombres tal como
> en efecto son, insectos que se devoran unos
> a otros sobre un pequeño átomo de barro.
>
> *VOLTAIRE, Así va el mundo. Cuentos orientales.*

Cuando creía que había pasado el vendaval, todo regresaba a un punto muerto. Y se repetía como una noria.

Así habían sido todos los días de su vida.

El 28 de diciembre de 1990, por la noche –Día de los Santos Inocentes– firmó el decreto redactado por Raúl Granillo Ocampo, secretario legal y técnico, que otorgaba la libertad a los comandantes del Proceso y a los jefes montoneros. Se dejaban sin efecto los juicios contra Guillermo Suárez Mason y el ex ministro de Economía de la dictadura José Alfredo Martínez de Hoz. Antes de estampar su firma al final del escrito que le daba la libertad a Albano Harguindeguy, reflexionó un instante. Era el mismo general que lo había mandado a Las Lomitas y que ahora estaba preso porque él le había iniciado una causa por privación ilegítima de la libertad. Recordó sus días en prisión, sus angustias, la muerte de su madre y él tirado en la cama llorando porque Videla y Harguindeguy le habían negado la posibilidad de asistir al velorio.

Ahora él, que tenía todo el poder, podía demostrar, como un emperador romano, su magnanimidad.

Podía odiar y podía perdonar.

—Carlos, no podés perdonarlos.

—Sí que puedo, ya vas a ver...

—¿Por qué lo vas a hacer? ¿Qué necesidad tenés?

—Porque soy un hombre sin rencores, hay que reconciliar al país. ¿O hasta cuándo vamos a seguir con esta historia?

—Mirá, Carlos, no te creo una palabra. No me vengas a mí con discursos tontos. ¿O vos te olvidaste tan pronto de lo que te hicieron estos tipos? ¿Por qué te tengo que explicar *yo* lo que te hizo Harguindeguy? Acordáte, Carlos: "Lo mando a Las Lomitas porque es verano, si no, lo mandaría a la Antártida". No puedo creer que lo hayas perdonado...

—Bueno, pero es así, lo perdoné.

—¿Y mamá, Carlos? ¿Te olvidaste de mamá? Entonces nunca la quisiste en serio.

—Eduardo, ya tomé la decisión y nadie me va a hacer cambiar. Yo soy el Presidente, no sé si te queda claro. Terminemos con todo esto.

La discusión con su hermano Eduardo lo irritó. La relación entre los dos tenía la ambigüedad de las pasiones familiares. Eduardo siempre hizo todo lo posible por ganarse el amor de Mohibe: traía las mejores notas, estudiaba todo el día, llevaba una vida tranquila, sin noches, sin prostíbulos, sin mujeres. Carlos era todo lo opuesto. Pero ella tenía debilidad por él. Ahora Eduardo se vengaba manifestándole su superioridad. Pero, en el fondo, no hacía más que mostrarle su envidia y sus celos. Y siempre, a la larga, hacía lo que él quería.

—Eduardo, ¿sabés por qué nunca me vas a entender? Porque yo siempre fui mejor que vos.

Los hombres en el gobierno no estaban de acuerdo con la medida y argumentaban de mil maneras para que él diera marcha atrás. La SIDE había mandado hacer una encuesta que dio como resultado que más del setenta por ciento de la gente estaba en contra del indulto.

—Si no están de acuerdo, ya saben lo que tienen que hacer. Esto me lo banco yo solo —les contestó una mañana, irritado e impaciente.

Sin embargo, no era esta soledad la que le pesaba.

Después de todo, su vida política había sido siempre así. Carlos Menem estaba convencido de que su gloria era consecuencia de su intuición y su audacia sin límites. Que no le debía nada a nadie. Al contrario: cada uno de los hombres que lo acompañaban le debía todo lo que era, todo lo que poseía, todo lo que disfrutaba. Pero ni siquiera ese instante de poderío infinito lograba devolverle la sonrisa. El triunfo del 3 de diciembre sobre los carapintadas y los halagos de George Bush, que como muestra de amistad llegó a la Argentina, le parecía que había pasado un siglo. Sus pesares volvían, recurrentes: no soportaba estar sin sus hijos, no soportaba la idea de que ellos lo odiaran, no soportaba estar solo. No podía con la sensación de que los había decepcionado.

Pasó la Navidad y el Año Nuevo en Olivos acompañado sólo por unos pocos. Zulema estaba en La Rioja con Carlitos y Zulemita, y Emir le había advertido que no apareciera por allá, porque sus hijos no querían verlo. Comió sin ganas y ni siquiera los fuegos artificiales importados y las cañitas voladoras que Vicco lanzaba desde el jardín, con los primeros minutos de 1991, le levantaron el ánimo.

El año que se iniciaba sería tan tormentoso como los demás.

Cuando las cosas le salían mal y se sentía agobiado, Carlos Menem no se hacía cargo y manipulaba con habilidad a los que tenía al lado, colocándose en situación de víctima. Le salía bien con todos, menos con Zulema. Por más que intentaba, lloraba y pedía por favor en el teléfono, ella le cortaba violentamente, con una maldición.

–Nunca te voy a perdonar, Carlos Menem, y escuchá bien lo que te voy a decir: la mano de Dios es larga y vas a pagar acá en la tierra todo el daño que nos hiciste.

Y él temblaba de miedo.

A la semana, estallaba el Swiftgate. El gabinete era un nido de salvajes operaciones políticas cruzadas entre los diferentes grupos que se disputaban espacios de poder y millonarios negocios. Una filtración encendió la mecha y eyectó a Emir Yoma fuera del gobierno, acusado de intento de soborno a una empresa norteamericana. En medio de la crisis, Menem decidió un recambio del gabinete: dejó afuera a Roberto Dromi, Humberto Romero y Alberto Kohan, con el argumento de que las sospechas de corrupción que pesaban sobre esos ministerios (Obras Públicas, Defensa y Acción Social) lo perjudicaban.

–Estoy harto, nadie piensa en mí. Todos están ocupados en hacer sus negocios y después tengo que salir yo a poner la cara por ellos cada vez que hay un quilombo –le dijo una noche a Bauzá.

Nombró a Guido Di Tella en Defensa y al dueño de la Universidad de Belgrano, Avelino Porto, como ministro de Acción Social. Para afianzar aún más las relaciones con los Estados Unidos y mostrar que era de verdad "del mismo palo", dio la orden de que las naves que habían sido enviadas al Golfo para participar del embargo contra Saddam Hussein se prepararan para entrar en guerra si Estados Unidos decidía atacar Irak. Viajó a Punta del Este para festejar el cumpleaños de Vicco, junto a María Julia Alsogaray, Armando Gostanian, Constancio Vigil y Mario Falak. Paseó a solas en el barco –el *Concord*– de Falak con la vedette Amalia "Yuyito" González. Las generosas curvas de la mujer y aquellos ojos verdes, que otrora lo enloquecían, esta vez no lo sacaron de la tristeza. A veces, también llegaba Graciela Alfano o la actriz Graciela Borges. Pero ni siquiera ellas lo divertían. José Luis Manzano, Eduardo Bauzá y su hermano Eduardo, los "celestes", en la jerga menemista, operaban mañana, tarde y noche para instalar a Domingo Cavallo al frente de Economía.

–Carlos me voy, se acabó –le dijo un día Erman González.

Le pidió por favor que no lo hiciera, pero el ex contador de las Curtiembres Yoma tenía tomada la decisión y no dio marcha atrás.

–Negrito, ayudáme a sacarme estos tipos de encima, solo no puedo. Se me suben encima, me presionan, no los banco más... –repitió como siempre, deslindando responsabilidades.

Erman no contestó y lo dejó solo en medio del jardín.

Carlos Menem se encerró en su dormitorio y se desplomó en la cama. Llamó a Ramón y le dijo que no quería ver a nadie. La renuncia de González y los rumores sobre la inestabilidad de la economía lo obligaban a lo que no quería: aceptar la propuesta de "los celestes" de nombrar a Domingo Cavallo. No le gustaba actuar bajo presión. Ni de ellos ni de nadie. Y tenía además otro motivo: Carlos Menem conocía las virtudes técnicas de su canciller, pero le tenía desconfianza. No soportaba escucharlo todo el tiempo intentando demostrar que era más que él.

El lunes 28 de enero anunció en el salón Blanco de la Casa Rosada que Cavallo era su nuevo ministro de Economía. Tenía la mirada perdida y el rostro desencajado.

–Teresa, ¿dormís? Vení urgente que el Jefe está mal, ¡te quiere ver ya!

–Ramón... es la una de la mañana...

–¡Te mando un auto y venís para Olivos ya!

Según relata la pitonisa, entró en el dormitorio y encontró a Menem llorando en la cama.

–¿Qué te pasa, Carlos? Seguro que estuviste comiendo chocolate y te subió el azúcar...

–Sentáte, estoy mal... Me caso con Yuyito. Ya tomé la decisión.

–Carlos, ¿estás loco? ¿Qué va a decir la Iglesia...? ¿Y tus hijos?

–Estoy mal, solo. Si no me caso, ella me va a dejar. Se quiere casar...

Teresa le pidió un somnífero a Ramón. Carlos lo tomó y logró dormirse. Sólo después, Teresa fue llevada de vuelta a su casa.

Los rumores sobre su depresión se deslizaban por los despachos y habían alcanzado los oídos de Raúl Alfonsín, que envió al ex ministro del Interior Enrique "Coti" Nosiglia a preguntarle al sindicalista Luis Barrionuevo por la salud de Carlos Menem.

–Este tipo no hará una locura, no tratará de suicidarse, ¿no? –preguntó Nosiglia.

El sindicalista, que tomaba sol en una playa del sindicato en Mar del Plata, se inquietó, y en una conversación telefónica con Vicco le dijo:

–Voy a ir a ver qué pasa y lo cago bien a trompadas. ¿Qué se cree?, ¿que nos rompimos el culo para que él llegue hasta acá y ahora se deprime?

Los obsecuentes nocturnos de Olivos no lo dejaban solo: contaban chistes, llevaban actores y futbolistas, exuberantes chicas del programa de Sofovich. Pero todo era en vano. Carlos Menem jugaba con el control remoto del televisor y no pronunciaba una palabra. Ni siquiera las visitas constantes de Marta Meza y su hijo, Carlos Nair, lo volvían a la realidad.

Eduardo Bauzá y Eduardo Menem empezaron a pensar en la posibilidad de una internación en una clínica psiquiátrica. Situación que ya tenía un antecedente: en 1984, Carlos Menem estuvo internado en un sanatorio. Fueron quince días tirado en una cama, llorando en posición fetal y clamando por Zulema y sus hijos.

Eduardo Duhalde estaba tan asustado que comenzó a pensar en la posibilidad de designar un primer ministro. Un fin de semana, acompañado por Gustavo Beliz, Menem llegó a un convento de Azul –en el que Beliz realizaba sus retiros espirituales–, donde pasó las horas rezando y dando largas caminatas bajo los árboles. Pensaba en Zulema, en sus hijos, en el espíritu de sus ancestros.

–¿Usted cree que Dios me va a perdonar? –preguntó una mañana a uno de los monjes trapenses del convento.

Tenía los ojos empañados y jugaba mecánicamente con una semilla de girasol entre sus dedos. Menem percibía que los acontecimientos de su vida giraban como en el ojo de un huracán. Caminar al borde era su especialidad, pero a veces presentía que esta pasión por el desafío se le volvía en contra. Entonces buscaba refugio en el misticismo y en las cuestiones del Más Allá.

Pasado el escándalo del Swiftgate, una noche de marzo de 1991 Emir Yoma lo llamó desesperado para decirle que la revista española *Cambio 16* publicaba en tapa una investigación iniciada por el juez español Baltasar Garzón en la que se acusaba a Amira Yoma de narcotraficante. Amira se encontraba de gira oficial por el Golfo Pérsico, en compañía de Erman González, y el gobierno entró en pánico ante la posibilidad de que Interpol pudiera detener a la cuñada del Presidente en el aeropuerto de Roma, donde el avión haría una escala. La investigación judicial involucraba a Amira, a su ex esposo Ibrahim Al Ibrahim y al secretario de Recursos Hídricos, Mario Caserta. Menem desesperó: al mismo tiempo que él profundizaba sus relaciones con los Estados Unidos, el escándalo del Narcogate revolvía las entrañas de Washington. Llamó a Bush y le aseguró que él no tenía nada que ver, mientras el jefe de los espías, Hugo

Anzorreguy, elaboraba un plan para preservarlo del escándalo: viajó a Estados Unidos y se entrevistó con el jefe de la CIA, William Webster. Éste le confió que respaldaban a Menem, pero no así a los involucrados, Amira, Caserta e Ibrahim. Ante la evidencia y la necesidad de resguardarse, Carlos Menem, miró para el costado y dejó que actuara la Justicia. La situación se había vuelto sumamente peligrosa y él no podía correr riesgos. Los Yoma acudieron en busca de ayuda a la casa de Zulema, pero ella tampoco podía hacer demasiado. En medio de la investigación que llevaba adelante la jueza María Romilda "Chuchi" Servini de Cubría –de cercanas relaciones con el gobierno–, fue allanada la casa de la calle Arenales 2870, propiedad de la madre de Zulema, después de las declaraciones de un libanés, Khalil Hussein Dib, amigo de Amira.

"Si quieren averiguar dónde está la droga, pregúntenle a Menem y a Duhalde", dijo Zulema en una declaración que fue todo un mensaje al poder.

Y aunque días después se retractó a medias, quedó flotando en el ambiente la sensación de que sus palabras tenían un significado que sólo ella y Menem conocían. Carlos Menem, que asistía a la Cumbre Iberoamericana en México, lo mandó a Duhalde a responder. "Eduardo, contestále duro, que lo que dice es por el divorcio que estamos llevando en este momento. Es una venganza."

"Es una reacción desequilibrada, temperamental, a la que lamentablemente nos tiene acostumbrados", dijo Duhalde. Zulema no se achicó, habló por teléfono con algunos funcionarios cercanos a Carlos Menem y les avisó que "si no cesaban los ataques a su familia, ella iba a hablar públicamente de los casos de corrupción que conocía". Casi al mismo tiempo, Menem mandaba la intervención a la provincia de Catamarca, gobernada por Ramón Saadi, y le pedía la renuncia a Julio Mera Figueroa, su ministro del Interior, que estaba salpicado de sospechas respecto de la privatización de los DNI con una firma francesa. En su lugar asumía el mendocino José Luis Manzano.

La soleada mañana del 28 de marzo de 1991, Zulema Yoma, acompañada de su abogado, Carlos Volujewicz, se presentó en el juzgado de la doctora Delma Cabrera, con una demanda de divorcio con causales graves, como injuria e infidelidad. La cuestión pasó a convertirse en una cuestión de Estado en una Argentina convulsionada por escandalosas denuncias de corrupción que afectaban directamente a importantes funcionarios.

La tormentosa relación entre Carlos Menem y Zulema Yoma está reflejada en los detalles íntimos de aquel juicio de divorcio, que se desarrolló entre 1991 y 1994. La presentación de Zulema está salpicada de anécdotas íntimas, extractos de notas de revistas y testimonios desopilantes de amigos. La respuesta de Menem desnuda por primera vez sus pensamientos sobre su esposa, teniendo en cuenta que él habló públicamente de Zulema sólo para jurar que ella "era la única mujer de la que había estado enamorado".

Con los tacos de punta

"Que vengo a promover la presente demanda por divorcio vincular contra Carlos Saúl Menem, con domicilio en Villate 1000, Olivos, partido de Vicente López, con los alcances que determinan los artículos 214 del Código Civil (ley 23.515) solicitando que en su oportunidad se haga lugar a la presente demanda en todas sus partes, decretándose el divorcio pedido por culpa exclusiva del demandado, con expresa imposición de costas y en mérito a las consideraciones de hecho y derecho que paso a exponer:

"No escapará al ilustrado criterio de V. S. el conocimiento –que ha tomado estado público– de diversas situaciones vividas por el matrimonio que exteriorizan graves injurias en perjuicio de la suscrita, habiendo trascendido suficientemente hechos, gestos, actitudes, palabras que conforman agravios y que demuestran por parte del demandado una conducta que no se complace con el estado de casado. El resultado de todo ello que importa menosprecio ha perjudicado a la dicente en el respeto debido, se le ha faltado la consideración debida, habiendo recibido en ocasiones un trato verdaderamente humillante, agravado por la pública divulgación de los hechos. (...)

"Señalo al efecto y a título de ejemplo que ya en enero de 1989 prohibió a la suscrita el ingreso en la residencia veraniega ubicada en La Quebrada en la provincia de la Rioja, en cuya ocasión se formalizó ante la autoridad policial un acta que ponía de manifiesto la situación y que desde ya ofrezco como prueba, la que será requerida mediante oficio. (...)

"A pesar de ser la presente acción de característica esencialmente privada, no puede dejar de hacerse una referencia a la utilización, por parte del demandado, de todos los resortes que el poder le otorga como presidente de la Nación. A más de la utilización de los medios publicitarios que lo favorecían, generando verdaderas campañas metódicamente con el objeto de dañar la imagen de la suscrita, trayendo asimismo implicancias de orden familiar, situación que se evidencia de igual modo a través de un decreto para echar a la familia de su casa tal como sucedió.

"Esta campaña, como se expresa, va tomando forma a partir de mayo de 1990, cuando, a través de una nota publicada en la revista *Somos*, de propiedad de su amigo Constancio Vigil, insinúa, a título de sondeo de opinión, de la existencia de situaciones que podrían derivar en divorcio. El tema es tomado por diversas publicaciones, donde en definitiva se da a conocer que el demandado ha hecho abandono de su hogar, no pernoctando en la residencia entre los días 8 y 14 de mayo de 1990. Es importante aludir al manejo de las publicaciones, ya que con anterioridad venía la dicente soportando malos tratos y hasta agresiones físicas, como la que tuvo lugar en la residencia de Olivos, momentos antes de partir a la recepción del presidente del Paraguay, que visitó nuestro país a principios de mayo de 1990. En tal ocasión y *ante testigos, la dicente fue agredida físicamente produciéndosele lesiones de tal magnitud (inclusive en el rostro) que impidió la concurrencia a esos actos, aun cuando por razones protocolares debía hacerlo. Por el estado en que quedé me fue imposible aun cuando así lo requería el demandado* y por ello a fin de justificar la ausencia, se hizo saber a la prensa sobre la existencia de un supuesto estado gripal, tal como fue recogido por el diario *La Nación* del día 9 de mayo de 1990, cuyo ejemplar adjunto. Elementales razones de decoro hicieron que esa fuese la actitud, aun cuando había sido atacada despiadadamente. Paradójicamente, el exceso del demandado fue ocultado por la víctima para no deslucir su imagen.

"En el mes de junio de 1990, la suscrita fue citada ante un tribunal penal de la Capital federal con relación a una denuncia efectuada por las autoridades contra el señor Fassi Lavalle y otros, por la supuesta autoría de unos afiches donde se cuestiona a algunos funcionarios públicos, pero no al accionado. En esta ocasión, *el demandado pone de manifiesto su incumplimiento al deber de asistencia, ya que visto que se imputaba un ilícito a su esposa, no tomó recaudo alguno en su defensa, no le proporcionó ayuda letrada ni consejo alguno cuando era manifiestamente su deber y obligación, más aun cuando él sabía perfectamente que la acusación era infundada y así sucedió al ser posteriormente desvinculada totalmente del caso por el juez interviniente.* (...)

"A fin de facilitar la concurrencia al tribunal, por razones de comodidad, ya que debía presentarse a las siete horas del día 12 de junio, la dicente se trasladó la noche anterior al departamento que habita en la actualidad en la calle Posadas, ya que de ese modo evitaba el largo viaje desde Olivos, donde estaba la sede familiar. Este traslado lo efectuó junto con su hija, quedando el otro hijo en su residencia habitual. Luego de la audiencia que se formalizara, se regresó nuevamente al departamento de Posadas para recoger a la hija y regresar al hogar. Allí fue enterada de que tenía vedado su acceso al domicilio conyugal de Olivos. Supuestamente ello se originaba en un decreto, aunque lo más importante era que la prohibición surgía de la decisión del demandado, cualquiera fuera su exteriorización.

"Casi en forma simultánea se tuvo conocimiento de que un funcionario, Granillo Ocampo, había expresado que la dicente había 'abandonado' su residencia, esto en un medio radial. Aquí se advierte la existencia de un verdadero plan generado sin duda para hacer aparecer a la dicente como haciendo abandono de su hogar, y también se advierte el uso que la detentación del poder permite hacer de los medios periodísticos y de las normas legales, y se pone en el tapete la utilización abusiva de ese poder. (...)

"Para demostrar la falacia del comunicado citado y el deseo de continuar con la vida normal en la residencia, a primeras horas de esa misma tarde y acompañada del escribano Carlos Luis Staffa Morís y mi letrado, me constituí en la residencia a fin de exigir se me facilitara el acceso a la misma. En esa ocasión se generó un hecho de ribetes escandalosos derivado del proceder malintencionado de quienes respondían a las órdenes del demandado o habían sido instruidos para serlo. Aun cuando el atravesar el portón de acceso no implica el real ingreso a la residencia, ya que a unos metros se encuentra una barrera, el señor Antonietti, a cargo de la seguridad del inmueble, no permitió que se traspasara dicho portón, lo que motivó contacto directo con el periodismo, que en singular número se agolpó en la puerta, motivando de igual modo reacción de nuestra parte. Esta equívoca actitud se repitió cuando, requerido el ingreso negado, negado el mismo y concluida la actividad notarial, *no se permitió a mi hijo Carlos Saúl que saliera del inmueble para reencontrarse con su familia. Se ignora el origen de esta actitud, que tiene características delictivas* por cuanto por cierto tiempo se restringió la libertad del hijo, pero ello determinó que se demorara el retiro del lugar poniéndose en conocimiento del periodismo todo esto. Pasados largos minutos de espera, se autorizó la salida de *Carlos Saúl, quien expresó que la noche anterior había sido hostigado por los efectivos militares, lo que hizo constar en el acta labrada, agregada a los autos* que fueron promovidos a fin de recuperar los efectos personales que quedaron en la finca y que desde ya se ofrecen como prueba, sin perjuicio de la agregación con el presente de la copia de la citada acta.

"El accionado, incurriendo en gravísima injuria impidió sin causa el acceso al hogar conyugal, importando la exclusión del mismo con la abusiva utilización de su jerarquía y su verdadera maquinación es aun más reprochable por cuanto la prohibición de acceso traía como consecuencia, tanto para la suscrita como para sus hijos, la imposibilidad de disponer de sus efectos personales. (...)

"Retomando la cuestión relativa al deber de fidelidad, diversas publicaciones han puesto en conocimiento público la existencia de relaciones de intimidad del accionado con diversas mujeres que son perfectamente identificadas y cuyo testimonio se requerirá en estos autos. tales relaciones, cuya publicitación trajeron reacciones más de carácter político que personal, ya que a la fecha no se conoce acción judicial alguna por las supuestas vinculadas no obstante declaraciones en tal sentido, constituyen claramente injuria grave al violar el deber de fidelidad.

"La trascendencia de esta conducta no se ha limitado al ámbito nacional. La revista de origen francés *París Match* en su número 8 de septiembre de 1990, que en original se agrega, en nota de sus páginas 68 a 73 pone en evidencia lo que considera un escándalo por relaciones amorosas que atribuye al demandado con diversas mujeres conocidas en el ambiente político, del espectáculo, periodismo, etc., de igual manera, la revista española *Interviú*, en su número 720 que asimismo se agrega, *asegura la existencia de un escándalo amoroso que involucra al accionado con Amalia González*, quien aparece en actitud equívoca con el mismo en la publicación de la revista.

"*Resulta por otra parte que, respecto de la señora María Julia Alsogaray, actitudes puestas en evidencia en fotografías agregadas*, trato preferencial en actos políticos con ubicaciones protocolares que no corresponden y que pone en evidencia la señora Adelina de Viola en la nota de la revista *Playboy* de septiembre de 1990, que se adjunta, *hacen que revista la entidad suficiente para considerar al accionado como incurso en la violación del deber de fidelidad*.

"Las actitudes del demandado lejos están de la recíproca estimación, afecto, auxilio moral y físico y el respeto que configura este deber. Se ha sostenido que ese deber debe inducir a sacrificios o postergaciones personales, para el bien de la relación matrimonial. Es evidente que ello no ha sido siquiera tenido en cuenta en este caso, donde se han trastrocado los valores, generando hechos injuriosos que no admiten justificación alguna. A través de la falta de diálogo se ha recurrido al ataque indirecto, a *la obsecuencia de pretendidos amigos como los señores Neustadt y Sofovich, que utilizaron malamente su medio de difusión para desacreditar a la dicente, tornando más escandalosa la triste situación vivida*.

"Sin afán de ser reiterativa, pero a fin de dar mayor ilustración acerca de la inconducta del demandado, acompaño asimismo publicaciones que ponen de manifiesto un trato no acorde con el estado civil, respecto de diversas mujeres que, quizá por el trato, han tenido encuentros que, públicamente divulgados, afectan a la institución familiar. Así el ejemplar de 'Todo Menem' de mayo de 1988 pone de manifiesto actitudes que exceden el trato amistoso respecto de una persona a quien se identifica como Cristina Sotelo, siendo que el título de la nota refiere al demandado como a quien 'Buenos Aires contó siempre entre sus habitantes', ello con respecto a la vida nocturna, lo que exterioriza suficientemente su desapego familiar.

"Esta persistente manera de vivir se exterioriza de igual modo con una extraña relación vivida con la señora o señorita Susana Fontemacchi o Fontemacchia, quien no sólo ha cursado al demandado las tarjetas adjuntas donde pone de manifiesto una situación sentimental existente, que igualmente exterioriza un trato que invade la esfera familiar (...)

"En iguales condiciones se gestó un hecho repudiable como lo fue la amenaza a desprecio público en caso de que concurriera al tedéum que en celebración del 25 de Mayo se iba a celebrar en nuestra Catedral. No sólo se amenazó con ataques personales si llegaba a concurrir al mismo, incluso con lanzamientos de hortalizas y otros elementos, sino que asimismo para ese caso se 'iba a enfermar', concurriendo su hermano en su lugar, que no daría su lugar a la dicente. Esto pone de manifiesto la existencia de un verdadero odio, ya que no se tiene en consideración la derivación de los actos, buscándose ciegamente un objetivo a cualquier precio.

"Que, de conformidad con lo dispuesto por el artículo 1295 del Código Civil, *atento carecer la suscrita de información por negativa del demandado sobre la existencia de bienes, habiendo tenido noticias de que es propietario de otros además del inmueble que ocupo, vengo a solicitar que con carácter de medida cautelar se decrete la inhibición general de sus bienes* en esta jurisdicción, en la Capital Federal, en la provincia de La Rioja y en Mendoza, librándose los pertinentes oficios y en su caso por la ley 22.172. Denuncio los datos del demandado: Carlos Saúl Menem, hijo de Saud Menem y de doña Mohibe Akil, L.E: 6.705.066, argentino, casado." *(De la demanda de divorcio.)*

El 21 de mayo, a las 9.50, Zulema amplía la demanda con otras declaraciones, en las que destaca los maltratos físicos que había sufrido de parte de su marido:

"*Así, en el año 1974 y en presencia de terceros la dicente fue agredida siendo golpeada con un velador y asistida por un médico de la confianza del demandado, que una vez consumado el ataque quiso proporcionar a la dicente un remedio inadecuado, lo que fue 'reparado' en la ocasión por la intervención del doctor Gustavo Brizuela, que proporcionó la debida atención que posibilitó una conveniente reposición de la salud. Dicho profesional asimismo mantuvo a la suscrita bajo vigilancia médica por un período de quince días, durante el cual el demandado jamás acudió a verla ni a interesarse por su salud. El mismo médico atendió en el año 1967 la pérdida de su embarazo producido por los malos tratos sufridos.*

"Con el solo objeto de destacar lo más trascendente frente a las continuas agresiones, hago referencia a un hecho que tuvo por objeto humillar y degradar a la suscrita sin sentido alguno. Esto ocurrió a fines de 1979, cuando en ocasión de recuperar el accionado su libertad *después de la detención que venía sufriendo en la localidad de Tandil, provincia de Buenos Aires, fue agredida físicamente por él y echada del lugar de residencia, un inmueble propiedad de Luis Macaya, hoy vicegobernador de la provincia de Buenos Aires, quien, en complicidad con el demandado, colaboró en el lanzamiento de la casa, ofreciendo una magra ayuda en dinero para el traslado a la Capital Federal, que en definitiva se verificó en míseras condiciones en un tren.*

"Por último y sin perjuicio de no tener connotación para el encuadre legal propuesto, refiero un hecho que pone de manifiesto la personalidad del demandado y su falta de interés respecto de mantener la unidad familiar. *Habiendo contraído matrimonio conforme a las leyes religiosas musulmanas, el accionado modificó a posteriori su creencia, convirtiéndose a la religión católica.* Si bien tal circunstancia no puede objetivamente criticarse, destaco que para la confesión que sigo sosteniendo ello importa un grave agravio en la relación matrimonial, que autoriza su ruptura. Esto pone en evidencia el desdén por el respeto a la tradición e integridad familiar, respondiendo a egoístas intereses, causando un perjuicio de invalorable trascendencia moral".

Está incorporado en la causa el testimonio de un amigo de Zulema que había sido testigo presencial de distintos hechos de violencia. El director del periódico *Prensa Confidencial*, Francisco Romero, dice:

"Carlos Menem no la trataba bien. En 1974, después de una violenta discusión, la agredió; en 1984, el comisario Héctor García Rey denunció que Menem la emprendió a golpes contra Zulema. Él es muy raro, imprevisible. También la echó de la residencia riojana. Una vez que le había aparecido una mancha en los pulmones, *Zulema me dijo que andaba preocupado y que practicaba el vudú. Vagaba en los jardines de la residencia en busca del alma de Facundo Quiroga, implorándole que venga a él. Ella me contó que caía en estado de éxtasis porque creía en la reencarnación".*

"Perdió todo signo de cordura"

Una fría mañana del 5 de julio de 1990, días después de su sexagésimo cumpleaños, Carlos Menem presentó un escrito en el que contestó la demanda presentada por Zulema. Ahí, por primera vez, profundiza su versión de los vaivenes de la tortuosa relación. Por esos días lo desvelaban las elecciones de septiembre, en las que por primera vez iba a medir la popularidad de su gobierno. Eduardo Duhalde se presentaba a disputar la gobernación de la provincia y persistente en sus ambiciones presidenciales. Nada le causaba más irritación a Menem que escuchar que alguien quería ocupar su lugar. "Yo lo puse donde está y ahora éste quiere reemplazarme", decía Carlos Menem a propósito de las ansias presidenciales de su ex compañero de fórmula. Tampoco soportaba a Domingo Cavallo, pero la exitosa conducción de la economía le permitía ganar tiempo para pelear su reelección. Carlos Menem estaba preparando su propia estrategia de perpetuidad, como lo admitiría por primera vez en el mes de agosto.

Aquella mañana de invierno, en los tribunales de San Isidro, Menem expresaba:

"Respecto del juicio de separación personal que tramitó entre las partes, me he de referir en el capítulo de la reconvención. Del mismo modo, me ocuparé allí del episodio derivado de la prohibición del ingreso a la residencia presidencial que oportunamente dispuse, hecho este que no sólo no niego sino que –desde ya anticipo– constituyó una decisión insoslayable derivada de la conducta impropia de la actora, que terminó por minar toda posibilidad de convivencia civilizada y pacífica. En lo político, las permanentes intromisiones de la señora Zulema Yoma en los ámbitos precisos del quehacer presidencial llegaron a generar tal caos que virtualmente hacían imposible la propia labor del gobierno. Desafortunada, por deplorable, me resulta, además, la alusión a ciertas publicaciones que me atribuyen, sin asidero ni responsabilidad informativa, ni ética periodística, relaciones íntimas o equívocas con artistas, modelos, funcionarias del gobierno, etcétera. Poco importa si esas publicaciones son nacionales o extranjeras –como *París Match* o *Interviú*– a la hora de mensurar la explotación con claros fines comerciales de la morbosidad colectiva a través del infundio, el trascendido o lisa y llanamente la difamación. Bueno es destacar, de todos modos, que todas las damas aludidas desmintieron de un modo u otro las afirmaciones antojadizas de esas publicaciones. Pretender que yo desmintiese también, puntualmente, cada una de ellas, constituiría un desatino. Como bien reza un dicho, 'desmentir un rumor es confirmarlo', y resultaría impropio de la investidura que ejerzo el entredicho con la prensa sensacionalista, de ribetes procaces, comprometiendo al presidente de la Nación en un debate provocado malintencionadamente.

"Extemporáneo e inconducente resulta el relato de los hechos acaecidos con anterioridad al juicio de separación personal que fuera desistido en 1988, habiendo sucedido al desistimiento la vida en común del matrimonio. La reconciliación, operada entonces, impide volver sobre los hechos anteriores. Pero, a todo evento, no está de más destacar que, en aquella ocasión, la hoy actora (y entonces demandada) no reconvino por separación personal o divorcio, limitándose a pedir el rechazo de la demanda. Mal puede, pues, alegar hechos que no invocó siquiera entonces –pudiendo por hipótesis hacerlo–, y que pretende ahora reinterpretarlos a su antojo.

"Pueril es, finalmente, el hecho referido a la profesión religiosa, especialmente en cuanto afirma la actora que, habiéndonos casado conforme a las leyes religiosas musulmanas, con posterioridad recibí bautismo católico, y que esto 'importa un grave agravio en la relación matrimonial que autoriza su ruptura', o que 'pone en evidencia el desdén por el respeto a la tradición e integridad familiar respondiendo a egoístas intereses...'. Es curioso que sienta la actora el agravio recién ahora.

"Sin embargo, las inconductas, desatinos y desplantes de mi esposa, a quien reconvengo, virtualmente me obligan a tomar esta dolorosa y difícil iniciativa. En efecto, es ella la que no sólo me ha agraviado en la intimidad sino que ha asumido públicamente ante altos funcionarios del Estado y otras personas una actitud que me ofende en lo personal y que, por añadidura, afecta el decoro de la función y la imagen del gobierno.

"Antecedentes del presente juicio: Contraje matrimonio con la actora el 21 de julio de 1966. De nuestro matrimonio nacieron dos hijos: Carlos Saúl, el 23 de noviembre de 1968, y Zulema María Eva, el 25 de diciembre de 1971.

"Con fecha 29 de octubre de 1987 promoví demanda de separación personal contra mi esposa. Por entonces, habíamos vivido –y vivíamos– separados de hecho sin voluntad de unirnos desde mediados a fines de 1983. En ocasión de formalizar la demanda –que funde en primer lugar en la existencia de la separación (conf. art. Código Civil)– me vi precisado, no obstante, a reseñar someramente las vicisitudes de nuestra vida matrimonial, imputando a mi esposa ser causante y responsable de nuestra separación. Lo hice, desde luego, para el caso de que ella a su vez, reconviniese en los términos del segundo párrafo del citado art. 204.

"Por aquel entonces se desarrollaba la campaña política que culminó en las elecciones presidenciales de 1989. La actora, como lo señalé en mi demanda, entonces no tenía ningún interés en la separación personal judicialmente decretada, no obstante que no hacíamos vida en común desde hacía varios años. En efecto, usufructuaba, a la sazón, la situación de ser esposa del gobernador de La Rioja (como que invocando esa calidad provocó escándalos memorables en el seno del gobierno de esa provincia), y en el horizonte divisaba la apetencia de ser la esposa del futuro presidente de la Nación. Por eso, se limitó a contestar la demanda, negando puerilmente la existencia de la separación de hecho –a pesar de que ella misma en declaraciones a diarios y revistas de la época (siempre ha sido proclive a utilizar los medios de comunicación) había señalado que dejó de hacer vida en común conmigo– y pretendió justificar los agravios públicos lanzados con el increíble argumento de preservar mi imagen política.

"Incluso, durante la tramitación del juicio pretendió infructuosamente fabricar hechos nuevos que demostrarían a su juicio una 'reconciliación' entre ambos: se valió para ello de su presencia en los actos oficiales de asunción del segundo periodo de gobernador (diciembre de 1987), irrumpiendo en el palco y mostrándose conmigo. En su oportunidad, ofrecí prueba para desvirtuar esas alegaciones, amén de la prueba que irrefutablemente acreditaba la separación de hecho.

"Sin embargo, hacia mediados de 1988 desistí de la acción intentada, precisamente cuando el expediente estaba en condiciones de comenzar la substanciación de la prueba. Tomé esta decisión condicionado por circunstancias políticas, en vísperas del inicio de la campaña presidencial. Accedí a que, preservando una imagen pública, Zulema Yoma y yo nos mostrásemos juntos. Obviamente, el desistimiento del proceso estaba enderezado a tratar de aquietar, al menos en lo exterior, el enfrentamiento. Debo asumir, pues, que la separación de hecho cesó a partir de entonces. Tuve la esperanza de que Zulema Yoma adoptaría una conducta decorosa y de respeto a mi actividad, evitando inmiscuirse en asuntos públicos ni provocar enfrentamientos que agravaran una campaña política que, se recordará, fue particularmente agresiva. Destaco, señora Juez, que, no obstante, he querido preservar siempre la imagen de la esposa del presidente de la Nación. He aceptado sin reservas que ella me acompañe en actos públicos trascendentes, aun cuando no ejercía función de gobierno alguna. En este sentido he exagerado mi permisividad, pero lo creí razonable y no censurable en sí mismo. Jamás hice declaraciones públicas desautorizando la actividad que, como esposa del Presidente, llevó a cabo; por el contrario, he justificado sus emprendimientos, que, en la medida en que satisficieran una vocación de servicio al pueblo, son dignos de elogio y merecedores de apoyo. Ha contado –mucho más que cualquier otro ciudadano– con los medios que naturalmente le brinda ser esposa del Presidente de la Nación: la notoriedad, la prensa, la presencia política. Sin embargo, estos esfuerzos por mantener una imagen decorosa fueron vanos. El costo de nuestra reconciliación fue altísimo y devino finalmente insoportable. Zulema Yoma ha provocado situaciones de tensión que, trascendiendo la intimidad, han llegado a provocar secuelas políticas y, en ocasiones, ribetes de escándalo. Valiéndose de su condición, desconoció la autoridad de altos funcionarios del gobierno. Pretendió asumir algo así como un comisariato político cuestionando la actuación de aquéllos. Generó situaciones insólitas descolocándome públicamente sin importarle quién estaba presente. Desde luego, demostró en los hechos un menosprecio –que atribuyo a un actuar irracional– a la investidura presidencial que, en lugar de resguardar, se ocupó de deteriorar sin medir las consecuencias. En esa escalada temperamental no dudó, incluso, en proferir insultos hacia mi persona en diversas ocasiones.

”Debí soportar momentos decididamente angustiantes, que se suman a los no menos angustiantes que permanentemente genera la acción de gobierno. Mi esposa recurrió a los medios gráficos para afirmar que estaba 'prisionera' de un entorno de corrupción, aludiendo al personal que sirve en la residencia presidencial. Se arrogó investigar el *affaire* de los teléfonos, se permitió declarar a un semanario, como dicho al pasar, que 'me molesta que Carlos sea tan mujeriego. Pero creo que hasta eso forma parte de su profesión de político' (véase 'El huracán Zulema', entrevista de Ana María Bertolini, aparecida en la revista *Noticias* del 4 de febrero de 1990, pág. 29). Contemporáneamente, protagonizó hechos lamentables, como retirarse del desayuno protocolar que debimos compartir con el entonces presidente electo del Brasil y su esposa, pretextando deficiencias del servicio y, muy poco antes, intentando irrumpir en la residencia del gobernador de La Rioja como si fuera su propia casa, a pesar de que el cargo era desempeñado por quien no era su marido.

"En fin. Sería largo, demasiado, precisar injurias descalificantes a la investidura y a la persona que me ha inferido la demandada, quien, en grotesca actitud, decía actuar en 'defensa mía'. He soportado estas mortificaciones con largueza, pero el estado de cosas llegó, como dije, a límites de lo intolerable.

"Además, mi esposa llegó a abandonar temporariamente la convivencia, retirándose de la residencia presidencial, para 'huir' del que calificó 'entorno de corrupción', pretextando que no se puede vivir un minuto más 'con toda la casa tomada' (sic).

"A medida que transcurra el año 1990, las injerencias e intromisiones de Zulema Yoma, instalada nuevamente en la residencia presidencial de Olivos, se fueron acentuando. Secundada incluso por algunos funcionarios que decían responder a ella, pretendía tomar decisiones políticas, disputando abiertamente la autoridad del presidente de la Nación. Recibía a sectores internos del justicialismo, censuraba públicamente la actuación de otros funcionarios, acusándolos indiscriminadamente, prohibía o permitía el ingreso a las dependencias oficiales, se adueñó de despachos y recintos, censuraba esta u otra medida de gobierno... en fin, su conducta perdió todo signo de cordura y adoptó, en lo exterior, la calidad de contradictora del Presidente.

"Llegó a tal punto lo insoportable de la situación que, un tiempo antes de tomar la decisión de impedir en lo sucesivo su ingreso a la residencia presidencial, debí alejarme yo de ella y pernoctar en casa de amigos, desplazándome lo más disimuladamente posible cada noche desde la casa de gobierno. Llegó a declarar, en insólita conferencia de prensa, que no justificaba mi actitud, pues yo 'podría vivir tranquilamente en la casa de al lado' –casa de huéspedes– y que nadie me molestaría.

"He recordado algunos pocos episodios inmediatamente anteriores a que yo tomara la decisión de dar instrucciones precisas para que mi esposa no reingresara a la residencia presidencial. Sería interminable intentar una crónica pormenorizada de tantos desatinos, que podrían llenar volúmenes antológicos del disparate. Creo, sin embargo, que estos episodios denotan a las claras que resultaba virtualmente imposible que la actora continuara ocupando la residencia presidencial, transformada por entonces en un acantonamiento de personajes extraños y abiertamente desacatados que hallaban en Zulema Yoma una justificación pseudopolítica para aspirar a espacios de poder. De tal manera, como dije al contestar la demanda de divorcio, la decisión de excluir a mi esposa de la residencia presidencial resultó insoslayable a raíz de tantas y tan reiteradas inconductas de ella. Pero nótese que la actora, lejos de quedar desamparada, retornó al hogar familiar, con los hijos, es decir el piso de Posadas, donde ha quedado habitando desde entonces. No hubo pues abandono sino una decisión de orden político, provocada –creo innecesario abundar en otras consideraciones– por la propia actora. Con posterioridad a la separación, la actora ha continuado denostando a su marido, acusando de corrupción a sus colaboradores, aludiendo al 'entorno', insistiendo en su enfermiza compulsión a la notoriedad a través de reportajes y declaraciones que desprestigian a mi persona, a mi gobierno y ponen en tela de juicio los valores fundamentales que deberían ser preservados".

Mientras el menemismo triunfaba en las elecciones de septiembre de 1991 e incorporaba como novedad las presencias del cantante Ramón "Palito" Ortega y el ex corredor de Fórmula 1 Carlos Reutemann al frente de las gobernaciones de Tucumán y Santa Fe, las disputas matrimoniales seguían su curso. El 13 de septiembre, Carlos Menem estaba enterado de que Zulema haría una demanda contra él exigiendo el pago de alimentos. Se adelantó y denunció que atrás de Zulema había un "complot" carapintada. La acusación fue detallada por Miguel Ángel Toma, titular de la Comisión de Defensa, de la Cámara de Diputados. Sobre la base de un informe del que no reveló su procedencia, Toma reconstruyó una supuesta reunión de conjurados contra Menem, en la que habría participado Zulema Yoma. Toma dijo que las intenciones de Zulema eran desestabilizar y dañar la imagen internacional de la Argentina. "El complot incluye una campaña de desprestigio, tendiente a empañar el resultado de las elecciones del domingo, crear un marco de duda sobre la moral del presidente Menem y, al mismo tiempo, desprestigiar su imagen en el exterior a través de sucesivas denuncias." Toma aseguró, además, que la campaña continuaría con la difusión de la supuesta existencia de bienes de Carlos Menem en Irak y el rastreo de presuntas cuentas bancarias en el exterior. En realidad, era una especie de autodenuncia un poco extraña. Al margen de las presiones solapadas de Zulema sobre Menem, referirse a la posible existencia de bienes de Menem en el exterior ya era como aceptar que el rumor tenía bases reales.

El 14 de septiembre, Zulema ratificaba la denuncia judicial contra Carlos Menem, por la presunta comisión del delito de incumplimiento de deberes de asistencia familiar. La acompañaban Carlitos Junior y su abogado Alejandro Vázquez. "La injuriosa imputación que me has efectuado, en el ejercicio del cargo de presidente de la Nación, atribuyéndome propósitos ilícitos y participación en reuniones inexistentes por el solo hecho de seguir ejerciendo, como lo estoy haciendo hace tiempo, la defensa de mis derechos conyugales, ante los jueces de la Constitución, además de constituir un nuevo hecho ratificatorio de tu permanente actitud agraviante, vinculada a nuestro matrimonio, importa una ofensa inaceptable hacia mi persona que llega sin duda a lesionar el honor de mis hijos, que son los tuyos...", decía Zulema en la carta que le envió a su marido. Sin embargo, a la semana, él insistió en que el abogado de Zulema, Alejandro Vázquez, tenía antecedentes de vinculaciones "carapintadas". Y aclaró que a partir de ese momento se terminaban las viandas (la comida que le mandaban de Olivos a Posadas), los autos oficiales y los gastos telefónicos.

Parecía un culebrón mexicano.

El centro de la discusión matrimonial en realidad pasaba por los bienes. En la intimidad, Zulema aseguraba que no sabía cuánto dinero tenía su marido y se quejaba porque ella ni siquiera figuraba como accionista en la curtiembre familiar de los Yoma.

El 13 de noviembre Menem llegó a Estados Unidos por segunda vez. Regresaba a la casa del "amigo George" con una abultada comitiva de funcionarios —entre los que sobresalía Domingo Cavallo—, amigos y empresarios ansiosos de hacer nuevos negocios. Amalia Lacroze de Fortabat, la blonda empresaria fanática del champán francés que fungía como embajadora itinerante del gobierno; Mauricio Macri; el titular de la Asociación de bancos de la República Argentina, Emilio Cárdenas; Roberto Sanmartino, de Techint; Víctor Savanti, de IBM, y Ricardo Gruneisen, de Astra, competían por estar en todos los actos importantes.

Esta vez el paisaje le resultaba casi familiar. Carlos Menem, como un pavo real, se paseó por las calles de Washington, animándose a quienes pudiesen ofrecerle algún reconocimiento. Exultante, hacía gala de las contadas expresiones en inglés que había aprendido con esfuerzo. Ya no llegaba con las malas ondas de algunas tragedias a cuestas, pero dos escándalos afectaban a su familia política: el pedido de coima a una empresa norteamericana por parte de su cuñado Emir y el estallido del Yomagate, que tenía a su cuñada Amira Yoma como protagonista principal. Se encontró con Bush y se saludaron como viejos amigos. Jugaron un partido de tenis que Menem, que jugaba con su profesor,

Dante Pugliese, perdió 6 a 1 frente al presidente norteamericano, que hacía pareja con un atlético empleado de la Casa Blanca. En la comida de gala que le ofreció Bush en la Casa Blanca, con la presencia de Joel Grey, el maestro de ceremonias de *Cabaret*, ocurrió un hecho llamativo. En la mesa principal estaba previsto que, además de los protagonistas, estuvieran sentados Hugo Anzorreguy y su mujer, Margarita Moliné O'Connor. A último momento, el jefe de los espías y su cónyuge fueron desalojados por orden presidencial. Menem sentó en esos lugares a Maia Swarovsky –con la que mantenía una intimísima y pública relación–, y al marido de ésta, Gernot, quien tenía la entrada prohibida a los Estados Unidos por una deuda impositiva millonaria. Su participación en la comitiva presidencial le permitió gozar de inmunidad e ingresar al país sin problemas. En medio de la comida, Menem le pidió a Bush que le resolviera la situación del marido de su amiga, y según cuentan los testigos así sucedió en poco tiempo. Más allá de estas anécdotas –típicas del desborde menemista–, el presidente argentino volvió con la valija cargada de elogios: Estados Unidos ponía como ejemplo para el resto de los países latinoamericanos el plan económico de la Argentina. Dan Quayle, Henry Kissinger y Nicholas Brady le dedicaron todo tipo de halagos. Y él traía celosamente guardados los tres tomos encuadernados en cuero, impresa la tapa con letras de oro, de la vida de Cristóbal Colón y una lapicera Mont Blanc que Bush le regaló para Carlitos. Recordó el paseo colgado del brazo de Barbara Bush por todo el salón y la visita a la residencia de verano, en Camp David, que Menem aprovechó para recorrer la casa y hablar con mucamos y cocineros, ante la mirada atónita del presidente americano y su mujer.

En la quietud de la lujosa suite, lejos de los custodios, reflexionó sobre la soledad. Cuando desaparecían las luces, se derrumbaba y lloraba sus miserias. Sólo dos cosas no soportaba en la vida: la soledad y la vejez.

"Es cierto que estoy solo, que a veces uno necesita compartir con alguien tantas alegrías –dijo alguna vez–. Pero el hombre que asume el ejercicio de la política como un verdadero apostolado al servicio de su gente considera que su familia es toda la Argentina, aun con sus adversarios. Una vez estaba predicando Cristo ante una multitud y se le acercaron a informarle que estaban allí su madre, su padre y su hermana. Y Cristo dijo: 'No, esta es mi familia'. Y señaló a la gente que lo escuchaba. Los grandes mensajes que dieron los grandes hombres de la humanidad fueron dados desde la soledad, desde el destierro. Moisés, Mahoma, Buda y Cristo."

Aun en esos momentos le gustaba mostrarse omnipotente, poderoso. Compararse con los máximos referentes religiosos era una costumbre que no abandonó jamás y que le ayudaba a espantar sus miedos.

El comienzo del año 1992 lo encontró a Menem disfrutando de su gloria. Había recuperado la relación con su hija Zulemita, y eso aplacaba sus antiguos temores. Los resultados de las elecciones del '91 alentaron como nunca sus deseos de reelección, el único tema de la política que le provocaba cierto brillo en la mirada. Aunque sus hombres dudaban de sus posibilidades, él albergaba el íntimo convencimiento de que lo iba a lograr. Ni siquiera quería discutir cuál era la manera más adecuada, si con reforma o con plebiscito. A pesar de los escándalos políticos y personales, las urnas le demostraron que la gente había vuelto a apostar por él, descolocando a la oposición, cuyo discurso sobre corrupción y ética caería en el vacío. Bernardo Neustadt seguía siendo su sombra fiel.

La simbiosis con el comunicador era tal que el mismo Carlos Menem tuvo que hacer de confesor cuando Bernardo –en pleno romance con Claudia Cordero Biedma– decidió separarse de Any Costaguta, su mujer de toda la vida.

El periodista Jorge Fernández Díaz describe en la excelente biografía *El hombre que se inventó a sí mismo* esta anécdota desopilante.

"María Julia, andá a ver qué le pasa a Bernardo."

La privatizadora le dio el último sorbo al café, asintió como si entendiera todo y se levantó sigilosamente de la mesa. Menem siguió hablando de política como si no pasara nada, y ninguno de sus invitados, casi todos funcionarios y dirigentes del oficialismo, pareció darse cuenta de su preocupación. Bernardo Neustadt había llegado ese mediodía a la residencia de Olivos creyendo que podría charlar un rato a solas con el Presidente. Éste se encontraba encabezando una abarrotada mesa de ruidosos comensales, que contaban anécdotas de provincia y bromeaban sobre asuntos de Estado.

–Mejor vuelvo en otro momento –había dicho Bernardo a su amigo Carlos, para no ofender a nadie.

–De ninguna manera, traigan una silla y cubiertos para Bernardo. Vos te quedás con nosotros. ¿Tenés algo mejor que hacer?

Neustadt no parecía tener nada mejor que hacer con su vida. Así que aceptó la silla, empuñó los cubiertos y simuló deleitarse en silencio con aquel almuerzo oficial. Estaba pálido y circunspecto y, al llegar a los postres, se excusó diciendo:

–Me falta un poco de aire.

Fue entonces que Menem se inclinó sobre María Julia y le ordenó en un susurro:

–Andá a ver qué le pasa.

María Julia se asustó y llamó a Tfeli para que lo controlara.

–Tengo la presión un poco baja –dijo Bernardo.

El médico le tomó la presión con un tensiómetro y la notó normal.

Bernardo se retiró, dejándolos solos en aquella galería donde tantas veces había paseado la historia.

Los dos hablaban más que nunca por teléfono y Bernardo aprovechaba su programa para alabar el plan económico, mientras le pegaba duro al entorno presidencial y algunos integrantes del gabinete, a los que odiaba por una u otra razón.

–Ya sabés mi opinión, Carlos. La situación de Vicco es intolerable. No da para más. No se puede seguir amparando en eso de que "a mí solamente me saca el Jefe". Si es tan amigo tuyo como dice, lo mejor es que dé un paso al costado, porque ese lastre te puede terminar hundiendo. El asunto de Mazzon me parece que no resiste el menor análisis. Es el viceministro del Interior. Imagínátelo viajando al Departamento de Estado en Washington para intercambiar información sobre asuntos de Seguridad. Averiguan sus antecedentes y se enteran de que estuvo casi un año preso por estafa. Por favor Carlos, es un problema de credibilidad... –decía Bernardo, en La Soñada, su lujosa casa recién estrenada de Punta del Este, mientras Carlos Menem trataba tibiamente de defender a su secretario privado Miguel Ángel Vicco, en el centro del escándalo por la venta de leche en mal estado de su empresa a un programa de atención materno-infantil.

Aquella noche, mientras brindaban por la llegada del nuevo año y Claudia disfrutaba del osito de peluche inmenso que le regaló Menem, con cierto fastidio éste le prometió al influyente periodista que profundizaría el plan económico de Cavallo, privatizaría SOMISA y seguiría de cerca la inauguración de la nueva Biblioteca Nacional. Le dio además la primicia esperada: el sindicalista Jorge Triaca, administrador de SOMISA, acusado de administración fraudulenta por la compra de cuatro lujosas oficinas en el edificio Catalinas, había sido despedido y, en su lugar, había nombrado a una amiga de Bernardo, María Julia Alsogaray.

La caída de su amigo Miguel Ángel Vicco, al que él mismo había entregado, abrumado por las presiones, lo sumió en el desconsuelo. Pero, al mismo tiempo, confiaba en que lo perdonaría, como hacían todos aquellos a los que él había dejado caer al abismo. Todos regresaban a las noches, a las salidas, a las sesiones de fútbol, a las visitas a Anillaco, a sus cumpleaños. A la larga, estaba seguro, y la realidad así se lo había demostrado hasta ese momento, todos necesitaban de su presencia, como los súbditos romanos del emperador Julio César.

El año 1992 no traería calma a su vida.

El gobierno era una brasa, que cada tanto hacía chispas con denuncias de corrupción, escándalos y renuncias de funcionarios. El 31 de diciembre Menem había hablado por la cadena nacional de radio y televisión: "El año 1992 no va a traer magias ni milagros ni regalos del cielo, pero estoy seguro de que será un año de progreso y crecimiento. Critíquenme y ayúdenme para consolidarlos y para fortalecer la ética sin concesiones en que todos estamos empeñados. Sigan haciendo oír su voz para que nunca me encierre en el ejercicio frío e impersonal del poder, el poder de los aduladores". Defendió el indulto a los ex comandantes, reconoció que volvería a dictar aquella medida y aclaró entre guiños cómplices que en caso de presentarse a las elecciones obtendría el setenta y cinco por ciento de los votos.

Era un reconocimiento tácito a sus ansias de permanecer en el Olimpo.

El 2 de enero se cambiaba la moneda: moría el austral –testimonio del ascenso y la caída de Raúl Alfonsín– y nacía el peso, que tenía paridad uno a uno con el dólar. Comenzaría aquí una etapa de discusión con Domingo Cavallo, sobre la paternidad del plan económico, que él aguantó hasta que tuvo asegurado la preservación del poder. Carlos Menem competía con Cavallo todo el tiempo por las simpatías populares que el plan de Convertibilidad demostraba en las encuestas y por los elogios externos. En esos días era Cavallo, después de Menem, el hombre con más poder en la Argentina.

Carlos Menem y Domingo Cavallo se habían convertido en un matrimonio mal avenido: pasaban del amor al odio en cuestión de segundos.

En febrero, el abogado de Zulema, Alejandro Vázquez, afirmaba que Menem poseía, entre otros bienes, cinco millones de dólares, varios inmuebles, tres aviones y cinco automóviles. Menem sentía que la presión de Zulema lo estaba ahogando, pero juraba que iba a aguantar hasta el final. Mientras tanto, dejó en manos de Emir la elaboración de estrategias para sacar del medio a Vázquez y a todos los que rodeaban a su ex esposa. A mediados de marzo, Zulema hizo declaraciones a la salida del juzgado de San Isidro que despertaron polémicas: "El doctor Menem me vino a decir a casa que si este juicio continuaba, me atenga a las consecuencias, porque va a delegar el cargo a su hermano y voy a tener que soportar a Eduardo Menem como Presidente".

–¿Yo renunciar? Pero, por favor, es un disparate. Yo estoy muy cómodo en la Presidencia –replicó Menem en el programa de radio de Bernardo Neustadt.

La discusión con Zulema se desató un anochecer en el piso de la calle Posadas. Él llegó para ofrecer un arreglo económico a cambio de que ella desistiera del juicio de divorcio. Tomaron champán en copa de plata.

–¿Cuánto me querés dar? ¡Andáte a la puta que te parió! ¿Me tomaste por estúpida? ¿Vos te creés que no sé cuánta plata tenés escondida afuera?

Las copas volaron por el aire. Menem, furioso, salió apurado y en el pasillo se chocó con su hijo.

–Mirá lo que me grita tu madre. Decíle que si no acepta lo que le ofrecí, renuncio y va a tener que aguantar a Eduardo... –dijo y se fue pegando un portazo.

–Vieja, ¿viste lo que dijo el papi?, que renuncia...

Menem también había sido citado al juzgado el mismo día que Zulema, pero no concurrió y mandó un escrito fundamentando su ausencia. Zulema aseguró que Menem le había hecho su renuncia delante de su hijo Carlitos, lo que fue confirmado por éste.

El miércoles 17 de marzo, a las 14.47, una poderosa explosión sacudió la Argentina.

–Presidente, no sé qué pasó... hubo una explosión en la Embajada de Israel. No entiendo qué pasa, voy para allá –dijo José Luis Manzano, desde el celular de su auto, mientras se acercaba al lugar del atentado para comprobar que había sido una bomba y que había dieciocho muertos y cerca de setenta heridos. Desencajado y aturdido, Menem salió a decir que los culpables "eran los mismos que se levantaron el 3 de diciembre".

–El responsable es un coronel que fue procesado y está en prisión –dijo.

Hugo Anzorreguy y José Luis Manzano, asustados con el desborde presidencial, le aconsejaron que tuviera cuidado con las declaraciones, porque el tema era muy delicado. Los analistas de inteligencia acusaban al grupo shiita pro iraní Hezbollah, con sede en el Líbano. En esos días, el líder del grupo, Abbas Mussawi, había sido asesinado por un comando israelí en una carretera del sur del Líbano. El primo hermano del jefe de Hezbollah –en realidad, un partido político de amplio predicamento en las zonas pobres del Líbano–, Hussein Mussawi, desde su cuartel acusó a Menem de traidor y de "arrastrarse detrás de los judíos". El gobierno solicitó ayuda al Mossad, a la Cía, al FBI, al Cesid español, a los franceses. Ministros y secretarios de Estado corrían de un lado a otro, demostrando confusión e inexperiencia. La SIDE hizo circular un video en el que una organización fantasma apoyada por Hezbollah –Ansara-llah– se adjudicaban la bomba. Sin embargo, los especialistas en el tema, descartaban la participación de la organización pro iraní, con el argumento de que en toda la historia de Hezbollah éstos nunca actuaron fuera del territorio libanés y que ya hacía algunos años que habían dejado de utilizar kamikazes porque el sistema les traía muchos inconvenientes con las familias de los autoinmolados.

A los pocos días, logró salir de la vorágine.

"En España se producen todo el tiempo este tipo de atentados y nadie dice que el país no es seguro", dijo en una entrevista radial. Y trató de alejar los rumores que ya estaban instalados en la calle: que el atentado tenía que ver con la orientación de la política exterior de su gobierno, alineado con Estados Unidos. Se puso furioso con la revista *Somos*, que en el mes de abril tituló en tapa "¿A quién traicionó?", con una fotografía de él con el tradicional kipa o gorrito religioso que los integrantes de la colectividad judía se colocan en la cabeza antes de entrar en un templo. La fotografía había sido tomada en su viaje a Israel en septiembre de1991. Carlos Menem era el primer presidente argentino que visitaba Israel y no tocó territorio palestino. Su ascendencia árabe se sumó como un fuerte agravante. Durante aquel viaje, en el Muro de los Lamentos, Menem aceptó colocarse el manto sagrado de los judíos y fue bendecido por el gran Rabino, algo que tampoco era habitual. En la Universidad hebrea de Jerusalén, la misma que fundaron Sigmund Freud y Albert Einstein y en la que François Mitterrand habló, demostrando su formación intelectual, Menem se sintió en las nubes de su omnipotencia: dio un discurso en el que citó a escritores argentinos y filósofos árabes y aseguró que "hablaba con el corazón". Llevó la provocación hasta el punto de prometer que él mismo mejoraría la situación de cinco mil judíos sirios y anunció que intercedería ante el papa Juan Pablo II, para que el Vaticano reconociera al Estado de Israel.

A partir de entonces, los árabes comenzaron a mirar con desconfianza y recelo a ese descendiente de humildes inmigrantes sirios de Yabrud que con tanto entusiasmo se paraba en el lugar de sus enemigos. En aquel viaje, el presidente de Israel, Jaime Herzog, recordó que un día Menem citó al embajador israelí en la Argentina, Ytshak Shefi, lo sentó en medio de la reunión de gabinete y le preguntó qué cosa concreta debía hacer para que Saddam Hussein dejara de lanzar misiles Scuds sobre Israel.

Las miradas desconfiadas de sus paisanos y las veladas acusaciones de traición lo hacían revolcarse en sus pesadillas. Odiaba ser acusado de traición y se sentía incomprendido.

—A usted no le voy a contestar porque su revista me da asco —increpó violentamente al periodista Luis Majul, en una conferencia de prensa en Balcarce 50.

Cada vez que Constancio Vigil iba a Olivos, Menem lo presionaba para que protegiera su imagen desde las revistas de Editorial Atlántida:

—Mirá lo que me hacen, lo que dicen de mí. ¿A vos te parece justo? ¿No se puede hacer nada con esta gente?

—Jefe, yo no puedo hacer nada, esa revista la maneja mi primo —se lamentaba el empresario al que el entorno había bautizado con el apodo de "Mercurio" (el mensajero de los dioses, el intermediario entre el rey Sol y los planetas) y que en ese entonces compartía con su primo Aníbal la dirección de la editorial.

En privado, los dirigentes de las colectividades árabe y judía de la Argentina admitían que los gestos de Menem provocaban tensión en la oscura y sensible zona de la guerra entre árabes e israelíes. La presencia de Menem en Israel sorprendió al propio gobierno, no habituado a estos gestos, que en la realidad significaba la confirmación de la existencia del estado hebreo. Ni Raúl Alfonsín, al que sus enemigos consideraban sionista, se había animado a tanto.

A pesar de los desbordes, él sentía que su intuición estaba intacta. La relación con Zulemita iba por buen camino: ella ocupaba el lugar de primera dama y lo acompañaba en sus giras por el mundo. La miraba embobado y reconocía en ella los rasgos finos de su madre. Para las Pascuas, mandó al departamento de la calle Posadas un inmenso huevo de chocolate que Zulema —con quien cada tanto Menem hablaba por teléfono sobre cuestiones domésticas— compartió con sus hijos.

Eventualmente, las explosivas apariciones públicas de Zulema lo derrumbaban. Entonces llamaba a Teresa Damonte y desahogaba sus penas con ella.

En 26 de marzo Menem había sido el único orador en el congreso reunificador de la CGT, que sesionó en Parque Norte, bajo la consigna de "apoyo al gobierno", pero con la aclaración de "con justicia social".

—Ni yanquis ni marxistas, ¡peronistas! —gritaban los sindicalistas entre el sonido de los bombos.

Menem sonrió. Se sintió extraño en medio de aquellas consignas desactualizadas. Y al mismo tiempo, se sentía un triunfador. Había logrado juntar a todos los dirigentes sindicales bajo su paraguas y había expulsado al llano al cervecero Saúl Ubaldini. El mismo que encabezó los catorce paros que minaron el gobierno de Raúl Alfonsín y que ahora sobrevivía bajo la promesa de un cargo en una embajada en el extranjero, tras haber fracasado estrepitosamente en las elecciones a gobernador.

–Aquí tiene en sus manos una herramienta más para frenar a los grupos de privilegio –le susurró el mercantil, Armando Cavalieri. Y él sonrió a sus anchas. Incluso disfrutó cuando escuchó los insultos a su ministro de Trabajo, Rodolfo Díaz: "Chango corrupto", "Chango ladrón", se desgañitaba enardecida la multitud.

El ministro de Trabajo, junto con el de Acción Social, Julio César Aráoz, era responsable de la autoría de algunas de las iniciativas más resistidas por el sindicalismo: las leyes de Obras Sociales y la de Asociaciones Sindicales y Paritarias.

Con la disolución de la CGT-Azopardo –aquella central sindical que en 1989 se negó a menemizarse y que, cuando quiso confrontar, perdió a la Unión Obrera Metalúrgica (en 1990) y, poco después, a su ala más dura, liderada por ATE y CTERA (en 1991)– quedaban atrás treinta meses de ruptura. Miguelistas, seguidores de Barrionuevo, menemistas e independientes se unían disciplinadamente bajo la conducción de Menem.

Cuánto tiempo duraría la tregua con los sindicalistas era la gran incógnita. Todo dependía de la habilidad con que cada cacique negociaba y conseguía beneficios para su gremio y para su caja personal. Y, salvo alguna excepción, el menemismo sabía ser generoso en épocas de campaña electoral con el sindicalismo corrupto y desprestigiado.

El 21 de mayo, Zulema hizo su aparición en el programa de Mariano Grondona y mostró un video en el que se lo veía a Monzer Al Kassar en una fiesta con Munir Menem.

En la misma semana hizo declaraciones explosivas a la revista *Gente*.

"Fui al programa, porque todo tiene un límite. Alguien tenía que salir a pararlos. En el gobierno se hacen los hipócritas; yo no fui, yo no lo conocía, yo no tengo nada que ver, y resulta que Al Kassar está viniendo al país desde 1986. Y se vio con un montón de funcionarios. Amira lo conoció porque se lo presentaron en casa de gobierno.

"En este gobierno no entienden por las buenas. A veces hay que darles un cachetazo para que despierten. El Presidente no puede decir que no sabe si poner las manos en el fuego por los Yoma, porque él sabe muy bien cómo somos.

"A mí no me van a venir a contar cómo son los que rondan el poder.

Los conozco a todos desde hace veinticinco años y sé que muchos no tienen catadura moral para acusar a mi familia. Si la Justicia tiene que castigar a uno de los Yoma, que lo haga, pero no a mi familia.

"¿Al Kassar paisano? Y bueno, lo conocieron todos los paisanos. ¿Por qué los Menem no habrían de conocerlo? No por eso los Menem son narcotraficantes. Al Kassar sí es un narcotraficante de armas, nada más que eso, y trabaja para varios".

A cuatro días de la derrota del justicialismo frente al radicalismo en las elecciones a senador por la Capital Federal, se reunió con Menem y juntos definieron una estrategia para recuperar el espacio perdido, bajo la amenaza del avance de la CGT –que había programado un paro nacional– al frente de las protestas sociales. La Unión Obrera Metalúrgica y su líder, Lorenzo Miguel, protagonizaban duros cruces verbales con Menem.

"Creo que Lorenzo tendría que reflexionar, tener en cuenta las enseñanzas de ese gran dirigente que fue Vandor y adecuarse a los momentos por los que pasa nuestro país y su gremio", le decía Menem la víspera de su cumpleaños a su ex compañero de prisión. "Nuestro secretario general no está equivocado: sabe perfectamente lo que ocurre en el mundo, en el país y en el gremio", replicaba la UOM.

Bauzá llegaba a las siete a su despacho y no se retiraba hasta las diez de la noche. El país estaba convulsionado por los paros y movilizaciones sindicales.

Carlos Menem no podía ocultar la furia que le había producido el triunfo del radicalismo capitalino, pero cada vez que le ponían un micrófono se esmeraba por dejar en claro que no estaba "deprimido". Hasta se animó a rescatar del olvido a un ignoto pueblo de Jujuy, cuyo nombre, "Perico", se instaló de la noche a la mañana en la escena nacional, porque fue uno de los únicos lugares en el que el justicialismo ganó por más del noventa por ciento de los votos. El pueblo de treinta y tres mil habitantes debía su nombre a una bandada de loros descubiertos por los conquistadores, según los escritos de monseñor Miguel Vergara, mucho antes de que fuera fundada San Salvador de Jujuy, allá por año 1500.

Abrumado por la derrota de su candidato en Capital Federal, la misma noche del 28 de junio, Menem explicó a los periodistas, con una lógica disparatada, que lo más importante para el gobierno era la elección en Perico, por la diferencia de votos. Como dato anecdótico de aquellos días, vale recordar que el ganador en Perico era un abogado, Julio Costas, que ya había gobernado el pueblo en 1987 y 1991, y contra quien, dos días después de ganar por tercera vez, la Justicia había confirmado la orden de procesamiento por utilizar obreros y materiales municipales para la construcción de la sede partidaria. Pero nada importaba: la elección de aquel ignoto pueblito jujeño le había hecho olvidar a Menem los fantasmas de la derrota capitalina.

Un hombre poderoso en aquellos días era Eduardo Bauzá.

Enigmático y místico, concentraba en su despacho de la Secretaría General todo el poder político del gobierno: apagaba los incendios familiares y políticos, consolaba las cíclicas depresiones del Jefe y era el único capaz de dar marcha atrás la voluntad presidencial.

A mediados de julio en Cosquín, el "Flaco" había logrado juntar en la ciudad cordobesa a los mayores referentes políticos del peronismo, más de dos mil quinientos dirigentes justicialistas de todo el país se reunieron para manifestar su lealtad a Menem y su apoyo a los intentos por un nuevo mandato.

Eduardo Bauzá le había quitado a Manzano una porción de poder político y calmaba además las aguas tempestuosas de la relación de Cavallo con Menem. "A veces digo que Menem tiene gastado el botín derecho de tanto patearme temas políticos para que yo se los resuelva", decía. También por esos días el secretario general era un interlocutor válido con el establishment. Amalita Fortabat, Francisco Macri, Jorge Born, Agostino Rocca o Pescarmona acudían a su despacho para destrabar sus negocios o enterarse de los pormenores de proceso prerreeleccionista. El 2 de julio, cuando Menem festejó su cumpleaños numero sesenta y dos, el empresario mendocino Enrique Pescarmona desembarcó en La Rioja cargando un óleo del caudillo Facundo Quiroga, pintado en 1830 por el italiano Giacomo Fiorini, por el que tuvo que desembolsar treinta y tres mil dólares, para que Carlos Menem lo estrenara en la casa que se estaba construyendo en Anillaco.

El encuentro invernal de Cosquín –adonde acudieron Cavallo, Duhalde y todo el justicialismo– obligó a Eduardo Bauzá a dejar de lado su bajísimo perfil y lo sentó en un lugar preferencial entre los afectos de Carlos Menem. Era el monje negro que convertía en realidad todos los sueños presidenciales. En la práctica, se había convertido en un virtual primer ministro sin cartera.

Primero reunió a la segunda línea menemista –Claudia Bello, Rodolfo Díaz y Luis Prol– en la casa del ministro de Trabajo (Díaz) y selló con ellos un pacto para trabajar para la reforma con reelección. Después, y aunque su salud estaba resentida –unas manchas oscuras le habían aparecido en su cabeza y los estudios médicos dictaminaron que se trataba de una enfermedad que produce escamas en la piel llamada querastosis, y que si no se cuidaba podía convertirse en un mal mayor–, llamó personalmente a cada gobernador, a cada diputado, a cada senador, a cada ministro, para que tuvieran en claro la importancia de la convocatoria y el lugar por donde pasaba el poder político en la Argentina.

La otra cruzada de Seineldín

Un mediodía de principios del mes de julio de 1992, un testimonio fue incorporado a la causa judicial del divorcio. Por pedido de Zulema Yoma compareció en calidad de testigo Mohamed Alí Seineldín, preso en el penal de Magdalena, acusado por el levantamiento del 3 de diciembre de 1990. El escrito es interesante por la profusión de detalles sobre aspectos de la relación que en los inicios unió a los protagonistas con el militar carapintada.

"En jurisdicción del Partido de Magdalena, siendo las doce horas del 1º de julio de 1992, se constituyen en el Instituto penal de las Fuerzas Armadas el juez de paz letrado del partido de Magdalena, en compañía del actuario, estando presente el letrado de la parte actora, doctor Alejandro Vázquez, y siendo las doce y treinta horas comparece el testigo Mohamed Alí Seineldín, quien, previo juramento de Ley que en legal forma prestó, manifestó llamarse Mohamed Alí Seineldín y ser el testigo nombrado, ser argentino, de cincuenta y ocho años, militar, y desconocer dónde se encuentra ahora su documento de identidad, ya que por su condición de detenido no sabe dónde se encuentra."

Acto seguido, el testigo contesta a la primera pregunta: "Tengo un grado de amistad con la señora que no llega a ser profunda, no tengo enemistad con el demandado, soy subordinado del demandado en su carácter de presidente de la Nación, ya que el mismo es comandante en jefe de las Fuerzas Armadas y el declarante conserva su estado de coronel del Ejército, y no le comprenden el resto de las generales de la Ley que le fueron leídas y explicadas".

A la segunda pregunta: "Voy a hacer un relato de cómo conocí a la señora Zulema Yoma de Menem. Transcurría el año 1983 en oportunidad en que un amigo periodista del cual no recuerdo el nombre pero sí estoy en condiciones de averiguarlo se me presentó para solicitarme que visitara a la señora de Menem, que se encontraba bajo una fuerte crisis familiar; me explicó que era tan grave la situación por la que pasaba la señora, que necesitaba ayuda. Junto a la persona mencionada concurrí a un domicilio cuya dirección no recuerdo, conociendo en esa oportunidad a la señora Zulema y a sus dos hijos. Agrego que aprecio que se trataba de la casa de una amiga de la señora. Iniciada la conversación, entre llantos y sollozos me explicó los altercados que había tenido con su esposo. Pero lo que más le ofuscaba, recuerdo, era que el doctor Menem acusó de convivencia con el jefe de policía de La Rioja; seguidamente me agregó que dentro de estos altercados la había golpeado. Ante estas circunstancias me circunscribí a darle consejos sobre la base de las siguientes ideas: fue que se tranquilizara, que su rostro denotaba honestidad y decencia y que además las reacciones de ella las había visto en mi madre y en otras mujeres de origen árabe. Que la pureza de sus facciones de mujer denotaban nobleza y honestidad; menciono estas palabras porque ella se calmó en forma inmediata, de los buenos resultados obtenidos de la conversación y para continuar con el pedido del amigo la invité para dos días posteriores para concurrir a la casa de los veteranos de Guerra de Malvinas que se inauguraba; debo dejar constancia que es una costumbre árabe en el caso de los problemas planteárselo a una persona mayor. Durante la ceremonia de la casa de veteranos de Malvinas le presenté una serie de personas que la seguirían ayudando en razón de que yo estaba por partir al extranjero a cumplir una misión. En esa oportunidad continué hablándole al respecto de su problema y llevándole tranquilidad a su espíritu.

"No la volví a ver hasta el año 1990, después de los hechos militares de 1989, denominado Villa Martelli. Dos días posteriores de haber ganado el doctor Menem las elecciones presidenciales de 1989, por intermedio del doctor César Arias me invita a una conversación personal en un domicilio fuera del lugar donde me encontraba detenido por los hechos de Villa Martelli. Sin conocimiento de la superioridad y por orden del doctor Menem, concurro a la reunión, donde tratamos los siguientes temas: 1) Designación del ministro de defensa, doctor Luder, y secretario de Defensa, Humberto Romero; 2) Designación del jefe de Estado mayor del Ejército, general Cáceres, y del subjefe del Estado Mayor del Ejército, general Eskalany; 3) Indulto para todos los participantes de los pronunciamientos militares; 4) Aprobación del proyecto para el Ejército Argentino firmado de antemano cuando era candidato. Posteriormente me preguntó qué cargo quería ocupar, expresándole de mi parte que cumplía misiones y servicios y no buscaba cargos, agradeciéndoselo.

"Cinco días posteriores a esa reunión me visitaba en los cuarteles de

Palermo, en donde continuaba detenido, juntamente con dos personas que no recuerdo su nombre, la señora Zulema Yoma de Menem, con su secretario personal, doctor Mazuchelli, y dos personas más, no recordando su nombre. Se encontraban también en esa reunión mi esposa, Marta Labeau de Seineldín, y mi cuñado, el doctor Carlos Labeau. En esa circunstancia la señora de Menem me expresó lo siguiente: 1) Coronel Seineldín, lo visito en devolución a la atención que tuvo para conmigo en 1983, que no sabe cuánto bien me hizo; 2) lamentablemente, debo expresarle que mi esposo no cumplirá lo pactado con usted y 3) vengo a pedirle un consejo, pues me encuentro en una encrucijada: personalmente soy agredida por mi esposo y uno de los temas más difíciles que me toca llevar como madre es respecto a la educación de mis hijos, los cuales son inducidos por el padre hacia caminos no tradicionales y lógicos para la educación de los mismos. Por todo ello es mi intención no acompañarlo al Presidente como esposa, porque ante esto que estoy viviendo aprecio que terminará todo mal.

"Ante esta situación, y considerando sinceramente que exageraba, extremo todo mi esfuerzo para tratar que no adoptara su resolución. Como la observé muy decidida y muy herida, junto con mis familiares allí presentes nos esmeramos para tratar de disuadirla y que sí acompañara al Presidente por el bien de la patria. Después de extremar los argumentos, accedió a mi pedido personal, pero me expresó que la promesa que adoptaba sería muy difícil y que necesitaba de mi ayuda. Me puse a su disposición en forma desinteresada.

"A partir de este momento dejo de verlos a ambas partes hasta un mes después de asumir como Presidente, oportunidad en que el doctor Menem me envía una invitación a concurrir a cenar a la quinta de Olivos. Como me encontraba detenido le pedí que me ratificara la orden, expresándome que lo hacía como comandante en jefe de las Fuerzas Armadas. Concurrí a la cena junto con mi esposa, pero al llegar al lugar había un inconveniente en el avión que lo trasladaba desde el Paraguay, por lo cual cenamos solamente con la señora de Menem y mi señora y algunos familiares. Los temas que conversamos fueron los siguientes: 1) Preocupación de que su esposo cumpliera con las promesas electorales, preocupación por las personas que lo rodeaban, temor de que su gobierno terminara mal; finalmente, me solicitó un sacerdote para que bendijera la quinta de Olivos. Aprecio que la señora Zulema, conocedora de las debilidades de su esposo y de los que había visto en las gobernaciones anteriores, pensaba colocarle a su lado personas de confianza con la finalidad de ayudarlo en tan importante investidura. Entre dichas personas creo que la señora Zulema pensaba en el declarante, aunque nunca me lo dijo. Días posteriores a esta cena, y no habiendo podido compartir la misma con el Presidente, me reitera la invitación personal. Volví a expresarle que continuaba detenido y que necesitaba la orden de la superioridad para abandonar mi lugar de detención. Me hizo decir que cumpliera y que no me hiciera problemas. Así lo hice, compartiendo una cena donde se encontraban el doctor Menem, la señora Zulema, el señor Palermo, el doctor Mazuchelli y la esposa del declarante, en la quinta de Olivos. Durante la cena se habló de temas generales, excepto el doctor Menem, que miraba un partido de fútbol por televisión. Ante esta situación, la observé molesta a la señora de Menem, que le dijo que apagara el aparato. Una vez efectuada esta acción, el doctor Menem me incitó a conversar a puertas cerradas. Los temas tratados fueron los siguientes: 1) Agradecimiento por el indulto a los hombres que participaron de los levantamientos militares. 2) Le solicitaba su intervención porque, a pesar del indulto, el Ejército los apartaría del servicio militar del estado de actividad. Le solicitaba su intervención para evitar estas medidas que volverían a agravar la situación de la fuerza.

"En oportunidad de que la señora de Menem nos invitara a mi señora y a mí a un departamento de la Capital Federal, aproximadamente cuatro meses después de la última cena en Olivos, me expresó la imposibilidad de cumplir con la promesa que me hiciera cuando la visita a los cuarteles de Palermo cuando me encontraba detenido. El trato hacia su persona era sumamente difícil, de la misma manera que las facilidades y la permisividad que les daba a sus hijos el doctor Menem en ambos supuestos, asimismo las personas que lo rodeaban al presidente no le daban seguridad de que su gestión fuera la correcta, dijo la señora de Menem. Sin duda en esta última entrevista con la señora de Menem aprecié que todas las sanas intenciones de Zulema Yoma y la mía, con modestia, habían fracasado".

A la tercera pregunta: "Me consta que la señora de Menem puso de sí toda su voluntad para ayudar al presidente de la Nación en su gestión. Muchas de estas actividades, tengo conocimiento a través de colaboradores que le acerqué con la finalidad de ayudarla y de acuerdo a mis promesas, permanentemente se entrevistaba con dirigentes gremiales, empresariales, eclesiásticos, para que le dieran el apoyo a su esposo. Todo esto tengo conocimiento a través de los colaboradores que le asignan a la señora".

A la cuarta: "Me remito a lo declarado".

A la quinta: "En las oportunidades en que compartimos la mesa con la señora, se dirigía al doctor Menem con mucha seriedad, mucho afecto y, a pesar de todo, diría con cariño, pero el doctor Menem se manifestaba indiferente, y con sonrisas que verdaderamente ponían nerviosos a los que participábamos en la reunión. Como ejemplo de esta actitud, cito lo declarado precedentemente respecto de cuando el doctor Menem miraba televisión durante la cena, requiriéndole la señora de Menem con mucha educación y corrección que lo apagara, con la finalidad de atender a las personas. Recuerdo que en esa oportunidad le respondió con una sonrisa de tipo indiferente y burlona".

A la sexta: "Lo manifestado lo es por lo ya declarado y por ser público y notorio, además, conozco a la señora de Menem como una mujer noble, honesta, recta, de palabra de honor y que lamentablemente no pudo cumplir con su papel de primera dama. La hubiéramos considerado como ejemplo de esposa de un Presidente".

El doctor Vázquez amplía el interrogatorio manifestando, a la primera ampliación, que diga el testigo si sabe y le consta cuál era el comportamiento de la actora en su condición de ama de casa en el hogar conyugal instalado en la residencia de Olivos las veces que concurrió allí el declarante: "Lo contesto en una sola palabra: ejemplar, con sencillez y humildad. Se preocupaba personalmente en la atención y el servicio de los invitados; recuerdo que en una oportunidad mi señora le expresó que se sentara en la mesa porque si no se iba a pasar toda la reunión sirviendo. La observé, sí, con una preocupación tremenda hacia sus dos hijos, a quienes protegía y resguardaba permanentemente. Sus expresiones, si bien de un tono enérgico y severo, demuestran permanentemente naturalidad y firmeza".

A la segunda, respecto de si la señora le proporcionó algún detalle referido a los altercados con su esposo (según el declarante, el doctor Menem la había golpeado), declaró el testigo: "Yo no lo puedo asegurar, pero tengo un vago recuerdo de que me mostró un moretón en un brazo".

A la tercera, para que diga el testigo en qué forma se comunicaba el declarante con el demandado en las oportunidades aludidas al contestar la segunda pregunta y relacionadas con las invitaciones que el doctor Menem le efectuó para que concurriera el testigo a la residencia de Olivos: "La primera fue por invitación del doctor Arias y la segunda por intermedio del doctor Mazuchelli. Dejo constancia de que el doctor Arias era el enlace que el doctor Menem designó con mi persona y que nos reuníamos todos los martes de todas las semanas con la finalidad de intercambiar mensajes, estando el declarante detenido en Palermo".

A la cuarta, para que diga en qué medio se trasladó el testigo a la residencia de Olivos en oportunidad de las dos cenas aludidas en la segunda pregunta: "En el automóvil de un amigo, no habiendo tenido ningún inconveniente de entrada a la residencia de Olivos, porque estaban todos los avisos dados a la guardia; recuerdo a un señor esperándome en la puerta de entrada y llevándome hasta el señor Menem. Ingreso a la residencia por la calle Villate 1000. Concurrí en las dos oportunidades con mi esposa y de uniforme".

A la quinta, en relación con a qué pronunciamientos militares había aludido el testigo, éste contestó: "Semana Santa, Monte Caseros y Villa Martelli, además le pedí por la libertad de los Comandantes".

A la sexta, respecto de si el testigo sabía y le constaba hasta cuándo convivió la actora con el demandado en la residencia de Olivos: "No tengo presente la fecha, pero aprecio que no más de tres o cuatro meses. Pienso, y es una opinión personal, que el doctor Menem la utilizó a su señora para subir a la presidencia de la Nación y posteriormente, al no necesitarla más, comenzó a desplazarla, agraviándola en forma personal a través de la educación desviada hacia sus hijos, y finalmente utilizando a los hermanos de la señora para lograr sus fines".

A la séptima, sobre la forma en que terminó la convivencia aludida: "Como es de conocimiento público, terminó en un vergonzoso hecho impropio de un esposo y de la investidura de un Presidente, expulsando a su señora y a sus hijos de su propia casa, como si fueran delincuentes, utilizando la fuerza pública e inventariando la ropa íntima de la señora y sus hijos, demostrando una total falta de ética y moral, impropia de un hombre y mucho menos de un caballero. Y esto último lo sé porque me lo dijo un oficial del Ejército de Granaderos a Caballos que participó de uno de los inventarios, demostrando, al hacerlo, repudio y tristeza por hacer ese inventario".

Otra: Sobre si sabe y le consta qué grado de dedicación a los hijos Carlos y Zulemita advirtió el declarante por parte de la madre, contestó: "En todos los encuentros que tuve con la señora de Menem, y que he relatado, un párrafo importante de la declaración se refería a sus hijos. Permanentemente demostraba preocupación por su vida y por su educación. Advertía permanentemente de las diferencias del método de su educación con su esposo, quien les daba una mayor libertad, no acorde con la edad de los hijos. Debo dejar constancia de algo que en este momento recuerdo y que considero muy importante: que en la primera comida en Olivos ya referida, donde no concurriera el doctor Menem por el desperfecto en el avión que venía del Paraguay, en un aparte y a solas Zulema Yoma le expresó a mi señora que su esposo, con tal de lograr sus fines políticos personales, ha llegado a sacrificar a sus hijos y a su señora".

Palermo: el muerto que habla

En el expediente de divorcio aparece incorporada la copia de un curioso diario personal del secretario personal de Zulema Yoma, su fiel amigo, el médico riojano Jorge Mazuchelli.

Pero lo más sorprendente es el testimonio de Antonio Palermo, otro ladero de la ex primera dama que también había sido expulsado de Olivos. Palermo fue asesinado tiempo después en circunstancias sospechosas. En su declaración a la audiencia en la que comparece como testigo de la demandante, Palermo dice que "vio a la señora Yoma con moretones en el brazo (...) que la señora le mostró al testigo, en aquel momento, el brazo que tenía todo golpeado. El testigo le preguntó qué tenía, y ella le contestó que había tenido una pelea con el doctor Menem, que éste la había agredido. Esto también se lo confirmó al testigo doctor Mazuchelli". Al ser consultado por la habitación que el doctor Menem tenía en el décimo piso del Hotel Bauen y si había visto allí a la señorita Nora Alí, Palermo contestó que Menem tuvo esa habitación durante un año y medio y que había visto allí a Nora Alí. Ante la pregunta de si Nora Alí vivía allí con el doctor Menem, el testigo declaró que el gerente del Hotel lo había llevado a la habitación de Menem y le había mostrado ropa y zapatos de mujer y le había dicho que eran de Nora Alí, con quien Carlitos Junior había tenido "un altercado muy fuerte". También declaró haber visto a la embajadora de Costa Rica, Alicia Martínez Ríos, "frecuentar la habitación del doctor Menem" y a Janet Bouzon. Cuando le preguntaron si conocía la existencia de hijos extramatrimoniales del demandado, contestó que sí, que a través de Bernabé Arnaudo sabía "de la existencia de un hijo del doctor Menem con la diputada Meza", que Arnaudo le había mostrado fotografías del chico, que "advertía semejanzas faciales entre el hijo y el padre, que hasta la pose del chiquito parado es la misma que la de su supuesto padre" y que, según Arnaudo, "en algunas oportunidades el doctor Menem lo llevaba a vespertinos de fútbol".

Ante la pregunta de si Menem le había hablado de otros hijos extramatrimoniales, por ejemplo, con Janet Bouzon, Palermo contestó que no había sido Menem quien le hablara de algún hijo con esa señora sino que por trascendidos se habría enterado de "que tendría el doctor Menem algún hijo o hija con esa señora". Y ante la pregunta de si la aludida señora desempeñaba en ese momento algún cargo oficial en la Casa Rosada, contestó Palermo que Janet Bouzon era asesora presidencial. Pero aclaró que no sabía si a esa altura seguía siéndolo.

Corrientes bien vale una valija

–Al final de cuentas, yo no gané en el '89 para irme en el '95 y los árabes vivimos cien años.

Dijo en un reportaje, y le fascinó la idea.

Los pensamientos de sus hombres acerca de que el poder desgasta, que diez años era mucho tiempo, que lo mejor era retirarse y regresar en el '99 le parecieron descabellados.

–No saben nada. El poder es para siempre –les retrucaba.

Casi al mismo ritmo que sus desvelos reeleccionistas, Carlos Menem había comenzado un acercamiento con Zulema, a través de sus hijos, de Emir y de simples amigos comunes, como Bernabé Arnaudo o Jorge Antonio.

Menem temía tanto al castigo de Dios como a las maldiciones de su ex esposa, y era consciente de que, si quería llegar otra vez a destino, si quería conservar el poder, tenía que estar bien con Zulema.

–Sin mí no llegás a ningún lado –le había dicho Zulema en medio de una de las tantas peleas.

Y la frase, lanzada una medianoche en La Rioja, cuando él deshojaba sus primeros sueños presidenciales, quedó grabada como un estigma.

Los primeros días de diciembre de 1992, horas después de despedir a los presidentes del Grupo Río, Carlos Menem reemplazó a tres ministros: José Luis Manzano (Interior), Antonio Salonia (Educación) y Rodolfo Díaz (Trabajo).

José Luis Manzano, aquel joven brillante de la Renovación peronista que, apenas Menem ganó la interna, se trepó al carro del triunfador, autor de la frase "Yo robo para la Corona", que Horacio Verbitsky plasmó en su libro, hacía varios meses que caminaba por la cuerda floja. Su cara era el símbolo de la corrupción en el poder. Carlos Menem ya no soportaba los continuos escándalos a que lo sometía Manzano. Ya no le servía. El menemismo le achacaba los últimos fracasos políticos: la pérdida de las senadurías de San Juan y el Chaco, las presiones de Bordón, que lo obligaron a renunciar a la interna partidaria mendocina, y las últimas encuestas de las elecciones en la provincia de Corrientes, que mostraban un panorama poco favorable al menemismo. Hasta se había deslizado el rumor –después se comprobó que fue un invento del periodista Guillermo Cherasny– de que se había hecho una operación estética en los glúteos. En su desesperación por desmentirlo, llegó a bajarse los pantalones frente a un periodista en su despacho.

Previamente a su destierro, otra crisis sacudió a Manzano. A fines de octubre, entró en el ocaso su compañero en la Renovación peronista Carlos Grosso. Pálido, solo, ojeroso y con los ojos llenos de lágrimas, el hombre que hacía un lustro había soñado con ser presidente abandonó la intendencia de Buenos Aires agobiado por una catarata de denuncias de irregularidades, y en la soledad en que lo sumieron el menemismo y su padrino financiero, el empresario Franco Macri.

En su lugar colocó a su antiguo escriba de discursos y enemigo de Manzano en el gabinete Gustavo Beliz, un ex periodista ligado con el Opus Dei, de estilo "Babe Face", que ocupaba la Secretaría de la Función Pública y se presentaba como un cruzado contra la corrupción.

"Hay jóvenes viejos que han llegado al poder, que se han mareado, que han construido un aparato económico y olvidaron sus ideales. Me refiero a la cultura de los movicones, los trajes con hombreras, las cenas en restaurantes de moda", decía Beliz sobre su contrincante.

Gustavo Beliz era la contracara de Manzano y Menem lo quería como a un hijo. Lo respetaba y lo protegía de las burlas de los miembros del gabinete, que se reían de su austeridad y su halo angelical. Habían pasado sólo setenta y dos horas de su asunción cuando Beliz dio un reportaje en el que aseguró que estaba parado "sobre un nido de víboras". Esto, por supuesto, le generó innumerables odios en el gobierno.

–Carlos, este pibe te va a joder. Acordáte de mí: vas a terminar extrañando a Manzano –le advirtió una noche el conductor televisivo Gerardo Sofovich.

Carlos Menem lo bancó. Utilizó la metáfora de su nuevo ministro para alentar los enfrentamientos, sobre los que sobrevolaba como un águila. El ex periodista había acompañado sus desvelos más íntimos y fue testigo de sus constantes mutaciones. En 1986, Beliz escribió su primer libro, *Menem-Argentina hacia el 2000*. Ese año, el entonces gobernador riojano le confesaba a su escriba:

–¿Qué propone de distinto el peronismo? –preguntaba Beliz.

–Un diverso tratamiento sobre la deuda externa, una actitud auténticamente soberana que debe traducirse por ejemplo en la nacionalización del comercio exterior y la nacionalización de los depósitos bancarios.

–Me imagino la cara de un liberal al escuchar esto... Y las de muchos compañeros suyos, a los que ni siquiera se les ocurre proponer medidas así –replicaba Beliz embobado.

–Sí, porque desgraciadamente el liberalismo y el vaciamiento ideológico es algo que está muy cerca de nuestro movimiento.

–¿Usted propone abandonar la tradicional postura occidentalista de nuestra política internacional?

–Nosotros debemos asumirnos como integrantes del Tercer Mundo. No podemos prestarnos a las divisiones geopolíticas que nos imponen desde el imperialismo.

Ahora, que aquellas frases dormían en el cajón de los recuerdos, Menem se reía de sí mismo. De su habilidad para decir lo que la gente quería escuchar en el momento justo, de prometer lo imposible, de acomodarse a los tiempos, de seducir hasta al más rebelde.

En 1992 las cosas eran diametralmente opuestas. Carlos Menem era Presidente, la Argentina estaba totalmente alineada con los Estados Unidos, los liberales manejaban la economía, los empresarios alababan el plan de convertibilidad y Gustavo Beliz era su niño mimado.

Con aire fresco en el gabinete, Menem se preparó para comenzar el año. Estaba seguro de que los cambios eran una maniobra que le devolverían la iniciativa política, después de la derrota del justicialismo en las elecciones porteñas. El elemento de la sorpresa, del que tanto hablaba Perón y que él aplicaba como su mejor alumno. En diciembre se habían realizado tumultuosas elecciones en la provincia de Corrientes, en las que el menemista Frente de la Esperanza consiguió la primera minoría en el Colegio Electoral a pesar de haber cosechado en la provincia quince mil votos menos que el Pacto Autonomista Liberal, de Tato Romero Feris. La alternativa de que el Pacto sumara los once electores a los tres del radicalismo para consagrar como gobernador al candidato de la UCR, Noel Breard, se convirtió en una pesadilla para la intervención menemista.

Claudia Bello había llegado a Corrientes con el cargo de interventora federal, desde la Secretaría de Relaciones con la Comunidad, cargo que dependía del Ministerio del Interior, después del desastre que había dejado el dirigente liberal, Enrique Durañona y Vedia. Finalmente, todo terminó en un gran escándalo. El menemismo compró un elector radical que escapó al Paraguay con una valija de un millón de dólares y Claudia Bello renunció en medio de escandalosas acusaciones de corrupción. Los autonomistas la acusaban de malgastar ciento veintiséis millones de dólares en seis meses de intervención.

En camino a la reelección

El 31 de diciembre Menem reunió al gabinete en la residencia de la gobernación riojana y lanzó una ofensiva política destinada a ganar las elecciones de 1993: la plataforma para el logro de su reelección. La concurrencia a La Rioja fue ostentosa. Se fletaron dos aviones *Tango*, a los que se treparon ministros, asesores, chupamedias, familiares y amantes. Emir Yoma había preparado un asado multitudinario en Nonogasta, sede de la curtiembre familiar. Asistieron Antonio Erman González y Domingo Cavallo, y Emir aprovechó para mostrarse todo el tiempo cerca del ministro de Economía. Todavía estaba fresco el escándalo del Swiftgate, y el Narcogate, seguía su rutina judicial en España y la Argentina. A partir de esta época Emir empezó un lobby feroz sobre Cavallo para conseguir un crédito estatal para la empresa familiar, que le sería otorgado en 1994. Aprovechando la situación de vulnerabilidad intermitente del ministro de Economía, se convertiría en un curioso intermediario de las peleas entre Cavallo y Menem, de las que sacó millonario provecho personal.

Por esa época, también, junto a los primeros rumores de la existencia de una hija ilegítima de Carlitos Junior, circulaban con fuerza las versiones de una reconciliación matrimonial. Y aunque Zulema lo desmentía todo el tiempo, Carlos Menem pasó a saludarla para su cumpleaños y pasaron juntos la Navidad en casa de Omar Yoma. Después de las fiestas, la jueza que tramitaba el divorcio ordenaba el depósito legal de seis mil quinientos dólares. Zulema, furiosa, aseguró que la cuota había sido establecida en doce mil dólares y que Menem le debía trescientos cincuenta mil de retroactividad. Menem dijo públicamente que no tenía recursos para pasarle esa suma. Y así a comienzos de 1993, la telenovela familiar volvía a cambiar la trama y los amagues de reconciliación quedaron en la nada.

"Yo sé que en mi pareja con Carlos Menem se está jugando la historia del país. Mis hijos no sólo alientan la reconciliación, también me presionan para que volvamos a ser la familia maravillosa que fuimos. Carlitos tiene una manera de decir las cosas más indirecta, menos frontal. Aunque sé que él sólo quiere que volvamos a vivir juntos", decía Zulema los primeros días de enero de 1993. Hablaba de la "familia maravillosa" y ni ella misma se lo creía. Su familia había sido cualquier cosa menos maravillosa. En el fondo, aunque lo negara públicamente, a Zulema le atraía la idea de volver con Carlos Menem. Y le seducía el juego en el que estaban involucrados en los últimos tiempos. A veces hablaban por teléfono y él le hacía bromas, y otras él le hacía alguna zancadilla y ella saltaba como una leona. Así había sido toda la vida. En ese verano, Emir Yoma inauguraba en Punta del Este una mansión de un millón cuatrocientos mil dólares, en la que se invirtieron más de trescientos mil dólares sólo en decoración. Ubicada en San Rafael, con más de mil metros cubiertos, catorce habitaciones en suite, trece baños y un quincho con capacidad para albergar a ciento cincuenta personas, la casa era el símbolo de la riqueza menemista.

–No me alcanza, Flaco, no me alcanzan los seis años. ¿Qué va a ser de este país si yo me tengo que ir? ¿Nadie se da cuenta? –le decía Menem a Bauzá.

Día y noche maquinaba su permanencia.

A fines de junio emprendió un viaje a Estados Unidos para entrevistarse con Bill Clinton. Buscaba establecer lazos con la administración demócrata, después de años de intensa amistad con el gobierno de Bush, y ansiaba la aprobación para su proyecto de reelección. Sus hombres todo ese tiempo habían estado sondeando los ánimos del gobierno norteamericano, le transmitían que no habría problemas si la reelección se realizaba a través de una reforma constitucional.

Menem llegó a Washington el 27 de junio, acompañado de una numerosa comitiva. Se quejó por la poca cobertura que los diarios yanquis dieron a su visita –en esos días, Estados Unidos bombardeaba Bagdad–, rompió el protocolo para pasear por las tiendas del barrio de Georgetown y comprar regalos para su hija Zulemita, firmó autógrafos a algunos turistas argentinos, jugó al tenis con el ex embajador Terence Todman y se pasó el tiempo libre hablando de lo único que le interesaba: la victoria por penales que ese último domingo había obtenido la selección argentina sobre la brasileña. Estrenó seis trajes distintos, el triple de corbatas (amaba el estilo Versace y Ferragamo) y su peluquero, Tony Cuozzo, ingresó a la suite a emprolijar el postizo capilar seis veces por día. Comió trufas con cordero con el establishment americano, hizo chistes y habló durante quince minutos en la cena de agasajo.

"Ustedes nos creían un partido fascista y autoritario y sin embargo hemos demostrado que somos más democráticos que nadie", se animó frente a los aplausos. Clinton le regaló una pelota de básquet autografiada por los jugadores del Chicago Bulls, entre los que estaba la firma de Michael Jordan, le manifestó su deseo de venir a "cabalgar por las pampas" y le brindó el elogio más importante para un presidente·latinoamericano: "Menem es un líder en pos de la democracia y la libertad". Menem sintió desde el primer minuto del encuentro que entre los dos había "buena química", la misma que él tenía con George Bush. Durante el encuentro nadie mencionó el tema que preocupaba al menemismo: la corrupción, y a pesar del pedido de Menem de que Argentina pudiera integrar el NAFTA, Clinton se hizo el distraído. En la conferencia de prensa conjunta para los medios norteamericanos, a la que asistieron doscientos periodistas más interesados por el bombardeo a Irak que por la presencia de Menem, él matizó sus respuestas con frases incomprensibles para la mentalidad anglosajona. Cuando le preguntaron si no tenía miedo de morir en un atentado, dijo sonriente: "Dios es el que nos trae al mundo y él decide cuándo lo dejamos". Se sentía a sus anchas, ni siquiera le importó la dureza con la que el *New York Times* comentó su visita. El diario abría la página con una foto de Menem abrazado a la modelo Claudia Schiffer y aclaraba en un epígrafe que la alemana no se había reunido con él una sino tres veces. Criticaban la ausencia de la Ley de Patentes, la retención en la entrega de los restos del misil Cóndor y los hechos de corrupción.

El 2 de julio viajó a Anillaco para festejar su cumpleaños número sesenta y tres. Sus amigos de la infancia le prepararon una fiesta espectacular con una torta de 250 kilos y más de dos mil personas. El gabinete completo llegó para saludarlo, junto a Palito Ortega y Carlos Reutemann, las nuevas estrellas del firmamento menemista. La torta tenía la forma del mapa de La Rioja y un punto rojo indicaba dónde estaba Anillaco. En todo el pueblo no quedaba un lugar libre: los pasacalles que le deseaban feliz cumpleaños tenían el agregado de Menem '95.

Exultante después de su viaje a Estados Unidos, Menem no dejaba de contar chistes sobre Clinton y sus "nuevas relaciones carnales", mientras Guido Di Tella esbozaba una nueva teoría para describir las relaciones con Estados Unidos: "Ellos tienen amigos fieles y leales y amigos trasnochados. Y nosotros estamos entre los primeros".

A las doce en punto de la noche descorchó el champán de la bodega familiar y levantó la copa, media hora después de festejar el gol de Sergio Goycochea en el sexto penal del partido que Argentina jugaba con Colombia, para la Copa América. Había llegado a su pueblo piloteando su avión y después de escaparse de la custodia que lo buscó durante algunas horas. Mientras cortaba la torta escoltado por el gobernador de La Rioja, Bernabé Arnaudo, Francisco "Paco" Mayorga, secretario de Turismo, María Julia Alsogaray, Matilde Menéndez y Juan Bautista "Tata"

Yofre y su mujer, la vedette Adriana Brodsky, se lanzó emocionado a decir un encendido discurso.

"La Argentina creció los dos últimos años casi el cien por cien, en su Producto Bruto interno y se han creado ochocientos mil puestos de trabajo, lo que tan sólo es comparable al crecimiento de un país con más de mil millones de habitantes, como China", exclamó en medio de los aplausos y los bombos del Tula. Y agregó con tono triunfante: "Nuestra Argentina se encuentra en un momento de crecimiento que le ha posibilitado proyectarse al mundo, y tengan confianza, porque yo estoy preocupado por el bienestar de todos los argentinos". Ese mismo día llegaban desde Tucumán los cables con declaraciones del titular de la CGT, Naldo Brunelli. Menem hirvió de rabia.

"Cada vez son más los desprotegidos en este país y no sé si no estoy extrañando al gobierno de Alfonsín. Este plan económico está estancado y cuando el agua está estancada, se pudre. Menem se olvidó de que llegó al gobierno de la mano de los obreros", dijo el sindicalista de la UOM, que escribía poesías, leía a los clásicos y cayó rendido de amor ante María Julia Alsogaray, cuando ella fue privatizadora de SOMISA.

El 17 de julio fue a despedir a Zulema y a su hija que partían en viaje de placer a Siria, Marruecos y Arabia Saudita. Habían sido invitadas oficialmente por los gobiernos de esos países, y Carlos Menem quería aprovechar para que la visita de su mujer y su hija ablandara la dura postura del gobierno sirio, que le tenía vedada la visita a la tierra de sus padres. Zulema quería visitar la tumba de su padre, en Dmeier, Siria, lugar al que no había regresado desde que Amín Yoma se había muerto.

El portazo del pibe

Septiembre vivió los sacudones que provocaban en las filas del propio justicialismo los intentos de reformar la Constitución. El oficialismo no conseguía los dos tercios necesarios para aprobar la reforma constitucional y lograr su reelección. El senador José Octavio Bordón amenazaba con votar en contra y el menemismo lo acusaba de traidor y amenazaba con expulsarlo del partido. El sindicalismo ultramenemista programaba una plaza de apoyo a la reelección de Menem, idea que fue aplastada por Eduardo Bauzá, Duhalde, la conducción de la CGT, encabezada por Naldo Brunelli, y el mismo Consejo Nacional del Partido. Todos veían en esa movilización la necesidad que tenían algunos sindicatos obsecuentes de ganar espacios de poder.

Los informes adversos que le trasmitían sus hombres no alcanzaban para descorazonar a Menem. Consultaba con su pitonisa y rezaba por las noches a la imagen de la Virgen del Valle, que tenía sobre la cómoda de madera oscura de su dormitorio.

–Hay un setenta y cinco por ciento de la comunidad que está de acuerdo con la reforma, un poco menos con la reelección, que no es la de Carlos Menem sino la posibilidad de reelegir a cualquier presidente –dijo una tarde, cuando volvió del Brasil.

Sus hombres le aconsejaron que esperara hasta después de las elecciones de octubre, y él empezó a pensar en la posibilidad de un plebiscito.

A fines de agosto, Carlos Menem recibiría un mazazo en la espalda.

Su escriba preferido, el joven de aspecto monacal que lo acompañaba desde tiempos remotos y que él había convertido en su "hijo político", le pegó un portazo en la cara. Abandonaba el Ministerio del Interior en medio de durísimas declaraciones. Aturdido por el odio, Menem se desplomó en su despacho. Se sentía traicionado.

Beliz tenía la decisión tomada:

–Paren muchachos, para qué vamos a seguir hablando. Dios me puso acá y desde que estoy en el poder, ¿qué hice a favor de la sociedad? Me hicieron el vacío en el Congreso. Trataron de impedir la reforma política. Solucioné el tema de Corrientes (la intervención a la provincia de la mano de Claudia Bello), pero cuando el escándalo ya era imparable. Dicen que me pasaron la valija por atrás. De arranque nomás me pasaron...

Se refería a la compra de un elector radical correntino al que le dieron una valija con un millón de dólares para que desapareciera de la votación y así pudiera ganar el menemismo. Prosiguió:

–En el caso Catamarca, cuando estaban más prevenidos, los madrugué yo. Pero operaron contra la Reforma Política, porque ahí sí están en juego muchas cosas. Frené una licitación por cuatrocientos cincuenta millones de dólares para informatización, desarticulé el asunto de los DNI, conseguí cosas para la Policía Federal... Pero me cortaron toda comunicación con el Congreso y complicaron una y otra vez mi comunicación con las provincias. Miren lo que pasa con los radicales: no conseguimos ponernos de acuerdo para dialogar ni cinco minutos. El enfrentamiento es tan grande que al día siguiente de las elecciones los radicales van a salir a denunciar fraude. ¿Qué otra cosa pueden hacer? ¿A quién se lo van a cargar? Al boludo de Beliz. No hay vuelta que darle muchachos, no tengo nada más que hacer acá.

Ninguno de sus hombres le pidió una explicación. Todo estaba demasiado claro. Gustavo Beliz caía devorado por su ingenuidad política.

Los ofidios que había denunciado y que ahora le incrustaban los dientes, eran los mismos que él conocía de toda la vida, con los que compartió desvelos, operaciones políticas, negociaciones de diferente índole y lealtad incondicional al Jefe.

Sus enemigos rugían ante Menem. Bauzá, el más duro, explotó:

–Carlos, este muchacho no entendió nada. No sabe nada de política ni de la vida. No entendió nunca que el Ministerio del Interior siempre y en todos los gobiernos, estuvo para los "trabajos especiales". ¿O el radicalismo cuando era gobierno no tenía unos cuantos muchachos dedicados a los trabajos sucios? La política es conceder, apretar un poco, negociar, hacer una zancadilla y siempre, ir para adelante. El romanticismo y la pureza no existen en política. Eso sólo está en la mente de un marciano como Beliz.

Y seguramente tenían razón. Beliz no había entendido nada. Aunque lo más probable es que se hubiera hecho el distraído para no entender. Nunca se reportó a la "mesa chica" de la política, integrada por Bauzá, Eduardo Menem y Carlos Corach, y, sobre todo, el ex ministro nunca le dio entidad al "Organigrama de Trabajo por la Reforma" que delineó Bauzá por pedido de Menem y nunca se reunió a tomar café con los diputados que respondían a la Secretaría General: Matzkin, Jorge Yoma, Marcelo López Arias y Miguel Ángel Toma.

Y ellos comenzaron a conspirar furiosamente en su contra.

El 17 de agosto, Beliz se había encontrado con Menem en Olivos y le había dicho que no estaba de acuerdo con la metodología para lograr la reforma.

–Es con los radicales o sin los radicales. No es una cuestión de amigos. Es una cuestión de metodología, ¿me entiende? O se define rápido la cuestión o la cosa no da para más.

Menem le pidió tiempo para pensar y desapareció siete horas seguidas, al extremo de que sus custodios no lo podían encontrar por ningún lado. Al otro día Beliz tuvo una reunión de minigabinete y se trenzó en una disputa a los gritos con Bauzá, mientras Erman González y Domingo Cavallo trataban de calmarlos. Beliz salió del lugar para buscar a Menem y cuando lo encontró le dijo que iba a denunciar públicamente lo que pensaba.

–Está bien, Gustavo, hacé valer tu cargo –lo alentó.

Clarín publicó un reportaje en donde el ministro del Interior se despachó con declaraciones explosivas. Después de ver el partido se sentó en la máquina de escribir y redactó su renuncia en una carta con membrete personal y la metió en un sobre celeste para entregarla al otro día.

Menem leyó el reportaje a la mañana temprano en Olivos y miró el partido de fútbol con Eduardo Bauzá, Hugo Anzorreguy, el diputado Roberto Cruz, Paco Mayorga, Pedro Olgo Ochoa, Víctor Bó y los ex futbolistas Norberto Alonso y Joaquín Martínez. Cuando todos empezaron a hablar de las declaraciones de Beliz, Menem mantuvo los ojos clavados en la pantalla.

–Carlos, ¿cuál es tu sensación? Mirá las cosas que dice este pibe... –se animó alguien.

Hizo unos minutos de silencio.

–Traigan las pizzas, que me estoy muriendo de hambre.

Al otro día jefe y escriba se cruzaron la mirada por última vez.

–Presidente, le dejo las manos libres.

–Por favor, Gustavo, no te vayas... –intentó Menem. No había peor cosa que que uno de sus hombres lo plantara. Él era el Jefe, y el único que determinaba cuándo las cosas llegaban al final. Esa mañana, cuando lo vio alejarse, juró por la memoria de su madre que encontraría la manera de vengarse.

El día después de su renuncia, Cavallo invitó a Beliz a almorzar a su casa en compañía de Palito Ortega. Los tres desmenuzaron las intrigas y las conspiraciones de las entrañas del poder menemista. Un agujero que alumbró sus propios nacimientos a la vida política y a cuyas miserias ninguno era ajeno.

Mientras tanto, Carlos Federico Ruckauf, alias "Rucucu", el ex ministro de Trabajo de Isabel Perón, ocupaba el Ministerio del Interior.

El domingo 4 de octubre, el oficialismo ganaba las elecciones legislativas con el cuarenta y dos por ciento de los votos. Inclusive en la adversa Capital Federal, Erman González o "Superman", como lo había bautizado *Página/12*, derrotaba a Fernando De la Rúa, Alberto Pierri –que con los matones del Mercado Central había protagonizado un escándalo con agresiones a periodistas– ganaba en la provincia de Buenos Aires y Palito y Reutemann conservaban sus provincias. Era el piso que Carlos Menem se había fijado para lanzarse a conseguir su reelección.

Esa noche de octubre, Menem sintió que tocaba el cielo con las manos. El desplante de Gustavo Beliz todavía le provocaba un gusto amargo, pero hacía lo posible por ignorarlo. Saboreaba su habano y seguía desde el televisor de su despacho los cómputos en todo el país. Eduardo Bauzá, Alberto Kohan, Hugo Anzorreguy y Eduardo Menem tomaban champán de la bodega familiar, comían bocaditos y les hacían burlas a los periodistas. "El partido del gobierno le ganó al partido de los periodistas", decían entre carcajadas.

Ninguno de los escándalos, ninguna de las denuncias de corrupción, ninguno de los farragosos conflictos familiares habían logrado destruir su buena estrella. Y no le podía haber ido mejor: Domingo Cavallo, recién lanzado a la arena del peronismo, que alardeaba de que si el gobierno ganaba las elecciones iba a ser por la estabilidad lograda por su plan económico, caía en Córdoba frente Eduardo Angeloz. Carlos Menem observaba de reojo el rostro pálido y ojeroso de Domingo Cavallo y disfrutaba con su desgracia política. Hasta Eduardo Duhalde, que en privado lanzaba feroces diatribas en su contra, admitía en público la necesidad de su reelección. Alentaba los comentarios burlones de Erman González, enemigo de Cavallo, hacia el ministro de Economía. Y, para irritar a Duhalde, recalcaba que Capital Federal era el distrito más importante del país: "aquí ganamos". Él mismo sabía que el distrito más importante era la provincia de Buenos Aires, pero disfrutaba como un chico con aquellas estocadas. Ninguno de sus hombres que ansiara una candidatura para 1995 podía prescindir de él. Todos estaban obligados a deshacerse en favores, a rendirle pleitesía, a apoyar el plebiscito y dar la vida por su reelección. No conocía los límites y las únicas reglas de juego que aceptaba eran las que se inventaba frente a cada vigilia.

Era el rey.

–¿Ha crecido su deseo de reelección para el '95? –le preguntó un periodista.

Con su mejor sonrisa:

–Yo sería un hipócrita si le digo que no. Es evidente que sí. Y la hipocresía no es mi fuerte.

Después de votar, en La Rioja se dejó llevar por los vahos de la historia: "Yrigoyen, Perón y humildemente Menem", dijo comparándose con los únicos presidentes que ganaron elecciones en el cuarto año de su gobierno. Estaba tan seguro del triunfo que hasta había nombrado a Yrigoyen, una figura que detestaba por su cobardía. "Ese sí que no se animó nunca a nada", decía cada vez que alguien mencionaba al caudillo radical.

–Como dijo un gran político, el general Mitre, la victoria no da derechos –dijo una hora más tarde–. Al general Roca le preguntaron, después de su primera presidencia, qué quería ser y, ¿saben qué dijo? Presidente. Yo no soy Roca pero soy Carlos Menem –agregó para jolgorio de su entorno.

Sin Zulema no me opero

El jueves 14 de octubre a la mañana temprano, mientras tomaba su clase de golf, con el profesor Jorge de Luca, se sintió mal. Ese mismo día tenía programado un viaje a Chile. A la mañana se había levantado de buen humor, tomó un té con De Luca y el coronel Jorge Gordillo, de la custodia presidencial. En el campo de golf de la quinta presidencial tiró los primeros nueve hoyos y acertó seis golpes. Al rato apareció Zulemita a saludarlo. Cuando su hija se fue, se sintió extraño, desconcertado. Y empezó a trastabillar con el palo.

–Se fue Zulemita y se fueron tus ojos –le dijo De Luca, conocedor de la obsesión de Menem por su hija.

Estaba en el dormitorio, preparándose para viajar, cuando sintió que el hormigueo en el brazo que venía sintiendo desde hacía varios días se había intensificado. El mucamo Ramón Hernández se desesperó y llamó a su médico. Alejandro Tfeli lo revisó y con cara de preocupación llamó al Instituto Cardiovascular. Esa misma mañana pidió una interconsulta con los médicos Leiguarda y el cardiólogo Jorge Belardi.

Apenas lo revisaron, los médicos mandaron preparar la sala de operaciones. Tenía una hemorragia interna que le producía una obstrucción en la arteria carótida. Los médicos le revelaron los riesgos que corría si se operaba o no: embolia cerebral o hemiplejía.

–Por favor, avisen a Zulema. Que venga Zulema, si no, no me opero –dijo con la voz quebrada por el terror.

–Cuando te duermas, pensá en mí –le dijo ella antes de entrar en la sala de operaciones.

–No te creas: si pienso en vos, por ahí no me puedo dormir.

La operación fue dirigida por Juan Carlos Parodi y su equipo, y contó con la participación del cirujano plástico Luis Ripetta, que luego trabajó sobre el cuello de Menem para evitar que quedaran evidencias del corte. Afuera de la clínica, era un hervidero de periodistas, custodios y curiosos. El país estaba en vilo. Figuras de la farándula y de la política desfilaron sin parar. Sus hombres temblaban ante la posibilidad de que una desgracia tronchara sus planes. Zulema Yoma no se separó de su lado y por algunas horas volvió a recuperar el lugar perdido. Se alojó en el cuarto 318, pegado al de Menem, y controlaba la entrada de visitantes. Nada se hacía sin su visto bueno. A la madrugada, cuando Menem se despertó, pidió que encendieran la radio y se colocó una bata que le había enviado el diseñador Ante Garmaz. El periodista Bernardo Neustadt, internado en la misma clínica por una operación de próstata, llegó a saludarlo. Apenas podía caminar y se quejaba por el dolor.

–No lo podía creer cuando él mismo me llamó y me dijo que lo iban a operar. A Menem esto lo favoreció políticamente, porque los indecisos y los independientes sintieron el vacío de poder. Ellos pensaron: ¿Y qué pasa si no está Menem? Cuando lo fui a visitar me dijo: "¿Viste, Bernardo, que la última palabra la tengo yo?".

Carlos Menem pasó la noche posterior a la operación tomado de la mano de su ex esposa y seguido de cerca por sus hijos. Zulema jugó discretamente el rol de primera dama en varias audiencias. Mantuvo un diálogo fluido con Ramón Hernández, un personaje que ella aborrecía, y hasta se mostró simpática y gentil en otro reencuentro no menos importante: el domingo 17, después de ver el partido River-Boca por televisión, aparecieron en la habitación Eduardo Menem y Susana Valente. Las dos parejas estaban distanciadas por viejas disputas.

–Ya es un hecho el reencuentro con Menem. Es muy importante ver la familia unida en este momento. Pero yo no quiero tocar el tema de la reconciliación en un momento tan delicado como éste. Yo soy muy creyente en el destino, y éste es un aviso que Dios nos dio para tratarnos mejor y saber que en este mundo no solamente está lo material, sino el afecto –dijo Menem al retirarse de la clínica. A los cuatro días volvió sobre el tema familiar, con una sonrisa cargada de mensajes cifrados.

–Este es un tema muy, pero muy familiar, muy personal. Con Zulema hemos pasado cuatro días hermosos, sin problemas. Lo importante es que hemos estado juntos con nuestros maravillosos hijos.

"Hacélo por nosotros, vieja"

La historia de Carlos Menem y Zulema Yoma es una historia de desencuentros, de sobresaltos, de pasiones desmedidas. Nada de esto tendría importancia si no fuera porque, a través de ellos, de sus escándalos y desatinos, transcurrió gran parte de la historia argentina de la última década.

Los enredos judiciales del expediente de divorcio tienen correlato con la vida de los protagonistas.

En 1973 los dos firmaron un escrito judicial en que "reconocían su separación matrimonial de hecho". En 1984, Zulema promovió acciones legales contra Menem. En 1987, Menem inició un trámite de separación que interrumpió en mayo de 1988, por pura conveniencia política. En

1991, después de que fue expulsada de la residencia de Olivos, Zulema inició otro juicio de divorcio –el definitivo–, con descripciones reveladoras de la intimidad de la pareja. En relación con los bienes gananciales hubo siempre una nebulosa alimentada por innumerables fantasías que se tejieron sobre la dimensión de la real fortuna acumulada por Carlos Menem durante estos años.

Días después de ser arrojada de Olivos, Zulema habría amenazado con revelar el número de cuenta de Menem en un banco suizo. Dicen que el empresario Jorge Antonio y su hermano Emir la convencieron de no hacerlo y a cambio de esto ella logró que Menem mantuviera en sus cargos a sus hermanos. Durante el trámite de divorcio, alrededor de 1993, Zulema reiteró su amenaza. Testigos de estas escenas aseguran que Menem, al enterarse, inmediatamente comenzó a visitarla: la seducía, le regalaba flores o cenaban juntos en el departamento de Posadas. Zulema se calmó y él hizo tiempo para cambiar los códigos. En un reportaje que le hizo Jorge Lanata en Anillaco, Menem le aseguró que había arreglado con Zulema una cuota de ocho mil quinientos pesos por mes, pero que no se la daba porque ella vivía de la renta que le daban varios departamentos en alquiler. Zulema negó esa versión y dijo que ese dinero le llegaba todos los meses a través de distintos amigos, de Gostanian o de Zulemita.

¿La verdad? Oscura como los agujeros negros del espacio.

Una mañana, días antes de estrellarse con el helicóptero que piloteaba, Carlitos Junior entró en el departamento de su madre y le pidió que aceptara firmar un escrito junto con su padre para pedir el divorcio por "mutuo acuerdo". El pedido de divorcio iniciado por Zulema ante la jueza Delma Cabrera era por "infidelidad e injurias graves". El consentimiento mutuo está basado en la existencia de "causas graves que hacen moralmente imposible la vida en común". O sea que no se atribuyen culpas a ninguno de los cónyuges y ambos comparten la responsabilidad de la separación. Y lo más importante: los bienes de la pareja se pueden acordar por vía extrajudicial, como finalmente sucedió.

En septiembre de 1998, *Veintiuno* publicaba en exclusiva la declaración definitiva de bienes de Carlos Menem. Andrea Rodríguez, responsable de la primicia, decía: "La fortuna reconocida de Carlos Menem es de 1.945.052 pesos. Pero esta cifra trepa por lo menos al doble si se considera que en su declaración jurada de bienes Menem consignó propiedades de valores menores que los reales y omitió bienes, como por ejemplo, una casa en la calle Juan Bautista Alberdi 740, de La Rioja, cuyos inquilinos confirmaron a la revista que pertenece a Menem. Carlos Menem tiene caballos de carrera, autos de colección, obras de arte, armas, veintiséis lotes en Chilecito, La Rioja, dos Peugeot 405, dos Renault Fuego, una Pathfinder, una moto Honda modelo 1995, un cuatriciclo Yamaha y un camión Ford 400. Según su declaración patrimonial presentada en la Escribanía General de la Nación y la Oficina de Ética Pública, es propietario además de una casa y una cochera en La Rioja y dos departamentos en Capital Federal, un avión Cessna Centurión, el edificio de la calle Dardo Rocha, donde funcionó el taller de Junior, y la mansión de Anillaco, declarada como 'obra en construcción'".

Hasta ese momento el único dato que se tenía de los bienes de Carlos Menem correspondía a una lista de contribuyentes al impuesto a Bienes Personales publicada por la DGI, en 1992. La primera declaración jurada de Menem, de 1991, revelaba un patrimonio considerable: 936.000 más bienes no gravados por 485.000. En 1997 Carlos Menem reconoció bienes por 1.945.052 pesos, lo que indica que ahorró medio millón de dólares en cinco años, siendo Presidente.

El artículo de *Veintiuno* no reveló lo que todos esperaban, pero trajo un poco de luz a un tema que siempre se manejó en las sombras y sobre la base de rumores.

Créase o no, aseguran en el entorno que una noche de 1995 se realizó una fiesta en el palacio que Mario Falak posee en la isla del Tigre en la que Carlos Menem, rodeado de sus íntimos, festejó la dimensión que entonces alcanzaría su fortuna: mil quinientos millones de dólares. El palacio que mandó construir en las montañas del Kalamud, en Siria, y las acciones millonarias que le habría manejado el banquero mendocino Raúl Juan Pedro Moneta antes de terminar prófugo de la Justicia, así como los negocios que le maneja su cuñado Emir, la sociedad con Carlos Spadone, los millones que administra Armando Gostanian y el rol de Alberto Kohan continuarán alimentando los misterios sobre la dimensión de su riqueza.

–Don Jorge, yo quiero ser el hombre más rico de la Argentina –le dijo en 1989 a Jorge Antonio.

Parecería que logró su sueño.

–No sé dónde quedó el escrito que me mandaron. Lo único que me acuerdo es que decidí firmar porque Carlitos me lo pidió. "Hacélo por nosotros, vieja", me dijo. Y a los pocos días mi pobre hijo estaba muerto –respondió Zulema cada vez que esta periodista le preguntó por el testimonio de su separación matrimonial.

Aunque Zulema Yoma no sepa a qué rincón de su casa fue a parar la resolución judicial de su divorcio del hombre con el que compartió tumultuosos treinta años, lo real es que ésta se resolvió a las pocas semanas de la muerte de Junior y en medio de los preparativos del viaje que ella emprendió con Zulemita a La Meca. Cuando todavía estaba instalada en Olivos y las apariencias hacían suponer que la trágica muerte de su hijo y el inmenso dolor compartido la habían acercado a su ex marido.

Sin embargo, debajo de aquellas apariencias, crecía un incendio.

Más grande y más ardiente que el mismo infierno.

EL REY SOL

Y mantuvieron un tren de casa extraordinario gastando
con esplendidez y dando festines sin igual. Y cuando
sus invitados habían comido y bebido hasta la saciedad,
mandaban distribuir las sobras entre los pobres y derviches.

Las mil y una noches

Estaba erguido vanidosamente ante el espejo, mirándose de costado. Se veía espléndido así, de traje rasado gris celeste, camisa oscura y corbata Versace de colores fuertes, que le hacían juego con el pañuelo que asomaba del bolsillo superior izquierdo. Olía a sándalo y a hierbas de sales de baño. Respiraba hondo, se pasaba la mano por el pelo teñido, tiraba del saco hacia abajo y volvía a mirarse desde otro ángulo, completamente extasiado consigo mismo.

–Carlos, lo vas a gastar al espejo, dejálo en paz, que ya te conoce –bromeó Ramón.

–Nunca se alcanza a conocer a un rey.

–Pero, ¿quién te creés que sos? ¿Te volviste loco?

–*Io* soy el Rey Sol y estoy en la historia de Francia.

Por esos días Carlos Menem se había apasionado con una biografía de Luis XIV que recogía los lujos, los fastos, las cortesanas libertinas de la Francia de finales del 1600, en la que cristalizó la doctrina del absolutismo monárquico. Aquella opulencia desmesurada lo embelesaba.

Cerraba los ojos y se veía a sí mismo como el joven rey que se consideró representante de Dios en la Tierra y exigió un verdadero culto de la persona real. Aquel que tuvo la particularidad de entrelazar el nacionalismo francés con un fuerte personalismo. El que marcó el momento culminante de la supremacía de Francia sobre toda Europa. Y sobre todo, el que restó de las arcas públicas setenta y cinco millones de dólares para dar esplendor de su reino mandando a construir el Palacio de Versalles. Mármoles, espejos, molduras, terciopelos, enormes arañas de cristal y fiestas grandiosas acompañaron su reinado. Cuando alguien se atrevió hacerle ver que estaba dilapidando los fondos del fisco, él respondió convencido: *"L'Etat c'est moi"*.

"El Estado soy yo", traducía Carlos Menem. Evocaba la frase en la penumbra de su recámara y la repetía hasta quedarse dormido, de costado, con las manos debajo de la cara.

Por las noches le gustaba leer en la cama hasta que el somnífero le hacía efecto. Sin avisar, abandonaba el living y desaparecía por la escalera alfombrada. Sobre la mesa de luz del dormitorio del primer piso de Olivos tenía siempre dos o tres libros. Algunos venían con frases subrayadas por alguno de sus alcahuetes. Él las memorizaba y las intercalaba después en sus discursos.

Aquel mediodía de 1994 Carlos Menem estaba en el cenit de su poder. A pesar de las repercusiones internacionales de los escándalos de corrupción de su gobierno y el costo social de sus reformas, los diarios y revistas más influyentes del mundo hablaban del "milagro argentino".

–Se habla de un modelo o ejemplo argentino. Incluso hay quien lo define como "menemista". ¿Cuál es su opinión? –le había preguntado un periodista del prestigioso semanario español *Tribuna*.

–Desde luego que hay un modelo que nosotros aplicamos y que difiere completamente del que estábamos acostumbrados: una política pendular de gobiernos democráticos, pseudodemocráticos o dictatoriales que prometían mucho, incumplían casi todo y dejaban al país en la ruina. Nunca un gobierno argentino ha hecho tanto en tan poco tiempo. Las privatizaciones se realizaron en tiempo récord.

–Sus críticos dicen también que la corrupción se ha multiplicado desde que se instaló el "modelo"...

–Las acusaciones de corrupción hay que demostrarlas aportando pruebas, denunciando a los corruptos en los tribunales. No hay un solo funcionario del gobierno que haya sido acusado de un acto de corrupción y condenado por un tribunal. En cambio podría citarle seis o siete casos de funcionarios del anterior gobierno que sí lo fueron.

El brillo tan ansiado. De Anillaco a la cumbre del mundo. Y él allí, en lo alto, mirado por todos. Reyes, presidentes y líderes de países poderosos observaban con simpatía su figura exótica. A esa altura de los acontecimientos, Carlos Menem era ya dueño de un estilo más refinado en el vestir y en los gestos. Había realizado más de cien viajes alrededor del planeta (Estados Unidos, Europa, Chipre, Japón, Medio Oriente, amén de los vecinos latinoamericanos), algunos, a bordo del *Tango 01*.

La compra del lujoso avión –operación millonaria encargada a Eduardo Bauzá y al brigadier Andrés Antonietti– desató una oleada de cuestionamientos. Fue una compra millonaria directa a la Ansett Worldwide Aviation Equipment de Hong Kong, pero el equipamiento fue confiado a la Associated Air Center de Dallas. El gobierno pagó 66.291.000 dólares, más un sobreprecio de trece millones, según una información aparecida en la revista especializada *Business Plane*, de mayo de 1992. Un grupo de diputados de la oposición puso el grito en el cielo y hubo un pedido de informes.

Pero a él nada lo afectaba.

–Son unos mediocres, no me perdonan el éxito, por eso denuncian –murmuraba al leer los recortes de prensa que sus hombres le alcanzaban en Olivos.

–Criticar la compra del avión es una frivolidad. ¿Qué quieren, que nos matemos? –exclamó un mediodía en el programa de Mirtha Legrand, mientras detrás de las cámaras sus obsecuentes festejaban su desparpajo a las carcajadas.

Era el tiempo del encantamiento y de los aplausos.

Menem hablaba del ex presidente George Bush y decía "mi amigo George". Al demócrata recién asumido Bill Clinton lo llamaba "mi amigo Bill". Pensaba en Felipe González y decía en voz alta "mi amigo Felipe". Por ese entonces compartía con su par español un odio común: el juez Baltasar Garzón. El magistrado que investigó los lazos de su familia política y de su gobierno con el narcotráfico había pegado un portazo al cargo de diputado por el socialismo. Instalado en la Audiencia Nacional, Garzón iniciaba una investigación que desnudaría la relación del gobierno del PSOE con un grupo paramilitar –los Gal– de represión ilegal a la guerrilla etarra. Una causa judicial que amenazaba peligrosamente al gobierno de Felipe González.

–Un traidor. ¿De qué otra manera se le puede llamar a ese juez que mordió la mano del que le dio de comer? –me dijo Menem un mediodía, en Olivos, sobre el final de un reportaje, solidarizándose con su par europeo.

En realidad, parecía que la referencia a la situación del español era un reflejo de sus propias aversiones. Nada despreciaba más en el mundo que la traición. De los demás, claro.

Se deleitaba frente a los corresponsales españoles contando ciertas coincidencias que tenía con el rey Juan Carlos, relacionadas con la pasión de ambos por las mujeres.

–Del mismo palo –añadía con un guiño de complicidad.

151

Su cruzada contra Fidel Castro llamaba la atención de periodistas y jefes de Estado en cada Cumbre Iberoamericana. Los dos caciques protagonizaban divertidos duelos verbales, en una competencia por demostrar quién era el más habilidoso, el más pícaro, el más chistoso. Se peleaba públicamente con Fidel, pero en la intimidad Carlos Menem no podía ocultar la envidia que le provocaban los cuarenta años de permanencia en el poder que llevaba el cubano. Elucubraba –un poco en broma y otro poco en serio– la manera de alcanzar un paraíso idéntico. Fuera de escena, Fidel le mandaba religiosamente habanos Cohiba, y él le retribuía el gesto enviándole a la isla cajas de vinos y champán de la bodega familiar.

El plan de convertibilidad de Domingo Cavallo funcionaba como un reloj suizo y Carlos Menem recogía los aplausos del mundo. Aseguraba que el estatismo peronista era parte del pasado, que no había nadie más liberal que él y que en la Argentina ningún otro podía llevar adelante las transformaciones económicas. Lejos estaban los tiempos en que la Embajada de los Estados Unidos, el establishment local y Bernardo Neustadt se burlaban de su figura.

Carlos Menem había esperado la llegada de su cielo con la paciencia que traía inscripta en sus genes. Y lo disfrutaba como un califa. Hacía y deshacía a su antojo. Como un verdadero príncipe italiano, el destinatario de los consejos de Maquiavelo que él se esmeraba por seguir e imitar, amaba, traicionaba, usufructuaba, mentía y se complacía con el poder sin fisuras.

Los empresarios más poderosos se postraban a sus pies. Franco Macri, Santiago Soldati y Benito Roggio se peleaban sin pudor para conseguir un lugar en el avión presidencial, que recorría el planeta con una desorbitada comitiva. Millonarias inversiones extranjeras desembarcaban atraídas por la apertura de la economía y las ganancias infinitas que les aseguraba su gobierno.

Era el capanga de una Argentina finisecular que caminaba hacia una altísima concentración y centralización del capital. Una economía dolarizada y sin rastros del fantasma de la hiperinflación alfonsinista. Eran los tiempos del auge del consumo y el endeudamiento doméstico en cómodas cuotas, del florecimiento de los shoppings y las mesas repletas en los restaurantes del remodelado Puerto Madero. El Primer Mundo tan ansiado. Estaba convencido de que la historia argentina marcaría un antes y un después de Menem. Como Perón. Como Roca. Su nombre brillaría en los libros, aun sobre aquellos.

Mientras tanto, 1994 transcurría sembrado de contrastes, sin zonas grises. Como cada milímetro de su vida. Las reuniones de gabinete se transformaban en verdaderos campos de batallas verbales entre pesados de la política. Domingo Cavallo, Eduardo Bauzá, Carlos Ruckauf, Eduardo Menem, Carlos Corach y Hugo Anzorreguy sacaban a relucir sus espadas ante la mirada pícara del Jefe.

Él los dejaba hacer. Alimentaba las luchas internas entre todos. Y estaba con todos y con ninguno.

"Metéle para adelante", le decía a cada uno sonriéndole como si fuera el único. Si ganaban, el triunfo era suyo. Si fracasaban, era problema de ellos. "Que se la banquen solos", remataba después de alguna caída.

En el camino quedaron Juan Bautista Yofre, Mario Caserta, Miguel Ángel Vicco, Jorge Triaca, Amira Yoma, Matilde Menéndez, José Luis Manzano, Gustavo Beliz, Carlos Spadone y Alberto Kohan, quien, sin embargo, en 1995 regresaría con el cargo de secretario general, para convertirse de ahí en más en el ladero fiel de la retirada.

Carlos Menem había llegado para quedarse.

Los militares no significaban un peligro para la democracia. Una profunda reestructuración de las Fuerzas Armadas las había quebrado económicamente, restándoles capacidad, y sus integrantes pasaron a desfilar por el mundo como integrantes de las Fuerzas de Paz de las Naciones Unidas. Al frente del Ejército, Menem había colocado a un hombre que le caía bien por su audacia: Martín Balza, concuñado de Raúl Alfonsín y héroe de Malvinas. El general había inaugurado su cargo en diciembre del '90 reprimiendo con violencia a los carapintadas seineldinistas que tomaron el Regimiento de Patricios y el edificio Libertador. Entre los rebeldes había ex camaradas suyos durante la guerra del Atlántico Sur. Balza era amigo de Seineldín y de Jorge Romero Mundani, los dos cabecillas del motín, el último de los cuales se pegó un tiro adentro de un tanque. Pero a Balza no le tembló la mano a la hora de reprimir. Y ese único gesto lo ayudó a ganarse un lugar de privilegio bajo el paraguas del Jefe.

En cuanto a los sindicalistas, aunque despotricaban contra las medidas económicas, estaban tan desmembrados que prácticamente todo quedaba en el verbo. Las protestas de algunos gremios –como la UTA de Palacios, el de Camioneros con Moyano a la cabeza y ATE, con De Gennaro– lograban cierto grado de convocatoria pública, pero sus movilizaciones eran aisladas y no tenían fuerza. Del otro lado, el gastronómico Luis Barrionuevo, el plástico Jorge Triaca, el petrolero Diego Ibáñez, Carlos West Ocampo, Antonio Cassia y Gerardo "Cucharita" Martínez, de la Construcción, participaban exultantes en las veladas de pizza y champán.

Por lo demás, la cúpula de la Iglesia le rendía pleitesía. Sólo algunos obispos, los del ala más radicalizada, eran críticos al modelo: Justo Laguna, Jorge Casaretto, Jorge Novak, Rafael Rey y Miguel Hesayne eran los más implacables. Sus declaraciones solían encresparle el ánimo. Sin embargo, Menem también sabía deleitarse con sus puntazos. Le había tomado el gusto a la reyerta y les salía al cruce con dureza, al mismo tiempo que cerraba filas con los padrinos de la Curia: monseñor Antonio Quarracino, el cardenal Raúl Primatesta, el obispo de Avellaneda Emilio Di Monte y el obispo de Luján, Emilio Ogñenovich. Además, con el nuncio Ubaldo Calabresi hasta compartía dentista: el prestigioso Carlos Cecchi.

Carlos Menem aceitaba con astucia el engarce con los poderosos habitantes del Vaticano.

Por ese entonces, las relaciones con los allegados al Papa comenzaban a rendir sus frutos. Sobre todo las que se empezaron a tejer con Ángelo Sodano, el secretario de Estado del Vaticano, al que los menemistas rendían culto buscando la aprobación celestial para los florecientes negocios. Los públicos y los personales.

Aunque había conocido informalmente al Papa en 1990 y en 1992, fue en diciembre de 1993 cuando concretó su primera visita oficial al Vaticano. Podía recordar aquel día, cuando descendió del avión en Roma, el viento helado calándole los huesos. Bajó de la mano de Zulemita, toda de blanco, con un exótico conjunto de pantalón y tapado largo con ajustado cinturón. Ambos ofrecieron su sonrisa exultante bajo el despliegue de la guardia de honor que los esperaba al final de la escalerilla. Y se olvidaron del frío.

Juan Pablo II distinguió a Carlos Menem con el Gran Collar de la Orden de Piana. El galardón, instituido en 1847 por Pío XII, fue destinado a premiar "las virtudes y los valores individuales". John Kennedy y el emperador Akihito, de Japón, se contaban entre las pocas personalidades ligadas con poder político que recibieron esa condecoración, equivalente al título nobiliario de conde. Ahora le tocaba a él. Le fue entregada en la suite real –de diez mil dólares la noche– ubicada en el primer piso del espléndido Hotel Excelsior de Roma.

–El conde de Anillaco –bromeaban los exaltados obsecuentes en el lobby del hotel.

Mario Falak, Elsa Serrano, el peluquero Miguelito Romano, Carlos Spadone –el empresario procesado junto con Vicco por la venta de leche podrida al Estado– y Ramón Hernández charlaban allí animosamente con Eduardo Bauzá, Hugo Anzorreguy y Carlos Ruckauf, quienes también exhibían sus propias condecoraciones. Amalia Lacroze de Fortabat, la reina argentina del cemento y embajadora itinerante del menemismo, festejaba las chanzas cortesanas a las carcajadas, con una copa de champán a medio tomar en la mano. No había viaje presidencial que no contara con su blonda presencia.

Había más razones para la risa: la modista y el peluquero habían logrado quebrar el rígido protocolo del Vaticano. Se habían infiltrado en la biblioteca privada del Pontífice, una zona vedada a los extraños y a la que sólo logran entrar invitados muy especiales. Elsa Serrano se puso vestido largo y mantilla, y pasó. Pero Miguelito Romano estaba de traje de calle y así no había caso. Entonces, Menem le dijo a su ex jefe de la SIDE, Juan Bautista Yofre, que había alquilado un frac para entrar:

–Tata, sacátelo y dáselo a Miguelito, que lo necesito. Me lo pidió la Nena.

Así fue como el peluquero lo logró.

Durante aquel encuentro, Menem le presentó al Papa el proyecto de los Cascos Blancos, una suerte de brigada internacional de lucha contra el hambre que más tarde sirvió de excusa para que Kohan comenzara un lobby internacional destinado a lograr para Menem el premio Nobel de la Paz.

–Santo Padre, nada me gustaría más que rezar juntos... –se animó Carlos Menem a los oídos del pontífice.

Terminado el encuentro, Karol Wojtyla lo invitó a seguirlo hasta una sala contigua a la biblioteca. En la capilla privada, de rodillas, ambos rezaron con unción. Después de eso, a Menem ya no le importaron las críticas ni los reproches públicos. De Dios para abajo, no le tenía miedo a nadie.

Era un animal de pelea. Un tigre, como Facundo.

"Un cóndor que vuela alto", como se definió a sí mismo en un reportaje que le hice.

Como Luis XIV, una voz interior le decía *"L'Etat c'est moi"*. Pero en castellano, porque de francés Carlos Menem no entiende ni jota.

El Versalles de Olivos

Imbuido de ese espíritu versallesco, el Presidente mandó a reciclar la residencia de Olivos y la Casa Rosada. Las millonarias refacciones fueron encargadas al arquitecto Alberto Rossi, marido de Zoraida Awada, dueña de la casa de moda del mismo nombre y prima del médico presidencial Alejandro Tfeli. Desde un principio Rossi pasó sus días instalado en Olivos. Cuando Menem estaba en Anillaco viajaba con él y hacía cualquier cosa que éste le pidiera, desde ayudar a Zulemita en sus estudios de arquitectura hasta aconsejar a Carlitos en sus negocios. En 1990, Rossi fue el lazarillo de Zulemita en su viaje a Europa y sugería en los oídos de cuantos se le acercaban que su relación con la joven era algo más que amistosa. Si su principal objetivo en la vida era ser millonario, lo estaba logrando con astucia.

–En el '89 llegaban desesperados a Olivos en una destartalada renoleta verde y ahora viven en el country Tortugas y son millonarios –fue la definición de Zulemita sobre el "arquitecto de la corona", años más tarde, en la cocina de la casa de su madre.

A mediados de 1994 Alberto Rossi ya recaudaba millones con el Bingo Lavalle, un negocio redondo que tenía en sociedad con Nicolás Maccarone, ex dueño del Patio Bullrich, Ricardo Glazman, Ángel Meiriño –hijo de Esteban, el intendente de la quinta de Olivos– y Ramón Hernández, que terminó vendiendo su parte y peleándose a muerte con el arquitecto. Pero Rossi iba a por más. Recorrió para eso los pasillos del Concejo Deliberante en procura de que le habilitaran la instalación de un hotel internacional con casino, en la zona de Retiro. El 10 de junio, Menem había firmado otro de sus famosos decretos de necesidad y urgencia –esta vez, el 902– mediante el cual le abría la puerta a Lotería Nacional para la convocatoria a un concurso nacional e internacional para conceder una "licencia de explotación de una sala de juego destinada a casino".

Las críticas se hicieron oír fortísimas. La Iglesia, la Embajada de Estados Unidos, Domingo Cavallo, la oposición y los vecinos pusieron literalmente el grito en el cielo.

–Esto va a ser otro Swiftgate... –pronosticaban en el Ministerio de Economía.

El 18 de junio, poco antes de viajar a Canadá y los Estados Unidos y mientras jugaba al golf, Menem juró:

–El casino se hace, le pese a quien le pese y caiga quien caiga.

Las promesas de la cadena Mirage de Estados Unidos, que presionaban a través de Rossi, habían entusiasmado a Menem: diez mil puestos de trabajo, una inversión de quinientos millones y doscientos millones por año de pago de impuestos.

–Carlos, me parece que no conviene seguir con este tema, hay mucho quilombo... –deslizó Eduardo Bauzá.

Menem lo miró y se hizo el distraído. Era la mañana del lunes 27 de junio de 1994 y los dos se habían encontrado, como todos los días, para intercambiar información sobre asuntos de Estado, fundamentalmente, del seguimiento de lo actuado por la Asamblea de Constituyentes que se desarrollaba en aquellos días en Santa Fe y Paraná. Bauzá y Cavallo eran entonces, después de Menem, los hombres más poderosos de la Casa Rosada. Particularmente, los negocios que florecían al amparo del menemismo, debían pasar por el despacho del primer piso, pegado al presidencial. Si el "Flaco" no estaba de acuerdo, cualquier intento se desbarrancaba.

–Flaco, son diez mil puestos de trabajo, ¿qué les pasa?, ¿son boludos?

–Carlos, hay demasiadas críticas. Los radicales están calientes y no podemos correr el riesgo que por un casino se pudra la reelección...

Se hizo silencio, un espeso silencio.

–Está bien... No sé, después de todo, a quién se le ocurrió esta idea...

Carlos Menem dio marcha atrás en un segundo. Las exultantes conversaciones con el arquitecto y sus propias ambiciones quedaron sepultadas en el olvido. Rossi se quedó sin la operación que le hubiera permitido cumplir con sus sueños de riqueza, pero tuvo premio consuelo. Entre 1992 y 1996, solamente la remodelación de la quinta de Olivos se devoró 12.036.000 pesos del presupuesto nacional. Se acondicionó la pileta, el quincho, la cancha de golf, el minizoológico y el microcine. Por los bolsillos de Rossi pasó parte de la construcción de la casa "La Rosadita", en Anillaco, y el refugio ecológico de la montaña, las veinticinco mil hectáreas donde Carlos Menem se recluye a meditar entre la paz de los cerros y el cariño de exóticos animalitos.

Los arreglos en la Rosada –casi treinta millones de dólares– fueron dirigidos por la arquitecta Alejandra Berducci, casada con Carlos Edgardo Menem, hijo de su hermano mayor Amado.

Carlos Menem disfrutaba de las refacciones del imperio como un chico. A veces, de madrugada, percibía cierto fulgor de pánico. Al vacío. Al desamor. Alguna noche frente a la televisión, cuando escuchaba los insultos de aquellos que eran expulsados del sistema, los jubilados, los nuevos pobres, las víctimas del plan de privatizaciones que él ostentaba por el mundo como un trofeo de sus éxitos, tenía miedo a que todo pudiera desaparecer de un zarpazo. A quedarse solo sin su reino de luces. Y de millones.

El violentísimo levantamiento popular de fines de diciembre de 1993 en Santiago del Estero lo había sorprendido en la suite del Excelsior, mientras saboreaba los alcances de su visita papal. Las imágenes coparon las pantallas de los noticieros de las cadenas internacionales: la Argentina se había convertido en una llamarada. La imagen de aquellos desarrapados que habían tomado la casa del viejo caudillo santiagueño

Carlos Juárez, lanzando al vacío calzoncillos, bombachas y botellas de whisky, lo persiguió durante meses. Cada vez que andaba de gira por el exterior, un nuevo escándalo estallaba, opacando el éxito de sus travesías. Empezó a pensar que extrañas fuerzas, empujadas por algún enemigo invisible, trabajaban desde las sombras para perjudicarlo. Para ensombrecer su brillo.

Entonces pedía a Ramón que llamara a sus oráculos, a sus clarividentes.

Un trabajo encargado al encuestador oficial Julio Aurelio en agosto de 1994 le mostró en cifras el creciente malestar popular en relación con su gobierno. El programa económico registraba su nivel más bajo de adhesión desde el verano de 1991. Sesenta y cinco por ciento de los argentinos juzgaba como mala o regular la marcha del plan. En el primer semestre de ese año el déficit comercial había alcanzado los tres mil millones de dólares, tres veces más que el acumulado en el mismo período del '93. Los analistas económicos explicaban que las ofertas de trabajo, que habían aumentado en los dos primeros años de la Convertibilidad, se habían debido al incremento del salario familiar en términos de bienes comerciables y al incentivo derivado del crédito para el consumo. Pero la verdad había quedado al desnudo.

—A partir de 1993 fueron las cesantías las que, en gran medida, obligaron a trabajadores secundarios a ingresar en el mercado laboral para completar el presupuesto familiar. El resultado final fue el aumento del desempleo, que aumentó en setecientos mil entre 1990 y 1994, a pesar de la enorme expansión económica —aseguraba Osvaldo Kacef, investigador del Instituto para el Desarrollo Industrial de la Fundación de la Unión Industrial Argentina.

—No haga caso, Jefe. Son todos unos hijos de puta pagados por los zurdos. La gente lo ama y los negros lo acompañan. Se quejan, pero después lo votan —replicaban los aduladores nocturnos de la quinta, mientras él eliminaba con el zapping las horribles imágenes que le mostraba la pantalla.

Pero algo había cambiado. Ya no se desplazaba desde Olivos a su despacho en la Casa Rosada como en los primeros años, sacando medio cuerpo por la ventanilla del auto y tirando besos a los transeúntes o automovilistas que lo reconocían. Ahora viajaba en helicóptero. Lejos de los repentinos odios sociales que tanto lo perturbaban.

Releía a Maquiavelo:

"Los hombres aman según su voluntad y temen según la voluntad del Príncipe. De modo que, si el Príncipe tiene prudencia, debe cimentar

158

su poder en sí mismo y no en los demás, procurando únicamente que no lo odien sus vasallos".

Volvía a su amado Luis XIV. A las causas que provocaron la decadencia del reinado del más grande de los reyes de Francia:

"Es muy difícil estudiar en sus distintas fases el agotamiento gradual de una nación. Pero podemos observar que, en términos generales, dicho agotamiento es similar al que experimenta el hombre al llegar a una edad muy avanzada. Y cuando el Estado se halla encarnado en un hombre, la edad de éste es la edad del Estado. Sin embargo, en el caso de un Estado, la relación de causa-efecto no es tan segura como en el caso de un individuo. Por lo común, después de un éxito culminante en la trayectoria de un país, sobreviene un cierto estado de abandono, debido tal vez a la confianza excesiva en el azar que se ha demostrado tan pródigo".

Superada la angustia, regresaba otra vez a las certezas de su encumbramiento.

Pero por el momento tenía apuntada toda la batería de su reelección a la estabilidad económica. Y para eso era indispensable la presencia de Domingo Cavallo. Por eso soportaba con paciencia oriental las embestidas de su ministro contra algunos integrantes de su gabinete.

Por esa época Cavallo pedía las cabezas de sus y amadas mujeres: Matilde Menéndez, Adelina Dalesio de Viola y Claudia Bello. Las dos primeras se cayeron ese mismo año. Pero contra "Claudita", la niña de sus ojos, no pudo. Menem escuchaba al impaciente Mingo y se hacía el distraído ante sus reclamos. No le contestaba. Lo ignoraba. Le hacía minga.

Hervía de furia cuando lo veía posar en las revistas diciendo que él era el "padre de la criatura". O cuando Sonia Abrazian de Cavallo declaraba públicamente que su marido llegaría a Presidente. Sentía en la nuca los aires de superioridad de aquel cordobés frontal que él había llevado a su lado, primero, como canciller y después, en reemplazo de su amigo Antonio Erman González. Entonces alentaba con una sonrisa las peores conspiraciones de sus laderos. Ellos conocían los códigos.

La ofensiva del menemismo hacia el poderoso equipo económico que operaba monolíticamente como un ejército en el Palacio de Hacienda crecía solapadamente.

Una mañana de mediados de noviembre, en una reunión del equipo económico, Domingo Cavallo amenazó otra vez con su renuncia. Mencionó a las mafias y al narcotráfico, les dijo a sus colaboradores que, si el Presidente no vetaba la Ley de Privatización de Correos que había sido sancionada ese mismo día en el Senado, él se iba del gobierno. Los detalles de la reunión trascendieron en el diario *Clarín* y se desató la tormenta. La ley aprobada estaba hecha de manera tal que, a la vez que otorgaba el monopolio del rubro a las empresas sospechadas de pertenecer al grupo de Alfredo Yabrán, cerraba el paso a la participación de empresas extranjeras. Desde la embajada de los Estados Unidos, James Cheek se solidarizó con Cavallo, pero lo hizo en clara defensa de la americana Federal Express, interesada a su vez en el negocio. Y se fue de boca:

–Si se aprueba esa ley, vamos a responder el ataque –dijo.

Al otro día tuvo que ir a dar explicaciones a la Casa Rosada. Poco después de abandonar el cargo de embajador, Cheek se dedicó a los negocios. En la actualidad ocupa un cargo en el directorio de Ciccone Calcográfica, una empresa cuya propiedad ha sido atribuida a Alfredo Yabrán.

Los alcances de la pelea generaron incertidumbre y azuzaron viejos temores de la población, que volvió a recordar las épocas de inflación, sobre todo después de oírle decir a Cavallo:

–Hay senadores, diputados y funcionarios del gobierno que quieren que me vaya.

Tras una reunión armada por Bauzá, Carlos Menem salió a respaldar al titular de Economía:

–Cavallo seguirá conmigo. Es el mejor ministro de Economía que ha tenido la Argentina. A mí no me condiciona nadie, a excepción de Dios y el pueblo –aclaró desde La Rioja, donde se encontraba con el jefe de la SIDE, Hugo Anzorreguy, y su amigo, el gobernador Bernabé Arnaudo.

Aunque en el '94 Menem soportaba con estoicismo sus explosiones, y cada dos por tres tenía que salir a confirmarlo, a veces lo ganaba el hartazgo. En la intimidad del palacio rezongaba y prometía venganzas contra lo que consideraba una extorsión política. Una de aquellas noches, bajo el humo azulado de un habano, Carlos Menem comenzó a acariciar pacientemente la idea exacta de la destrucción política de su ministro más poderoso. Nada le fascinaba tanto como desintegrar a los que se le animaban, a los que le disputaban el sillón.

La sombra Yabrán y sus vínculos oscuros con el poder sobrevolaban desde hacía meses la relación entre Menem y Cavallo. Pero nadie sospechaba entonces el desenlace que iría a tener aquella batalla apenas declarada.

En 1992, Cavallo había recibido un informe de Inteligencia sobre Yabrán en el que se hablaba de lavado de dinero y tráfico de armas. Adjuntas venían algunas fotografías aéreas de la espectacular casa de Yabrán en Martínez. El ministro le había pedido consejo a su amigo José Luis Manzano, y decidió ir hasta el fondo. Eran los tiempos en que se discutía la desregulación de los servicios en el aeropuerto de Ezeiza y comenzaban los disturbios que años más tarde terminarían en un escándalo de enormes proporciones.

Ya en marzo de ese año, Pablo Rojo, entonces subsecretario de Desregulación de Economía, había recibido en su casa amenazas de muerte para él y su familia. Seis meses más tarde, en Mar del Plata, una bomba había explotado en la casa de Guillermo Seita, ex militante de Guardia de Hierro y principal operador político de Cavallo. El 9 de enero de 1993, aniversario del casamiento de Seita, su esposa recibió un paquete primorosamente arreglado, alcanzado por una camioneta de la empresa OCA. Al abrirlo, la mujer se encontró con un ejemplar de *Más allá de la vida*, de Víctor Sueyro. En su interior el libro tenía un hueco portabombas vacío y un cartelito que decía: "Esta vez fue de juguete, si hubiera sido de verdad no alcanzabas a leer este libro".

Estos antecedentes pronosticaban que la pelea tendría dimensiones dantescas. El paso del tiempo lo probó.

"Alguien tiene que ir preso"

El Narcogate, que involucró a su cuñada y entonces jefa de Audiencias, Amira Yoma, al marido de ésta, el sirio Ibrahim Al Ibrahim, y a su amigo y funcionario Mario Caserta en un escándalo internacional de tráfico de drogas y lavado de dinero, había hecho tambalear a su gobierno. Pero, por suerte, todo eso ya había quedado atrás. Como siempre, su cuñado Emir Yoma, "Moby Dick", como lo apodó Horacio Verbitsky, se había hecho cargo de la situación. Los que saben aseguran que Emir desembolsó varios millones de dólares para salvar a su hermana de la cárcel. Habría dado vuelta testimonios, hecho desaparecer agendas, comprado voluntades. Lo cierto es que se hizo todo lo necesario para que el affaire quedara como una conspiración de los medios o de sus enemigos.

–Me difamaron porque soy la cuñada del Presidente –dijo Amira apenas fue sobreseída.

Con la cara deformada por la cirugía estética y ojos de plástico azules, impecable y segura, se presentó en un programa especial conducido por Mariano Grondona, Marcelo Longobardi y Sergio Villarroel, en el que todo pareció estar previamente arreglado para hacer que saliera airosa.

Pero Carlos Menem siempre supo que su cuñada no era inocente.

El entorno fue testigo de las ambiciones desmedidas de Amira. De sus desequilibrios emocionales. De su codicia. La verdadera historia de las valijas Samsonite y de las estrechísimas relaciones de la mujer con el traficante de armas sirio Monzer Al Kassar eran conocidas por todos.

–Cuando le preguntábamos por las valijas, ella decía que traía bijouterie para vender en el Once –recordó un hombre del gabinete que compartía los viajes.

Carlos Menem era consciente de que salvarla a ella era salvarse él.

Amira nunca fue una simple pariente política. La explosiva e inestable hermana menor de los Yoma conocía todas las intimidades. Las políticas y las otras. Cuando Zulema fue expulsada de Olivos, Amira eligió quedarse junto al Presidente y durante un año no habló con su hermana. Por las mañanas era habitual encontrarla en el chalet presidencial actuando como una primera dama, vestida por Elsa Serrano y enjoyada por un joyero llamado Homero, con quien se peleó al poco tiempo de asumir como secretaria de Audiencias, enfurecida porque el artesano se quejó ante Emir por su voracidad para llevarse joyas carísimas y no pagarlas.

La cuñada del Presidente no tenía límites. Maltrataba a los ordenanzas de la Casa Rosada, a las mucamas y a los mozos, elegía la comida, filtraba los llamados telefónicos y controlaba la entrada de visitantes. Durante aquellos días, la intimidad entre Carlos Menem y Amira creció como nunca. Alcahuetes y ministros comenzaron a mirarla con recelo y algunos le declararon la guerra abiertamente.

Amira no sólo manejó con arbitrariedad la poderosa agenda presidencial: también se la llevó a su casa cuando Menem la despidió en medio del escándalo. A partir de entonces, comenzó a llamar por teléfono y amenazar con divulgar secretos de Estado.

–Decíle a Carlos que armo una conferencia de prensa y cuento todo. Van todos presos –le gritaba por teléfono a Ramón Hernández.

Por toda respuesta, Menem dejó de atenderla y la entregó sin miramientos, tal como había hecho con Ramón "Gallo Negro" Saadi –el hijo de su amigo y padrino político, el caudillo catamarqueño Vicente Leonides Saadi– cuando se destapó el escándalo por el asesinato de María Soledad Morales.

–Emir, hacé todo lo que sea necesario. Alguien tiene que ir preso por este tema. Yo no me voy a comer este garrón. Pero acá no la quiero ver más... –dijo sin que le temblara la voz.

De nada sirvieron las copiosas lágrimas de·Amira y los ruegos de Emir y Jorge Antonio para que la mantuviera en el cargo. Las relaciones con los Estados Unidos eran lo suficientemente estrechas e importantes como para que él las pusiera en peligro para defender las andanzas marginales de su cuñada. Conocía hasta qué punto le importaba al país del

Norte la lucha contra el narcotráfico y estaba dispuesto a ser el abanderado de esa causa.

Hundida en una profunda depresión, Amira visitó a su hermana y, en la cocina del departamento de la calle Posadas, le pidió perdón de rodillas. Días más tarde fue internada en una clínica del barrio de Belgrano, donde pasó varios días llorando en posición fetal.

En la madrugada del 17 de mayo de 1992, Zulema Yoma había recibido en su casa un llamado telefónico. Un hombre de voz áspera, un poco en árabe y otro poco en castellano, se presentó como Monzer Al Kassar. Después de los saludos cordiales –en los que se hicieron referencia a los ancestros y a la tierra lejana– el vendedor de armas le explicó que estaba preocupado por la trascendencia del escándalo que salpicaba a la familia Yoma.

–Zulema, mañana llega paquete importante a usted. Yo siempre ayudar paisano –dijo el sirio. Y cortó.

El 21 de mayo, acompañada por su abogado Alejandro Vázquez, Zulema se presentó en el programa "Hora clave" y pidió participar. Hacía muy poquito que había pasado por las manos de la cirujana Cristina Zeiter y estaba tan rejuvenecida que a Grondona le costó reconocerla. En sus manos traía un videotape, y lo proyectaron. En él se veía a Munir Menem, entonces embajador argentino en Siria, en una fiesta junto a Al Kassar. Hasta entonces el embajador había jurado no conocerlo.

En los pasillos del palacio cundió el pánico. Era un clásico aviso de Zulema a Carlos Menem.

–No pongo las manos en el fuego por mi hermana. Pero, ojo, Menem, no toquen a mi familia porque voy a hablar –amenazaba Zulema desde el departamento de la calle Posadas.

En aquel turbulento 1992 el gobierno estaba en llamas. En España, el juez Baltasar Garzón Funes tenía como informante a Andy Cruz Iglesias, un arrepentido cubano que le suministraba los detalles de la banda. El marido de Amira, Ibrahim Al Ibrahim, estaba prófugo en Siria.

La prensa internacional reflejaba todas estas noticias con dureza. El 12 de junio, el semanario inglés *New Statesman & Society,* publicó un artículo titulado "Nos gusta su estilo", firmado por Hugh O'Shaugnessy, en el que se leían estas cosas:

"Nunca el gobierno británico ha apoyado tanto al gobierno de Carlos Menem como el último de John Major. La frialdad que marcó la actitud británica hacia Perón no se encuentra en Carlos Menem, su heredero político."

"Difícilmente pase un día sin que un nuevo escándalo sea revelado sobre el presidente, en el hemisferio occidental, con probablemente la vida sexual más activa: algún nuevo detalle, alguna nueva aventura desenterrada de su pasado de playboy. Aproximadamente treinta amigos cercanos que formaban parte de su gabinete han tenido que renunciar desde que asumió la presidencia por cargos de mal comportamiento o criminalicios en su contra. Su cuñada está acusada de cooperar con el lavado de narcodólares. El ochenta y cuatro por ciento de los argentinos cree que hay corrupción en el gobierno y el cincuenta y cuatro por ciento piensa que Menem está haciendo poco y nada por solucionarlo."

"Y Zulema, una chica proveniente de su provincia natal, de La Rioja, a quien, de acuerdo con la leyenda, conoció y le propuso casamiento en las calles de Damasco, está causando graves problemas."

"¿Por qué Gran Bretaña le daría crédito a un hombre así? La explicación de la nueva relación británica con el peronismo es que Menem ha tirado las ideas salvajes de ese movimiento ideológico amorfo y se ha concentrado en el eje de su doctrina –el oportunismo– que permite a cualquier líder peronista definir al peronismo de mil modos diferentes."

"A pesar de la eventual vida sexual de Menem y las denuncias por corrupción entre sus filas, representa una nueva, ortodoxa y económicamente respetable Argentina. Puso fin a la hiperinflación que había heredado de su predecesor, estableció la paridad del peso con el dólar, motivó las privatizaciones a pesar de que los peronistas de su partido se opusieron fervorosamente, la aerolínea nacional está en manos de los españoles, los ferrocarriles construidos por los ingleses, y nacionalizados por Perón en los cuarenta, están siendo vendidos. No es difícil imaginar entonces por qué la diplomacia británica le sonríe a Menem. El bloqueo de rigor durante la guerra de las Falklands ya no tiene sentido. Ahora es tiempo de hacer dinero."

Los vivos y los muertos

Año complejo el '94. La familia andaba a los tumbos.

El primer día de febrero, Zulema Yoma echó a su hija de su casa.

–La nena está como hipnotizada, es víctima de un lavado de cerebro realizado por el entorno de Menem y su hermano Eduardo –aseguraba.

Zulemita cargó sus cosas en un bolso y se fue a vivir a Olivos, con su padre.

Zulema se presentó –espléndida después de otro tratamiento cosmético de revitalización, esta vez con células vivas– en el primer programa del año de "Hora clave" y acusó a su cuñado Eduardo Menem, a Eduardo Bauzá y a Carlos Corach por el alejamiento de sus hijos.

–Desde que llegó de Pinamar, la nena esta ida, echa una muda. Le pedí que se retire de mi casa y se vaya a vivir con el padre, porque noté un cambio muy grande en ella. Zulemita es una criatura que es todo un ángel, como lo era mi hijo Carlitos. Ese chico cariñoso, la imagen de un gran deportista, un chico del que yo estaba orgullosa, y que ahora me aparezca como un playboy. Yo estoy muy dolorida, pero esto es a causa del poder y él optó por lo más fácil. Se fue y tiene todo. Acá hay intereses en juego para que el Presidente no esté con su familia –dijo confusamente, con un Corán de tapas verdes en las manos.

Zulema vivía en el piso de Posadas al 1500 y, aunque cada tanto alguna de sus declaraciones le provocara escozor, Carlos Menem se sentía aliviado de no tenerla a sus espaldas controlando sus pasos como una sombra, marcando a sus chupamedias, desconfiando de sus pensamientos. Era consciente de que nadie en la vida lo conocía más que ella, y su lejanía lo tranquilizaba.

Su cuñado Emir se mantenía fiel, como siempre: todas las noches aparecía por Olivos para encerrarse con él en el dormitorio y hablar de negocios y de los más íntimos detalles de la vida familiar, esos que las escuchas telefónicas de la SIDE no lograban desentrañar. Por medio de Emir, Zulema le enviaba siempre algún mensaje que le servía para olfatear la dimensión de las tormentas. Lo más importante es que había recuperado a sus hijos. Con Carlitos la relación siempre había sido contradictoria, afectada por los vaivenes de sus disturbios con Zulema. Pero esta vez, con su apoyo, Junior se había mudado a un piso del barrio de Belgrano, decorado ostentosamente por Rossi con mármoles de Carrara, columnas y un enorme jacuzzi en el balcón. Esa decisión le valió a Carlitos que su madre no le dirigiera la palabra por un tiempo.

Con Zulemita, en cambio, la relación era maravillosa. La Nena, como la llamaba en la intimidad, era su calco, su par. Iluminaba sus ojos apenas irrumpía en su dormitorio y exclamaba con tono aniñado:

–¡Papi, a levantarse que salió el *soool*!

Por Zulemita, Carlos Menem era capaz de todo.

Y para ganar las elecciones, también. La reforma constitucional, vía Pacto de Olivos, le abriría el horizonte, podría aspirar a ser reelecto y, con un poco de suerte, a quedarse otros cuatro años más en el poder. Por esa época, el desempleo rondaba el doce por ciento. Anzorreguy y su equipo concentraban en la SIDE las encuestas sobre posibles candidatos y las tendencias del electorado. Sumaban con obsesión, se pasaban las horas haciendo cálculos en un pizarrón. Los números aseguraban que la imagen de Menem había descendido ostensiblemente y anunciaban la posibilidad de ballotage para las elecciones del '95. Los funcionarios temblaban ante la posibilidad de perder el poder. Sin embargo, y a pesar de los encuestadores, Menem tenía la íntima convicción de que el sillón de Rivadavia sería suyo otra vez:

–Vamos a ganar por el cuarenta y cinco por ciento de los votos y además lograremos más de diez puntos de diferencia –repetía cada vez que le ponían delante un micrófono.

El fantasma que lo había acosado en los dos primeros años de gobierno, terminar como su antecesor, Raúl Alfonsín, se había desvanecido. Los militares que en diciembre de 1990 se sublevaron, amenazando su seguridad, ahora dormitaban tras las rejas. Habían caído víctimas de su ingenuidad política.

Sin embargo, les había temido tanto como a Zulema o al castigo divino. Apenas estalló aquel levantamiento, Carlos Menem entró en pánico y le pidió sollozando a su cuñado Emir que preparara rápidamente el avión presidencial para escapar a España. Después, sus miedos viraron hacia el otro extremo –como de costumbre– y volvió a sentirse todopoderoso. Él era el comandante en jefe del Ejército y podía hacer lo que se le antojara. Y aun más. Podía matar o perdonar al enemigo. Vio en la situación la oportunidad de un escarmiento público que mostrara su poderío. A todos. En un segundo, por su cabeza pasó la idea de bombardear el edificio Libertador y fusilar a Seineldín, preso en una cárcel del Sur. Pero el brigadier Juliá y Hugo Anzorreguy, jefes, respectivamente, de la Fuerza Aérea y la SIDE, lo convencieron de la peligrosidad de aquella decisión. El 5 de diciembre llegaría George Bush en visita oficial y había que ser prudentes. Y lo fue.

Algunas veces Carlos Menem se dejaba llevar por la añoranza y la melancolía por los ausentes, por los otros hombres que compartieron con él la aventura de triunfar cuando el poder era apenas un espejismo bajo el tórrido sol riojano. Como su médico Osvaldo Rossano, muerto en plena campaña por las graves quemaduras recibidas tras la caída de la avioneta. Según testimonio de dos de sus hombres, no fue precisamente un accidente: la máquina se vino abajo porque alguien puso agua en el tanque de combustible. Su amigo Julio Corzo, que había sido el primer ministro de Salud y Acción Social de su gobierno, también se vino a morir de un ataque al corazón, después de que el avión que lo llevaba cayera al río Paraná. En ese mismo e inexplicable accidente desapareció sin dejar rastros el marido de su sobrina Yuni Akil, hija de su tía predilecta,

Haifa Akil. Y ni qué hablar de su muy querido "Gordo" Grinberg, abogado y sostenedor espiritual de sus comienzos.

–Ojalá el Gordo estuviera vivo... –decía algunas noches en que se ponía nostálgico.

Y cuando sus ojos se cruzaban con los de su sobrina Yuni Akil, no podía evitar un estremecimiento de culpabilidad.

Su vida estaba signada por la desgracia. Carlos Menem lo sabía. Pero eso era algo que le sucedía siempre a los otros. Él iba a subir a una de esas máquinas, pero a último momento había desistido. Y se había salvado. Bah, él siempre se salvaba. Esquivaba los incendios casi con habilidad divina. Y su mesianismo lo había convencido de que era el único capaz de salvar a la Argentina.

El sábado 6 de junio de 1994 de impecable traje gris, corbata de seda verde, azul y amarilla, Menem inauguraba con Duhalde doscientas cincuenta viviendas en el barrio Eva Perón de San Vicente. Lo acompañaba Adelina Dalesio de Viola, la todavía presidenta del Banco Hipotecario, otrora liberal y ahora fanática menemista, quien entre los bombos del Tula y la Marcha Peronista derramó un torrente de lágrimas en el escenario. La excesiva intimidad con el Jefe –única base de su acumulación de poder– había convencido a la ex dirigente ucedeísta de que ella era la nueva Evita. Adelina estudiaba de memoria los gestos y el tono de voz de la "reina de los descamisados", ensayaba frente al espejo de su dormitorio y los reproducía como un calco en cada acto público. Se ganó el odio de Domingo Cavallo, que le adjudicaba manejos turbios en el Banco Hipotecario, la acusaba de hacer lobby para Yabrán y le criticaba su repentino amor por la liturgia peronista.

–No me gusta, no me parece genuino. Yo no aprendí la marchita –decía el ministro.

Por esos días fuertes rumores de corrupción en el Hipotecario cabalgaban los pasillos del poder. Dos meses más tarde, la ambiciosa funcionaria, que competía con María Julia, Claudia Bello y Matilde Menéndez por las atenciones del Jefe, era empujada a la calle por Cavallo, que hacía tiempo pedía su cabeza.

Aquel mediodía en San Vicente, las cosas aparentaban tranquilidad. Carlos Menem comió asado y jugó un picadito de fútbol.

–Mírenme bien. No estoy enfermo, como dicen por ahí, y voy a vivir cien años –alardeó después del partido, en el que su equipo ganó por cuatro a tres.

Duhalde andaba a los saltos. Sus sueños de ser reelegido como gobernador enfrentaban la férrea oposición de la coalición formada por la UCR, el Frente Grande y el Modin. Sesionaba la Convención Constituyente de la provincia de Buenos Aires y Duhalde necesitaba el voto de la mitad más uno para lograr su continuidad.

Carlos Menem disfrutaba mirando el rostro desesperado del mandamás de la provincia más grande del país, a quien el pacto de Olivos le había hecho añicos su sueño presidencial y que ahora, encima –salvo que elaborara una maniobra oscura–, veía caminar al filo del abismo su propia continuidad en la gobernación. En público los dos se prodigaban sonrisas, pero en la intimidad cada uno hacía sobre el otro los más terribles vaticinios. Con tono magnánimo, Menem dijo en un acto público que, si Duhalde no lograba la reelección como gobernador, él volvería a ofrecerle el segundo lugar en la fórmula presidencial. Con cada gesto buscaba demostrar su supremacía y la convicción de que podía desintegrar y salvar a sus súbditos como un relámpago.

El 10 de junio, sin embargo, los operadores duhaldistas lograron los cinco votos que faltaban. Los carapintadas riquistas se dieron vuelta como una tortilla, previo acuerdo de partes. De las mismas usinas del menemismo surgieron los rumores de que el enroque con Rico le había costado a Duhalde el pago en las sombras de doce millones de dólares. Aldo Rico se comprometió a apoyar la posibilidad de la reelección, a condición de que en un plebiscito provincial la idea fuera apoyada por no menos del cincuenta por ciento de los votos y se diera participación a su gente en algún ministerio bonaerense.

Duhalde podía respirar tranquilo. El abismo se le había vuelto campo de orégano. Pero a Menem las cosas no le iban a resultar tan fáciles.

En la mañana del 18 de julio de 1994, el edificio de siete plantas de la Asociación Mutual Israelita Argentina, en el barrio del Once, se desplomó por efecto de una bomba. Hubo ochenta y seis muertos y ciento nueve heridos.

. El atentado arrojó nuevamente a Menem en garras de sus pesadillas. La tragedia lo rozaba otra vez. Se desplomó en el sillón de su despacho y tembló de miedo cuando Bauzá y Corach le trasmitieron los detalles. No pudo dominar el pánico. Durante varios días deambuló con la mirada perdida, pasando de la ira al llanto sin transición. Buscó la soledad con una desesperación tal que sus hombres comenzaron a temer por su salud. Después de todo, sólo había pasado un año de la operación de carótida.

–Déjenlo solo al Jefe. Tiene que sacar todo el dolor y la tristeza. Le va a hacer bien –aconsejaba Tfeli.

El gobierno vivió los primeros días en un estado de shock que le impidió dar respuestas inmediatas. El horror del atentado golpeó a toda la población con más fuerza aún que cuando volaron la Embajada de Israel, en 1992. No sólo porque había muerto mucha más gente, sino además porque era la segunda vez que ocurría. Era como volver a los peores años de la violencia política, con el agravante de que en este caso no se sabía quiénes eran los responsables. Sucedían en el país tragedias espantosas y sus autores se desvanecían en la noche. Los expedientes con las investigaciones sobre la voladura de la Embajada de Israel, que desde el principio quedaron en la nada, fueron depositados en una estantería de la Corte Suprema de Justicia donde el polvo, implacable, las cubrió.

Indudablemente, la Argentina había ingresado en la globalización con grietas profundas en sus estructuras de seguridad y de inteligencia. No obstante eso, a esta altura el alineamiento del gobierno con los Estados Unidos era un hecho consolidado. Se habían enviado naves al Golfo Pérsico durante el conflicto de 1990 y las misiones de militares argentinas en el extranjero eran un motivo de orgullo para Menem. Ante esto, muchos comenzaron a preguntarse hasta qué punto los atentados no eran "pases de facturas" de sus antiguos amigos del mundo árabe por promesas incumplidas o por el alineamiento con Estados Unidos.

La enredada madeja del conflicto en Medio Oriente atrapó entre sus hilos a los argentinos. El hombre de la calle hablaba de la guerra entre árabes e israelíes con la naturalidad con que se refería a sus vecinos de la otra cuadra. Washington, más preocupada por apaciguar sus propios conflictos –por esos días Bill Clinton lideraba un difícil proceso de paz y la Casa Blanca era escenario de la firma del pacto entre Israel y Jordania, después de cuarenta y seis años de guerra–, presionaba para que el gobierno argentino descargara toda su batería sobre Irán, enemigo de la pacificación judeo-musulmana.

Recién una semana después del atentado se armó un gabinete especial y se creó la Secretaría de Seguridad, a cargo de la cual fue nombrado el brigadier Antonietti. El jefe de la Policía Federal, Jorge Pasero, y el subsecretario de seguridad Interior, Hugo Franco, perdieron sus puestos. Menem reflotó su vieja idea de la pena de muerte y terminó pidiendo perdón al pueblo en un mensaje por la cadena oficial, mientras se definía a sí mismo como una víctima.

Durante el primer acto de repudio organizado por la colectividad judía, Menem fue silbado por miles de manifestantes. Tenía el rostro desencajado y encorvaba la espalda ostensiblemente. Se sentía devastado.

Bajo una lluvia de silbidos, el titular de la DAIA, Rubén Beraja, le ofreció la palabra, pero él se negó. Mientras, las cámaras lo mostraban llorando al lado del rabino Ben Hamu, jefe de la religión judía. Terminado el acto, Menem se dirigió a su despacho y, ni bien ingresó en él, montó en cólera contra Beraja –en ese entonces dueño del Banco Mayo– por la dureza de su discurso. El dirigente, empujado por las presiones de la colectividad, había leído un texto distinto del convenido con él antes del acto.

Se hablaba de la pista iraní, de la pista siria, de los guerrilleros islámicos del Hezbollah. La Argentina amaneció de pronto invadida por espías del Mossad, del Cesid (servicio secreto español), del espionaje francés y de la CIA. Apenas aterrizada en Ezeiza, una delegación de militares israelíes enviados por Yitzhak Rabin fue interceptada en la autopista Ricchieri por la policía, que actuaba bajo las órdenes de un juez. El magistrado aducía que la participación de un ejército extranjero en suelo argentino era inconstitucional. Casi se desata un conflicto internacional. Los militares argentinos encabezados por el general Mario Cándido Díaz se quejaban ante Guido Di Tella por la presencia de efectivos extranjeros, siendo que a ellos la ley de inteligencia interior les impedía intervenir.

La aparición repentina de un arrepentido iraní en Venezuela, Moatamer Manoucher –señalado después como agente doble de la CIA–, alivianó un poco la situación. A partir de allí, tanto el gobierno como el juez Juan Galeano, a cargo de la investigación, apuntaron sus cañones hacia la Embajada de Irán en Buenos Aires, en especial contra su encargado cultural, Moshen Rabbani. El embajador iraní y otros diplomáticos fueron expulsados y las relaciones con el mayor comprador de cereales de Argentina quedaron peligrosamente congeladas.

Pero agosto llegó con un soplo de aire fresco.

Entonces se selló en Santa Fe el Pacto de Olivos, epicentro de la reforma de la Constitución, que permitiría la concreción del máximo anhelo de Carlos Menem: su reelección. Hubo ciento setenta y siete votos a favor, veintisiete en contra y tres abstenciones. Peronistas y radicales hermanados, votaron el Núcleo de Coincidencias Básicas, llave del nuevo mandato. Además de la reelección presidencial se incluían en la Carta Magna el ballotage, la figura del jefe de gabinete, la autonomía de la Capital Federal, reformas a la Justicia y al Senado, la regulación de los decretos de necesidad y urgencia. Según una de las cláusulas, Carlos Menem se podía presentar como candidato en el '95, pero no en el '99, ya que se le computaba su actual mandato. Se establecía la reelección del presidente y del vice por dos períodos consecutivos y se derogaba el requisito de que el presidente debía ser católico. El Pacto se concretó con el portazo de los convencionales del Frente Grande acaudillados por Car los "Chacho" Álvarez, que abandonaron el recinto, de los socialistas de Alfredo Bravo y de la mayor parte de las fuerzas provinciales.

"Los que se oponen al Pacto son mediocres que quieren proscribir al hombre que más transformaciones realizó en la Argentina moderna, después de Perón", fueron las encendidas palabras de la pintoresca dirigente cordobesa, la ultramenemista Leonor Alarcia, que coronaron el cierre de las deliberaciones.

Un poco antes, el 9 de agosto, Duhalde y Aldo Rico habían anunciado el "Acuerdo de los bonaerenses", como pomposamente lo llamaron, en la Universidad Nacional del Litoral, en Santa Fe, en una habitación contigua al salón donde se llevaban a cabo los debates constituyentes. Gracias a ese oscuro arreglo con los carapintadas del Modin, el gobernador iba a poder continuar con su mandato. El 2 de octubre, Duhalde obtenía el sesenta y dos por ciento de los votos en el plebiscito provincial por la reforma.

–Yo seré reelecto, no porque lo haya dicho una Corte, una Legislatura o una Convención: seré reelecto porque mi pueblo, el pueblo de la provincia, lo quiso en las elecciones de hoy.

Carlos Menem siguió el acto por el televisor del living de Olivos. La mirada se le oscureció a medida que escuchaba el acalorado discurso de su antiguo coequiper y el coro de los militantes que gritaba "¡Duhalde Presidente!".

–Pero... ¿y este pelotudo a quién le ganó? ¿Quién se cree que es? –dijo lívido, mientras de un golpe apagaba el televisor.

En ese instante el edecán le avisó que el helicóptero que había ordenado para ir a La Plata estaba listo.

–¿Y quién dijo que yo iba a ir a La Plata, eh? –preguntó con los ojos clavados como puñales en sus adláteres.

Se metió en el dormitorio y la excusa que recibió Duhalde fue que la visita se suspendía por mal tiempo.

Raíces amargas

Noviembre lo encontró preparando las valijas con ansiedad.

El viaje era un sueño por el que venía bregando desde que asumió la Presidencia: el regreso como jefe de Estado a la tierra de sus padres. Acompañado por Zulemita y un grupo numeroso de funcionarios e integrantes de la colectividad árabe en la Argentina, desembarcó en el aeropuerto de Damasco, Siria, el 21 de noviembre de 1994.

El gobierno sirio le había vedado la visita durante cinco años, en castigo, principalmente, por su primer viaje a Israel. Pero también por otros dos poderosos factores: los problemas judiciales que había tenido que padecer el traficante de armas sirio Monzer Al Kassar en la Argentina y la expulsión del poder de que habían sido objeto los Yoma, quienes tenían estrechísimas relaciones con el partido socialista Baas, gobernante en Damasco desde hacía veinticinco años.

Zulema había viajado a Siria con su hija, en 1993. Hafez El Assad la había recibido acompañado por Anissa, su esposa, y agasajado con una comida en el palacio presidencial Mhayrin rindiéndole honores de jefe de Estado.

Ahora le tocaba a él. Era su gran revancha. Cuando el *Tango 01* tocó suelo sirio, el mediodía del lunes, un viento frío levantaba polvo de la pista de aterrizaje del aeropuerto internacional de Damasco, la ciudad habitada más antigua y misteriosa del mundo. Menem descendió del avión a una alfombra roja, seguido –como indica la tradición musulmana– por su hija Zulemita y el canciller Guido Di Tella. El paisaje que rodeaba el aeropuerto remitía a las viejas películas de espionaje. Un riguroso sistema de seguridad rodeó el *Tango 01* y provocó roces con los periodistas y la comitiva. Hombres armados con fusiles rusos Kalahnikov y ametralladoras siguieron sin descanso a la delegación.

–Siria es un país que ha estado en guerra mucho tiempo. Por eso tenemos que tener los ojos muy abiertos –me explicó, en un español con acento árabe, un funcionario del Ministerio de Informaciones que siguió a los periodistas todo el tiempo. Se llamaba Ahmad Yomaha.

–En realidad, soy ingeniero aeronáutico. Pero, claro, soy pariente de los Yoma que viven en la Argentina. Ahí viví dos meses durante el '91. ¿Cómo están Amira y Emir? Pero no me pregunte por los problemas de ellos. No puedo hablar. ¿Usted me entiende, no?

Hafez El Assad, alto, de piel blanquecina, labios finos y bigotes rubios ralos, hermético e inaccesible como un faraón, se acercó y los dos hombres se fundieron en un abrazo. No era ésta la primera vez que se miraban a los ojos. Sin embargo, el clima de la ceremonia era tan frío como la temperatura que anunciaba, para el próximo mes, el solsticio de invierno en la zona más caliente de Medio Oriente.

Carlos Menem –traje cruzado de George, camisa celeste y corbata de seda amarilla con pintitas azules– sonreía de oreja a oreja, mientras escuchaba que una banda militar entonaba primero el Himno Argentino y luego el sirio.

Como nunca antes recordó a Mohibe y sus augurios.

Nada era más importante para él que pisar la tierra de sus progenitores.

Había llegado a Damasco por primera vez en 1964, acompañado por sus padres y por el empresario Jorge Antonio, camino a Madrid, para conocer a Perón. Era un joven y ambicioso abogado que se ocupaba de la defensa de presos políticos y de las mujeres presas acusadas de ejercer la prostitución.

En aquel primer viaje Menem conoció a Zulema.

En una confitería ubicada en el mismo aeropuerto que él pisaba ahora como Presidente, bailó con ella y elogió sus grandes ojos oscuros, bajo la mirada vigilante de sus parientes políticos.

En agosto de 1988, inmediatamente después de ganarle la interna a Cafiero, Carlos Menem llegó otra vez a Damasco, acompañado por su hijo Carlitos, Ramón Hernández, Miguel Ángel Vicco, Luis Santos Casale, Emir Yoma, Pedro Roiffe y Oscar Spinoza Melo. La primera noche, Carlos Menem comió con Abdul Halim Haddam, vicepresidente primero del gobierno. La reunión se realizó en un palacete ubicado en las afueras de Damasco, una residencia rodeada de hombres armados con ametralladoras. Comieron bocaditos árabes y, en un aparte, los dos hombres hablaron de negocios, mientras Emir Yoma hacía de traductor. Abdul monitoreaba las relaciones con Israel y controlaba los cultivos de amapolas en el Valle de Bekaa. Era, además, amigo personal de Rifat El Assad –socio de Al Kassar–, hermano del presidente sirio, quien debió ser expulsado del país después de asesinar a siete mil opositores. A Haddan, Menem le reiteró un pedido de ayuda económica para el partido y le prometió cooperación en el terreno científico y técnico. Concretamente, se comprometió a facilitarles a los sirios un reactor nuclear en caso de que ganara las elecciones. La delegación visitó Yabrud, el pueblo natal de los Menehem (así se pronuncia en sirio) y los Akil, la rama familiar de la madre. Comieron cordero asado, kebbe cocido y crudo y dulce de pistacho, sentados cómodamente en los jardines de un club ubicado a orillas del río. Se emborracharon con arak, la bebida típica basada en alcohol y anís. Menem visitó a sus parientes y lloró escuchando anécdotas del pasado.

Miró obnubilado los pasacalles que colgaban entre las casas, con su nombre en árabe. Se sentía tan exultante que se dio un atracón. A la noche tuvo a sus hombres a las corridas, porque se había indigestado con el cordero. Por gestiones de Delia Yoma –hermana de Zulema y por entonces funcionaria de la embajada argentina en Damasco– y de su tío Yalal Akil –presidente del Superior Tribunal de Justicia de Siria–, Carlos

Menem conoció entonces a Hafez El Assad. La cita fue en el Palacio de Gobierno y Menem llegó acompañado por Oscar Spinoza Melo, alias "Sardinita", polémico embajador argentino en Arabia Saudita, que años más tarde saldría eyectado de la embajada argentina en Chile, envuelto en un escándalo de sexo y drogas.

En aquella visita –ayudado por las traducciones del su cuñado Emir– Menem prometió a El Assad que, si ganaba la presidencia, su país iba ser la "nueva España" para los árabes, que habría posibilidades de establecer nuevos y prósperos negocios. Aseguró que su mayor ambición era convertir a la Argentina en la mayor proveedora de armamentos de la región.

En la campaña electoral del '88 Carlos Menem exhibió sus relaciones con el libio Muammar Khadafi como un trofeo. Por medio de Mario Rotundo, un escurridizo personaje relacionado con el sector más retrógrado de la Iglesia Católica y el peronismo, consiguió que el libio aportara cuatro millones de dólares para la campaña electoral, en doce cuotas mensuales. La reunión clave se realizó en el hotel Excelsior de Roma, dentro de una gira europea, y en ella participaron Menem, Rotundo y Juan Bautista "Tata" Yofre. Rotundo y Nora Alí eran los encargados de recibir las cuotas a través del dinero depositado en una cuenta en Suiza.

Alberto Kohan, titular de la FEPAC (Fundación de Estudios para la Argentina en Crecimiento), una institución en la que no es infrecuente cruzarse con algunos antiguos represores de la Escuela de Mecánica de la Armada, se ocupaba de monitorear con el gobierno libio algunos negocios ocultos. Khadafi designó como sus representantes a Ahmed Yaroud, Said Hafiana y Abdala Matug. El trasfondo de la operación era el interés que los libios tenían sobre el misil Cóndor, en manos de la Fuerza Aérea argentina, construido con capitales alemanes e iraquíes. Las relaciones con Saddam Hussein venían desde la época del gobierno de Alfonsín, cuando se instaló el proyecto Cóndor en Falda del Carmen, en la provincia de Córdoba. Carlos Menem, en plena campaña electoral, imbuido de ideas nacionalistas y tercermundistas, profundizó aquellas relaciones. César Arias y el matarife Alberto Samid viajaron en varias oportunidades como enviados de Menem a Bagdad. En el ecléctico entorno menemista del año '88 pululaban militares y personajes relacionados con el tráfico de armas que lo incitaban a crear un área de Producción para la Defensa.

Esas fueron las ideas que Carlos Menem trasmitió a El Assad en aquella primera reunión de 1988 en Damasco.

En su libro, *El peso de la verdad*, Domingo Cavallo recuerda:

"La idea de producción para la defensa fue una de las primeras en entrar en crisis irreversible, apenas Menem asumió como Presidente. Fue causa de conflictos, errores, corrupción y costos políticos. Y, así como con tantas otras malas ideas, fui yo quien tuvo que alertar a Menem sobre los riesgos que significaba su implementación".

Cavallo agrega otra anécdota clave: "Al poco tiempo de que fui designado canciller, en el '89, Menem y yo viajamos a Belgrado a la reunión de Países No Alineados. Entre una actividad y otra pude observar al secretario privado de Menem, Hernández, y a Alberto Kohan susurrar algo al oído del Presidente. Quedé intrigado. Finalmente, Menem me llamó para ir a la embajada libia, para entrevistarse con Khadafi (...) Llegamos a la Embajada de Libia, en un barrio residencial de Belgrado, y luego de pasar por amplios salones de típica decoración árabe, fuimos acompañados a los jardines, donde para nuestra sorpresa nos encontramos con una carpa rodeada de camellos. Khadafi nos recibió acompañado de una traductora y escoltado por una mujer guardaespaldas, vestida con ropas militares. Luego de los saludos de rigor en los que Menem agotó su vocabulario árabe, nos sentamos a saborear la leche de camello y los dátiles con los que nos homenajearon. El diálogo entre Khadafi y Menem transcurría aburrido, con claros síntomas de que ninguno de los dos se interesaba por las opiniones del otro, hasta que el jefe libio reaccionó molesto frente a la insistencia de Menem en recibir apoyo de los Estados Unidos. Khadafi sostuvo que a los norteamericanos sólo se les podía sacar ventaja si se disponía de poderío militar, y que por eso él había mostrado tanto interés por el misil *Cóndor*. Dejó en claro que había apoyado la campaña electoral de Menem como contrapartida de la promesa de entrar en negociaciones para la exportación del misil argentino a Libia. Menem contestó con evasivas y reprodujo la teoría juliana de que en realidad se trataba de una 'cañita voladora'".

Cavallo recordó que los dos se despidieron fríamente con un beso árabe (en las dos mejillas) y que, cuando estaban en el auto, Carlos Menem, preocupado, lo miró y le dijo:

—Mingo, parece que los muchachos le vendieron el *Cóndor* a Khadafi por la plata de la campaña electoral. ¡Qué irresponsables! Hay que cancelar este proyecto cuanto antes.

Era su manera de ser. Si las cosas andaban por buen camino, él era el único propietario de los éxitos. Si las cosas fracasaban o se modificaban, la culpa la tenían los demás. Jugaba con fuego. Pero aquel territorio ambiguo por el que transitaba no tenía las dimensiones de las traiciones nativas a Zulema, a los carapintadas, a los sindicalistas o a sus entornos. Las traiciones en el mundo árabe se pagan con la vida.

¿Le había pedido Hafez El Assad a Menem en 1988 que nombrara a Ibrahim Al Ibrahim –un tenebroso personaje vinculado con los servicios de inteligencia sirios– al frente de la Aduana en Ezeiza? ¿Le había pedido por Amira Yoma o por Karim, los dos parientes políticos con las más estrechas relaciones con el mundo árabe? ¿Cuáles fueron los subterráneos motivos por los que Carlos Menem era considerado por sus paisanos como un traidor? ¿Qué conocía El Assad sobre los atentados a la embajada y a la AMIA? ¿Qué papel jugaba en las relaciones entre Siria y Argentina el traficante de armas Monzer Al Kassar?

Los lazos de sangre con Siria tiñeron el ánimo de la comitiva presidencial que llegó a Damasco en 1994. En la práctica era un charter de alegres descendientes de sirios en el que sobresalían funcionarios y ochenta empresarios, la mayoría con intereses comerciales en la región. Como en un tropel descendieron del avión Munir Menem, el médico Alejandro Tfeli (en realidad T'faili, pariente del jefe del ala más radicalizada del Hezbollah), el primo Abdo Menehem (el único de la familia que conservaba el apellido y era director de Aerolíneas por parte del Estado), el gobernador de San Luis Adolfo Rodríguez Saa, el flamante presidente de la Corte Suprema de Justicia, Julio Nazareno (en realidad Julio Nasrallah, emparentado con el jefe de Hezbollah), el embajador argentino en Bélgica, Víctor Massuh, los amigos Víctor "Chacho" Bestani, Jorge Antonio, Mario Falak, descendiente de sirios sefardíes, y Ramis Chacra.

Todos rastreaban señales de sus antepasados en la árida geografía de la región y olfateaban futuros negocios. Hasta Ramón "Gallo Negro" Saadi –que había sido expulsado del círculo íntimo después del escándalo por el asesinato de María Soledad Morales– se mostraba feliz de integrar la comitiva y hasta se permitió una escapada al Líbano para visitar a sus parientes. Elsa Serrano, la costurera real, y Perry, empleado de Miguelito Romano, corrían incansables atrás de Zulemita, que por una cuestión del protocolo sirio tenía que cuidar el largo de los vestidos y mantenerse siempre a una prudente distancia de su padre en los actos oficiales.

Carlos Menem y Zulemita, acompañado de unos pocos, entre los que estaban su médico, su secretario privado, Jorge Antonio y su hermano Munir, además de la modista y el peluquero, fueron alojados en el lujosísimo palacio Tishrin, en las afueras de la ciudad.

Pese a la algarabía reinante, un clima enrarecido flotó en el aire los cuatro días que duró la travesía. En aquel frío noviembre El Assad y Carlos Menem midieron en realidad sus rencores. Revisaron mentalmente antiguos pacto –esos que sólo unos pocos integrantes de la intimidad conocen y que permanecieron en el más absoluto de los secretos–, revolvieron promesas incumplidas. Astuto, todo el tiempo Menem se había referido a Zulema Yoma como "mi señora", aunque en la Argentina el juicio de divorcio estaba encaminado hacía tres años. Pero ni eso ayudó.

El Assad, "El León del Desierto",que había accedido al poder el 14 de marzo de 1971, transitaba por un momento traumático. Su hijo mayor, Basel, de veintiocho años, ingeniero civil, eximio piloto y paracaidista, y heredero de la dinastía, al que había preparado para que lo sucediera en el cargo, se había matado hacía unos meses en un confuso accidente de auto. Y el gobierno estaba de riguroso luto.

Fuentes de los servicios de inteligencia sirios me aseguraron en Damasco que Basel había sido asesinado por los opositores al régimen, que sabotearon el auto en el que viajaba. Bajo el más estricto de los secretos, como se hacían todas las cosas en aquel país dictatorial, El Assad localizó a los autores y los mandó fusilar inmediatamente. Desde la época de las luchas entre las tribus primitivas, la mayor venganza entre los árabes era asesinar al primogénito del jefe. Nada era más importante para un árabe que el hijo varón.

Carlos Menem, como descendiente de sirios, no desconocía aquel milenario mandato religioso.

Habían transcurrido seis años y la situación política argentina era diametralmente opuesta a la de 1988, cuando realizó el primer viaje en su carácter de precandidato justicialista. Cualesquiera hubiesen sido las promesas realizadas en aquel verano, cuando era apenas un "turco" carismático por el que nadie daba un peso, fueron devoradas por el alineamiento del gobierno argentino con Washington. Por orden de Estados Unidos, Menem había desarticulado el proyecto Cóndor en nombre de las "relaciones carnales".

La primera noche que Menem pasó en el palacio Tishrin recibió una visita inesperada. Ibrahim Al Ibrahim apareció en el lugar pidiendo una entrevista urgente. Carlos Menem se escondió en el dormitorio y mandó a su hermano Munir a preguntarle los motivos de la visita.

–Carlos, éste quiere plata. Si no le damos, dice que habla con los periodistas y arma un escándalo. Dice que cuenta todo lo de la AMIA, lo de Amira... ¿qué hacemos? –preguntó Munir.

–Dale lo que pide, pero decíle que se vaya de acá lo antes posible –exclamó Menem fastidiado.

Un hombre del entorno le entregó al prófugo ex marido de Amira

Yoma varios fajos de diez mil dólares. Y el oscuro personaje se esfumó por las calles de Damasco.

Empapado en sus ansias de protagonismo internacional, Menem buscó la manera más rápida para que la visita a la madre patria tuviera trascendencia. Consiguió que Shimon Peres, el canciller israelí, aceptara que él era el más indicado para llevar un mensaje de paz a la región. Se ofreció como mediador en el conflicto que Siria mantenía con Israel por las alturas del Golan. Una constante de aquellos años la constituye el empeño de Carlos Menem por convertirse en pacificador de cuanta guerra se desencadenaba en el mundo.

¿Cómo no iba a tener éxito él en esa causa? No se cansaba de repetir la increíble leyenda familiar del ama de leche judía que lo amamantó cuando su madre estuvo a punto de morir, después del parto. Meses antes del viaje, cuando había sido el atentado a la AMIA, había recordado lloroso:

–Como mi madre quedó muy grave cuando nací yo, esa señora judía me dio de mamar a mí y a su hija. Se llamaba Vida Yona y era judía de Turquía. En estos días la recordé con un sentimiento muy especial. Yo quiero mucho al pueblo judío. Ningún Presidente apoyó como yo la política exterior de Israel.

A Menem lo nublaba, además, la concreción de dos aspiraciones: quería que el gobierno de Hafez El Assad condenara públicamente el atentado a la AMIA y que sus agentes de inteligencia colaboraran con la investigación. Casi un delirio, considerando que en la Argentina trabajaban el Mossad, el FBI y la CIA, enemigos mortales de Siria.

Durante las cinco horas de conversaciones con Menem, Hafez El Assad permaneció en una actitud de desconfianza.

–Irán nada tiene que ver con los atentados. Usted bien sabe que estos hechos (los dos atentados) que nosotros lamentamos mucho, no fueron reivindicados por ninguna organización árabe. Hay que tener mucho cuidado con hacer acusaciones sin fundamento –disparó.

–Pero... sería bueno que su país colabore y condene los atentados –insistió Menem.

–Ya lo hicimos. Esos dos operativos no fueron reivindicados por ninguna organización árabe. En la historia hubo muchos casos de atentados que después se demostró que fueron provocados por los mismos damnificados. Quiero aclararle, Presidente, que las operaciones de Hezbollah son una respuesta a la política expansionista de Israel. Usted, como descendiente de árabes, debe saber que detrás de los atentados hay siempre causas políticas que nada tienen que ver con los fundamentalismos religiosos.

Carlos Menem salió desencajado de la reunión. Comió en un extravagante restaurante, a pocos metros de la plaza de los Omeyades, en la zona oriental de Damasco. Y continuó con la gira prevista. Visitó Yabrud. Pero Zulemita decidió no acompañarlo; esa mañana, muy temprano, viajó con Elsa Serrano a Dmjer, el pueblo de Zulema, para cumplir con el encargo de llevar flores a la tumba de su abuelo Amín.

Menem lloró mientras recorría las calles de Yabrud bajo los gritos guturales que en señal de alegría daban las mujeres golpeándose la boca con los dedos, y entre una lluvia de flores, caramelos y gotas de perfume que sus paisanos derramaban sobre su cabeza. Caminó acongojado por las habitaciones de la casa de sus padres, miró antiguos retratos familiares amarillentos por el paso del tiempo, comió chocolates artesanales que le acercaban las mujeres. Sus parientes lo recibían como un héroe nacional, aunque no dejaban pasar oportunidad para deslizar lo mal que había caído en el pueblo que su hijo dilecto los hubiera traicionado visitando primero Israel.

—Nos dolió mucho que no viniera primero a la tierra de sus padres como nos prometió en el '88. Él puede visitar Israel todas las veces que quiera, pero primero tenía que venir a visitar a nuestro presidente El Assad. Esta es su patria, ¿no le parece? —me dijo su primo Thalal Akil.

Bajo las palmeras y flores que adornaban una carpa gigante, Menem se sentó sobre unos mullidos sillones de pana. Afuera hacía un frío espantoso y una fina llovizna empapaba a los curiosos que espiaban la reunión entre las hendijas. La carpa se recortaba contra los cerros ferrosos de la cadena del Anti Líbano. Del otro lado de la montaña, a pocos kilómetros de Yabrud, se llegaba al Valle de la Bekaa, en el Líbano. Un territorio de traficantes de armas, terroristas y extensas plantaciones de hashich.

Enfervorizado, con la voz quebrada, Menem improvisó un encendido discurso de tinte nacionalista bajo el amparo de la carpa.

—Ayer yo decía que la Argentina es uno de los países más hermosos de la tierra, que somos argentinos. Pero nuestra sangre es sangre árabe, es sangre siria —dijo.

También habló maravillas de Hafez El Assad, comparó al Partido Justicialista con el partido Baas, aseguró que las Alturas del Golán pertenecen al pueblo sirio. Y recordó una anécdota del fondo de los tiempos:

—Yo estaba aquí en el año '64, en la casa de mi tío Yalal, que trabajaba en los tribunales de Damasco. Antes que se fuera a trabajar le dije: "Tío, yo voy a volver aquí como presidente de la Argentina". Yalal me agarró de la oreja y me contestó: "Sobrino, usted está loco". Yo no sé si estoy loco, pero ahora soy el Presidente de mi país.

El último día, en el zoco de Damasco, visitó la mezquita de los Omeyas, se arrodilló frente a la tumba de San Juan Bautista, se metió en un baño turco y rompió persistentemente la rígida seguridad de los agentes secretos sirios besando en las tiendas a la gente y firmándoles autógrafos bajo los faroles. Zulemita recibió de regalo cortes de sedas de Damasco bordada en oro y treinta pulseras de oro, obsequio del otro hijo de Assad, Bashar, el apuesto oftalmólogo, hoy coronel del Ejército y sucesor al trono de su padre.

Antes de subir al avión, Menem hizo declaraciones que desataron una cadena de declaraciones internacionales. Le aseguró a El Assad que Israel estaba dispuesta a devolver las Alturas del Golan y que eso era lo que había hablado con los israelíes. El gobierno de Tel Aviv lo desmintió violentamente y Estados Unidos aseguró que Menem había cometido una "indiscreción".

Llegado a Buenos Aires, ni bien se enteró del conflicto que habían despertado sus palabras, encontró una solución. Le echó la culpa al traductor y aseguró que jamás él había dicho nada semejante. Los integrantes de la comitiva que hablaban árabe aseguran sin embargo que el traductor trasmitió con exactitud sus palabras. Pero a él no le importaba la preocupación de sus hombres por el entredicho. Había logrado su objetivo: el mundo entero hablaba de él.

Los cuatro días que pasó entre sus parientes en Siria le devolvieron la alegría. Nada más le importaba.

En el vuelo de regreso, recostado en la cama de la suite, había recordado aquella multitud coreando su nombre, las mujeres atropellándose por besarlo, los aplausos que le halagaban el ego. Había cumplido con el sueño de Mohibe. En Buenos Aires lo aguardaban las eternas peleas en el gabinete, las presiones de Domingo Cavallo, el atentado a la AMIA, las crecientes quejas populares, los reclamos de Zulema.

Tenía el poder, la fuerza, el futuro.

Sólo un tema lo inquietó por un instante, como un rayo.

Recordó la mirada opaca, perdida, de El Assad cuando le contó sobre la muerte de su hijo. Y sintió una puntada en la boca del estómago. Alejandro Tfeli lo miró preocupado. Le dio el hipnótico de costumbre. Menem lo tomó y cerró los ojos esperando el aterrizaje.

HIJO'E TIGRE

Vivo en mi familia, que cree reinar entre ciudades ricas
y repugnantes, construidas de piedras y de brumas. Día
y noche esa familia a la que pertenezco habla altivamente
y aquello que no se doblega ante nada se desdobla ante
ella: es sorda a todos los secretos. Sin embargo, su poder
me aburre y acontece que hasta sus gritos me cansan. Pero
su desgracia es también la mía. Somos de la misma sangre.

ALBERT CAMUS, *Retorno a Tipasa*

–Papá, ¿alguna vez vamos a remontar un barrilete juntos?

La Rioja. 30 de diciembre de 1975. Carlos Menem miró a su hijo entre el bullicio que llegaba desde la calle. No respondió. El aire olía a muerte, a represión, a desgobierno. La Argentina se deslizaba por la cornisa de una década signada por la violencia y los enfrentamientos políticos. Desde su despacho de la gobernación podía escuchar los festejos de la ciudad. Carlos Menem amaba las celebraciones del Tinkunaco más que ninguna otra fiesta. El fervor de la gente. La pasión religiosa. Las promesas repetidas hasta el infinito. Los besos y las manos que lo tocaban. Mezclarse entre los sudores y los olores de los que llegaban desde los lugares más remotos. La imagen de San Nicolás de Bari que recorría las calles ardientes por el sol. El santo negro que removía sus codicias y sus tormentos.

En un rincón del despacho, Carlitos esperaba una respuesta que nunca llegaría. Pantalones cortos, ojos oscurísimos y la cara sucia de tierra. Su hijo, de mirada triste, parecía haber vivido siete años de soledad y carencias afectivas. Algunas veces, cuando observaba a sus hijos, Carlos Menem se sentía apesadumbrado. No podía estar presente y no sabía cómo ponerles límites a los chicos. No se le ocurría otra cosa que hacerles regalos costosos que pagaba su cuñado, Emir Yoma, o algún amigo generoso. Y así calmaba su culpa por las permanentes ausencias.

La antesala estaba abarrotada de dirigentes políticos, funcionarios y amigos. Carlos Menem abrazó a Carlitos y se mezcló entre sus hombres.

Se asomó a la ventana y observó a la muchedumbre transpirada. Caminó hasta el espejo del baño y se acomodó la corbata de colores estridentes y la caída del saco de hilo claro de solapas anchas. Con una mano emprolijó el pelo renegrido de tintura y con restos de spray. El 2 de julio de ese año había cumplido cuarenta y cinco años. Se acarició las patillas, se sentía pleno. Era "el gobernador más joven del país", como lo había bautizado su amigo Carmelo Díaz, el hombre que lo introdujo en el peronismo una fría mañana de junio de 1958, cuando él era apenas un joven con ideas nacionalistas. Disfrutaba con aquella frase inconsistente. Acarició otra vez sus patillas tupidas. Era Facundo Quiroga. Predestinado. Iluminado. Contradictorio. Amado.

Y enumeró sus sueños en medio de una Argentina abrazada por el fuego.

Días antes, el 24 de diciembre, había estado toda la familia celebrando la Navidad en Catamarca. Ramón Saadi y su mujer Pilar Kent organizaron, como acostumbraban, una fiesta espectacular en su casa de Las Pirquitas, con abundante champán, chivito y lechones asados. Pasada la medianoche empezó el festejo del cumpleaños de Zulemita: él se trepó a una mesa y comenzó el baño en champán. En medio de los aplausos y las voces arrastradas por el sopor, con la remera Lacoste empapada, levantó la copa casi vacía y pidió un brindis: "Por el próximo vicepresidente de la Nación".

Hacía varios meses que corría el rumor de elecciones anticipadas y algunos dirigentes árabes del interior lanzaron su nombre para acompañar a Isabelita en una eventual fórmula que salvaría al país. Acalló sus pensamientos frente al cristal del viejo botiquín. El murmullo callejero era cada vez más intenso. Protestó porque el intenso calor aplastaría su peinado. Salió y de un solo movimiento cerró la puerta.

Parado en un rincón del despacho, su hijo seguía esperando. Lo abrazó otra vez y bajó a cumplir con la ceremonia religiosa de todos los años. La casa de gobierno estaba repleta de hombres y mujeres ansiosos, que subían y bajaban por las escaleras. Pero aquel aire pesado y tórrido era extraño, se olía corrompido, impregnado de malas señales. Las versiones que llegaban de Buenos Aires eran confusas. Isabel Martínez de Perón, riojana como él, caminaba por el filo del abismo. Sola y frente a un gabinete consumido por el desgaste. Un país asediado por la violencia política, el terrorismo de Estado y el desgobierno. Poblado de rumores siniestros.

Su intuición y sus informantes le decían que el golpe militar estaba en marcha. "Qué lástima", dijo en voz alta. El recuerdo de una tarde nublada de junio de 1975 le trajo nostalgias. Por primera vez alguien desde la tribuna gritó: "Menem presidente", en un acto de la Unión Tranviarios Automotor de Rosario. Estaba en el escenario recitando un discurso ambiguo: llamaba a luchar contra los yanquis y los marxistas, a acabar con la guerrilla y a defenderse de los dos imperialismos. La idea lanzada por el público por primera vez le fascinaba. Era el anhelo de su madre.

Tenía que llegar. "Mi hijo tiene el '*baraka*'. ¿Escucharon? Mi hijo va a llegar", decía Mohibe, creyendo que la bendición de Dios se había posado sobre su hijo. "Es un elegido", repetía convencida.
Y él, ¿cómo hacía en medio de aquel caos?
Suspiró antes de sumergirse entre la multitud que lo aguardaba bajo el sol ardiente.

–Mamá, ¿por qué nunca voy a ir con papá a remontar un barrilete? ¿Por qué nunca estamos todos juntos? ¿Por qué?
Zulema Yoma observaba a su hijo sin emitir sonido. La pregunta sobrevolaba el ambiente. La relación matrimonial era como siempre: inestable y escandalosa. Las peleas y las infidelidades de Carlos Menem habían trascendido los límites de la provincia. Todos conocían de sus excesos y hasta los más íntimos sabían que él nunca se había preocupado demasiado por sus hijos. La pasión por el poder, la noche y las mujeres devoraba sus días y sus noches. Sus amigos de entonces describen aquellos años: "Carlos nunca les dio importancia a los chicos. Nunca se ocupó. Nunca estaba. Pobre Carlitos, lo buscó al padre, pero no lo tuvo. Por eso ahora que el chico está muerto y el está viejo, se siente culpable por todo lo que no le dio".
En el jardín de la residencia de la avenida Juan Perón estaba el karting con pedalera y motor que Carlos Menem le había regalado a su hijo cuando cumplió seis años. Cada vez que la furia estallaba entre las paredes de la casa, Carlitos huía de aquellos gritos que le explotaban en la cabeza y pedaleaba hasta que el corazón le decía basta. No tenía amigos y se había vuelto un niño introvertido. Fue al Jardín de Infantes Modelo Federico Froebel, ubicado a pocos metros de la casa paterna, de Alberdi 740. Hizo la primaria en el Normal de La Rioja y completó la secundaria en el Nacional Joaquín V. González, antes de mudarse con su madre a Buenos Aires. En la escuela permanecía largo rato mirando la pared con gesto ausente, la mirada perdida en la soledad del aula mientras sus

compañeros jugaban en el patio. La maestra Delia Troncoso lo recuerda con nitidez, como si lo tuviera enfrente: "Era un niño tremendamente cálido, en el que se notaba cierta falta de afecto. Lo recuerdo sentado en el piso con su conjuntito de jogging azul. Callado y triste". Eugenia Lundin de Baroni, que fue su profesora de geografía en segundo año, lo recuerda como un chico solitario.

–Junior cumplió quince años y pasó ese día solo, en el Hotel Plaza de La Rioja. Las terribles peleas entre sus padres influyeron en los chicos –dice Nina Romera, amiga de Zulema–. Carlos y Zulemita parecían dos huérfanos.

"Mis padres nunca me acompañaban al colegio. Siempre iba con la custodia", era la frase con la que el joven recordaría años más tarde aquella época de turbulencias provincianas.

El 24 de marzo de 1976 una patrulla militar se llevó preso a Carlos Menem y la oscuridad se adueñó de su vida y la de su familia. Un manto negro cubrió la Argentina. Se acallaron las voces y los túneles se llenaron de muertos, presos y desaparecidos. Junto a su madre y a su hermana Zulemita, Carlitos comenzó a recorrer las cárceles para visitar a su padre. Una caminata por varias provincias que duró cinco años. Fueron tiempos de sufrimientos y dificultades económicas que serían subsanadas por la familia Yoma y algún amigo de su padre. La junta militar que tomó el poder incluyó a Menem en el Acta de Responsabilidad Institucional, acusándolo de supuestas relaciones con la guerrilla, y congeló sus bienes.

En aquellos días aciagos, Gazan Akil, sobrino de Carlos Menem por línea materna, ayudaba a Carlitos con las tareas escolares y con las cartas que el chico escribía a su padre preso en la cárcel de Magdalena.

–Carlitos escribía "Papá" en cada renglón, en cada frase. Nunca me voy a olvidar. Necesitaba tanto llamar al papá… –recuerda hoy el médico urólogo, de abundante cabellera canosa, que en mayo de 1989, cuando Menem ganó las elecciones presidenciales, ocupó la portada de la revista *Gente* levantando en andas a su tío, durante los festejos de la residencia riojana.

"Los que nacen al mediodía tienen la vida marcada", le dijo una vidente a Zulema Yoma apenas se enteró del nacimiento de su hijo. Frase premonitoria como pocas. Carlos Saúl Menem (no Carlos Facundo, como se lo llamó infinidad de veces), quien pronto sería "Carlitos", llegó al mundo un caluroso mediodía del 23 de noviembre de 1968, en la clínica San Martín, de Córdoba, a la que Zulema llegó escapando de los odios familiares y políticos de la provincia. Carlitos era el segundo hijo del matrimonio. El primero, Juan Domingo, había muerto dieciocho horas después de nacer, en el sanatorio Modelo de La Rioja. Sin embargo, extrañamente, la partida de nacimiento de Junior dice que nació en Anillaco. Habría que preguntarse por qué Carlos Menem niega obsesivamente que ése sea el lugar de nacimiento de sus hijos y el suyo propio.

Carlitos tenía apenas un año cuando, después de una brutal pelea entre sus padres, partió de viaje con su madre a Siria. Carlos Menem hizo todo lo posible por evitar la salida del país de su mujer y su hijo. Cuando vio que era imposible, consintió verbalmente el viaje, imaginando que no la autorizarían a salir con el chico, que ella finalmente se lo dejaría y él entonces podría hacer una denuncia por abandono de hogar. Pero Zulema ganó la pulseada en el aeropuerto de Ezeiza.

–¿Querés quitarme a mi hijo, desgraciado? No te voy a dar el gusto de hacerme un juicio por abandono de hogar. Me voy, y no nos vas a ver nunca más.

–Zulema, por favor… Si se van, no voy a poder vivir.

–Hacé lo que quieras, hijo de puta. Nunca te preocupaste por nosotros. Si no te matás vos, te mato yo.

Y Zulema se fue sin la autorización reglamentaria y con su hijo apretado entre los brazos. Un bulto movedizo envuelto en una manta de hilo celeste tejida a mano. Un agente de Migraciones reconoció a Menem y le autorizó a Zulema la salida.

De nada le valieron a él los ruegos y las promesas de transformación. Durante el tiempo que duró la ausencia, Carlos Menem lloró desconsolado en los brazos de su madre y de Ana María Luján. Escribió varias cartas y juró amor eterno a Zulema, con tal de volver a ver a Carlitos. Acaso, en esos tiempos una ráfaga de amor fugaz envolvió la figura de la mujer de carácter indomable que le estaba arrebatando a su único hijo, a la que a veces odiaba y otras necesitaba compulsivamente. Por esos largos días pensaba en ella más de lo que hubiera imaginado. Consultaba con las brujas más que nunca. Asistía a largas sesiones de espiritismo y se comunicaba con los muertos. Empezó a coleccionar elementos del vudú y de la magia negra: muñequitos con alfileres, porotos negros, patas de pollo con cintas coloradas. "Va a volver", le decían las videntes.

Sin embargo, todo parecía tan lejano como la copa de un árbol gigante.

Zulema Yoma acababa de darle a Carlos Menem el primer golpe al corazón.

185

Corría el año 1969. La Argentina vivía tiempos de ebullición política, estallaba el Cordobazo y la provincia no escapaba de las grandes pasiones nacionales. El obispo de La Rioja, monseñor Enrique Angelelli, arengaba multitudes desde el púlpito de la iglesia. Con voz clara, reclamaba por la justicia social, la división de tierras y las riquezas, el salario digno y el empleo. Carismático y enérgico, Angelelli comenzaba a sentar las bases del Movimiento de Sacerdotes para el Tercer Mundo. Había asumido en la provincia en 1967 y era más popular que cualquier político. Ni lerdo ni perezoso, Carlos Menem, hasta entonces un ignoto abogado y delegado de la Juventud Peronista riojana, se acercó al obispo revolucionario y comenzó a imitar sus encendidos discursos. Enfrentado al pensamiento ultraconservador de sus hermanos Amado y Eduardo, intuía que, pegado al religioso, él podría concretar sus ambiciones políticas. Y no se equivocó.

Por las noches, cuando regresaba de jugar en el casino o de divertirse con las mujeres en Palo Azul, el prostíbulo más famoso del pueblo, se sentaba en el borde de la cama y lloraba como un chico. Imaginaba a su hijo viviendo en Siria. Temía que no volvieran nunca más y se hundía en la depresión. Sólo las manos suaves de Ana María lo sacaban del páramo y le daban un poco de paz. "Déjela, hijo, ya va a volver", le decía su madre. Y no se equivocó. Un año después, presionada por las circunstancias y los ruegos de Carlos Menem, Zulema regresó con su hijo a La Rioja y durante un breve tiempo la relación marchó sobre ruedas. El 25 de diciembre de 1970 nació Zulema María Eva, pero enseguida retornaron los gritos y las peleas al hogar familiar. La vida siguió como siempre: a los tirones y con los chicos convertidos en virtuales rehenes de las violentísimas disputas del matrimonio.

–Zulema entraba al dormitorio de madrugada para contarles a los chicos que Carlos andaba por ahí con alguna mina. De nada servía decirle que eso no estaba bien, que ellos eran muy chiquitos para entender. "Si el padre es un hijo de puta, que lo sepan desde ahora", decía ella. La vida en esa casa siempre fue un infierno –recuerda un funcionario menemista conocedor de la intimidad matrimonial en esos años.

Carlitos tenía trece años cuando se metía en el auto y a gran velocidad escapaba por los cerros de Anillaco levantando polvo a su paso y sembrando el terror y la admiración entre sus pocos amigos. Escapar era su consigna de vida. Fugar hacia adelante. Como hacía su padre.

Atrás quedaron los violentos ataques de asma con el que regresó de Siria, siendo apenas un niño, y que no lo dejaban respirar. Comenzaría una etapa enrarecida por el aturdimiento y los excesos. Clavar el pie en el acelerador y huir. De los gritos, de las presiones, de la casa llena de políticos arribistas, de las eternas extorsiones familiares. De los largos y tensos silencios de la mesa del mediodía. Un viaje de ida y vuelta entre el odio por la política que le quitaba a su familia y las comodidades que le brindaba ser "el hijo del gobernador". Y ese amor compulsivo por su madre, que lo llevó a vivir situaciones escabrosas que los íntimos recuerdan todavía en voz baja. Anécdotas que dibujan la exacta dimensión de la violencia que pobló la vida de la familia.

Zulema Yoma tiene la ropa hecha jirones, el pelo oscuro revuelto sobre la cara y con una mano se protege el bajo vientre mientras gime de dolor sobre la cama de estilo español. Son las tres de la tarde de un día tórrido de fines de 1987. El dormitorio está en penumbras y hay objetos tirados en el piso. El retrato de Evita que adornaba la mesa de luz está hecho añicos, el florero de vidrio, partido en dos y las flores, pisoteadas. La alfombra persa al costado de la cama está empapada por el agua de las flores. Zulemita tiene los ojos clavados en ninguna parte. Con una mano se seca las lágrimas y en la otra aprieta un osito de peluche marrón. Carlitos entra en el lugar como un relámpago.

–¿Qué te pasó, mami? ¿Quién te hizo esto?

–Tu padre… Tu padre, que casi me mata…

Carlitos, un adolescente, no duda ante la escena de su madre desparramada en la cama. Golpeada y llorosa. Corre hasta el mueble de la habitación del fondo de la residencia, agarra la escopeta que le había regalado su padre, se trepa de un salto al auto en el que descargaba sus angustias, aprieta el acelerador y frena frente a la casa de gobierno. La imagen de su madre ocupa sus pensamientos. Entra corriendo en el despacho de Carlos Menem.

–¿Qué le hiciste a la mami?

–Nada… no pasó nada, hijo –responde el hombre desencajado y con un hilo de voz.

Sin dudar, Carlitos apunta a su padre con el caño de la escopeta. Sin dudar, le dice:

–Te advierto que la próxima vez que la toques a la mami yo te mato. Te juro que te mato.

Eduardo Menem entra sigilosamente y le quita el arma. La habitación está en silencio y se podían escuchar los sonidos de la respiración. Agitada, tensa, cargada.

Carlos Menem se aleja asustado. Con el rostro pálido como un papel y los ojos brillosos se encierra en el baño. Pega un portazo. Desde afuera se oye su llanto desesperado y dos palabras entrecortadas: "Perdonáme... perdonáme". Carlitos baja corriendo las escaleras. Sube al auto y se aleja a gran velocidad, levantando polvareda.

Sufriendo, peleando, huyendo, así fueron todos los años de su vida.

En otra oportunidad, con una escopeta de aire comprimido irrumpió en un té, con desfile de modas a beneficio del hospital de La Rioja, que presidía Susana Valente. La mujer de Eduardo Menem participaba a efectos protocolares en representación de Zulema Yoma, que en ese momento estaba peleada con su Carlos. Carlitos entró hecho una tromba. A los tiros destrozó los vidrios del living de la residencia mientras gritaba: "¡Aquí no se hace ningún té canasta sin mi mami!". Carlos Junior corrió por la vida sin respiro, a mil.

"Tal vez a mí me haya costado más todo esto por ser el hijo varón. Todos los dramas cayeron sobre mí, era el hijo mayor y el varón, si había un problema en la familia yo era el intermediario, yo siempre ligaba todos los palos, era el puente de todos los problemas. Por eso detesto la política, la odio, la aborrezco", solía explicar en los reportajes.

Carlitos amaba la velocidad y los autos de carrera. Como su padre, era un apasionado de los extremos. En 1988 lo reemplaza en la escudería "Menem Competición". Tenía dieciocho años cuando comienza a correr profesionalmente de la mano del coequiper de Carlos Menem, Rubén Valentini. Un hombre que años más tarde, a fines del '94, terminaría alejándose definitivamente de la familia, después de que una ráfaga de ametralladora, una madrugada, destrozara las ventanas de su casa de Pinamar. Días antes del episodio, Valentini había tenido una fuerte discusión con gente del entorno de Carlitos Junior. Los tiros contra la ventana de su casa y la íntima convicción de que los amigos del hijo del presidente no eran ajenos al hecho marcaron su alejamiento definitivo del muchacho. En el verano de 1998, en la misma ciudad de Pinamar, Valentini denuncia que una bomba de trotyl casi explota en su casa en la que se encontraba durmiendo acompañado de uno de sus hijos.

Carlitos no cambió mucho con la adolescencia. Había abandonado los estudios a pesar de los intensos reclamos de su madre.

–No me interesa tener un título, ni universitario ni secundario. Los libros me dan alergia. Mi pasión son los fierros. Todo lo que corre o vuela a mucha velocidad. Y ésa es mi profesión –explicaba cada vez que le preguntaban por sus estudios. Era solitario y distante. Desconfiado.

–A veces parecía un témpano. Difícil de descifrar –recuerda un amigo de los principios–. Otras veces sorprendía con actitudes generosas y amables. Era tan impredecible como su padre y su madre. Todo al mismo tiempo.

Por estos años, Carlos Menem estaba en plena campaña electoral por la Presidencia. La Argentina vivía momentos difíciles. El gobierno de Raúl Alfonsín se veía sitiado por una hiperinflación galopante, decenas de paros sindicales, saqueos a los supermercados, amenazas militares. Alfonsín apelaba al recurso de "Yo o el caos", ante la simple posibilidad de que el justicialismo accediera al gobierno. En la intimidad del menemismo se manejaba la hipótesis de que el radicalismo trataría por todos los medios de impedir la llegada de Menem al poder por medio de un atentado en su contra o de un levantamiento militar. El ambiente político estaba enrarecido. La madrugada del 23 de enero de 1989 la Argentina tembló con la noticia: el sangriento asalto al cuartel de La Tablada confirmó las sospechas y los rumores. El Movimiento Todos por la Patria, encabezado por el abogado Jorge Baños y manejado desde la clandestinidad por el guerrillero Enrique Gorriarán Merlo, tomó el cuartel y fue reprimido con desproporcionada violencia. El peronismo a través de César Arias presentó una denuncia ante la justicia reclamando la investigación de la conexión del gobierno con los asaltantes al regimiento. Finalmente, los dos partidos a través de José Luis Manzano y el sindicalista Luis Barrionuevo, por el peronismo, y el ministro del Interior de Alfonsín, Enrique "Coti" Nosiglia, por el radicalismo, llegaron a un acuerdo de no remover más una situación que hubiera revelado extrañas conspiraciones y detalles de relaciones *non sanctas* de ambos lados que harían peligrar la continuidad democrática. Y nadie más volvió a hablar del tema ni a preguntarse el porqué del violentísimo bombardeo de dos días a un grupo de civiles inexpertos, que se rindieron a las pocas horas de entrar. La campaña electoral siguió su curso.

Mientras su padre recorría la Argentina montado en el "menemóvil" y rodeado de personajes de toda índole y procedencia, Carlitos levantaba polvo en los caminos y disfrutaba de las chicas que se acercaban fascinadas por su audacia y su simpleza de chico provinciano, un atributo que nunca lo abandonaría.

–Soy un provinciano pacífico. Nunca tuve problemas con nadie –decía.

Era inestable y compulsivo con las mujeres. No se comprometía demasiado con ninguna. Seductor empedernido, una vez que conseguía lo que quería, se retiraba casi despectivamente.

–Cuando se cansaba, las echaba de la habitación y las mandaba a la casa con la custodia. En una época salía con una chiquita que después se acostaba con el resto del grupo. Él no le daba ni la hora, pero si a la madrugada no tenía con quién irse a dormir, la llamaba y le juraba amor eterno. "Es que a las cuatro de la mañana te vas con cualquiera", me contestaba –recuerda una vieja amiga.

Y al otro día, otra vez de nuevo. Como si pudiera beberse la vida de un solo trago. Inseguro y sensible a la vez.

–Le gustaba contar adelante del grupo los detalles de lo que hacía con las minas en la cama. Como si eso le diera seguridad. Nosotros en broma le decíamos que a lo mejor en ese momento Diego Latorre, el novio de su hermana, podía estar contándole a sus amigos todo lo que hacía con Zulemita. Y Carlitos se volvía loco. Repetía enojado que no podía ser, que era imposible –recuerda Monique Montmayer, la novia de Guillermo Coppola que compartió aquellos años de desmesuras nocturnas.

Tiempos de deslumbramiento por los halagos fáciles, la noche y el poder. Y lo inevitable. Lo de toda la vida: la poderosa sombra de su madre que sobrevolaba cualquier relación amorosa. Carlitos había sido criado bajo el rito musulmán, que imponía respeto por el padre y adoración por la madre. Cualquier mujer que lo deslumbraba debía pasar por el tamiz de la severa aprobación materna.

"Para él todas las mujeres eran putas. Menos su madre y su hermana. Siempre decía que se iba a casar cuando encontrara una mujer que se pareciera a Zulema", es una frase con la que sus amigos explican la inestable relación de Junior con las mujeres. La asunción de Carlos Menem al poder trajo a su vida un cortejo de "novias", que desesperaban por mostrarse al lado del hijo del Presidente. Ana Sol Vogler, la movilera de ATC, la veterana modelo Delfina Frers, la peruana Xiomara Xibile, de "Nubeluz", la modelito Paula Di Agosti y Carolina Fernández Balbis. A todas les prometió amor eterno y las llevó a Olivos, exhibiendo su poder de seducción frente a su padre.

–No sé cómo era mi padre en la adolescencia, pero dicen que de tal palo, tal astilla –repetía, con media sonrisa.

Carlitos tenía un amor obsesivo por Zulema. Y ella por él. No había un día en que no la llamara por teléfono o que no se preocupara por saber cómo se encontraba. Infinidad de veces averiguaba para ella las intimidades de Olivos o de Balcarce 50. Sobre todo, las actividades y visitas de Carlos Menem o el entorno.

La banda de obsecuentes que pululaban alrededor de su padre pertenecían al mundo de sus aborrecimientos y se los hacía saber de distintas maneras.

–Odiaba a los alcahuetes –recuerda su amigo Jorge González, dueño de Pizza Cero.

Entraba a Olivos como una tromba y los miraba con desprecio. "Fijáte cómo se escapan como ratas cuando me ven llegar. Son ratas inmundas que buscan plata. Están al lado del Viejo por interés", eran sus palabras habituales cada vez que se refería a aquellos personajes. Cuando ocurrió el episodio de la expulsión de la quinta de Olivos, en junio de 1990, sufrió y lloró sin disimulo. "En el episodio de la quinta hubo mucha gente basura que enceguecó a mi padre. Todavía hay mucha gente al lado de él que no sirve. Él sabe todo. Si fuera por mí, saco a mi padre y no queda nadie."

–No lo conozco a tu padre tanto como vos, pero si algo lo conozco creo que en este momento debe estar llorando –le respondió en su programa de televisión el periodista Bernardo Neustadt, tratando de defender la actitud de Menem.

–Yo también he llorado muchas veces. Muchísimas veces lloré en mi vida. Tantas veces llore por él…

Aquel martes 12 de junio de 1990, Carlitos tenía la mirada dura. Implacable. Tal era su enojo que durante dos años no le dirigió la palabra a Carlos Menem ni respondió sus mensajes telefónicos.

Sin paz, recorrió la vida entre dos fuegos: su padre y su madre. Navegando en un mar que le generaba angustias y tristezas. "Soñaba con tener una familia normal. Sin gritos, sin peleas, sin política. Muchas veces se benefició con ser el hijo del Presidente. Y lo disfrutaba. Mandaba a buscar a las chicas con la custodia o pedía el *Tango 01* para llevarnos a una carrera de rally. Era un transgresor nato. Entraba a los lugares prepeando. Pero su mayor alegría era ver a sus padres juntos", cuentan sus amigos.

–La vida está para ser vivida. El vértigo para mí es un estimulante. Lo necesito a diario para pasarla bien –repetía cada vez que un periodista le preguntaba por su vida al filo del abismo.

Un mediodía de julio de 1989, apenas su padre estrenaba la Presidencia, en una carrera de motos de La Rioja a Córdoba, un compañero lo rozó a más de doscientos kilómetros por hora. Carlitos voló por el aire y se salvó por milagro. Terminó con una fractura expuesta de tibia y peroné y el corte de un nervio. Perdió más de dos litros de sangre y, siguiendo los consejos del empresario Carlos Bulgheroni, viajó acompañado de su madre a atenderse en la clínica Mayo de Estados Unidos. Allí le realizaron un injerto que le permitió recuperar, después de un año, el quince por ciento de la movilidad de la pierna. Desde la cama le reprocho a su padre sus años de abandono.

Sin embargo, nada ni nadie lo asustaba.

–¿Cómo es vivir al borde del accidente? –le preguntó Susana Viau, de *Página/12*, en una playa de Pinamar.

–Cuando empecé eso me gustaba. Ahora, cuando uno tiene el compromiso con los espónsors, tiene la responsabilidad en las espaldas y tiene que ir fuerte de verdad por los demás… buscar el último segundo. Los límites se encuentran en los accidentes y no queda otra, cada vez más fuerte, otro accidente, cada vez más fuerte, otro accidente. Hay gente que acelera de más y otra a la que le cuesta. Un día Traverso me dijo: "Tenés que aprender a regular. Vos acelerás mucho, pero sería peor que no aceleraras". Esto se regula. El miedo, no. Y yo no tengo miedo –respondió con los ojos negros fijos en el mar.

Caminaba arrastrando la pierna. La tenía casi colgada. Se miraba y se reía de sí mismo. Se ponía el casco, trepaba a un auto de carrera, empujaba la pierna con la cadera y de inmediato la aguja del velocímetro superaba el límite.

Con Carlos Menem lo unía una relación contradictoria y explosiva.

"Mi padre es el Presidente, pero yo no estoy en la Casa Rosada. Es más, odio la política. Si me tienen que humillar, que me humillen como deportista, cuando estoy arriba de un coche de carrera. Repito: odio la política. Por eso estuvo mi padre preso y yo sufría mucho por no tenerlo. Y hoy no lo veo nunca. Porque no lo veo nunca, ¿sabés? Si mi padre no fuera Presidente podríamos compartir una mesa todos los días. Yo lo hubiera preferido sin dudar. Y poder caminar por la calle sin que te señale nadie. Poder decir y hacer lo que quieras sin que te señale nadie…"

Otras veces se refería al padre y se advertía admiración en sus palabras. "El *Patilludo* es un fenómeno. Se levanta cada mina…" Y sus ojos negros titilaban. "Eso sí, que estas relaciones no llegaran jamás a los ojos y oídos de su madre, porque estallaba de furia. Si la veía a Zulema llorar, Carlitos era capaz de cualquier cosa", repiten sus antiguos compañeros.

Hay anécdotas que lo definen sin medias tintas. En plena campaña electoral por la primera presidencia, después de una fuerte discusión con Zulema, Carlos Menem se mudó al hotel Bauen. También lo hizo Nora

Alí, una joven de apacible belleza. Ella lo veía como un padre y él descansaba en sus brazos de las furias de su mujer. Nora, años después devenida asesora presidencial con rango de secretaria de Estado, cumplía entonces varios papeles: amante, confidente, secretaria y operadora política. Y tenía una virtud: era discreta y tranquila. Sin embargo, la relación había llegado a oídos de Zulema y había sido motivo de varios escándalos familiares. Una tarde, Carlitos llegó imprevistamente hasta el hotel preguntando a los gritos por su padre. Cuando le indicaron dónde estaba, el joven tomó una barra de hierro y trató de tirar abajo la puerta de la habitación. Adentro, Carlos Menem y Nora Alí, aterrorizados, esperaron, escondidos en el baño, que algún siempre listo los fuera a rescatar.

En 1987 Junior o "Chancho", apodo que le puso su hermana después de que se realizara la cirugía de nariz (se operó con Zulema el mismo día, en 1988), conocería en la Expo La Rioja a una vistosa promotora de eventos.

Amalia Elisa Eudorika Pinetta era delgada, tenía boca grande y se hacía llamar Karina. Una rubia llamativa y vulgar que se había quedado abruptamente sin trabajo a los pocos días de llegar a la provincia. Carlitos la invitó a salir, y como ella no tenía dinero, se la llevó a la residencia oficial de la Gobernación, donde permanecieron juntos tres días. Sobre este tema hay versiones contradictorias. Ella aseguró años después que estuvieron juntos tres días y algunos testigos le relataron al periodista Carlos Dutil de la revista *Noticias* que apenas fue un romance de una noche en la que, además, no estuvieron solos. Según el testigo de aquel encuentro, fueron de la partida algunos amigos de Carlitos y una promotora amiga de Amalia, de la que no se conoce más que su apodo. Aquella primera noche de primavera de 1987 en la residencia de la gobernación riojana, Amalia o Karina conoció también a Carlos Menem, a Zulema, a Zulemita, a Emir Yoma y a Ramón Hernández. La presencia de una joven desconocida no resultaba extraña en una casa donde la gente entraba y salía a cualquier hora del día. Los amigos de Carlitos y Zulemita eran una constante cotidiana. Y el matrimonio continuaba sus días entre acusaciones mutuas y peleas recurrentes. A la par, la Argentina era un hervidero: el radicalismo comenzaba el camino del derrumbe político y aquel menemismo desorganizado recibía las primeras luces del futuro acceso al poder.

El domingo 6 de septiembre el peronismo triunfaba en las elecciones de todo el país, sumiendo al gobierno de Raúl Alfonsín en el descon-

cierto y el caos. Ese fin de semana la ciudad de Buenos Aires había ama-
necido empapelada con afiches que decían "Menem presidente" y un
enorme cartel luminoso con la misma leyenda titilaba al fondo del barrio
de Constitución, sobre el galpón de las camiserías Rigar's. Un regalo del
empresario Armando Gostanian, uno de los fieles amigos que había sol-
ventado económicamente a Zulema y los chicos cuando Menem estaba
preso. Con el paso de los años, Gostanian se encargó del cotillón menemista y su rolliza figura se instaló en el despacho de presidente de la Casa de la Moneda.

La primavera de 1987, cuando Junior fijó sus ojos oscuros en Amalia Eudorika Pinetta, marcó el comienzo de la disputa por la candidatura
partidaria a la Presidencia. Carlos Menem no estaba nunca en la provincia. Las crónicas de la época contabilizaron que en esos cuatro años gobernó solamente ciento veinte días. Iba y venía a Buenos Aires controlando las operaciones políticas que se realizaban desde la casa de La
Rioja y viviendo la vida de siempre: la noche, las vedettes, las brujas, las
carreras de rally, las reuniones hasta la madrugada en algún hotel o en el
departamento de la calle Cochabamba. Hablaban de política y jugaban a
las cartas por plata. El póker y el truco eran sus preferidos. Y por nada
del mundo despegaba sus ojos de la televisión si había un partido de fútbol o una pelea de box. Por esa época se acrecentaron los rumores que
hablaban de sus problemas de salud: se había operado de la vesícula y a
los pocos meses viajó a Miami, supuestamente para hacerse un chequeo
de rutina. "Estuve paseando por el Caribe. No les voy a dar el gusto a los
que quieren anunciar mi muerte", dijo apenas bajó del avión. Sus enemigos deslizaban que tenía cáncer o insuficiencia coronaria. Lo querían sacar del medio. El establishment económico lo observaba atemorizado por
su exotismo y la ambigüedad de su discurso. La clase política tradicional se burlaba de su estilo de caudillo nacionalista y se escandalizaban
con sus extravagancias. Él sonreía y seguía con la rutina habitual. En el
cajón de la cómoda de su dormitorio del departamento de Buenos Aires,
Menem guardaba celosamente una serie de fotografías de la vedette Amalia "Yuyito" González, con toda su exuberancia expuesta ante la cámara. En la intimidad de aquella habitación colorida, con la imagen de la
Virgen del Valle y la fotografía de su madre en la mesa de luz, él se deleitaba como un adolescente con las imágenes de la mujer rubia en poses obscenas. Una confidente le recriminó sus escasos cuidados con sus
escapadas amorosas después que él se quejara de su mujer:

–Mirá, Teresa, las cosas que me hace Zulema. Dice barbaridades de mí y siempre me hace escándalos. Nunca está conforme con nada. No le gustan ninguno de mis amigos... No me deja tranquilo –repetía con tono de víctima, mientras barajaba las fotografías en las manos.

–Carlos, vos hacés cada cosa. Sacá esas fotos de ahí, imagináte si Zulema o alguno de los chicos las encuentran –le aconsejó la mujer que escuchaba sus quejas y sus angustias.

El menemismo era entonces un rejunte de oscuros individuos con más diferencias que coincidencias: dirigentes desprestigiados en sus distritos, ex montoneros, ex integrantes de los servicios de inteligencia, ex represores de la ESMA, arribistas, hombres sin militancia política, sindicalistas. Antonio Cafiero vivía el espejismo político de la renovación peronista, un movimiento que había triunfado en las internas, integrado por hombres que hablaban de la ética, de refundar el justicialismo a la manera de los partidos políticos europeos, que reivindicaban la militancia y la justicia social. Por allí exhibían su protagonismo y su soberbia los jóvenes dirigentes José Luis Manzano, José Manuel de la Sota y Carlos Grosso. Carlos Menem los miraba con desconfianza. Ellos, con desprecio. Cafiero terminaba de ganar la gobernación de la provincia de Buenos Aires, el distrito más importante del país, y se preparaba para pelear la candidatura a presidente, ilusionado con romper más adelante el viejo mito que aseguraba que nunca un gobernador de la provincia había llegado al sillón de Rivadavia. Dos años más tarde la realidad rompió todas las fronteras y todas las encuestas.

Aquella noche primaveral y calurosa de 1987 ninguno de los presentes en el comedor de la residencia riojana imaginó que esa chica vulgar que compartía la mesa familiar y que apenas pronunciaba palabra dejaría su impronta. Tres días después, Amalia desapareció rápidamente de la vida de Carlitos y su nombre sólo volvió a escucharse cinco años más tarde.

El 23 de junio de 1988 el menemismo, en una movida audaz y después de lograr la afiliación al partido de trescientas mil personas en dos meses, cerraba la campaña electoral por la interna, en el estadio de River. Al mando del dirigente de los gastronómicos Luis Barrionuevo y el apoyo del aparato de Las 62 Organizaciones, que pusieron la plata, el acto fue un éxito. Era el termómetro que anunciaba la gloria cercana.

Carlos Menem temblaba ante la multitud. Tenía la mente en blanco y casi no podía articular palabra. De pronto, recordó una frase que le había anotado en un papel arrugado su amigo, el dirigente peronista de Quilmes, Roberto Fernández:

"El emperador Julio César cuando estaba en un barco y hallándose en peligro con su tripulación dijo: no temáis, porque vais con el César y su estrella. Yo les digo, no temáis, porque vais con Perón y su doctrina".

Y el estadio repleto fue una sola ovación al grito de "Menem presidente". Se acercaba el comienzo de una década. El poder tan ambicionado.

Al mismo tiempo, la fría mañana del 24 de junio de 1988, en el hospital Anchorena de Buenos Aires, una mina regordeta y de ojos oscuros llegaba al mundo bajo el signo de Cáncer. Su madre la bautizó con el nombre de Antonella Carla. Nada más. No pudo ponerle su apellido y tampoco la pudo inscribir en el Registro Civil. Amalia Eudorika Pinetta salió del hospital con su hija en brazos y desesperada por su destino. No tenía trabajo y desconocía cómo iba a hacer para mantener a la niña y a Jonathan, su primer hijo, de dos años, que el padre nunca quiso reconocer. No tenía casa y sus pocas pertenencias estaban amontonadas en un hotel de Constitución, donde vivía junto a su madre. El menemismo comenzaba a brillar en el firmamento de la política argentina y Carlitos Junior escapaba a más de doscientos kilómetros por hora, aferrado al volante de un coche de carrera. Escapando siempre. "Me pongo el casco, acelero y... ¡allá vamos!", era la frase más escuchada de sus labios. Nueve meses después de aquel fugaz encuentro en la residencia riojana, la rubia que les decía a sus amigas que su mayor aspiración era ser la "Kim Basinger argentina" y que necesitaba plata para inyectarse colágeno en los labios, abrazaba a su hija recién nacida. Una niña morena sin documento y sin apellido. Idéntica al padre.

Amalia Pinetta cargaría con el secreto cinco años.

En el mes de julio de 1992, a través de la gestión del manager de Maradona, Guillermo Coppola, y desesperada por la falta de dinero, se presentó en el taller de autos que el hijo del Presidente tenía en la avenida Figueroa Alcorta. Carlitos la atendió con mala cara. Frío y distante. No la miró a los ojos. Ella le reveló en la vereda el dato velado con obsesión:

–Carlitos, Antonella es tu hija...

Él sólo le contestó:

–Si todas las mujeres con las que me acosté me reclamaran lo mismo, tendría dos millones de hijos.

Cortante y agresivo, Junior dio media vuelta y dejó sola a la mujer.

El viento frío de la calle despeinó los cabellos desteñidos de Amalia Pinetta y ella acomodó la bufanda de lana y el cuello del tapado gris gastado. Caminó despacio hacia la parada del colectivo. Se sentía humillada. Por esos días tenía que pedir plata prestada continuamente. No tenía para comer y mucho menos para pagar las cuentas. Miró el paisaje opaco a través de los vidrios empañados del ómnibus y recordó su infancia. Su pasión por el patín artístico. Los deportes. Sus sueños de chica pobre y sin educación. Su amor por las luces de la televisión. Su anhelo de tener plata y mantener a sus hijos sin necesidad de prostituirse. Sobre todo eso: tener plata. Y en segundo lugar, ser querida. "No tengo suerte con los hombres. ¿Por qué?", era el interrogante habitual en la soledad de sus noches. La figura desdibujada de su padre no le daba paz. "Mi padre está muerto. Y aunque no lo estuviera, igual está muerto para mí. Era un ser siniestro. ¿Será que él me trae tanta mala suerte?"

Amalia tenía los ojos fijos en la ventanilla del colectivo semivacío. Sus pensamientos corrían a la velocidad de la luz. Su padre violento, que la perseguía cuando su madre no estaba. La huida de la casa familiar cuando tenía quince años. Las marcas que dejaron heridas infinitas. El rostro áspero de Junior aumentó su angustia. Intuyó que las cosas no serían tan fáciles como había imaginado Alberto Corapi, su amante, que por esos días la había convencido de buscar a Carlitos. Una madrugada, mientras estaban en la cama, ella le confesó quién era el padre de su hija Antonella Carla.

"Vos sos una estúpida. No puede ser que vivas en esta miseria teniendo una nieta del Presidente. Es inhumano. Tendrías que vivir como una reina", bramó el hombre.

Y aquellas palabras la impulsaron a salir a buscar al padre de su hija.

El año 1992 se presentaba difícil. La familia presidencial vivía azotada por las turbulencias. El 13 de junio, a las ocho y media de la mañana, la jueza Amelia Berraz de Vidal firmaba la prisión preventiva de Amira Yoma, acusada a principios de 1991 por el juez español Baltasar Garzón de integrar una banda de lavadores de dólares del narcotráfico. El mismo día, cuando llegaba al juzgado para reportarse, quedaba detenido el ex secretario de Recursos Hídricos Mario Caserta, acusado de ser el organizador de la banda. El vendedor de armas sirio Monzer Al Kassar ocupaba las primeras planas de los diarios y hablaba con naturalidad de su amistad con el Presidente y su familia. Los escándalos parecían imparables y pegaban en la seno de la familia presidencial. Se hablaba de drogas y de lavado de dinero. El gobierno vivía conmocionado.

Amalia Eudorika Pinetta debatía sus tormentos lejos de las internas y los escándalos del gobierno. Repartía su vida entre sus hijos –tenía tres: Jonathan, Antonella Carla y Macarena, y ninguno de los tres estaba reconocido–, las salidas nocturnas y sus sueños de ser actriz. Pero las cosas iban de mal en peor. Estaba cada vez más delgada, tenía una tos constante y dos oscuras ojeras resaltaban sus ojos rasgados. Su amante, Alberto Corapi, dueño del cabaret Paradise, de Corrientes y Esmeralda, del sauna Partenón y de Tourbillon, de Nazca y Rivadavia, harto de escuchar sus lamentos, un día levantó el teléfono y llamó a Luis Cella, productor ejecutivo de "Hola, Susana". Y le ofreció la historia. Cella se entusiasmó con que Pinetta contara todo en el programa de mayor rating de la televisión argentina. Cuando los directivos del canal vieron la grabación, pidieron ver la demanda judicial de la joven antes de emitirla. En ese momento, el amante de Pinetta se contactó con los abogados Juan Carlos Rey y Gustavo Carnevale, los mismos que habían ganado un juicio por filiación de Lorena Scioli, hija del ex campeón mundial de motonáutica y diputado Daniel Scioli, y presentaron una demanda en el Juzgado Civil Nº 76, a cargo de Ricardo Sangiorgi. Sin embargo, el trámite judicial estuvo trabado durante un tiempo porque la joven no entregaba la partida de nacimiento de la niña. El reportaje nunca se emitió, pero rápidamente comenzaron a circular los rumores sobre la existencia de una "hija de Junior".

"Se trata de una jugada política. Un tema de estas características, si surge, hay que hablarlo en el momento y no a los cinco años, cuando uno es el hijo del Presidente", dijo Carlitos apenas lo consultaron algunos medios.

"No quiero tener más problemas con mi padre. No entiendo por qué ella viene ahora con esto. Llegó tarde, porque estoy muy enamorado de María y no quiero que ella se entere", repetía por lo bajo a sus amigos más cercanos. Por esos días, Junior disfrutaba públicamente de la compañía de María Vázquez, una joven de voluptuosa belleza, hija del embajador argentino ante las Naciones Unidas Jorge Vázquez, compañero de cárcel de Menem.

En realidad fue Menem quien conoció primero a María, y pensó que sería una linda novia para su hijo. Durante la visita a Estados Unidos, en 1992, la joven irrumpió en el living de la embajada con una minifalda negra ajustada y dejó boquiabiertos a Carlos Menem, y sus acompañantes, su hermano Eduardo y Hugo Anzorreguy. "Vos vieras qué linda es la hija de Jorge Vázquez", le dijo Menem a Junior, apenas volvió de Estados Unidos. En agosto del mismo año, los jóvenes se conocieron en la discoteca New York City y durante un año y medio mantuvieron una tormentosa relación que fue la comidilla de las revistas del corazón. Sus amigos dicen que María Vázquez fue su gran amor.

"Estoy cambiado, es cierto. María tiene que ver. Ella es mi novia, pero mi novia en serio. No es una pareja más. Es una chiquita que quiero mucho y es una relación que va por el buen camino. Es una chica educada, de buena familia, de sólo diecisiete años. Es el sueño de cualquier hombre", confiesa enamorado.

Como un estigma de la familia, el sueño se hizo trizas al poco tiempo.

A fines de 1993, después de una discusión telefónica, Junior rompió su relación con María Vázquez. El 7 de enero, en la disco Space, de Punta del Este, Carlitos y sus custodios protagonizaban una violenta pelea con el fotógrafo de la revista *Gente* Henry Von Watenberg. Carlitos terminó en la cárcel de Maldonado, con el labio partido, acusado de agresiones y robo de la cámara fotográfica del reportero.

"Ya es un hombre y sabe lo que hace", declaró Menem, de visita oficial en el Uruguay.

"Terminamos con María, pero ella sabe que si necesita algo, puede contar conmigo, siempre va a tener mi apoyo. Si estuve tanto tiempo con una persona es porque realmente la quise. Y la sigo queriendo. Sería muy frío decir que no pienso en ella. A mí no me gustaba que la presionaran para ser modelo. Mientras ella estuviera conmigo, no iba a ser modelo, porque es una profesión que no me gusta para mi mujer. Tengo muchísimas amigas modelos, pero ninguna de ellas fue mi novia. Creo que ella se merece lo mejor por haberme dado los momentos más felices de mi vida", dijo Junior apenas salió de la cárcel.

Ella, desparramada sobre la arena blanquísima de Punta del Este, daba detalles íntimos y reveladores a la revista *Noticias*, el 9 de enero.

"No me lo bancaba más. Él vino a Punta del Este para darme celos. Hace un año y medio que estábamos saliendo, pero nuestra relación era insoportable. Nada nos unía, todo nos separaba. No coincidíamos ni en las películas ni en los libros. Me hacía regalos costosos... Por ejemplo, me regalaba joyas carísimas que nunca usé, en el último viaje a Europa me trajo un reloj de oro con brillantes que nunca me puse, otra vez un lingote de oro. Yo no uso joyas, me gustan otras cosas en la vida... No lo banco más." Y agregaba: "Sus celos eran terribles. Me asediaba todo el tiempo, me perseguía. Me había puesto movicom, que al principio era algo lindo, pero después me di cuenta que era para controlarme. Los custodios de Carlitos lo mantenían informado todo el tiempo de todo lo que yo hacía. Si tomaba café con algún compañero me hacía terribles escenas. El verano pasado hice una nota con *Noticias* en Pinamar y lo tuve que aguantar por más de una semana. Quería encontrar al fotógrafo que me hizo las fotos. Estaba como loco".

Y una definición que describe con certeza la personalidad desmesurada de Junior. Por la misma epoca le confesó a la revista *Gente*:

"Llegué a querer sus máximos defectos. Es bárbaro perder la cabeza por alguien. Con Carlitos tuve pocos momentos de felicidad, porque fue una relación tortuosa, pero esos pocos momentos fueron sensacionales. Un minuto a su lado valía por semanas. Mis padres me advertían que no podía pasarme la vida en medio de aquella tortura. Pero era más fuerte. Con Carlitos somos como dos líneas paralelas que nunca se van a juntar, aunque lo intentemos".

Sus amigos recuerdan hoy que, después de la separación, Junior ya no volvió a ser el mismo: "Carlitos nunca perdió las esperanzas de volver con María, pero se volvía loco cuando la veía en alguna revista posando con poca ropa. La hacía seguir, quería saber de su vida, si todavía pensaba en él".

Durante el último año de su vida bajó el perfil con las andanzas nocturnas y se dedicó al vértigo de la velocidad. Las fotografías de esos meses lo muestran con cierta tristeza en la mirada oscura.

En julio de 1994, el corazón de Junior tenía nuevo dueño: un helicóptero Bell Ranger, de mil quinientos kilos y setecientos mil dólares. Con él podía combinar vértigo y pasión. El sábado 2 de julio en Anillaco, los quinientos invitados al sexagésimo cuarto cumpleaños de Carlos Menem fueron testigos de sus acrobáticas maniobras. Junior aterrizó a metros del gigantesco asador, levantó una nube de polvo y provocó la ira de los parrilleros. Después del brindis, volvió a repetir el juego. Menem estaba disfrutando de una carrera de sortijas cuando, en un segundo, el aparato rojo y blanco, conducido por Junior, provocó el caos: caballos desbocados, sortijas por el aire y los invitados, disparados. Menem sólo atinó a taparse los ojos con las manos y a maldecir para sus adentros, mientras veía alejarse la máquina.

"Estoy solo y no quiero estar de novio para poner mi cabeza en lo que me gusta. Quiero ser el sucesor de Fangio, ser el segundo argentino que acceda al título mundial de automovilismo. Estar en pareja me perjudicó en lo profesional. Justo cuando me puse de novio con María, jamás gané una carrera. No quiero más…"

En 1992, despues que intentó el reconocimiento de su hija, Amalia Pinetta comenzó a recibir amenazas en horas de la noche. Coches con hombres desconocidos, presuntamente relacionados con los servicios de inteligencia, comenzaron a presionarla para que guardara silencio. Durante algunas semanas, ella y sus hijos permanecieron ocultos en una habitación que Corapi tenía en la disco Halley. Allí pasaba largas noches de alcohol y sexo, buscando aliviarse de las presiones. Una noche la suerte quiso que fuera elegida "Reina del Heavy Metal" y ella posó provocativa con ropa interior mínima de cuero y tachas. Cuando los llamados cesaron, Amalia Pinetta retornó a sus intentos de alcanzar la fama: era frecuente verla recorrer los pasillos de los canales de televisión buscando algún papel o un simple bolo que cambiara su suerte. A todos contaba la historia: "Mi hija es la nieta del Presidente".

La familia presidencial no quería saber nada con reconocer a la nena, pero temblaban de pánico cada vez que la historia aparecía publicada en los diarios. A fines de 1992 se realizó una reunión en Olivos para tratar de llegar a un acuerdo. Frente a Carlos Menem estaban el ministro del Interior, José Luis Manzano, el secretario privado Ramón Hernández y Emir Yoma. Carlos Menem comía semillas de zapallo y miraba hacia cualquier parte. Por esos días, arreciaban los problemas con Zulema. Estaba harto de las acusaciones y los escándalos. Hacía pocos días que Zulema había ingresado en la clínica Mater Dei para un aparente chequeo de rutina. Los rumores públicos hablaban de un estado depresivo. Era de noche y había comenzado el verano. A través de los ventanales se veía el jardín verde esmeralda, iluminado. En el living, esperaban los amigos y cortesanos para el rito nocturno frente al televisor. El zapping que él disfrutaba como loco y alguna partida de póker por plata, en la que ganaba casi siempre. Gerardo Sofovich y los empresarios Jorge Abraham, Jorge Antonio y Aldo Elías acompañaban sus desvelos nocturnos frente al mazo de cartas. Se podía ganar o perder cien mil dólares cash de un tirón. La ceremonia era sencilla: a un costado de la mesa, la valija Samsonite con los billetes prolijamente ordenados, un habano Cohiba y una medida de whisky. El respiro nocturno del alma. La batalla contra la avaricia y la habilidad en la mentira. El jefe del clan familiar, Emir Yoma, dijo con tono seguro que había que arreglar con Pinetta para evitar escándalos mayores. Que ella quería un departamento, plata y el apellido para su hija.

"Está bien, pero hay que preguntarle a Zulema. Si ella está de acuerdo, métanle para adelante…", contestó Menem y se desvaneció en la noche.

En marzo de 1993 los abogados de Amalia Pinetta se reunieron con Alejandro Vázquez, el abogado de Zulema Yoma. En medio de la charla, en el antiguo y polvoriento bufé del letrado de conocidas amistades ultranacionalistas, apareció Zulema con un jogging verde y zapatillas blancas.

–Señora, si la historia que cuenta Amalia es cierta, usted tiene una nieta que se está muriendo de hambre, ¿qué piensa hacer? –dijo uno de los abogados de la joven.

–A mí no me gustan los arreglos de Menem y Ramón Hernández. Todos los Menem tienen hijos naturales y no me extrañaría nada que el padre quiera cubrir otra falta suya endosándole una hija a Carlitos…

–Señora, por favor. Si usted la ve se va a dar cuenta. La nena tiene la cara de su hijo…

–Si realmente es hija de mi hijo, que se haga cargo. Él no puede ser igual que el padre. Yo le voy a decir a Carlitos que se haga los análisis –contestó la ex primera dama antes de retirarse.

Tiempo después de esta conversación y poco antes de la muerte de Carlitos Junior, el abogado Alejandro Vázquez le anunció a Ricardo Nissen, nuevo apoderado de Pinetta, que Carlitos estaba dispuesto a hacerse los análisis de ADN que probarían la filiación. La tarde del 15 de marzo de 1995, cuando el helicóptero en el que viajaba junto a Silvio Oltra se estrelló en Ramallo, otra vez se hicieron trizas los sueños de Amalia por lograr la identidad de su hija y acceder a la fortuna de la familia. La dominó la angustia. Se pasaba horas frente al televisor mirando las imágenes de la tragedia. Reveló a su hija que en aquel féretro que mostraba la televisión estaba su padre, que el hombre que lloraba junto al cajón y al que todos llamaban presidente era su abuelo y que la mujer rubia de anteojos oscuros era su abuela Zulema. Y que su papá había muerto. "¿Papá se fue al cielo?", repetía la nena mientras le tiraba besitos a la pantalla del televisor. La noche de las exequias en la quinta de Olivos, Amalia se vistió de negro, compró un ramo de rosas rojas y entró a la residencia mezclada con la multitud que hizo horas de cola para tocar el féretro. Ingresó en la sala velatoria, dejó las flores y besó el cajón con los dedos. Sus ojos se cruzaron con la figura esbelta de María Vázquez, que, también vestida de negro, hacía cola para tocar el cajón. Mientras caminaba hacia la salida y apretaba la correa de su cartera de cuerina gastada, lloró despacio. Pensó en su hija sin padre y, sobre todo, pensó en ella. Siempre por ahí. Rodando sin destino y sin suerte. "Vida de mierda", dijo cuando llegó a la calle Villate y sintió la madrugada en la cara. Caminó sola buscando un taxi. La desolación y la impotencia le nublaban la mirada. El jueves 16 de marzo el sol del mediodía iluminaba las lápidas del cementerio islámico. El barrio de San Justo vivía los resabios del entierro de Carlos Saúl Menem. La gente espiaba a través de las ventanas de las casas bajas. En cada pupila estaba el reflejo del cortejo fúnebre, los coches de vidrios polarizados y los custodios. Amalia empujó la puerta cerrada del camposanto y con una mano acarició la cabecita de su hija. Antonella apretaba un ramo de cinco rosas rojas para su papá. El policía que custodiaba la puerta cerrada le impidió la entrada.

–Necesitamos pasar… Por favor. Ella es la hija de Carlitos –retrucó la joven.

El policía discó un número de teléfono y pidió autorización.

–El cementerio ya está cerrado, señora. Pero puede pasar –respondió el hombre de azul después de unos minutos.

El 22 de marzo, a pocos días de la muerte de Junior, María habló a la salida del casamiento de la modelo Paula Colombini.

"Estoy destrozada. En estos días ni siquiera pude pensar en nuestro noviazgo. Pienso que fuimos tontos en no permitirnos una charla, nada más que por orgullo. Y me cuesta creer que nunca va a existir esa conversación. A veces pienso que todo es una pesadilla, que un día voy a abrir los ojos y lo voy a encontrar a mi lado. Me indignó ver tanta gente en la capilla ardiente y en el cementerio, que nada tuvieron que ver con el."

El mes de julio de 1995, cuatro meses después de la muerte de su hijo, Zulema vagaba por el piso de la calle Posadas. Obnubilada por la pena, aceptó la posibilidad de realizarse un análisis de sangre que permitiera la identificación de la niña a la que todos creían hija de Carlitos. Su nieta. Su misma sangre.

"¿Una hija de Carlitos? ¿Tendrá su misma carita? ¿Y si todo es mentira? ¿Una conspiración del entorno? ¿Un complot para sacarme del medio?"

Zulema Yoma dudaba. Iba de la seguridad a la sospecha sin mediación. Como toda la vida, imaginaba conspiraciones. Pero una luz se encendió entre la bruma. El lunes 18 de septiembre, días antes de la Cumbre Iberoamericana de Bariloche, Antonella Carla, acompañada de su madre, pisó por primera vez el piso de la Avenida del Libertador al que Zulema y su hija se habían mudado. Allí se realizó el examen de ADN que certificaría la identidad de la niña.

"Es igual que Carlitos. Tiene hasta el mismo problemita en los ojos." Zulema terminó la frase y un llanto contenido la sofocó. Las imágenes se le mezclaban. Se sentía aturdida. En la reunión estuvieron presentes Carlos Menem, su hermano Eduardo, Emir Yoma y Zulemita. Además, el doctor Eduardo Raimondi, la doctora Primarosa de Chierei y el doctor Alejandro Tfeli.

"Mami, no hacen falta pruebas de ADN. La nena es igual a Carlitos", le decía Zulemita a la madre. Ella no despegaba los ojos de la nena gordita de extraordinario parecido físico con su hijo muerto. Mientras le sacaban sangre, la nena lloró y Zulema, conmovida, la llevó a la habitación de uno de sus hijos y le regaló un osito de peluche.

Un mes más tarde, los exámenes determinaron con una probabilidad del 99,99 por ciento que Antonella Carla era hija de Carlos Saúl Menem.

Carlos Menem admitió su abuelazgo y por un acuerdo judicial empezó a depositar dos mil pesos para mantener a su nieta. Pero el diablo metió la cola y las cosas volvieron a un punto muerto. La divulgación de unas fotografías de Amalia Pinetta semidesnuda, con mínima ropa de cuero y tachas, en poses provocativas, provocaron una reacción en Zulema. Indignada, negó los exámenes y acusó al entorno presidencial y al propio Carlos Menem de engañarla para ocultar oscuras intenciones. Volvieron las intrigas y las eternas conspiraciones. El pasado tormentoso de Amalia no ayudaba a convencer a Zulema, que apeló la decisión y presentó un recurso ante la Corte Suprema que paralizó el expediente. De nada sirvieron las flores que le mandaba la niña ni las tarjetas de Navidad que llegaban regularmente a la casa del piso 15. En el medio quedaba el destino de la herencia millonaria de Junior, que rondaba (en blanco) los dos millones de dólares: el dúplex de 11 de Septiembre y Pampa, dos Peugeot para rally, una Nissan Pathfinder, un Ford XR, importado, dos Wave Runner Bombardier, dos cuatriciclos, el seguro del helicóptero Bell, el taller Menem Junior Competición y repuestos para auto.

–¿No será hija de Carlos? ¿Y si es hija de mi hermano Emir? Dicen que los vieron juntos…

Sentada en la cocina de su casa, repetía una y otra vez los interrogantes. Duros. Y las dudas ante los pocos que la visitaban. Zulema sabía de la existencia de unas fotografías que mostraban a Pinetta en pocas ropas, junto a Emir y a Erman González. Y entonces, sospechaba. "¿Acaso, no era el Negro Erman medio hermano de Carlos?"

Encendía incienso para "alejar las malas ondas" y escuchaba las oraciones del libro sagrado grabados en un casete.

Zulema, navegando entre borrascas y en medio del epicentro de los inagotables escándalos familiares, se aferró al Corán y comenzó a tener sueños en los que veía a su hijo muerto. Su hijo, un feto, acostado a su lado en la cama. Su hijo, que, según Zulema, le enviaba mensajes desde el Más Allá.

AÑOS DE ROJO CARMESÍ

> El tiempo que estuvo habitado trae la embriaguez
> de la felicidad que hace morir; el dejar de ser uno
> para ser todo de alguien; la sencillez abrumadora
> de no poder hacer otra cosa que amar.
>
> ANTONIO GALA, *El águila bicéfala*

Marcela coloca el minúsculo casete en el grabador y lo prende. Se oye a lo lejos a un locutor. Parece un acto oficial, porque la banda empieza a tocar el Himno Nacional.

—Escuchá bien desde ahora —advierte.

Con voz grave, aguardentosa y cercana, alguien que parece a punto de echarse a llorar comienza a cantar un tango de la década del cuarenta.

Y ahora que estoy frente a ti
parecemos ya ves, dos extraños...
Lección que por fin, aprendí:
¡Cómo cambian las cosas, los años!
Angustia de saber muertas ya
la ilusión y la fe...
Perdón si me ves lagrimear...
¡Los recuerdos me han hecho mal!

La pieza de José María Contursi y Pedro Láurenz se interrumpe con un sonoro "clic". No hace falta volver atrás para repetirlo. Todo es muy nítido y la voz es inconfundible. Por el momento no hay nada más en la cinta. Ni locutor, ni himno, ni tango. La mujer rubia apaga el grabador y enciende un cigarrillo. Fuma con ansiedad. Tienen sus ojos una pertinaz melancolía, una tibia tristeza, ese no sé qué que dice tantas cosas...

Sonrío un poco para descomprimir la situación y le digo que es raro escuchar a Carlos Menem cantando así, tan desconsolado, "Como dos extraños". Ella reconoce que Juan Carlos Casas lo cantaba mejor a mediados de siglo y que al Presidente le gusta como lo canta hoy Adriana Varela, que lo puso de moda otra vez.

Pienso en la escena: el Presidente en un acto oficial hablando por el celular que le acaba de alcanzar Ramón Hernández, mientras la militancia, en la plaza, lleva horas de plantón esperándolo, vivándolo, acaso cuestionándolo. Cualquiera hubiese creído que estaba atendiendo una llamada muy importante, definiendo una cuestión de Estado. Sin embargo, ahí estaba él, como cualquier otro hombre, reprochándole a una mujer el tiempo malogrado por su ausencia y su infinita tristeza sin ella.

—Este mensaje me lo dejó cuando me borré... En esos días yo estaba muy bajoneada, lloraba a toda hora. Carlos me buscaba desesperado. Me dejaba infinidad de mensajes en el contestador. Lo mandaba a Ramón, a Meiriño, a Falak a casa, a tratar de convencerme de que fuera a Olivos... Desde que empezamos a salir, nunca imaginé vivir un cuento de hadas con él, jamás le hice un reclamo. Pero de repente, me empecé a cuestionar esa vida, no era normal...

Tiene treinta y tres años, mide un metro setenta, su cuerpo es armonioso y hace un bello *ensemble* con su rostro de rasgos finos, el pelo suelto y los tacos altos. La conocí en Anillaco, durante los festejos de fin de año de 1994, adonde yo había acudido para hacerle un reportaje al Presidente con motivo del año que se iniciaba y de la oportunidad que se le abría de ser reelecto en 1995, lograda ya la reforma constitucional.

No parece ser una fabuladora. Marcela dice que vivió con Carlos Menem un apasionado romance que duró tres años y que era conocido muy bien por varios funcionarios, muchos amigos del Presidente, todos los miembros del entorno y hasta algunos familiares, como Eduardo Menem y su mujer, Susana Valente, e incluso Carlitos Junior, quien al parecer simpatizaba con ella.

Marcela acompañó a Menem durante la fiesta, y cruzamos algunas palabras. Me contó que estudiaba Letras en la Universidad del Salvador y que escribía cuentos y poemas. Me llamó la atención su preocupación por mantener un bajísimo perfil, al contrario de otras amantes del Presidente. La delicadeza de sus movimientos, su manera de hablar, sus pequeños gestos y su linda manera de reírse trasuntaban que provenía de un hogar de gente pulida. Sin duda, ella era una nota contrastante en ese ámbito cargado de arribistas chabacanos y de gestos groseros.

Me dejó su teléfono y quedamos en encontrarnos alguna vez en Buenos Aires. Nunca lo hicimos, hasta este invierno de 1999 en que la casualidad nos hizo coincidir en el mismo lugar, a la misma hora. Ella se acercó y me dijo: "¿Te acordás de mí?".

—Puedo decirte exactamente cuándo lo conocí, eso es algo que no voy a olvidar nunca. Fue el domingo 15 de mayo de 1994, a las seis de la tarde, en Olivos. Me invitó Víctor Bó, somos amigos desde hace muchísimos años. Fui por curiosidad, por conocer de cerca a un Presidente, digamos. La verdad, físicamente él no me gustaba, y además tenía la edad de mi padre. Me acuerdo que cuando entré, él estaba reunido en el living con Alejandro Romay. Llegué sola en mi auto, un 147 blanco. Tomé café. Estaba muy nerviosa, porque me había adelantado a mi amigo y no conocía absolutamente a nadie. Pero, te vuelvo a repetir, él no me atraía y jamás pensé que podría pasar nada entre nosotros.

Como si estuviera produciendo una de esas tapas de fin de año donde –con "la magia" del Photoshop– la foto de cada famoso se acomoda al lado de la otra para que parezca que todos se encontraron para la agotadora sesión de fotos, desfilan por mi cabeza las mujeres vinculadas, de un modo u otro, con Menem: Amalia "Yuyito" González, Thelma Stefani, Noemí Alan, Beatriz Salomón, Graciela Masanés, Adriana Brodsky, Claudia Bello, Marta Meza, Ana María Luján, Eva Gatica, Nora Alí, Maia Swarovsky…

Y, por supuesto, antes y después de todas ellas, siempre, Zulema Yoma. ¿Las habría amado Carlos Menem a todas?

Una vez, hablando de la relación que unió a Juan Perón con Evita, Jorge Antonio dijo algo terrible: "Sabe, m'hija, los hombres como Perón y como Menem nunca se enamoran de las mujeres que tienen al lado. Son muy desgraciadas, porque tienen que aceptar que ellos aman el poder más que cualquier otra cosa en la vida. Y en el caso de Carlos Menem, no sólo es el poder, también es la plata". Se lo cuento a Marcela.

—No sé si él me quiso, a veces creo que sí y otras, tengo dudas. Él me decía todo el tiempo que me amaba. Yo lo quise mucho, todavía lo quiero y a veces lo extraño. Estuvimos tres años juntos y si no hubiera sido por mí, tal vez todavía seguiríamos juntos. Me costó dejarlo. Lo que tengo claro es que yo no fui cualquier relación para Carlos. Conmigo vivió momentos de su vida política y personal muy difíciles. La reelección, el atentado a la AMIA, la guerra con Cavallo y con Duhalde, el problema con Yabrán. Conmigo lloró la muerte de su hijo. Y aunque la vida no nos vuelva a juntar, sé que quedará entre nosotros un lazo imposible de romper. Un hombre no comparte un dolor tan grande con cualquiera. Ni creo que olvide a quien lo contuvo, lo sostuvo y lo acompañó en un momento así.

Prefirió que su apellido no apareciera publicado. No porque eso represente hoy un compromiso a nivel sentimental para ella: sigue soltera y en ese sentido no tiene nada que ocultar. La asiste otra poderosa razón: fundamentalmente su padre, proveniente de una familia acaudalada, que hubiera preferido para su hija otro tipo de relación, y en alguna medida también su madre, que, aunque más comprensiva, siente un fuerte rechazo por todo lo que significa el menemismo. Eso, sin contar que ambos fueron toda la vida antiperonistas.

–Mis padres sufrieron mucho con esa relación. Fui educada en una familia de muy conservadora, muy de guardar las formas, y estructurada sobre la base de principios tradicionales. Evidentemente, Carlos Menem no era el hombre que ellos habían imaginado para su hija. Papá tuvo un preinfarto cuando se enteró. Fue terrible.

Nació el 30 de abril de 1966, de manera que es taurina. Dicen que los de Tauro, un signo del elemento Tierra, se llevan bien con los de Cáncer, que son del elemento Agua. Una máxima astrológica sostiene que "el Agua vivifica a la Tierra y la hace fructificar con generosidad y esplendidez, y la Tierra contiene al Agua para que conserve su curso y no se pierda".

En 1994, cuando Marcela conoció a Menem, ella acababa de cumplir veintiocho años y él estaba próximo a festejar sus sesenta y cuatro. Prendí el grabador y seguí escuchándola sin interrumpir su relato.

–La primera vez que nos vimos, aquella tarde en Olivos, él tenía un blazer azul, corbata al tono con arabescos rojos, pantalón gris, y estaba súper perfumado. Me contaron que ese día había ido a jugar al tenis y que apenas llegó se fue a vestir para esperarme. Cuando se adelantó para recibirme, me impactó. Tenía una sonrisa de oreja a oreja, blanquísima, y la mirada melancólica. Lo vi muy tímido. Hablaba bajito, se frotaba las manos, se tocaba el anillo de piedra negra. Me miraba todo el tiempo, intensamente. Yo llevaba un conjunto negro de hilo de seda, una camisola y un palazzo. Tenía el pelo suelto, con reflejos rubios, una capa de lanilla de color manteca, tacos altísimos. Me hacía mucha gracia, porque cuando me paraba, él me llegaba a los hombros. Pero me daba la sensación de que me miraba desde un metro noventa.

209

"Esa tarde, Carlos me preguntó si tenía familia. Se preocupó por saber cómo era mi mamá y fundamentalmente, de qué se ocupaba mi papá. Después se fue aflojando, fue entrando en clima. Fuimos al microcine a ver una película, *El club de la Buena Estrella*. Se sentó a mi lado y me hablaba al oído. Ni me acuerdo de lo que pasaban en la pantalla, porque sentí que aunque no estábamos solos, sintonizábamos otro canal. Me habló durante toda la película, mientras masticaba semillas de zapallo. Me contaba de lo ocupado que estaba, de lo que significaba ser Presidente, de los problemas del país. Decía que añoraba tener una vida normal, viajar solo, andar por ahí con una mujer. Yo estaba tensa, no era como estar con cualquier hombre. Estaba muy impactada por su carisma. Nunca había estado con una persona así. Hablaba como si no fuera Presidente, tenía una calidez fuera de serie. Me preguntó con quién vivía, si tenía novio… Yo estaba saliendo con un amigo de mi hermano, pero le dije que no tenía novio, me salió decirle eso. Y él sonrió, como esperando esa respuesta.

"Después de la película nos sentamos a comer pizza en el comedor. En ese instante llegaron su hermano Eduardo, y su mujer, Susana. Me senté a la derecha de Carlos. Me servía, me preguntaba si había comido bien, si me había quedado con hambre. Todo el tiempo trató de seducirme, estaba muy pendiente de mí, de lo que decía, de mis movimientos. En un momento le dije que necesitaba ir al baño. Alguien dijo que el de abajo estaba roto y que podía ir al baño de servicio. 'A otro baño, no', dijo él. Y me acompañó al suyo, al de su dormitorio. Me esperó afuera, hasta que yo terminé. Yo sentí tanta vergüenza que casi no pude hacer nada. Salí del baño y tuve pánico de quedarme a solas con él allí, en su dormitorio, y casi salgo corriendo por las escaleras.

"Cuando terminamos de cenar, pasamos al living. Su cuñada hablaba todo el tiempo, le recomendaba cremas hidratantes para la cara y la medicina ayurvédica de Deepak Chopra para que pudiera mantenerse sano y no envejecer; Chopra es el médico indoamericano que tanto prendió en la Argentina en cierta clase de gente y que escribió *La perfecta salud*. Su hermano Eduardo estuvo toda la noche de cara larga, parecía amargado. Víctor se acercó y me dijo que se iba. Casi me muero. 'Quedáte tranquila, Marcela, no va a pasar nada', me dijo. Ahí recién nos quedamos solos. 'Tomo un café y me voy', le aclaré.

"Empezamos a hablar de libros. Le dije que me gustaba Antonio Gala, que yo escribía cuentos y que había ganado premios en un concurso. 'Ya vengo', me dijo, y se fue al dormitorio. Bajó con el *Manuscrito carmesí*, de Gala, y me lo regaló. Ese fue un momento especial. Habían apagado todas las luces de la casa, estábamos casi en penumbras, solos. Hasta ese momento no me había insinuado nada y de repente, me miró y dijo: '¡Qué linda sos!'.

El *Manuscrito carmesí* –como no podía esperarse tratándose de un regalo de Menem– cuenta la historia de Boabdil, el último sultán de Granada, quien recibe, en medio de intrigas y luchas por el poder, la responsabilidad de conducir un reino sumido en la decadencia y condenado a la desaparición.

La sabiduría, la esperanza y, fundamentalmente, el amor, son el último refugio de Boabdil en camino hacia la soledad. "No sé si es que han puesto en mi casa más espías o si es que los que hay tienen orden de multiplicarse; o quizás es que yo me estoy volviendo loco", dice en un párrafo que recuerda a Olivos.

"Toda historia –dijo Moraima y rompió el silencio– estará siempre mal contada, porque todo narrador elige siempre lo que quiere contar, y porque cualquier cosa cabe dentro de cualquier historia."

Y uno piensa en Menem y en su cínica manera de contar lo bien que está el país cuando anda tan mal.

Quizás éste pueda aplicarse tanto a su poder como a su pasado amor:

"Engañaré a mi pueblo, simulando esperar contra toda esperanza, para que no se hunda en la desesperación. Me engañaré a mí mismo, simulando que aún quedan batallas que reñir y triunfos que alcanzar. A la única que no engañaré será a Moraima: sin ella no sería capaz de emprender este áspero camino de simulaciones."

Marcela enciende su tercer cigarrillo y tomamos otra taza de café. Ella no habrá tenido la importancia que tuvo Moraima para el último sultán de Granada, pero al menos fue la única mujer que Menem no engañó. Ni siquiera al decirle "¡Qué linda sos!".

–Me quedé sin saber qué decir, la frase me llegó, me pegó fuerte –reconoce Marcela, y continúa–: Lo miré a los ojos, eran intensos, profundos, y le brillaban. Me levanté para irme y él me pidió el teléfono. Tomó una servilleta de papel, sacó una lapicera del bolsillo del blazer y anotó. Sin que le pidiera nada, me dio los suyos, los personales. "Llamáme", dijo, mirándome a los ojos. "No corresponde", le contesté y me fui hacia la puerta.

"Me acompañó hasta el lugar donde había estacionado el auto. Llovía bastante. Ahí se dio una situación rara: subí al coche, quise hacerlo arrancar, y no pude. Me dijo que lo dejara a él. Más insistía yo y más se ahogaba el auto. Subió, puso la llave y, milagrosamente, el auto arrancó. Todavía puedo verlo, apoyando la cara en la ventanilla y con la lluvia mojándole el pelo. Cuando le estaba por dar un beso de despedida en la mejilla, corrió la cara y me dio un piquito. Se rió de la situación y de mi asombro. Parecía un adolescente. Me explicó cómo salir. Por el espejo del auto, lo vi parado bajo la lluvia, saludándome con la mano. Era muy tierno. A las siete y media de la mañana, sonó el teléfono de mi departamento.

"–¿Marcela?, dijo una voz.

"–¿Quien es?, pregunté.

"–Soy *io*, el Carlos.

"–¿Qué Carlos?

"–¿Cómo qué Carlos? El Carlos Menem.

El romance comenzó a fines de ese mismo mes. Él estaba en la cúspide de su primer mandato y la vida le sonreía: se discutía la reforma de la Constitución que posibilitaría su reelección, la relación con sus hijos atravesaba un buen momento y los escándalos del gobierno eran compensados con la estabilidad, el acceso al crédito y el buen momento económico. ¿Qué más podía pedir Carlos Menem? Sin duda, amar y saberse amado.

–Al principio, tuve miedo y al mismo tiempo, me atraía muchísimo –continúa Marcela–. Me llamaba todos los días, varias veces. Me llenaba de piropos, decía que yo le gustaba mucho. Una noche me invitó a ir al cumpleaños de la novia de Martín, el hijo de Eduardo Menem, pero llegó muy engripado y se tuvo que ir antes porque se sentía pésimo. "Pero yo no me enfermo nunca, eh? Ni siquiera me resfrío, esto que me pasa es rarísimo. Yo siempre estoy bien, practico mucho deporte", insistía, mientras tosía y estornudaba. Le molestaba mostrarse enfermo y a mí me daba mucha gracia. Se fue y me llamó a las dos y media de la mañana. Dijo que era para ver si había llegado bien. Esa noche hablamos mucho tiempo por teléfono. Él estaba en la cama y tosía, lo sentí muy vulnerable y muy solo. Ahí me dijo que me amaba. Yo me quedé helada, me molestó muchísimo. "Vos no tenés idea de lo que significa el amor, apenas me conocés, ¿me estás cargando?", le dije. "Lo que vos no entendés es que lo que estoy diciendo es premonitorio", contestó.

Y, a lo mejor, hasta era karmático. Una astróloga le contó, consultando las efemérides y las progresiones de sus respectivas cartas natales en el momento en se conocieron, que el Venus de ella estaba sobre el Nodo Lunar de él, en el signo de Aries, y que, a la vez, el Marte de Menem se situaba muy próximo al Nodo Lunar de ella, en el signo de Tauro. No entendí nada hasta que me lo explicó:

—La astróloga me dijo que los nodos lunares son karmáticos y marcan lo que venimos a cumplir en esta vida.

El hecho de que a los veintiocho de ella y los sesenta y cuatro de él ambos nodos hayan estado estrechamente interrelacionados con los planetas que gobiernan los asuntos amorosos —Venus representa a la mujer, Marte al hombre— puede llegar a interpretarse como un encuentro predestinado para que tuviera lugar entre ellos a esas edades. No es el único punto de unión que tienen, pero sí el más singular.

No sabía cómo hacer para preguntarle a Marcela por su primera vez con él, pero finalmente no necesité hacerlo. Con delicadeza, ella espontáneamente lo contó.

—La primera vez que hicimos el amor yo estaba muy nerviosa, sentía pánico. Había escuchado cosas raras y Olivos me generaba mucha aprehensión. Además, nunca había estado con un hombre tan mayor y con tanto poder. Pero él preparó el momento de una manera especial: esa noche en la residencia no había nadie, cenamos en la mesa del comedor adornada con flores y él me regaló *La pasión*, una novela de Jeannette Winterson con Napoleón como protagonista. Hablamos poco, pero nos miramos mucho durante toda la cena. Era raro, porque había mucho silencio y sin embargo, estábamos comunicados. A esa altura, a mí se me había pasado el miedo. Me acarició la mano y el pelo. Tomamos café en el living, me abrazó y me besó profundamente. Fue apasionado y a la vez muy tierno. Me pidió que me quedara. Encendió velitas en el dormitorio y puso música clásica. Ningún hombre, en la intimidad, me trató como Carlos Menem. Era una "geisha" y me hizo sentir una reina.

"A partir de aquella noche, todas las noches fueron como la primera. Cuando estábamos juntos no importaban las internas del gobierno ni los problemas económicos del país ni las peleas con Cavallo. Dormía abrazado a mí toda la noche y cruzaba la pierna encima de la mía. Apenas me corría, él se aferraba fuerte. Una noche me levanté, fui al baño y cuando volví a la cama, lo vi acurrucado, buscándome con el brazo. Parecía un chico con carencias afectivas. Sufre de insomnio y cuando se despertaba encendía el televisor y hacía zapping, o leía un libro. También nos bañábamos juntos en el yacuzzi. A mí al principio me daba mucha vergüenza. Pero él decía que el agua purifica y que, entre dos que se aman, bañarse juntos es una bendición. Echaba en el agua sales de baño y perlas de aceites perfumados de Martha Harff, que guardaba al costado de la bañera en una ostra de bronce. Hacíamos el amor varias veces durante la noche. Me asombraba que un hombre con tantas responsabilidades pudiera abstraerse de esa manera. Era fogoso, insaciable. Conocía todas las maneras de darme placer, me preguntaba cómo me sentía, si estaba bien. Se desvivía por mí. Después de él nunca volví a amar de esa manera.

Marcela estudió teatro e incursionó alguna vez en televisión: trabajó con Flavia Palmiero, en la tira "Zona de riesgo" y, con Juan Darthés, en "El precio del poder".

Mientras duró el romance, Marcela viajó con Menem al exterior varias veces y cuando estaban en Buenos Aires el lugar de encuentro fue siempre Olivos o el Alvear Palace Hotel del amigo Falak.

–Carlos Menem es bastante controlador y muy, pero muy celoso. Me llamaba a horas insólitas, a las seis de la mañana, a las dos, a las doce. "¿Qué hacías? ¿De dónde venías? ¿Por qué estás agitada?", preguntaba. Y yo estaba agitada porque escuchaba el teléfono y corría a atender. Inventaba que me llamaba a las cuatro de la mañana y que no me encontraba. En el contestador me dejaba todo tipo de mensajes. Una vez, me puso música sacra, que por esa época se había puesto de moda. "Esto es para que sepas en el estado en que estoy por tu culpa", decía y cortaba. Me divertía el jueguito y él lo sabía. "Marcela, Marcela… ¿estás por ahí? Contestáme, por favor… Bueno, está bien, ya me voy a vengar. Soy *io*, el supermacho", y se reía a carcajadas.

"Sus salidas me divertían, pero a veces me ponían en aprietos. Me sentía protagonista de una comedia. Una noche, estábamos en una cena, en Olivos, y a la mesa estaban empresarios y gente del gabinete. Carlos simulaba escuchar lo que hablaban y entre dientes me decía que lo único que quería era ir a la cama conmigo. Me hacía gestitos pícaros y en un momento, por debajo de la mesa, llevó mi mano hacía su entrepierna y me dijo: "Mirá cómo estoy". Yo me quería morir de la vergüenza. Siempre me costó pensar que la persona que tenía al lado era el Presidente: es un tipo muy simple, con mucho sentido del humor. Conmigo se mostró vulnerable y me contó sobre sus sentimientos, sobre lo que sentía por mí. Pero para mí era todo muy difícil. Cada vez que me preguntaban por mi novio, yo decía "es abogado y trabaja en la Casa de Gobierno". Carlos Menem es muy absorbente y ansioso. Quiere todo ahora, no admite esperas. Lo que más me agobiaba era la presión del entorno. Una noche, muy tarde, sonó el teléfono de mi casa.

"–Marcela, habla Ramón. El Jefe quiere que vengas, te necesita.

"–Dame con él.

"–Pero, ¿vas a venir o no?

"–Ramón, estoy en cama, con fiebre y son las doce de la noche…

"–Bueno, pero si pudiste atender el teléfono, quiere decir que no estás tan mal. Te podés levantar y venir a verlo…

"Esa situación se repitió durante los tres años que estuvimos juntos. Sentía que me seguían, que me escuchaban, que sabían todo sobre mi vida, mi familia y la de mis amigos. No tenía vida propia. Hasta adentro del cine tenía que tener el celular encendido, por si me llamaba. Varias veces me dieron datos ciertos de mis pasos. Ahí empecé a perseguirme y hablaba en clave por teléfono: cuando me refería a él, lo llamaba "Andrea". En la intimidad, en cambio, todo era maravilloso. Nunca me levantó la voz, jamás se violentó conmigo, pero, aunque no le hice ningún reclamo, muchas veces añoraba tener una relación de pareja normal, alguien con quien salir a cualquier parte, viajar con amigos, caminar por la calle, ir de compras, comer en un restaurante, presentarlo a mi familia. Él siempre me decía: "Como te amo *io*, no te va a amar ningún hombre en la vida". Pero se me hizo imposible soportar tanta presión, tantos intermediarios y tanto ocultamiento.

"Aunque él me mostraba con su gente, yo tenía una vida paralela. Un día me deprimí y me largué a llorar en el domitorio de Olivos. Él caminaba por la habitación y no sabía qué hacer. Era las dos de la mañana y Carlos llamaba a la cocina y pedía comida, helado, ponía música. En un momento, me abrazó y bebió, una a una, las lágrimas que me caían por la cara. Me conmovió. Nunca me habló de Zulema o de las otras mujeres que pasaron por su vida. Yo tampoco le pregunté y jamás le conté sobre mi pasado.

La intimidad del romance con Marcela muestra a un Carlos Menem sensible, enamorado y en alguna medida, comprometido. A todas y cada una de las mujeres que tuvo, en algún momento las cambió por otra, las mantuvo más o menos ocultas –salvo Zulema– o las engañó. Y cuando la situación no daba para más, fue él quien cortó con ellas. Con Marcela, en cambio, se invirtieron las cosas. No sólo él le fue absolutamente fiel como Boabdil a Moraima durante esos tres años sino que fue ella quien, muy a su pesar, lo dejó. Antes de que esto ocurriera, Marcela lo acompañó –más que ninguna– en varios de sus viajes oficiales al exterior, aun a riesgo de que Zulemita le pegara un carterazo, aunque, bien mirado, por esta misma razón no fueron tantas veces.

–Una noche llegué a Olivos con un vestido rojo y el cabello recogido. Me había puesto un postizo de pelo natural hasta la cintura. Quise impresionarlo porque ese día se cumplían dos años que estábamos juntos. Apenas me vio, me dijo: "Estás muy linda, pero si te quitaras eso que te pusiste en la cabeza, estarías mejor. Me gusta tu pelo natural". Esa noche estábamos solos, encendió velitas, puso a Bach y dijo que quería tener "un changuito" conmigo. "Pero quiero que sea como vos, lindo, y no como yo, que soy tan feo". Me emocionó.

"Carlos Menem era generoso, cada vez que volvía de un viaje me traía regalos. Vestidos, sedas de Italia y Medio Oriente y algunas joyas. No sé cómo hacía, pero el talle de los trajes que me compraba era exacto el mío. A veces, la ropa que me regalaba no la podía usar porque era muy de señora, demasiado formal para mí. Nunca me dio nada fuera de lugar y yo tampoco le pedí. La relación entre nosotros pasaba por otro eje. Apenas nos conocimos, me preguntó: "¿Necesitás algo? Pedíme lo que quieras, yo te puedo dar lo que quieras". "Te necesito a vos", le contesté. "A mí ya me tenés, siempre voy a ser tuyo."

"Me llevó a la asunción de Cardoso en el Brasil y a Estados Unidos, en un viaje que tenía que encontrarse con Clinton. Fue una experiencia increíble. Ramón Hernández o Héctor Fernández me llamaban y me decían el color del vestido que tenía que llevar, de acuerdo con el protocolo. Me acuerdo de que en Brasil me puse un vestido negro, largo, escotado en la espalda. Tony Cuozzo se ofreció a peinarme y lo saqué corriendo. Yo llevaba mi propio set, con todo lo que necesitaba. Estaba horas en el dormitorio produciéndome. En ese viaje me pasaron cosas insólitas: cuando abrí la valija me di cuenta de que me faltaban los zapatos que tenía que usar en la fiesta. Mi equipaje venía de La Rioja, donde había festejado el fin de año con Carlos. Como viajamos directamente de Anillaco a Buenos Aires, mi equipaje había quedado en la residencia riojana. Él me dijo que no me preocupara, que la enviaban directamente. Me sentí incómoda. No me gustaba pensar que mis cosas personales estuvieran en manos ajenas, y desgraciadamente la intuición no me falló: no sólo me faltaban los zapatos sino ropa interior, vestidos, lápices labiales, sombras, perfumes y libros.

"Me desesperé por los zapatos, porque en Brasilia no había ningún shopping abierto. Llegué a la fiesta dos horas más tarde, después que todo el hotel se había movilizado para conseguirme zapatos medianamente adecuados. Los que llevé eran espantosos: de gamuza negra, un número más grande, con tiras plateadas. Yo tenía en la mano un bolsito de fiesta dorado, que traté de ocultar toda la noche porque no combinaba ni en sueños con el calzado. Llegué a la mesa y Carlos Menem estaba con cara larga, enojadísimo, y no me habló. Siempre sospeché que alguien del entorno me había sacado los zapatos a propósito. En ese mismo viaje, un día entré a mi habitación y sorprendí a Mario Falak revisando mi equipaje. "¿Qué estás haciendo ahí?", le dije. "Nada, nada, lo que pasa es que me gusta la calidad de tus vestidos", me contestó, y salió corriendo.

"Cada tanto, me enfrentaba a este tipo de situaciones desagradables. Siempre tuve el presentimiento de que me robó algo para hacer cosas raras, esoterismo, qué sé yo. Cuando le conté a Carlos el episodio de las cosas que faltaban de mi valija, él se enojó y ordenó que me devolvieran todo lo que había quedado en La Rioja. Fue muy feo: me mandaron una bolsa con pertenencias de Carlitos y Zulemita, y nunca más recuperé mis cosas. En ese viaje Carlos se enteró de la muerte de Diego Ibáñez, su amigo entrañable. Se puso muy mal, se shockeó. Lo vi muy impresionado por una muerte tan cercana, él es muy supersticioso. Dos meses después lo esperaba el golpe más duro de su vida: la muerte de su hijo".

Marcela alcanzó a conocer a Carlitos Junior. Mantenían una buena relación, facilitada en cierta medida por la cercanía de la edad. Cada vez que visitaba a su padre, tanto en Olivos como en la Rosada, debía generalmente esperar horas a que Menem se desprendiera del entorno –al cual Junior detestaba– para poder verlo y charlar con él. En algunos de esos momentos Marcela le hizo compañía. Hablaban de todo un poco: de autos, de música, de la vida. Marcela sentía que Carlitos la protegía de la mala onda del entorno. Y no sólo eso: también de las trapisondas de Menem. "Ojo viejo, tratála bien a Marcela, no te portés mal, que es una buena chica", le decía. A Marcela siempre le impresionó la mirada de tristeza de Junior y la permanente demanda de afecto y atención que le hacía a su padre.

–Me enteré de la muerte de Carlitos mirando televisión. Casi me muero, yo también lo quería muchísimo. Fue un caballero y un compinche conmigo. En esos días le dejé a Carlos infinidad de mensajes. En sus celulares, con Ramón, con Héctor, pero durante quince días no dio señales. Sentí que tenía que dejarlo solo, pero a la vez, me desesperaba por estar a su lado, por abrazarlo y contenerlo. Un día me llamó. Lo escuché muy mal, murmuraba y sollozaba. Fui a Olivos y lo encontré en la cama, acurrucado en posición fetal, desconsolado. Fue tristísimo. Me abrazó fuerte, se apoyó en mi pecho y lloró con convulsiones durante un largo rato. Todos los días era lo mismo. Pasábamos mucho tiempo en la cama, mirando películas o conversando. De Carlitos, de sus padres, de su futuro. A partir de ese día, las cosas fueron distintas. Él perdió la alegría, yo creo que para siempre. Y eso se reflejó en sus ojos.

"La libertad que teníamos también se restringió. Zulemita se aferró mucho a su padre, y él a ella. Yo tenía miedo de quedarme a dormir en Olivos, me acompañaba la sensación de que en cualquier momento llegaba su hija y nos descubría. Una madrugada, a las cuatro de la mañana, sonó el teléfono. Era Meiriño, que le avisaba a Carlos que Zulemita venía camino a la quinta, por Avenida del Libertador. Yo salté de la cama, asustada. Me sorprendió la frialdad con que Carlos manejó la situación: encendió el televisor y empezó a hacer zapping. Decía que me quedara tranquila, pero el teléfono no paraba de sonar. De pronto tomó un libro y me invitó a acostarme con él a leer. El clima era alucinante: yo estaba desesperada, la hija ya estaba llegando a Olivos y él aparentaba una calma escalofriante. Caminaba al borde de la cornisa, como le gustó siempre. Esa noche tuve la sensación de que quería que su hija lo descubriera. Finalmente, salí de allí corriendo cuando sentí que el auto de Zulemita ya estaba en el jardín.

"Me metieron en una camioneta y tuve que permanecer escondida en el lavadero hasta las siete de la mañana. Me sentí muy humillada, enojada con él y con el mundo. Me pregunté qué hacía ahí, despeinada, desarreglada y con un extraño que me miraba. Durante una semana no le atendí el teléfono, hasta que él me mandó buscar y me pidió perdón, casi llorando.

A fines de 1997, Marcela decidió ponerle fin a la historia amorosa con el Presidente. Habían compartido momentos muy intensos y ella no se animó a decirle en la cara que quería cortar con él. Así que empezó a desaparecer, poco a poco, hasta que encontró en otra relación la vida normal que añoraba: simplemente, un hombre con el que pudiera mostrarse de día y de noche. Ahí le puso punto al pasado. Pero Carlos Menem no se resignó a perderla. El no podía ser abandonado, él no debía ser reemplazado por otro. Le llenaba el contestador de mensajes suplicantes. Alguna noche, llamaba al celular de Marcela, sabiendo que ella estaba con su pareja.

—¿Seguís de novia? —preguntaba.

—…

—Bueno, yo sigo acá solo, esperándote. Siempre te voy a esperar y siempre te voy a amar.

Y cortaba.

—Ahora que hago memoria, me doy cuenta de que no le regalé muchas cosas —recuerda Marcela—. El primer regalo que le hice fue *El águila bicéfala*, de Antonio Gala. Estábamos en Olivos, me miró y dijo: "¿Qué me querés decir con esto de bicéfala? ¿Que tengo cuernos?". Y se rió a carcajadas. Era muy gracioso, tenía la capacidad de reírse de sí mismo. Tomé una frase del libro de Gala y la puse en la dedicatoria: "El tiempo que estuvo habitado trae la embriaguez de la felicidad que hace morir; el dejar de ser uno para ser todo de alguien; la sencillez abrumadora de no poder hacer otra cosa que amar". Supe en esos días que en cada lugar donde iba, o en cada reportaje que daba, recomendaba el libro y citaba la frase. Un día llegué a Olivos y subí a su dormitorio. Tenía el libro en la mesa de luz. Yo creí que le había arrancado la hoja con mi frase, por temor a que la viera su hija. Mientras se cambiaba, miré de reojo el libro y me sorprendí. La dedicatoria estaba ahí. "Marcela, Marce… Mi amor, ¿dónde estás? Contestáme, por favor. Este es el quinto mensaje que te dejo en el día… ¿Por qué no me hablás? *Io* te extraño, te amo… Bueno… está bien. Seguro que te olvidaste de mí…"

Dos años después, una tarde de domingo, Marcela y yo escuchamos este mensaje grabado en 1997. Y todos los otros que Carlos Menem le dejó en el contestador de su casa, a lo largo de la relación. Ella los guarda prolijamente, junto a los regalos: los libros, los CD de tango y de música clásica, la banda de sonido musical de *El Cartero* y de *Cinema Paradiso* que vieron en el microcine de Olivos.

—Me resulta difícil olvidarlo. Carlos era muy romántico, muy machista y muy hombre. El ideal de cualquier mujer. Le gustaba darme de comer en la boca, en privado y en público. Se arriesgó por mí, nunca me ocultó. Si tuviera que elegir un momento, me quedo con éste: cada vez que nos separábamos, él hacía con el pulgar la señal de la cruz sobre mi frente, como una bendición. A pesar de estas cosas y de sus promesas de amor eterno, no sé bien por qué, pero yo nunca, nunca, le creí.

POR EL NOMBRE DEL PADRE

Quiero contarles cómo he sido, en carne y hueso. Siempre
me han parecido hipócritas las biografías que ocultan
los aspectos íntimos de los hombres célebres, y en nuestro
país, esta pacatería está creando una galería de próceres
que parecen capones. Yo no fui de esos y no tengo
inconvenientes en confesar mis flaquezas.

FÉLIX LUNA, *Soy Roca*

–Carlitos, ahora no me vas a entender, es un tema difícil. Pero yo te
prometo que cuando esto se termine, dentro de cinco años, vas a tener lo
que te corresponde. Cuando yo deje de ser Presidente, te voy a reconocer. Te prometo que vas a llevar mi apellido. Mirá, si sos igualito a mí...
Mirá esa boca... Vení Carlitos, no seas pollerudo. Dejá a tu madre y sentáte en el regazo de tu papá...

Carlos Menem abrazó a su hijo extramatrimonial. El mismo al que
el entorno había bautizado despectivamente con el apodo de "muleto".

El sol de un mediodía destemplado de finales de 1994 rebotaba sobre el cristal del escritorio del despacho presidencial de Balcarce 50. Todo estaba en su lugar: la rosa fresca en el florero de cristal, los caramelos de chocolate dietético, las fotos familiares, los recortes de las noticias
de los diarios, el muñequito de cerámica con la camiseta de River, regalo de su hija Zulemita.

Los alcahuetes observaban la escena expectantes. Ninguno de los
presentes desconocía la relación que unía a Carlos Menem con aquel adolescente formoseño, corpulento, de idéntica mirada y boca de labios prominentes, fruto de su amor con la maestra y luego diputada peronista provincial Marta Meza.

El jovencito obedeció en silencio el pedido de su padre.

Miró con desconfianza al entorno. El mozo acercó una bandeja con
gaseosas. Carlos Nair tenía trece años recién cumplidos. Según su madre, había llegado al mundo el 17 de octubre de 1981 –Día de la Lealtad

Justicialista–, en el hospital de Las Lomitas. Pero en el pueblo juran que el chico nació en noviembre y que ella cambió la fecha para cumplir con el rito de su fanatismo peronista.

La llegada de la adolescencia había modificado el carácter de Carlos Nair, al que sus compañeros de colegio apodaban "Charlie". La traumática situación familiar lo volvió introvertido, huraño y pasó de ser un delgadito niño jugetón a un adolescente morrudo y de mirada desconfiada. Los que lo conocen de cerca, aseguran que siempre fue un chico cálido, sensible al extremo, amante de los autos. En 1998, cuando Menem le regaló un auto, iba a la plaza de Formosa, abría las cuatro puertas, incluso la trasera y ponía la música a todo volumen para impresionar a las chicas. No ocultaba una marcada obsesión por Menem, al que llamaba "papá", y de él heredó el amor por los "fierros".

Marta Meza había llegado esa mañana de Formosa, acompañada por su amigo, el secretario general de la Presidencia, Eduardo Bauzá. El influyente funcionario mendocino y el varias veces ministro Julio César "Chiche" Aráoz eran los protectores de Marta. Los dos hombres defendían a la mujer de las oscuras conspiraciones del entorno y de los celos enfermizos de la familia Yoma. Ellos eran por entonces un enlace seguro entre aquel chico hosco y su padre, el Presidente.

Al principio, esa misión había sido encargada al ex secretario presidencial, Miguel Ángel Vicco. Cada dos meses viajaba a Formosa y traía a Carlos Nair a Olivos o a la Rosada a ver al padre, siempre a escondidas de Zulema y de sus hijos.

–Dale Carlitos, andá a saludarlo a tu papá. Ojo, no se te ocurra decirle "papá" porque se pudre todo. ¿Entendiste? –aconsejaba Vicco entre risas.

El chico corría al encuentro de Carlos Menem y se trepaba a sus rodillas. Pese a la recomendación, exclamaba "¡papá!" frente a la mirada sorprendida de algún ministro. Un día, Carlos Nair se lanzó desnudo a la piscina de la residencia y nadó como si estuviera en el río, frente a la desesperación de los hombres que lo cuidaban.

Por encargo de Menem, apenas comenzado 1990, Vicco compró para Marta y el niño un modesto departamento de tres ambientes en la calle Bartolomé Mitre y Pasteur.

–Carlos, sos un pijotero. ¿Cómo puede ser que tu hijo viva en un hotel de mierda? Sos el Presidente, che. Comprále algo decente a Marta… –reclamó Vicco una mañana. Menem sonrió entonces con picardía, se puso el dedo parado sobre la boca en señal de silencio mientras comenzaban a desfilar alrededor de la mesa oval los miembros del gabinete, y dio el visto bueno para la compra.

En ese departamento deslucido y triste situado a pocas cuadras del Congreso, Marta Elisabeth Meza desmenuza ante mí su vida junto a Carlos Menem. Una relación que, según la protagonista, estuvo sembrada de borrascas y en la que no faltaron escándalos, extorsiones, amenazas de muerte y hasta un confuso episodio de robo.

Marta tiene un pijama de seda color natural y el pelo corto. Algunas canas asoman entre el cabello teñido de color castaño claro. La cara lavada. "Sin cirugías", aclara, sin que yo le pregunte. Fuma con ansiedad. En algún momento se tapa la cara con las manos y llora sin disimulo. Cierra los ojos y se hunde en el pasado, diecinueve años atrás, cuando llegó a Las Lomitas desde Buenos Aires y un hombre de baja estatura, abundante pelo negro, largo y ondulado, patillas estilo zorrino y camisa de jean, le abrió la puerta de la casa paterna. "Ya sé, no me digas nada, vos sos Marta. *Io* soy Carlos Menem."

–No sé qué le vi, porque no era lindo. A lo mejor era la mirada. Casi siempre empañada, grisácea. La misma que heredó mi hijo. O aquel pelo largo por debajo de los hombros que él se lo lavaba con agua mineral… (*Se ríe.*) Sí, Carlos Menem me pedía agua mineral, ahí en el medio del monte, sólo para lavarse el pelo. Se pasaba horas frente al espejo peinándose. Nunca levantaba la voz, nunca me gritó… Yo no le robé el marido a nadie. Carlos estaba separado de Zulema cuando lo conocí. Creo que a su manera él me quiso, no sé. Los dos somos de Cáncer, nos parecemos, nos entendemos. Yo era su confidente. Lo escuchaba. Lo consolaba cuando se sentía solo. Él no soportaba estar solo, tampoco ahora. Estuve muy enamorada de él, fue un amor apasionado porque Carlos es muy cálido en la intimidad. Sabe cómo tratar a las mujeres. Yo lo quise cuando él no era nadie. Un preso que venía todas las mañanas a la casa de mi padre a hablar de política o jugar al truco. O escribir largas cartas debajo de la enramada del patio. Decía que eran sus memorias. Todo el tiempo repetía que iba a ser presidente. Jugaba al fútbol con los indios y les decía que cuando fuera presidente los iba a venir a visitar. Nosotros nos reíamos y creíamos que estaba un poco loco. Pero cumplió, nomás.

"Enseguida que llegó a Las Lomitas empezamos a tener relaciones. Pero no me costó dejarlo. Será que ya venía golpeada, abandonada por mi marido, con dos hijos a cuestas… Un día Carlos vino a Lugano, donde yo paraba, y me dijo poco antes de las elecciones del '83, que tenía que volver con Zulema por una cuestión política. Necesitaba volver a la Gobernación. "Marta, vos sabés que entre Zulema y yo no pasa nada.

Gano, y en seis meses me separo", me prometió mientras me acariciaba el pelo. Yo le dije que lo nuestro se terminaba ahí. Nunca quise ser la "otra". Y me volví a Formosa –concluyó Marta Meza.

Cuando lo doblegaba la angustia por las peleas con Zulema, o el alejamiento de sus hijos lo sumía en el insomnio, Carlos Menem se acordaba de Marta, del hijo que había tenido con ella, y la llamaba. El teléfono sonaba a la una de la madrugada en Formosa. O a las cinco. O a las diez. Compulsivamente. Llamarla fue lo primero que él hizo apenas expulsó a Zulema de Olivos. Y lo siguió haciendo asiduamente en esos dos años que siguieron, en los que, a consecuencia de eso, Zulemita y Carlitos no le dirigieron la palabra.

–Tráelo, Marta, tráelo a Carlitos, por favor, que estoy mal. Tráelo mañana –pedía en tono de súplica.

Después de varios amores desdichados, Marta se había casado en segundas nupcias con el médico Antonio Horacio Dorrego, quien, gracias a los oficios de Menem, logró el puesto de interventor local del PAMI. Aunque, pasado un tiempo, la auditoría de la delegación nacional lo investigó por un supuesto desfalco millonario, el asunto se arregló luego de una charla que Marta mantuvo, obviamente, también con Menem.

Pero los avatares no la abandonaron. En noviembre de 1994, denunció ella, unos desconocidos se llevaron de la caja fuerte de su casa doscientos treinta mil dólares en efectivo y valiosas joyas.

"Me sacaron un Rolex de oro con incrustaciones de diamantes, regalo del Presidente de la Nación", declaró en el expediente de la causa. Marta acusó del robo a su ex chofer y secretario privado, Feliciano González, conocido como "Gonzalito", el hombre que acompañaba a Carlos Nair a ver a su padre, un profundo conocedor de las intimidades del clan Meza. Pero González negó terminantemente la acusación y no se pudo hacer nada, porque no se le encontraron los objetos robados.

De todas maneras, terminó preso en una cárcel del Paraguay, adonde llegó el 8 de febrero de 1995 por una estratagema de Marta y su marido. Una vez allí, la policía lo detuvo por un robo de electrodomésticos que habría sucedido en la casaquinta que Marta tiene en la localidad guaraní de Puerto Remanso. De paso, "Gonzalito" reconoció el otro robo denunciado en Formosa, por más que luego sostuvo que la confesión le había sido arrancada bajo torturas.

Estuvo encerrado en la cárcel de Tacumbú y seis meses después fue dejado en libertad por falta de pruebas. González acusó luego a Marta Meza y a su marido de privación ilegítima de la libertad. En la actualidad exige un resarcimiento económico de más de un millón de dólares.

Ella jura que nada de lo que el ex chofer dice sobre ella es cierto y que todo fue una conspiración de sus enemigos para sacarla de en medio. Pero él tiene otras cosas para echarle en cara.

Feliciano González habla a borbotones. Recuerda con exactitud cada detalle de su relación con Marta y su hijo Carlos Nair, una historia triste, sembrada de abusos y escabrosos episodios, que parecen extraídos de un thriller.

–No sé por qué Marta me hizo esto. Cuando ella era diputada yo fui su chofer y su asistente. La ayudé a repartir los medicamentos del PAMI, que manejaba su marido. Y a hacer política para la reelección de Menem. Estaba mucho en la casa con los chicos. Cuando ella dejó a Nair en la casa de su madre en Las Lomitas, yo me quedaba con él. El chico me pedía todo el tiempo que lo llevara con la mamá a Formosa. Decía que se aburría y que cada vez que hablaba con su padre por teléfono, la abuela le insistía para que le pidiera cosas para Las Lomitas. "Gonzalito, yo no quiero que nadie me use", me decía. Carlos Nair era un chico normal, cariñoso. Un día me regaló su perro, un manto negro llamado Wilper, que todavía conservo.

"Cuando la casa se llenaba de políticos –prosigue– él me pedía ir a dar una vuelta en auto y nos íbamos por ahí. Después se empezó a obsesionar porque su madre le había dicho que había gente que quería matarlo. Tenía el cabello castaño claro con rulos, pero en esos días le raparon la cabeza para que no lo reconocieran. Se volvió un poco paranoico, tenía miedo de cualquier cosa, no salía a ningún lado. Sufría mucho cuando no veía a Menem o él no lo llamaba. Hablábamos a Olivos, primero con Ramón Hernández y él le pasaba con el Presidente. Yo mismo lo llevé varias veces a Olivos y un verano a Chapadmalal, la residencia oficial.

"Me enteré de que Carlitos Junior sabía de la existencia de un hermano y que se iban a conocer. Fue después del escándalo de la hija de Amalia Pinetta. Yo estaba preso en Tacumbú cuando él se cayó con el helicóptero y se mató. Prometí que si salía vivo de ese lugar iba a hacer una misa en su memoria en la iglesia de la Virgen Milagrosa. Y cumplí. Zulema Yoma se enteró y me invitó a su casa de Buenos Aires. Viajé a fines del '97 y ella me atendió muy amable. Me preguntó por el chico y por Marta. Me ofreció sus abogados y también trasladarme a Buenos Aires con mi familia, si me sentía inseguro –dice Gonzalito con lágrimas en los ojos.

La furia de los Yoma

Menem recibió a su hijo extramatrimonial en innumerables ocasiones. Y desesperó muchas veces ante la posibilidad que en algún momento llegara a cruzarse con Zulemita. Para ella Carlos Nair era un "maldito bastardo".

Una mañana Marta se presentó en la antesala del despacho presidencial de la Casa Rosada respondiendo a una súplica de Menem. La acompañaba su hijo. Amira salía en ese instante de su oficina, los vio y se abalanzó furiosa sobre el chico. La rápida intervención de Menem evitó que el escándalo pasara a mayores: le ordenó a Ramón Hernández que sacara a Amira de allí. El secretario arrastró violentamente a la mujer de un brazo y la encerró en su despacho.

–¿Qué hace acá ese bastardo? ¿Quién lo dejó entrar? –gritaba la menor de los Yoma.

Aquel soleado mediodía de 1994, Carlos Menem abrazó a su hijo y los ojos se le empañaron. Ese chico que no podía reconocer como propio se le parecía como una gota de agua. Los recuerdos se le atropellaron en la cabeza.

–Flaco, míralo. Parece mentira que hayan pasado tantos años...

Eduardo Bauzá asentía con la cabeza y lloraba, apretando entre sus manos las de Marta, su protegida.

Esa mañana, el secretario general se sentía aliviado después de varios meses tumultuosos. Había logrado al fin aquietar las aguas del escándalo desatado por Meza el 14 de febrero de 1994, en plena campaña por las elecciones de Constituyentes. Tras haber denunciado amenazas de muerte contra su hijo y de responsabilizar al gobierno nacional por su seguridad, Marta se había marchado al Paraguay buscando, según decía, "asilo político". La conmoción fue de tal magnitud que el presidente paraguayo Juan Carlos Wasmosy se comunicó inmediatamente con Olivos. Menem le pidió protección para la mujer y el chico.

Atormentado por la situación y las presiones, vigilado de cerca por los custodios y con pánico por los rumores amenazadores sobre su vida, Carlos Nair se hundió en una de sus primeras crisis depresivas.

–Mamá, ¿por qué nos tienen acá? Quiero ver a mi papá. Él me va a defender de los que me quieren matar –repetía todo el tiempo, víctima de interminables accesos de llanto.

A partir de esta época comenzaron sus problemas de peso y, desde entonces, la obesidad que no lo abandona. Tampoco el asma, que sufre casi desde que nació y que le provoca accesos agudos cada vez que alguna situación familiar lo desequilibra. Pero a Marta Meza nada de esto le impidió nunca presionar a Menem con desatar el escándalo; más bien, la incitó siempre.

"Yo le preguntaría al Presidente de buena manera y respetando su investidura de hoy, ¿por qué no lava el honor de una mujer? He ido a la Casa Rosada siempre como una señora y como una política", declaraba.

"Quizá Marta Meza hoy no hable muchas cosas, pero como que me sigan presionando... va a tener que decir muchas cosas, de las que creen que no sabe", repetía en tercera persona.

"La señora Zulema Yoma, yo diría la musulmana, porque no es católica y yo soy católica, apostólica y romana, hace declaraciones diciendo: 'Yo quiero destruir al Presidente'. Yo vivo modestamente. En cambio esta señora un tiempo se calla y luego ataca. Y ahora se volvió a callar. ¿Será porque recibió algo?", ironizaba.

A Menem sus temeridades lo sumían en la angustia. Sentía agobio. Nunca pudo soportar los gritos y los enfrentamientos personales. Y menos, los protagonizados por mujeres.

Preocupado, una mañana en la que estaban solos en el despacho presidencial, Eduardo Duhalde le preguntó qué pensaba hacer.

–Eduardo, ¿qué voy a hacer? Mi vida no tiene destino. Las mujeres con las que estuve son todas locas. Siempre me arman quilombo. Todas me gritan, me exigen, me amenazan...

Duhalde no respondió.

–Pobre, lo vi bajoneado. Tenía la mirada perdida –le comentó a su mujer apenas ingresó a la quinta de San Vicente.

La distancia entre el Presidente y el gobernador no tenía todavía la dimensión del abismo. Aquella mañana Duhalde había sentido verdadera piedad por él.

Menem siente un cariño especial por su hijo Carlos Nair.

–Se le ilumina la mirada cada vez que está con él. Le cambia el ánimo. Después que murió Carlitos, lo ganó la desesperación por ver a ese chico, por tocarlo. Pero tiene terror a la reacción de su Zulemita... –revela un hombre del palacio.

Esteban Caselli, el oscuro y abruptamente millonario embajador argentino en el Vaticano –al que el entorno llama "el Obispo" por sus relaciones con el sector más conservador de la Curia–, y Bauzá –en ese entonces con despachos y negocios comunes– viajaron especialmente a Asunción por pedido de Menem. Y previo acuerdo de una pensión vitalicia de veinte mil dólares y un fideicomiso para Carlos Nair que rondaría el millón, trajeron de regreso a Buenos Aires a Marta y a su hijo.

Por esos días el divorcio entre Carlos Menem y Zulema Yoma estaba en marcha y el abogado de ella, Alejandro Vázquez, había presentado un cuestionario de quince puntos dirigido a establecer la infidelidad de Menem durante su confinamiento en Formosa. Todas las preguntas apuntaban a dilucidar la relación que Carlos Nair mantenía con el Presidente, cómo lo llamaba cuando lo veía por televisión y dónde se alojaba su madre durante sus visitas a La Rioja.

Marta se negó a contestar. La demanda tuvo trascendencia pública por las sucesivas cartas documento que se cruzaron las dos partes. En el gobierno, los temores crecían día tras día, ya que se acercaba la campaña electoral por la reelección. Aunque la historia tenía varios años y había sido publicada en un par de libros y en la revista *Noticias*, el tenor de la disputa y los costados escandalosos de la historia eran motivo de preocupación entre los influyentes del entorno.

Un día Zulemita descubrió el listado de ingreso de los visitantes a la quinta de Olivos. Allí figuraban Marta Meza y su hijo.

–Papi, si lo reconocés a ése, yo me mato –gritó, presa de un ataque de llanto, en el dormitorio de su padre.

Menem se acercó con la intención de abrazarla, como siempre que tenían alguna dificultad, para consolarla con mimos. Pero ella lo empujó con fuerza y se fue pegando un portazo.

Con la honda desesperación que sólo una pelea con su hija podía provocarle, Menem llamó por teléfono a Emir y le pidió que se hiciera cargo.

–Gordo, se armó quilombo. Tengo miedo que la nena haga algo. Descubrió lo de Marta y el chico… Calmála, por favor… –le suplicó.

El tío Emir se dirigió al departamento de la calle Posadas al 1500. A la crisis de su sobrina, se le sumaron allí los gritos y presagios apocalípticos de Zulema.

–Yo sabía que este delincuente traía a la loca y al chico. Siempre lo supe. Nunca va a tener perdón de Dios por lo que nos hace sufrir. Treinta años de maltrato al lado de éste. Y vos Emir siempre fuiste cómplice… –gritó Zulema.

Emir Yoma transpiraba copiosamente. No emitió sonido y desapareció del lugar como un relámpago.

Testigo indiscutible del nacimiento del menemismo, el voluminoso cuñado del presidente siempre fue el jefe del clan. Emir en árabe quiere decir justamente eso: "jefe". Contemporizador de las escandalosas riñas de la pareja y añejo confesor presidencial, Emir Fuad Yoma supo sacar provecho personal de cada estrépito familiar. Cada secreto de Estado, cada retazo de la intimidad, cada lágrima de Carlos Menem, eran conjurados por él y exhibidos como una prueba de su inmenso poder. Era el patriarca que resolvía todos los enredos y se valía de eso como sistema para acrecentar sus cuentas bancarias.

"Lo que pasa es que tengo las espaldas muy anchas", vociferaba con cierta ingenuidad cuando las acusaciones lo cercaban. Ante cualquier problema familiar, él corría a apagar los incendios. Sacó la cara por Amira en pleno Narcogate, salvó a su hermano Karim de las denuncias por corrupción cuando era funcionario de Cancillería, aconsejaba permanentemente a Carlitos Junior y complacía a Zulemita en todos sus caprichos. También entraba sin llamar en el dormitorio de Carlos Menem y era el único que se animaba a insultarlo. En la soledad de la recámara presidencial, mientras un Menem insomne, agobiado y en calzoncillos apretaba la tecla del control remoto del televisor, Emir se sentía en la cúspide.

Escuchaba, aconsejaba, puteaba, presionaba y siempre ganaba.

El poder inconmensurable que le dio el virtual ministerio sin cartera que ejerció durante toda una década lo habilitó para encarar con habilidad oriental negocios millonarios. Su nombre protagonizó los escándalos de corrupción más opulentos de la era menemista: el Swiftgate, el Yomagate, las irregularidades en la entrega de los créditos del gobierno de Italia, las estrechas relaciones con el traficante de armas sirio Monzer Al Kassar, el endeudamiento millonario del grupo con la banca oficial –la curtiembre familiar le debe sólo al Banco Nación más de ciento cincuenta millones de dólares por créditos impagos– el tráfico de las exportaciones de oro, la venta ilegal de armas a Ecuador y Croacia y las oscuras relaciones con el desaparecido empresario Alfredo Yabrán dejaron su impronta. Mientras su fortuna personal se incrementaba a pasos acelerados, él acariciaba su ego haciendo flamear sus amistades poderosas.

Tan grandes fueron los escándalos que debió emigrar de la Rosada, pero aun así la relación con Menem siguió como siempre. Emir encontró rápidamente consuelo transformando sus oficinas de Florida y Paraguay en un bunker, y allí continuó con sus lobbies y sus negocios. Iba por las noches a Olivos a visitar a Menem y durante la semana compartía comidas con su compañero de viudez menemista, Miguel Ángel Vicco.

Por alguna extraña razón que tiene que ver con el mundo del dinero y de los favores políticos, Yoma profundizó sin conflictos su amistad con dos enemigos irreconciliables: Yabrán y Domingo Cavallo. Como un adiestrado equilibrista se deslizó sobre los odios que se disparaban los dos personajes más emblemáticos de la era. E, increíblemente, salió indemne. Pero con Zulema, después de 1995, ya no fue lo mismo: su papel de mediador de los conflictos familiares quedó decididamente acotado.

La muerte de Carlitos lo alejó violentamente de su hermana. Ella lo hizo cómplice del asesinato y no volvió a dirigirle la palabra. Cada tanto, en represalia, él le lanzaba públicamente algún dardo envenenado.

–Está loca. Siempre haciendo quilombo, siempre gritando. No es la única mujer a la que se le murió el hijo. A mí se me murió mi madre y acá estoy, vivito y coleando –me contestó absolutamente convencido de sus razones cuando lo llamé para preguntarle algo relacionado con la muerte de su sobrino.

La guerra de los platos

Durante los húmedos y calurosos días de su confinamiento en Las Lomitas, Carlos Menem casi no vio a sus hijos. Su relación con Zulema estaba hecha trizas. Venía deshilachada desde el penal de Magdalena. Zulema llegó un día de visita y encontró a su marido a los besos con Mercedes Sánchez Casana, una joven de sugestiva belleza, hija de un teniente coronel que había sido jefe de la policía de San Luis y que estaba preso en el mismo lugar. Menem estaba tan entusiasmado con su nueva relación que hasta le había propuesto matrimonio.

Aparentemente, no era la única. Se dice que otras mujeres lo visitaban con asiduidad en esos tiempos de encierro, entre ellas, Janet Bouzon –una modista rubia y madura, que luego habría amenazado con divulgar fotografías de Carlos Menem desnudo en su cama– y la abogada Alicia Martínez Ríos.

Sus ex compañeros de cautiverio de aquel tiempo –el sindicalista Lorenzo Miguel, el embajador Jorge Vázquez, el desaparecido padrino de los petroleros, Diego Ibáñez; el ex gobernador puntano Elías Adre y el ex ministro Jorge Taiana– relataban siempre entre risas los escándalos que se sucedían cuando Zulema llegaba de visita a la cárcel. Los gritos y los carterazos delante de los chicos eran una constante. Después que ella se iba, Menem se acurrucaba en la cucheta de la celda y lloraba como un niño abrazado a las fotos de Carlitos y Zulemita. Es que era consciente de lo que le aguardaba después de cada escaramuza: Zulema lo castigaba con la ausencia de sus hijos.

Y eso era lo único que a él lograba tumbarlo.

Sobre la pared de cemento gris había pegado un afiche de Juan Manuel de Rosas y otro de Facundo Quiroga. Las fotografías de sus hijos, sonrientes, y otra de su madre, Mohibe, ambas sobre la mesita, acompañaban sus días en la celda. También la lectura de la Biblia, que realizaba a diario, durante horas y en actitud mística.

El 7 de abril de 1977, estando en Magdalena, tuvo la noticia de la muerte de su madre, quien desde hacía varios meses se encontraba enferma con un cuadro de hemiplejia.

Pese a los rencores que las habían separado, Zulema Yoma la cuidó con esmero y Mohibe, que apenas podía articular palabra por la afección, llegó al menos a reconocerle ese gesto de piedad.

"Hija, perdóneme", fue lo último que se le escuchó decir la víspera de su muerte.

Los amigos hicieron gestiones para que Menem concurriera al funeral, pero Jorge Rafael Videla, entonces presidente de facto, le negó el permiso de manera indeclinable. Su hermano Eduardo barajó la posibilidad de trasladar el cuerpo al penal de Magdalena para velarlo en su presencia. Y tampoco hubo caso.

"El cura Lorenzo Lavalle, capellán de la cárcel de Magdalena, sintió lástima cuando vio a Carlos Menem así. Estaba en su celda, desplomado sobre el camastro, tomándose la cabeza y con el rostro desencajado de tanto llorar: 'Mi madre era una mujer buena, padre. Mejor rece por mis carceleros y por los responsables de la situación que estoy viviendo, esos hijos de puta de los comandantes tienen tantos pecados que necesitan muchas más misas que mamá' ", relatan Alfredo Leuco y Antonio Díaz en *El heredero de Perón*.

Menem juró venganza, pero, llegado el momento, no cumplió con ese mandato.

–Algún día, este milico hijo de puta se va a tener que arrastrar adelante mío pidiéndome perdón por esto. No voy a parar hasta que se pudra en la cárcel –explotó Menem frente a Ibáñez.

Como una paradoja del destino, el 28 de diciembre de 1990 como Presidente de la Nación firmó el indulto a los comandantes del Proceso, entre los que se encontraba Videla.

A principios del '80 Menem fue trasladado a Mar del Plata y, casi enseguida, a Tandil, con prisión domiciliaria. En Tandil pasó la mayor parte del tiempo en un departamento que le prestó el fallecido ex vicegobernador de Buenos Aires, Luis María Macaya. Y hacia allí emigraron también las violentas reyertas con Zulema.

Se cuenta que Layla Musse, una joven atractiva, de grandes ojos oscuros y rasgos árabes, llegaba cada dos por tres a visitarlo. Su hermana, Zulema Musse, era la dueña del almacén de ramos generales La Zulema, y Layla aparentaba una visita fraternal. El romance se habría originado cuando Menem permaneció bajo arresto domiciliario en Mar del Plata y tuvo que vivir en casa de los Musse, en una habitación ubicada en la terraza. Y cambió de aire en el departamento de Macaya.

Según las mismas fuentes, la relación fue muy apasionada mientras duró. Y terminó el día en que Layla llegó a Tandil y encontró a Menem en compañía de otra mujer, supuestamente Mercedes Sánchez Casana. Furiosa y dolorida, regresó a Mar del Plata y esa misma noche fue internada con un severo cuadro de hiperglucemia. Las amarguras por las infidelidades de Menem le produjeron diabetes, afirmó Layla.

–Algunas veces se deprimía mucho. Para distraerlo nos escapábamos a ver boxeo o al cine en Mar del Plata. O a algún teatro de revistas a mirar las vedettes. Carlos jugaba mucho al póker o al truco por plata. Lo enloquecía el juego: me sacaba todo lo que tenía en el bolsillo y lo perdía en una mano. Lo animaba el contacto con la gente que lo reconocía por la calle. Pero eso molestaba mucho a los de Ejército que controlaban la zona –recuerda diecinueve años después, Carmelo Díaz, en su departamento de la calle Rivadavia.

Riojano él también, Díaz vio nacer a Carlos Menem a la vida política. Siempre recuerda cuando lo recibió en 1958.

–Era un changuito flaco, muy nacionalista y llegó con un modesto traje azul. Se lo veía muy seguro de sí y sin vueltas me dijo: "Don Díaz necesito que me vincule con las autoridades del peronismo de Buenos Aires".

Lo hizo y a partir de ese momento no se alejó de él. No dejó de visitarlo en cada uno de sus destinos carcelarios y hasta se mudó cerca para no dejarlo solo. Fue tal su fidelidad que inevitablemente pasó a integrar la lista de los enemigos de Zulema.

Díaz no sólo lo ayudaba en la política, también lo cubría en sus andanzas extramatrimoniales. Y no pocas veces hizo de intermediario.

–Yo le llevaba cigarrillos, le contaba cuentos y le cantaba. Por supuesto, juntaba unos pesitos que después me enteré que Carlos los jugaba en las largas tenidas de naipes que organizaban con el resto de los presos.

En el departamento de Luis Macaya había tenido lugar una infernal danza griega entre Zulema y Mercedes Sánchez Casana, a resultas de lo cual, insulto va, insulto viene, no quedó un solo plato sin romper contra el piso. En realidad, tampoco perdonaron ningún adorno ni una copa ni una cortina ni una silla. Todo fue sistemáticamente destruido. Hecho esto, las mujeres pasaron a golpearse y a tirarse de las mechas, y terminaron a los gritos azotándose contra el parqué, ante la mirada azorada del dueño de casa. Finalmente, Menem se puso entre las dos, revoleó un par de cachetazos, las separó y se fue a Buenos Aires con Carmelo Díaz.

Ese 10 de febrero de 1980 los militares le habían otorgado la libertad condicional por segunda vez, así que pudo instalarse en el departamento familiar de la calle Cochabamba al 2900, en el barrio de Constitución.

En la capital veía a sus hijos cada vez que podía y que las relaciones con Zulema se lo permitían. Asistía a reuniones políticas y se tentaba cuando veía de cerca a un periodista. Un día despotricó frente al diario riojano *El Independiente* contra la política de diálogo con los partidos políticos que desde el Ministerio del Interior inauguraba el general Albano Harguindeguy. Furiosos, los hombres de verde oliva lo mandaron a buscar y lo desaparecieron durante tres días.

Fue un viernes 19 de septiembre, a las once y media de la noche. Un Falcon con policías vestidos de civil estacionó frente al departamento de la calle Cochabamba. Carlos Menem alcanzó a discar el teléfono de Zulema. Ella comía pizza en su departamento de la calle Lima al 1000 con Hugo Amílcar Grinberg, abogado y amigo de su marido.

—Zulema, dame con los chicos, por favor. Estoy muy mal —pidió Menem con tono de desesperación.

—Ah, sos vos. Andáte a la mierda. Los chicos están durmiendo... —contestó ella.

Casi llorando, dice:

—Zulema, por favor. Decíles a los chicos que los quiero mucho y que siempre los voy a querer mucho...

La comunicación se cortó abruptamente. Zulema sintió que algo andaba mal y salió corriendo a la calle.

—Hugo, vamos para Cochabamba, que a éste le pasó algo. Tengo un mal presentimiento, tenía la voz muy rara...

Esa noche, la intuición de Zulema, de la que estaba separado por enésima vez, probablemente le salvó la vida.

—Dejáme, Zulema, voy yo. Sea lo que sea, puede necesitar de un abogado —dijo Grinberg.

Oriundo de la provincia de Buenos Aires, el "Gordo" Grinberg pertenecía a una antigua familia judía de la zona de San Martín. Idealista nato, cultivaba con Carlos Menem una intensa amistad que venía de 1974, tiempos en que aquél era gobernador y él había sido designado ministro del Superior Tribunal de Justicia de La Rioja.

Los avatares del matrimonio nunca lo alejaron de la intimidad: Grinberg supo servir de nexo entre ambos cuando todo estallaba por el aire. Él calmaba a Zulema y cubría las espaldas de Carlos Menem, que por ese entonces tenía un poco más de cuarenta años y se devoraba la vida. Y algo increíble, se llevaba bien con los dos.

En 1981 Grinberg compró una casa señorial en la avenida Rivadavia entre Larrea y Paso, donde instaló un estudio jurídico en sociedad con César Arias –el diputado y fanático operador de la re reelección–, Mario Landaburu, Hugo Rodríguez Sañudo, Francisco Paz y Norberto Pedrouzo.

En su despacho, adornado con un enorme póster del Papa Juan XXIII en señal ecuménica, el menemismo más primitivo tejió sus primeros lazos camino al poder. El geólogo Alberto Kohan, el juez Remigio González Moreno –que terminó preso en Devoto acusado de extorsión–, Miguel Ángel Vicco, Mario Caserta, Gustavo Beliz, Luis María Macaya, Armando Gostanian, Nora Alí y la abogada, amiga íntima y luego embajadora múltiple, Alicia Martínez Ríos, planificaban el futuro, reclutaban los primeros cuadros políticos y acompañaban al Jefe en incansables correrías por boîtes y noches de boxeo en el Luna Park.

En 1987, la muerte de Grinberg en un accidente automovilístico, al regresar de un acto político en San Nicolás, sumió a Menem en una desolación de la que sus amigos creyeron que no se recuperaría.

Aquella vez, como abogado, Grinberg no pudo hacer nada por su amigo. Lo tuvieron desaparecido todo el fin de semana en una oscura celda de Coordinación Federal. Recién el lunes fue enterado del decreto 1948 que ordenaba el confinamiento de Menem en Las Lomitas. Durante aquellos tres días, el detenido llegó a pensar que no saldría vivo de allí y le pidió al espíritu de Mohibe y a la Virgen del Valle que lo salvaran de esa situación. Las Lomitas no era el paraíso, pero era sin duda mejor que la muerte. Seguramente, ellas lo habían escuchado.

Ni el desgaste político del gobierno militar ni las internas entre fracciones del Ejército y la Marina ni las denuncias internacionales de los organismos de derechos humanos, ni tampoco la estrecha relación que muchos acólitos peronistas mantenían con el entonces almirante Emilio Massera, que organizaba su proyecto político del Partido de la Democracia Social, pudieron ayudar a rectificar su lugar de destino.

Su hermano Eduardo –de fluidos y amigables contactos con los militares– realizó gestiones ante el general Leopoldo Fortunato Galtieri. Pero el rubio comandante del II Cuerpo y hombre fuerte del Ejército, que dos años más tarde desataría la guerra de Malvinas, fue terminante:

–Vea Eduardo, su hermano es un preso. No un actor de cine.

Bien lo había dicho Harguindeguy a los medios de prensa: "Lo mando a Las Lomitas porque hace calor, si fuera invierno lo mandaría a la Antártida". Curiosamente, como Videla, también Galtieri y Harguindeguy fueron beneficiados por el indulto presidencial cuando se les dio vuelta la taba.

Pueblito humilde del Litoral

El 24 de septiembre de 1980 Carlos Menem desembarcó en Formosa, en un poblado en medio de la selva a 1.537 kilómetros de Buenos Aires. En Las Lomitas se celebraba el día de la Virgen de la Merced, patrona del pueblo. La gente desfilaba en procesión por las calles de tierra y todos los negocios estaban cerrados. El calor agobiante, el polvo, los mosquitos, le tendieron sus brazos. Estaba en el medio de la selva, solo como Robinson Crusoe.

Con su bolsito de mano y sin siquiera un cepillo de dientes, sin hotel ni pensión, tuvo que parar en el Escuadrón 18° de Gendarmería, hasta que Manuel Efren "Tubito" Flores lo rescató.

Un llamado telefónico lo puso al tanto del famoso visitante. Tomó su camión de reparto de gaseosas –era representante de Coca Cola en Formosa– y, dejando de lado su condición de ferviente radical, Tubito fue a buscarlo y le ofreció alojamiento en su casa.

"Lo fui a buscar porque el dueño de la empresa, un paisano de Menem, me pidió que me ocupara de él. Cuando lo vi me asusté: parecía un mataco. Un indio con el pelo muy largo y las patillas tupidas. Lo invité a mi casa. Comimos tallarines y después tomamos café. Él me aleccionaba cómo leer la borra en el café árabe. Al otro día vino un camión de Gendarmería con un juez, un comandante, soldados y un médico. Lo revisaron y lo dejaron en casa. Carlos Menem tenía puesto un trajecito gris con rayas finitas azules, camisa y corbata. Le pregunté si quería cama de una o dos plazas y me dijo: "Tubito, necesito una cama de plaza y media, pero que sea turca, por favor".

En el almacen de los Flores, Menem despachaba comestibles y cortaba fiambres como un experto. Vendía con habilidad desde un paquete de fideos hasta una botella de caña o un par de alpargatas. Hablaba con todos y le gustaba enterarse de los chismes del pueblo.

Poco después llegaron allá Carmelo Díaz y Carlos Guglielmelli, que se instalaron en Las Lomitas, y algunas veces se agregaba Luis María Macaya. "Mis tres mosqueteros", los llamaba. Menem se pasaba horas hablando de política o cocinando para todos. Cuando los Flores se ausentaban, invitaba a las chicas con cerveza y galanteaba con todas.

No había cumplido aún cincuenta años y presentía que lo mejor de su vida estaba por venir. Las pitonisas del pueblo se lo confirmaban todo el tiempo. Se sentía joven, viril, infinitamente seductor.

Su presencia causaba conmoción en el pueblito. Las mujeres iban a comprar al almacén sólo para mirar al exótico ex gobernador que tanto se parecía a Facundo Quiroga. Todavía hoy los lugareños recuerdan con nitidez sus anécdotas: los picados de fútbol con los matacos, las escapadas por el río a pescar, los bailes en el club. Pedrito, el loro, que cantaba bajo la enramada de la casa de los Meza la marcha peronista que él le había enseñado. Y sobre todo, reseñan sus romances.

El más famoso habría sido con una chica de quince años. Su padre –un viejo peronista que hoy vive en un pueblo de Santa Fe, donde llegó a concejal gracias al menemismo– lo habría tenido unas semanas en una vieja estación de servicio de su propiedad, cuando la inundación sobrepasó el zócalo de lo de Flores. En esa estación de servicio se las habría arreglado muy bien sin cama turca.

–Menem y la chica se encontraban todas las noches en una camionetita destartalada, que quedaba estacionada al costado del surtidor. Nos dábamos cuenta porque las chapas crujían y oíamos suspiros –cuentan con picardía los vecinos.

Después vino la historia con Marta Meza, hija de un matrimonio de caciques del peronismo local y enemigos acérrimos de los Flores. Para quedar bien con las dos familias –como es su estilo–, Carlos Menem atendía el almacén de los Flores por las mañanas y por las tardes se instalaba en la casa de los Meza, donde se armaban verdaderas tertulias políticas. Fue aquí donde comenzó este amor y donde Marta y Menem concibieron a Carlos Nair.

A pesar del paso del tiempo, los Flores y los Meza no olvidaron nunca sus odios ancestrales. Veinte años después se cruzan en el mismo pueblo y no se saludan. Beneficiados con la llegada del menemismo al poder, ambas familias cobraron con creces las atenciones brindadas. "Carlos nunca olvida un favor. Les pagó a todos con generosidad, cada tribu obtuvo su recompensa", dicen en el pueblo. Sin embargo, los Flores aseguran que los Meza se enriquecieron gracias a la política y los Meza afirman que los Flores siempre fueron radicales y se hicieron menemistas por conveniencia.

Betty Nassif de Flores y Marta Meza encaramaron a la función pública y disfrutaron de las prebendas del poder. Aun así, se odian y se disputan con uñas y dientes las atenciones del Jefe cada vez que Menem pasa por Formosa. Pero Marta hace la diferencia: ella es la madre de Carlos Nair.

En Las Lomitas Carlos Menem revolvía el pasado y lagrimeaba cada vez que abría las cartas de sus hijos que le llegaban de vez en cuando y que decían: "Papá: sos un hijo de puta…".

Las dejaba tiradas en la mesita de luz del dormitorio que compartía con Marta y se perdía durante horas por el pueblo. Ni las canciones que desentonaba su amigo Díaz lograban arrancarlo de la depresión cuando esto sucedía. Muchas noches Menem lloró en brazos de aquella mujer morena, delgada y alta, dueña de un carácter explosivo, que al poco tiempo le comunicó que esperaba un hijo suyo.

–Va a ser un varón, Marta. Estoy seguro. Y va a salir a caminar conmigo del brazo cuando sea grande… –decía Menem y le acariciaba la panza.

Sin avisar, Zulema fue una vez a visitarlo acompañada por sus hijos. Llegó con Carlitos y Zulemita en la parte trasera de la vieja camioneta de un paisano, que se ofreció a llevarlos desde la capital formoseña hasta el pueblo. Había llovido intensamente y los caminos de la zona estaban casi intransitables. Viajaron cientos de kilómetros apiñados debajo de una loneta rota y sucia, empapados y embarrados. Apenas descendió frente a la casa de los Flores, Zulema notó la mirada esquiva de su marido. Huidiza, oscurecida, como cada vez que se avecina una tormenta. Los chicos se colgaron del cuello de su padre entre gritos de alegría. Sin embargo, en la pareja todo iba peor que nunca.

Carlos Menem permaneció toda la noche debajo del algarrobo del patio. A la madrugada, le alcanzaron un catre y se recostó sobre él, a la intemperie. Desde ahí escuchaba los insultos de Zulema que le llegaban desde la casa.

–Se puso *fula* porque él se negó a dormir en la misma cama que ella –desliza hoy doña Victorina Meza, madre de Marta.

Al otro día, Zulema cargó a sus hijos en la misma camioneta destartalada y se volvió a Buenos Aires.

–Si sabía que iban a venir así, hubiera preferido que no vinieran –dijo Menem al despedirlos.

En la cocina del piso de Libertador y San Martín de Tours donde ahora vive, Zulema desanda otra escena:

–Llegamos con los chicos, destruidos por el largo viaje. Apenas bajé de la camioneta le vi la cara. Carlos Menem estaba raro. Me di cuenta que no le gustaba mi presencia. Lo conozco mucho y sé que ocultaba algo. Yo estaba tomando mate en el dormitorio, esperando que él se acercara a charlar conmigo. Al rato entró Zulemita y me dijo: "Mami, mami, el Papi está en la cocina dándose besos en la boca con una mujer". Me puse furiosa. No tenía derecho a hacer eso delante de la nena. Al otro día, agarré a los chicos y nos fuimos de aquel lugar espantoso.

Diez años más tarde, Menem recordó así aquellos seis meses de confinamiento:

–Las Lomitas fue un desierto en un pedazo de patria olvidado, lejano y triste.

En marzo llegó la orden de liberarlo y junto al fiel amigo Díaz, Carlos Menem armó sus maletas listo a marcharse.

"Don Modesto, cuando yo sea Presidente, voy a volverlo a ver", dijo al hombre que lo cobijó en aquel tórrido páramo formoseño.

–La retirada no fue fácil –rememora Carmelito–. Estaba todo embarrado y el auto patinaba. Ya no dábamos más del calor cuando vimos un rastrojero que avanzaba. Le hicimos señas. El hombre, muy cordial, nos cargó y nos llevó hasta la capital formoseña, desde donde pudimos embarcar hacia Santa Fe. Carlos le agradeció mucho y yo le dije: "Usted acaba de transportar al futuro Presidente de los argentinos".

En Santa Fe, esperando en un banco que se hiciera la hora para tomar un micro a Buenos Aires, un hombre lo reconoció y le dijo:

–¿Usted es Carlos Menem, el de La Rioja, no?

Ese hombre, dueño de una fábrica de leche en polvo, le prestó aquella vez algún dinero para llegar a destino sin apremios. Más tarde, fue su secretario privado y confidente. Se llamaba Miguel Ángel Vicco.

Minas de buen corazón

Esa mañana de 1994, superado el altercado con Amira, Carlos Nair Meza pudo sentarse sobre las rodillas de su padre y desarmarle el peinado. Con torpeza, el chico acarició su cara. Y entonces Menem se hundió en la profundidad de aquella mirada acuosa que se parece tanto a la suya.

–Yo iba a Olivos y a la Rosada como una señora. Carlos me hacía sentar a su lado en la mesa grande de la sala donde se hacen las reuniones de gabinete. Hablábamos de política y venían diputados y senadores de todo el país. Algunas veces, lo llevaba a Carlitos. Esas reuniones se hacían una vez por mes y eran organizadas por Bauzá, que era secretario General –recuerda Marta Meza.

Eran sus días triunfales, pero no estaba totalmente preparada para disfrutarlos.

–Una noche durante una cena, Carlos me sentó al lado de Duhalde y me trató como si fuera su mujer. Me acuerdo que yo tenía tanta vergüenza que no hablé en toda la comida. Cuando todos se fueron, él me dijo: ¿Qué te pasa? ¿Te volviste muda? Eran los tiempos en que Carlos estaba cerca de la gente.

Marta Meza veía desfilar los acontecimientos y la intuición femenina le advertía que se aproximaban cambios.

–Después del '95, todo eso se terminó. Una de esas noches me dijo: "Marta, estoy tan contento: hice las paces con mi hijo (Carlitos Junior) y le hablé de su hermano. Si Dios quiere, pronto se van a conocer". Por esa época se había desatado el escándalo de Amalia Pinetta y la presunta hija de Carlitos, de manera que Junior buscó apoyo en su padre. Quería reconocer a la nena. Recuerdo que cuando Carlos terminó de hablar tenía los ojos llenos de lágrimas. Yo me ilusioné mucho. No por mí, sino por mi hijo, que se pasó todos estos años viviendo a escondidas.

Como una catarata, los recuerdos de Marta Meza afloran sin orden, se suceden rapidísimos, casi sin necesidad de preguntas, en aquella noche de principios de mayo de 1999. Me ha recibido en su casa y me dice:

——No sé por qué te recibo y por qué hablo. Quién sabe lo que me puede pasar después… Al lado de Menem hay gente muy mala que es capaz de cualquier cosa. Pero miro a mi hijo y me deprimo. Estoy cansada de callarme todo, aguanté muchas cosas en estos años. Y hoy mi hijo no está bien. Quiere mucho a su padre y sufre porque no puede verlo. No lo dejan. El otro día se animó y llamó por teléfono a Olivos, lo atendió Héctor Fernández. Le contestó que el padre no podía atenderlo en ese momento y le cortó. Nair cree que esa gente le miente, que es mentira que su padre no puede hablar con él. Cuando lo ve a Menem en la televisión, dice que cuando todo se termine él va a ir a Anillaco a cuidarlo. "Despues del 10 de diciembre mi papá va a estar muy solo y yo voy a quedarme a vivir con él, porque Zulemita se va a ir del país", me dice.

Recostada en el sillón, mientras hablamos, una amiga de Marta mira el noticiero de la medianoche en el televisor del living. Cada vez que en la pantalla aparece el rostro de Menem, ella desvía la vista y la clava en él. Se interrumpe un momento y luego sigue. Decenas de anécdotas pujan por verbalizarse. Algunas tristes, otras chispeantes. De pronto comienza a contarme aquella vez que Menem le pidió que fuera a darle una mano a Claudia Bello, allá por 1992, cuando zozobraba en medio de su nunca bien recordada gestión como interventora de Corrientes.

Marta había aceptado la misión de mala gana, ya que sospechaba que existía una relación entre Menem y "Claudita", como la llamaban en el entorno, pero viajó hacia allá encabezando una delegación de diputados nacionales del litoral. Y fue el acabóse. Las dos mujeres se miraron con recelo y terminaron a los puños y bofetadas frente a la mirada atónita de periodistas y dirigentes.

–Apenas le dije quién era yo y que venía de parte de Carlos, ella me miró con asco. Ahí no aguanté. ¿Qué se creía? La agarré de los pelos y la tiré al piso: "Hija de puta, ¿quién te creés que sos? ¿Sabés quién soy yo? ¿Sabés que yo lo conocí primero? –le dije.

Mientras recuerda, Marta no puede parar de reírse. Sabe que el Presidente se deleitaba como un adolescente frente aquellas batallas femeninas. Ella, como cada una de las mujeres que transitaron por la vida de Menem, debió aceptar el ritual como un juego. No importaba si eran pasiones desmedidas o amoríos fugaces, eran parte de un harén interminable que acariciaba el ego presidencial. A todas les juró amor eterno. A muchas las llevó a pasar la noche en la residencia de Olivos, a navegar en el *Concorde* –el yate de su amigo Mario Falak– a conocer Anillaco o a subirse en el *Tango 01*, siempre y cuando no viajara Zulemita. Y, antes o después, cada una sirvió para alimentar las fantasías populares acerca del "macho argentino".

Hoy, Marta Meza está lejos de eso. Jura que vive de lo que le dejó su padre y del sueldo de tres mil pesos que cobra en la Secretaría de Desarrollo Social. Que Carlos Menem no le da nada y que para ella todo se acabó el día que su padre Modesto Meza se murió. Que la relación con su madre Victorina es muy mala, por lo que hace mucho tiempo que no se ven. Y que el lugar de su padre es ocupado ahora por el senador Eduardo Bauzá.

–El día que mi padre murió, el "Flaco" me llamó y me dijo: "Marta, se murió tu papá. No te preocupes, yo soy tu padre a partir de ahora" –cuenta.

Eduardo Bauzá, un hombre ligado en sus orígenes con el filósofo siciliano Lanza del Vasto, llegó a Carlos Menem desde Mendoza, donde compartía con su padre la dirección de una fábrica de fideos. Apenas aterrizó en La Rioja en 1973, se convirtió en amigo incondicional de Menem, y en secretario de Desarrollo en la Gobernación. En la era presidencial menemista, Bauzá fue una especie de hombre orquesta: ocupó la Secretaría General, los ministerios del Interior y de Acción Social, la flamante Jefatura de Gabinete y, por último, la senaduría por Mendoza.

Místico, enigmático, discípulo de la filosofía oriental, testigo privilegiado de la intimidad presidencial y hombre clave de la administración Menem, tuvo además fuerte influencia en el manejo de la caja recaudadora de las campañas electorales, lo cual generó alrededor suyo innumerables sospechas.

Sus enemigos lo acusan de moverse como un "monje negro", pero los que lo conocen de cerca elogian su estilo mesurado y dialoguista. En su despacho se concretaron acuerdos políticos de peso, las relaciones con la oposición y los asuntos derivados del Pacto de Olivos.

A mediados de 1995, la crónica Hepatitis C que lo aqueja desde hace tres décadas se agravó en coincidencia con su distanciamiento de Menem. Los médicos le dieron un ultimátum: o bajaba su nivel de actividad o se moría. Comenzó un tratamiento con inyecciones diarias de Interferon y fue obligado a guardar cama. Fue una buena razón y la esgrimió ante Menem para explicar su decisión de alejarse del epicentro del poder y ocupar una tranquila banca en el Senado.

En la intimidad de su despacho, explicaba otra cosa. Decía casi con un hilo de voz que su retiro se debía a la reaparición de su enemigo político número uno, el geólogo Alberto Kohan –una influencia que Bauzá considera nefasta–, y a que no podía tolerar más las presiones de Domingo Cavallo.

–Pobre "Flaco", dejó la vida junto a Carlos y así le pagaron. Hay días que apenas se puede levantar de la cama. Menem es terrible: te absorbe como una esponja, te deja sin alma y después te tira –dice Marta, su protegida, con la que todos los días habla por teléfono y le pide con Carlos Nair.

–¿Qué hacés, Chochán? ¿Cómo andas en el colegio? Levantá el ánimo que tenés que prepararte para el momento en que tu padre deje de ser Presidente –le dice Bauzá.

Meza me aclara que el senador le puso ese apodo porque su hijo es gordo. Pero hay otra razón: a Carlitos Junior lo apodaban familiarmente "Chancho".

Carlos Nair lo escucha y le hace caso. Hace tiempo decidió estudiar Derecho en Corrientes, como él dice, "para primero ser abogado y después Presidente como mi papá". Heredó de su padre el placer de hacer política en la calle. En la Navidad de 1998 se lo vio repartiendo en una camioneta pan dulce para todos sus vecinos de Pirané, allá en Formosa. Quizás Carlos Nair no lo sepa, pero Menem obsequia a sus amigos pan dulce en señal de buenos augurios, como un rito.

"Es Carlitos y está vivo"

Tres días después de la muerte de Junior, arrinconado por el dolor, Carlos Menem llamó de madrugada a Marta.

–Marta, se murió mi hijo… No aguanto vivir así, estoy destruido. Traélo al nene, quiero verlo –dijo, y empezó a llorar.

Carlos Nair ya estaba al tanto. El 15 de marzo de 1995, desde el sillón del living de su casa, en Pirané, había gritado desesperado frente al televisor: "Mi hermano se mató, mi hermanito. No, no puede ser, justo ahora que nos íbamos a conocer. ¿Por qué, mamá? ¿Por qué Dios no lo dejó vivir, mamá?".

Desde ese día Carlos Nair vivió aterrado con la idea de morir como su hermano. Nunca más lograron que viajara en un avión, y mucho menos que volara en helicóptero. Tanto es así que viajó desde Formosa hasta Mar del Plata en una cuatro por cuatro, y cuando le preguntaron por qué contestó: "Prefiero tardar y morirme de calor pero llegar. Desde que vi cómo quedó el helicóptero en el que iba mi hermano, no me subo ni loco nunca más a ninguno de esos bichos".

Accediendo al pedido del padre, una semana después de la muerte de Junior, Marta desembarcó con su hijo en Buenos Aires y se presentó en la Rosada.

"Llegamos hasta el despacho de Ramón (Hernández). Estaban el comisario Armentano, el jefe de la custodia, Héctor Fernández, y Lalo Cáceres, el jefe de Ceremonial. Ellos no se dieron cuenta que estábamos. Miraban un video en el que se veían imágenes del helicóptero en el que se mató Carlitos. Había un clima muy pesado y ellos hablaban en voz muy baja. Estaban muy nerviosos. Cuando me descubrieron, apagaron rápido el televisor y me llevaron hasta el despacho de Carlos. Él estaba sentado en su sillón, encorvado, vencido y con la mirada perdida. Me dio mucha lástima verlo así…"

Testigos de aquel encuentro dijeron que Menem abrazó a su hijo con desesperación. Que le acarició la cara, la panza, el pelo. Que lo sentó en sus rodillas y que se puso a llorar sin parar.

"Mirá, Ramón, es igual que Carlitos. Mirá la panza, los cachetes. Es gordo como Carlitos. Es Carlitos, Ramón, es Carlitos y está vivo…", decía entre sollozos bajo la mirada piadosa de todos.

–Yo no podía creer lo que veía. Sentía mucha lástima por mi hijo. Carlos estaba tan mal que confundía a Carlos Nair con su hijo muerto. Cuando salimos de ahí, mi hijo estaba deprimido. "Mamá, yo no soy mi hermano. Mi hermano está muerto. ¿Por qué papá me confunde con él?

No me gusta este lugar y no me gusta esta gente. No quiero venir más aquí", me dijo mientras salíamos. "Tratá de entenderlo, tu padre está muy mal, no sabe lo que hace", intenté conformarlo.

El jueves 14 de noviembre de 1995 Marta Meza habló en "Hora clave", el programa de Mariano Grondona. Un equipo viajó especialmente a Formosa y la entrevistó en su casa. La mujer reconoció frente a las cámaras que Menem era el padre de su hijo y que ambos estaban amenazados de muerte. Cuando responsabilizó al gobierno por su seguridad, las entrañas del palacio temblaron.

Pero un sector del menemismo comenzó a barajar la posibilidad de que Menem reconociera públicamente la existencia de su vástago, dada la popularidad que le había aportado al presidente francés, François Mitterrand, reconocer a su hija natural, tras ser descubierta por la revista *París Match*. Embarcados como estaban en la exitosa elección de mayo, en la que Menem había resultado reelecto por más del cincuenta por ciento de los votos, y ante la pérdida irreparable de Junior, ¿qué mejor que la contención y el cariño de su otro hijo?

La situación familiar era, sin embargo, demasiado tensa como para que alguno se animara a deslizar nada parecido. Y la idea pereció en la vorágine.

—Dos días después del programa de Grondona, me llamaron desde Buenos Aires y me dijeron que Carlos Menem quería verme. Me tomé un avión y llegué al aeropuerto. Ahí nomás, varios hombres que me estaban esperando me agarraron del brazo y me llevaron hasta un auto. De ahí nos fuimos hasta un departamento del barrio de Palermo. Yo estaba muy asustada, pensé que me mataban. En una de las habitaciones estaba Emir Yoma. Se paseaba nervioso y se secaba la transpiración con un pañuelo. Gritaba y agitaba los brazos… —me cuenta Marta Meza.

De pronto, se tapó la cara con las dos manos. Y se puso a llorar.

—¿Qué pasa? ¿Qué pasa? —le insisto.

Y ahí nomás desató los nudos de una historia tenebrosa, en la que el hilo de sus recuerdos enhebró el ríspido diálogo que mantuvo con Emir aquella vez.

Emir habría comenzado a insultarla y a acusarla de que era la culpable de que su sobrina hubiera querido envenenarse. Y le habría ofrecido dinero para desmentir la historia.

—No quiero nada y no la voy a desmentir porque Carlos Menem sabe muy bien que éste es su hijo.

"¿Sabés el poder que tengo? ¿Sabés la plata que estoy ganando? Te aclaro una cosa: por tu culpa hay un quilombo terrible y el que lo tiene que arreglar soy yo. O desmentís todo y te vas a España, o vas a terminar en silla de ruedas como la chica que la denunció a mi sobrina. Vos me entendés...", habría amenazado Emir.

A fines de noviembre de 1944, familiares de Martina Kambic –una compañera de Zulemita en la Universidad Argentina de la Empresa, que la había denunciado de haber usado un walkie talkie para aprobar un parcial con auxilio ajeno– denunciaron que después del episodio la joven había recibido amenazas y que "por su seguridad" había viajado al exterior. Tiempo después, Martina volcó en la ruta con el Renault 19 que manejaba y quedó cuadripléjica. Algunas versiones indicaron que los frenos habían sido cortados.

¿Se refería a esta historia el voluminoso cuñado presidencial cuando "recogió" en el aeropuerto a Marta Meza y la trasladó a un piso del barrio de Palermo para sacarle una desmentida mentirosa?

Desde su casa de Bariloche, con algún acento extranjero en su voz y muy nerviosa, la madre de Martina Kambic accedió cinco años después a darme por teléfono su versión de la tragedia en contados cinco minutos:

–Mi hija está acá, en una silla de ruedas. Esta historia es muy vieja y nada de lo que diga ahora va a cambiar la situación de Martina. Nosotros preferimos olvidar todo, es mejor así. Mi hija se durmió en la ruta... ¿Usted me entiende, no? Se durmió y nada más. Prefiero no hablar más el tema. Yo entendí que todo aquello fue armado para perjudicar al Presidente, pero él no tiene nada que ver con el accidente de mi hija, ¿usted me entiende, no?

Meza se fue más rápido que corriendo del departamento al que había sido llevada y apenas encontró un teléfono se comunicó con Bauzá y le relató llorando el episodio. El mendocino le reprochó que no le hubiese avisado de su viaje. A los pocos días, la mujer se encontró con Carlos Menem en la Casa Rosada.

–Carlos, ¿por qué me hiciste esto? ¿Por qué permitís que me digan que me van a matar? ¿Vos lo sabías...?

–Marta, por favor, calmáte. Yo... Yo no sabía nada.

Meza se seca las lágrimas. Dice que su padre, Modesto, estaba convencido de que su vida corría peligro. Y que fue por pedido de él y de Bauzá que aquella noche habló en "Hora clave".

–Ellos sabían que algo sucio se tramaba y quisieron blanquearme.

–¿Le creyó a Menem cuando le dijo que no sabía nada sobre la amenaza de Emir? –le pregunto.

Ella hace una sonrisa de circunstancia, se encoge de hombros:

—Cuando salí corriendo del departamento estaba Ramón Hernández. ¿Quedó claro? Lo único que quiero es que mi hijo esté bien. Antes, él no quería saber nada de pelear por el apellido. Ahora me dice que lo que más quiere en la vida es que su padre lo reconozca. Quiere llamarse Menem, sobre todo ahora que va a estudiar abogacía como su padre. "Mamá, voy a hablar con Zulemita y le voy a decir que no quiero la plata de papá. Que si ella quiere, firmamos un escrito con un escribano donde yo me comprometo a renunciar a la herencia", me dice. Lo único que Carlos Nair quiere es que en su nuevo DNI de los dieciocho años figure su verdadero apellido, como le prometió su padre. ¿Te parece que eso será posible?

A la semana de mi encuentro con Meza, un sugestivo anónimo apareció en el piso que habita Zulema Yoma, en Libertador y San Martín de Tours. Estaba escrito en computadora y decía textualmente:

"Señora Zulema Yoma: Quiero que se ocupe de su hijastro. Quiero avisarle que ya está todo listo para que el padre le dé el apellido. Su hija Zulemita está al tanto. Se hizo una reunión en Olivos a la que asistieron Ramón Hernández y Kohan. Firmado: una persona que la aprecia."

Carlos Nair, un querendón para los íntimos, cumplió sus dieciocho años el 17 de octubre de 1999. Va a terapia. Cuida su dieta y hace varias horas de paddle por día para adelgazar. Tiene muchas amigas y, digno hijo de Carlos Menem, quiere todas las chicas lindas para sí. Está terminando el quinto año y según su madre, ya se perfila como un defensor de pobres y ausentes. Hace poco intercedió ante la celadora del colegio para que le transfiriesen a él las amonestaciones de un compañero, al que sus padres castigarían con severidad si lo observaban por otra indisciplina.

—Mamá, no te enojes, no podía dejar que el padre le pegara por eso.

Fiel a los genes, Carlos Nair acompañó a su madre durante la campaña electoral que terminó coronándola en las últimas elecciones como diputada nacional por Formosa. Posiblemente, ambos se instalen a partir del 2000 en Buenos Aires, él a estudiar, ella a legislar. Hace cuatro años que sólo ve a su padre a través de la pantalla, yendo y viniendo de algún viaje, siempre con Zulemita Menem al lado. Pero no está resentido por eso.

—Zulemita no es mala, le falta cariño. En el 2003, cuando vuelva, yo lo voy a acompañar —promete Carlos Nair Meza.

Por el nombre del padre, aún sin su apellido, así lo hará.

"NUNCA TE ENAMORES"

> ¿Erré por ventura, o di en el blanco como buen
> flechero? ¿Soy acaso una embaucadora que va
> de puerta en puerta fingiendo embelecos? Da
> testimonio de la'verdad con que te hablo; jura
> antes de nada que yo conozco bien las
> antiguas maldades de este palacio.
>
> *ESQUILO, La Orestíada*

Zulema camina lentamente –pasos cortos y vacilantes– hacia la manga del avión que la llevará a reencontrarse con los suyos. Una escala en París y de ahí a La Meca, la tierra santa de los musulmanes, la suya, la que ella transmitió a sus hijos. El lugar donde pedirá por el descanso de Carlitos. En la mezquita de Makkah Al Mukarramah, de Arabia Saudita, exorcizará su pena.

Es un apacible día de abril de 1995. Zulema Yoma acomoda los anteojos negros que ocultan sus ojos hinchados por el llanto y se apoya en el brazo de su hija. Abre el *necessaire* negro Louis Vuitton y busca el pañuelo blanco arrugado. Lo introduce en el bolsillo de la chaqueta y gira por última vez la cabeza.

Lo ve ahí, parado entre la bruma de la sala vip, tirándoles un beso con la mano. Desencajado y flaco. Solo. Todavía siente su abrazo y el beso en la boca. Suave y corto. Percibe el frío que le recorre la espina dorsal. El dolor de siempre en la nuca.

"Cuidáte, Menem", alcanza a decirle sin que él la escuche. Mira sin ver a nadie. Siente la compasión ajena traspasándole la piel. Algún saludo de condolencia. La voz de la azafata. La insistente pavura de sus pensamientos. Y la memoria que se despierta desde el fondo de su ser y le abre una puerta. O varias.

"Hija, yo sé que sufre mucho, pero quiero decirle algo: prepárese, porque usted va a trascender en la vida. La suya será como un árbol de raíces muy amargas que, con el tiempo, dará frutos muy dulces", le había prometido su madre, Chaha.

Ahora, un mes después de la muerte de su hijo, Zulema viaja a La Meca, la ciudad sagrada del Islam, con la esperanza de encontrar en la oración un poco de paz.

–Necesito estar a solas con Dios; con los míos, con mi gente. Yo sé que ellos me van a cuidar y me van a entender –dijo poco antes de partir hacia Arabia Saudita, en busca, quizá, de otro refugio tan valioso como el de la fe: el de sus orígenes.

Amín Yoma, el patriarca, había nacido en Dumeir, un pueblito de Siria, desde donde, con apenas diecisiete años, se largó a la Argentina en 1909, un año después de que la revolución de los "Jóvenes turcos" tomara el poder en el Imperio Otomano. Fue albañil en Buenos Aires, en San Juan y en Mendoza vendió telas montado en burro, hasta que recaló en La Rioja, donde una compañía inglesa explotaba la mina de oro La Mexicana, pegadita a Chilecito, un poblado de veinticinco mil habitantes. Amín pensó que ése era un buen lugar para abrir un negocio. Y no le fue nada mal: su almacén de ramos generales y el negocio de cueros le dieron buenos dividendos. Además, durante cincuenta años representó a una petrolera en la zona.

Allí se casó con Pastora Baigorria, una maestra riojana de ascendencia española. En 1921 se trasladó a Nonogasta, donde fue todo un pionero: allí instaló el primer saladero, el primer teléfono, la primera oficina de correos y telégrafos y la primera barraca de acopio de frutos que conoció el país.

Pastora, su mujer, murió en 1931, dejándole dos hijos: Amín y Emilio. El segundo también falleció, en 1964, de un paro cardíaco. El viudo, de cuarenta y dos años, volvió a Siria en 1934 a buscar mujer. Su padre había muerto y él heredó su fortuna. Había terminado la Primera Guerra Mundial, en la que los turcos se aliaron con Alemania, y Siria estaba bajo dominación francesa. Los drusos encabezaban todo el tiempo levantamientos contra el gobierno. Francia bombardeó Damasco, provocando una masacre. Allí se casó con Chaha Gazal, de apenas catorce años, y poco después se volvió con ella a la Argentina. En plena travesía por el Atlántico, en el barco de bandera siria que los traía, nació Mohamed, el primer hijo de ese matrimonio.

Ya en La Rioja, uno tras otro, llegaron Leyla, los dos Naim, Karim, Zulema, Delia, Omar, Emir y Amira. El primer Naim murió a dos meses de nacido, en un accidente. Chaha lo llevaba en su falda, en un viaje a Chilecito que su marido había decidido hacer en su camión La Internacional, el único del pueblo, para llevar a una vecina. El camión volcó y perdieron la vida Naim y la vecina. Tras el luto, otro hijo recibió el mismo nombre.

Aquel 18 de diciembre de 1942 en que Zulema fue recibida en los brazos de Silveria Reynoso, la comadrona de Chilecito, hacía un calor tremendo. El horóscopo decía que era de Sagitario, una chica de fuego. Amín mandó al resto de sus hijos a jugar a un depósito de azúcar que había en el fondo de la casa, mientras él paseaba nervioso por la galería. El llanto con que Zulema anunció su llegada al mundo fue un estruendo. Acaso un adelanto de su calidad de Centauro –el símbolo de su signo: mitad corcel, mitad humano– en actitud de tensar el arco y arrojar la flecha, no importa adónde ni a quién.

La casa de los Yoma en Nonogasta fue la primera en tener luz y heladera. Eran los ricos del pueblo. Amín era representante de Esso, Eveready, Molinos Río de la Plata, Alpargatas y Cinzano. Era también el único fletero de la zona y Zulema solía acompañarlo en sus viajes. De sus niñas, ella era la preferida.

Dormía con su hermana Delia en una habitación repleta de juguetes y con camas cubiertas por colchas de cuadrillé rosado, que se abría a una galería techada con chapas de cinc. De entre sus muñecas, Zulema prefería a la Marilú, de cuerpo articulado y cabeza de porcelana. Por las tardes, se la veía sentada bajo los naranjos haciéndole vestiditos, similares a los de cuellito de bebé que su madre le hacía a ella.

En casa de los Yoma siempre se habló en árabe y jamás existió el tuteo. Doña Chaha, culta y coqueta, era la anfitriona de cuanta personalidad pasara por La Rioja. Su amplia casa colonial de Nonogasta, de diez habitaciones, patio y jardín, estaba siempre repleta de gente. La colectividad árabe, en pleno, pasó por allí. También lo hicieron Arturo Frondizi y Manuel Fresco, ex presidente y ex gobernador de la provincia de Buenos Aires, entre otros políticos. Chaha, que había llegado a la Argentina sin hablar una sola palabra de español, lo aprendió a fuerza de leer los diarios. Recibía *La Nación* y *La Prensa* todos los días.

En 1955, Amín decidió mudarse con su familia a Buenos Aires. Ocuparon un gran departamento en la calle Gascón 178, del barrio de Almagro, donde Chaha, que consideraba que la ciudad era peligrosa, redobló la vigilancia sobre sus hijos. Y especialmente sobre sus hijas, ya que para ella era de crucial importancia que la mujer llegara virgen al matrimonio.

Pero, al poco tiempo, la nostalgia por la tierra natal y las expectativas que generaba Gamal Abdel Nasser entre los árabes hicieron que, en el invierno de 1959, Amín decidiera levantar campamento y volviera a Damasco, donde tenía trescientos parientes. Antes de partir, toda la familia se sacó una foto en la casa, debajo del retrato del general egipcio, de quien el jefe de la familia era profundo admirador. Fue el 29 de mayo de 1959. Al día siguiente, embarcaron en el trasatlántico *Julio César*.

La familia llegó a Damasco en pleno apogeo del Partido Baath –Hizb al bat al-arabi al-istiraki, Partido Socialista de la resurrección Árabe– integrado en su mayor parte por cuadros *alawies*. Se vivía un clima de profundas reformas culturales y los integrantes de la familia participaron con entusiasmo. El Baath fue fundado en 1940 en Damasco por Michel Aflacq, un intelectual de izquierda, educado en Francia, que estrechó relaciones con los sectores nacionalistas del ejército. En ese ambiente convulsionado, Delia Yoma comenzó a trabajar como secretaria administrativa de la embajada española en Damasco y se casó con un militar de bajo rango del ejército revolucionario, Yalal Nachrach. Leyla pasó a ser secretaria privada del embajador español y Karim, con veintitrés años, fue nombrado canciller de la embajada española en Siria. Amira, una adolescente que en La Rioja era fanática del Che Guevara, se incorporó a las movilizaciones organizadas por el ala más radicalizada del Baath. Emir, el más desinteresado, se dedicó a ayudar al padre en los negocios y, por las noches, a disfrutar de las mujeres.

Zulema, que había abandonado sus estudios secundarios en tercer año, se abocó en Damasco a las Bellas Artes. Estudió pintura y, como paisajista, participó en varias exposiciones. La familia se instaló en una casa señorial, de dos plantas, en la zona residencial de la ciudad. La vida de Zulema en Siria era como la de cualquier mujer árabe de la época. Con sus amigos, acostumbraban a salir de picnic, recorrían las ruinas de Malula, o se juntaban a leer la borra del café. Un día, su mejor amiga Zuhaila, le presentó a su hermano. El joven, un brillante oficial de la marina, enterado de la belleza de Zulema, pidió conocerla. Apenas lo vio, Zulema quedó deslumbrada: tenía una presencia imponente, era alto, de mirada penetrante. Durante un tiempo él la festejó a la distancia y hasta le ofreció casamiento. Pero le ganó de mano Gazen Fajhraldin, un mendocino que estaba viviendo en Damasco con su familia. Estuvieron de novios unos meses y un día él le colocó a Zulema un anillo de compromiso, que ella lucía sin mucha convicción. En 1964 apareció Carlos Menem. Zulema estaba por cumplir veintidós años.

"Hija, yo sé que sufre mucho…" Su madre moribunda en el sanatorio y aquellas palabras que le llegan desde el principio de los tiempos. Doña Chaha Gazal y sus designios. Su figura enorme, protectora, y sus consejos. La vida que añora. La mesa grande de los mediodías, el rezo cotidiano, las enseñanzas del Corán. La casa paterna de Nonogasta y ella con sus hermanos saltando la acequia en las siestas. Emir, Leyla, Amira, Karim, Delia, Omar, corriendo bajo el sol, lejos aún de los escándalos, las ambiciones despiadadas, la impunidad del palacio, las mentiras, la muerte. Juntos y felices. Los sueños perdidos para siempre en las calles polvorientas del pueblo, allá en La Rioja. Y en Damasco, y en Dmejer, la aldea de beduinos del desierto que vio nacer a su familia. La tumba de su padre, Amín Yoma, en plena calle del poblado sirio de casas bajas, sin puertas, y con hombres y mujeres de largas túnicas. El pasado arrinconando sus cansancios. Y las preguntas sin respuestas.

–¿Dónde están los frutos dulces que me prometió mamá? ¿Por qué no aparecen? ¿Te acordás, Zulemita, lo que me dijo la abuela antes de morir? ¿Te acordás?

Zulemita la mira y calla. Le pasa la mano por el pelo, la acaricia.

Una voz femenina advierte en francés que en quince minutos la máquina levantará vuelo. Juntas emprenden el viaje que las alejará por unos días del infierno. Del entorno y de las intrigas de toda la vida. El rito islámico impone un duelo de cuarenta días. Y, respetándolo, ellas van a La Meca en busca de una paz efímera entre el llamado de los muecines y las oraciones en las mezquitas de la ciudad sagrada.

La máquina sube y recoge su tren de aterrizaje, pero Zulema no está allí. Ella sigue transitando los laberintos. Sus esplendores y fracasos. El desequilibrio de las pasiones. Ese, el suyo, el íntimo, es un vuelo reiterado hasta el cansancio. Ella lo sabe mejor que nadie.

–¡Delincuentes, hasta cuándo van a seguir con los ataques! ¿No se conformaron con matar a mi hijo? Corruptos y asesinos, ustedes no respetan a los muertos y siguen atacando a mi familia. ¿Qué buscan con esto? ¿Matarme a mí también? ¿Quieren que me mate, hijos de puta? ¡No les voy a dar el gusto! ¡Voy a vivir sólo para verlos muertos a ustedes!

A los quince días de la muerte de Carlitos, en la sala de edecanes de la residencia, los incondicionales escuchaban desencajados los gritos de la mujer a la que temían más que a nadie en el mundo. Ramón Hernández, el secretario, el intendente de la quinta, Rodolfo Meiriño, el teniente coronel Rodolfo Igounet y el jefe de la custodia, Guillermo Armentano, no abrieron la boca. Desaparecieron con la cabeza gacha.

En su mano, Zulema agitaba la revista *Noticias* del 26 de marzo. "El regreso de los Yoma", se leía en la tapa, y mostraba una caricatura de su rostro y de sus hermanos Emir y Amira. Estaba convencida de que había sido víctima nuevamente de una conspiración para alejarla de la residencia y que los incondicionales de Menem eran los responsables. Mientras los miraba desaparecer, desfilaban en su mente las caras de sus enemigos: Eduardo "El Flaco" Bauzá, Raúl Granillo Ocampo y "El Hermano" Eduardo Menem. Los imaginaba y se enfurecía. Le había tocado padecerlos por casarse con él.

Los Menem y los Yoma eran familias amigas y se conocían bien, a pesar de haberse instalado en distintos pueblos riojanos: los primeros, en Anillaco, los segundos, en Nonogasta. Habían decidido de antemano el casamiento de sus hijos, pero creyeron oportuno que se conocieran previamente. Así que, llegada la edad conveniente, Carlos viajó a Damasco.

Durante una reunión familiar en la casa de los Yoma, se sentaron en un sofá de tres cuerpos de color celeste, cada uno en un extremo. "¿Así que pintás?", le preguntó Carlos Menem, mirando los cuadros que colgaban de la pared. Paisajes coloridos de pueblitos de la costa y retratos familiares. Esa misma noche, el pretendiente la invitó a bailar a la confitería del aeropuerto. Zulema fue acompañada por dos de sus hermanos, como correspondía a una chica virgen. Carlos la tomó de la cintura y la llevó a la pista, mientras desde el tocadiscos, se escuchaba "Dio, como ti amo", cantado por la italiana Gigliola Cinquetti.

A los veinte días Carlos Menem hizo una escapada a Madrid para hablar con el general Perón y regresó con una muñeca española. Se la regaló antes de embarcar hacia Buenos Aires. "La pinté enseguida en un cuadro, quería guardarla para siempre", dijo ella.

El noviazgo continuó por carta durante dos años, pero Menem, que en ese entonces disfrutaba de una apasionada relación con Ana María Luján, no estaba dispuesto a perder la libertad. Mohibe intentó forzar su final mandando a su hijo a Damasco y obligándolo a casarse con Zulema. Sin embargo, el vínculo sobreviviría no sólo al noviazgo sino también al casamiento.

Profundamente enamorada, Zulema recibió en 1966, por carta, la propuesta formal de matrimonio. Amín Yoma se negó rotundamente a que su hija viajara soltera, así que, por medio de la embajada argentina, se enviaron los papeles a Mohamed, el hermano mayor de Zulema, que se había quedado en La Rioja. El casamiento se hizo por poder, en el Registro Civil de Chilecito, el 7 de septiembre de aquel año. Pero la ceremonia religiosa según el rito musulmán sólo se formalizó a mediados de septiembre, en la casa de la prima materna de Carlos Menem, Diba Akil, en el barrio de Constitución. La fiesta fue el 1° de octubre, en la Sociedad Sirio Libanesa de la capital riojana. Recién en la madrugada del 2 de octubre los novios pudieron estar por primera vez a solas, en un hotel de Catamarca, donde pasaron una austera luna de miel.

Zulema y su padre llegaron a Ezeiza veinte días antes de la ceremonia religiosa, en un vuelo de Alitalia con escala previa en Roma. Ella bajó del avión con un trajecito de color natural, de escote bote, y mangas al codo. Llevaba el pelo suelto y oscuro. Estaba bellísima.

Desde la terraza del aeropuerto internacional, una mujer con binoculares la observó descender por la escalerilla. Era Mohibe, su suegra, que había ido a recibirla en compañía de una sobrina, Amanda.

—Camina como una campesina —sentenció la suegra.

—Pero tía, mire qué linda está —terció Amanda.

—Será linda, pero no está a la altura de mi hijo.

Mohibe les ofreció alojarlos en su casa, pero Amín Yoma se negó. Padre e hija partieron hacia Chilecito y alquilaron dos habitaciones en el hotel principal. En esos veinte días, Carlos Menem no se hizo ver ni una sola vez. Ana María acaparaba todo su tiempo libre. El padre de Zulema se enteró de esa fogosa relación en el pequeño infierno de La Rioja, inevitablemente. Pero vio a su hija tan en las nubes, tan enamorada, que prefirió no decírselo con toda claridad. Igualmente, no pudo dejar de advertirle:

—Hija, si usted quiere no hay boda, se anula el casamiento y volvemos a Damasco.

Zulema imaginó que a don Amín no le faltarían motivos para proponerle algo tan grave. Quizá tuviera que ver con el hecho de que durante todos esos días Carlos no la hubiera visitado. Recordó la fiesta de despedida de soltera que sus amigas le habían ofrecido en la confitería del aeropuerto, la más elegante de Damasco; repasó los regalos y la expectativa creada; y temió el bochorno que representaría volver sin marido. Entonces contestó:

—No, papá, yo salí de Siria para casarme, y no puedo volver soltera. Además, yo a Carlos lo amo.

El 1º de octubre Zulema estaba espléndida. Llevaba un vestido blanco largo de seda de Damasco, de corte evasé, con escote bote —de rigurosa moda— y guantes largos de raso, al tono. El tocado de novia, sin embargo, no era de lo mejor. Tampoco los anillos de boda. Ese gasto había corrido por cuenta de Mohibe, quien, ahorrativa, desechó la posibilidad de comprarlos en los negocios de la paqueta avenida Alvear porteña, como le había sugerido Amanda. Pudiendo conseguir pichinchas en el Once, ¿para qué? Había pensado que la novia no se merecía nada mejor que eso, y el tiempo le dio la razón. Mientras Carlos estaba con Ana María, todo el divertimento de Zulema –que no conocía a nadie en La Rioja– era salir a sentarse a tomar un helado en un banco de la plaza.

–Te dije que no valía la pena, la vi comiendo helados en la plaza como una sirvienta –le comentó Mohibe a Amanda.

La noche de bodas fue atípica. El novio se escapó de la fiesta, en la Sociedad Sirio Libanesa, durante un buen rato y lo vieron regresar en un auto que manejaba su amante, Ana María Luján. Entró con los ojos rojos de llanto y Zulema pareció ser la única en no darse cuenta de cuál era la pena que envolvía a su marido.

Sin embargo, no tardó demasiado en descubrir el affaire, y tampoco en enterarse de que parte de su familia política era cómplice de la situación. Chaha, su madre, no se había equivocado al decirle:

–Su padre, hija, quiere que usted se case con este hombre, pero yo pienso que usted no será feliz, porque él es muy mujeriego.

El odio de Zulema comenzó allí mismo. Se sintió burlada, estafada, porque ella se había casado por amor, no porque su padre se lo hubiera pedido. De otra manera, no lo habría hecho. En Siria, gracias al socialismo, las mujeres podían ya entonces tomar algunas decisiones por su cuenta. Entre ellas, la de elegir marido. Y, llegado el caso, también pasarlo a retiro.

El matrimonio no había comenzado con buenos auspicios. A las dieciocho horas de haber nacido, se había muerto Juan Domingo, el primer hijo, de una enfermedad de la membrana hialina, algo en la actualidad perfectamente tratable. Y el correr de los meses los agravó. Hombre de hábitos nocturnos, Menem pretextaba actividades políticas y, singularmente, la concurrencia a velatorios de compañeros y amigos, que morían con inusual frecuencia, como víctimas de una epidemia. Zulema entró a sospechar, máxime cuando ninguno figuraba entre los avisos fúnebres del diario local.

–Un día de éstos te voy a agarrar –le advirtió.

–Zulema, por favor no empieces con tus locuras. Estás viendo visiones –contestaba él.

Los "muertos" le servían a Menem para encontrarse con Ana María, tanto como para pasar la noche en el Palo Azul, una especie de prostíbulo y club social masculino en el que se jugaba al póker y al truco. El prostíbulo era regenteado por la madre de Lalo Cáceres, el mismo que entre 1989 y 1998 lo asistió en calidad de jefe de Ceremonial de la Presidencia.

Una noche, Zulema le pidió a un pariente que la llevara en su auto a rastrear a su marido por la ciudad. Lo encontró en el parque Yacampi, en pleno intercambio de efusividades con Ana María.

–Desgraciado, yo te dije que un día te iba a encontrar –le gritó.

–Zulema, por favor, no hagás escándalos, hablemos como personas razonables –rogó él.

La innata cintura política de Menem logró crear una situación surrealista. Hizo que Zulema subiera al auto y llevó a ambas al propio hogar conyugal. Las dejó allí, cara a cara, y se fue en busca de su madre para que arreglara el entuerto. Cuando Mohibe entró, él se mandó a mudar.

–Vaya y sírvanos algo de tomar –le ordenó la suegra a Zulema, antes de comenzar a hablar.

Zulema trajo té bien dulce y caliente. Pero no se calló:

–Ustedes ya me mataron un hijo, ahora me quieren matar al otro –les gritó.

–¡Dejá en paz a mi marido! ¡Salí de mi vista! Yo no me vine de Siria para llorar, vine para casarme, tener hijos, formar un hogar y ser feliz…

Ana María Luján la miró casi con lástima.

–Escuchá bien. Aunque desaparezca, te juro que vos nunca vas a ser feliz. Carlos me ama y siempre me va a amar –le contestó Ana María. Dio media vuelta y se fue con Mohibe.

Aquella mujer que un día llegó de Damasco, casada por poder y profundamente enamorada, ya no era la misma.

–Carlos no la olvidó, está en la cama conmigo y piensa en ella. Me lo dice mi intuición de mujer. Cuando se lo digo, no me contesta… –confesaba Zulema.

Ni siquiera creía que con el tiempo y la llegada de los hijos pudiera cambiar a su marido. Tenía una amiga de hierro que la acompañaba a todas partes, Nina Romero, y un confidente de sus penurias más íntimas, el médico cirujano Jorge "Toto" Brizuela, el hombre que la atendió en 1967, cuando tuvo a su primer hijo, Juan Domingo.

Aquella noche Zulema gemía en la cama del sanatorio, pálida y ojerosa. Como en sueños, murmuraba palabras en árabe. Su primer hijo había muerto y ella se sentía infinitamente sola.

Afuera, en el pasillo, aguardaban Carlos Menem y su madre.

–Carlos, esta noche usted se viene a dormir con su mamá –le dijo doña Mohibe a su hijo, acariciándole la cara.

Menem asintió en silencio. Se disponía a partir cuando lo sorprendió una voz grave.

–Señora Mohibe, por favor. ¿No se da cuenta de que ha ocurrido una desgracia? Acaba de morir su nieto. Deje que su hijo acompañe a su mujer, que lo necesita más que nunca.

La rápida intervención del doctor Brizuela evitó que Carlos Menem abandonara el sanatorio para refugiarse en los brazos de su madre.

A partir de entonces, la amistad entre el médico y Zulema se intensificó. El Toto fue testigo de los sinsabores y su cercanía con Zulema, que recurría a él desesperada tras cada pelea conyugal, hizo que se ganara el odio de los que apoyaban a Menem en la feroz disputa matrimonial.

–Me llamaban a cualquier hora, muchas veces de madrugada. "Venga urgente, doctor, que pasó algo grave", me decían por teléfono. Yo entraba en el dormitorio y encontraba a Zulema tirada en la cama llena de moretones. Gimiendo. "Mire, doctor, lo que me hizo el hijo de puta de Carlos. Casi me mata", me decía. Yo le daba un tranquilizante y hablaba mucho con ella. Con el tiempo me convertí en el padre que ella había perdido. Esa mujer estaba muy sola y desprotegida. Yo sabía que los chicos eran testigos de aquellas peleas, pobrecitos. Y así toda la vida. En La Rioja y en Buenos Aires. En la residencia de la Gobernación y en Olivos –relata el viejo médico.

Lo que el "Toto" Brizuela le dijo a esta periodista no deja de ser verdad, pero no es *toda* la verdad: en las peleas conyugales Zulema no se quedaba atrás en materia de violencia. Según sus amigas, ella también pegaba y rompía platos y jarrones. Ella también provocaba moretones y profería gruesos insultos. A una sagitariana no hay quien la dome. Mucho menos él, Carlos Menem, un emotivo nativo de Cáncer, un hombre de agua, dirían los astrólogos. "O el agua apaga el fuego, o el fuego hace hervir el agua", es la regla entre estos elementos del zodíaco. Y, una vez más, aquí se cumplía: Sagitario y Cáncer, fuego y agua, son dos signos incompatibles.

Al poco tiempo de la muerte de su primer hijo, Zulema volvió a quedar encinta. Fue entonces cuando se produjo su traumático enfrentamiento con Ana María Luján. Pese a todo, Junior nació vigoroso, estupendo, el 23 de noviembre de 1968. Era su hijo karmático: sagitariano, igual que ella. Pero ni su nacimiento logró parar la guerra entre sus padres ni, tampoco, frenar los encuentros de Carlos con Ana María.

La pasión de Menem parecía alcanzar para ambas: cuando Carlitos tenía apenas cinco meses, Zulema quedó embarazada otra vez. Al borde de la separación, no era el mejor momento para tener otro hijo. Había que abortar, pero ella no conocía a nadie en La Rioja. ¿A quién pedírselo? Según Zulema, Menem la llevó a lo de Francisca Salguero, una mujer que fungía de bruja, espiritista y partera.

El raspaje fue sencillo: apenas tenía dos meses de gestación. Pero ella quedó conmocionada y triste. Decidió alejarse de Menem, volver a Damasco para estar con sus padres y sus hermanos, a los que no veía desde el '66, y para que todos, especialmente su padre, que estaba muy enfermo, conociera a su hijo: el primero de los frutos más dulces que le había augurado su madre.

Zulema llegó a su tierra con Carlitos en brazos, recién cumplido el año, a principios de diciembre de 1969. Y alcanzó a conversar largo y tendido con Amín. El padre parecía haber aguardado ese reencuentro para decidirse a dejar este mundo. La escuchó llorar todas sus desgracias, le enjugó las lágrimas y le dijo:

–Yo me lo imaginaba. Por eso le propuse anular el casamiento, hija.

–Aguanté porque lo amo –le respondió ella.

Amín abrió un cofre y le entregó un anillo de oro con un ramillete de brillantes, que Zulema conserva hasta el día de hoy como el más preciado de los tesoros.

–Este anillo es el que usted se merecía, no el que le dieron. Y no lo digo por su valor material. Usted, hija, vale mucho más que cualquier brillante.

Ante los insistentes llamados y cartas de Carlos Menem, en las que le juraba amor y buena conducta, Zulema terminó por volver con él. Casi enseguida, apenas empezado 1970, Amín Yoma murió y fue enterrado en el cementerio de Dumier, su pueblo natal, cuando Zulema ya estaba en La Rioja. Aún en la actualidad se arrepiente de no haber acompañado a su padre hasta el final.

Los odios de Zulema conforman una lista extensa y variada según épocas y circunstancias. Hay, sin embargo, una dupla que ella aborrece desde siempre: su cuñado, Eduardo, y la esposa de éste, Susana Valente. Su rencor hacia ellos nació cuando supo que apañaban a Menem en su affaire con la Luján y se fue alimentando las veces que la pareja tomó partido por Carlos en cada pelea conyugal. Zulema se había ido a Siria indignada porque los encuentros de su marido con su amante se hacían en la casa del hermano Eduardo, o por lo menos bajo su protección, y a su regreso, la situación se repitió. Sus amigas cuentan que Eduardo y Susana Valente conspiraban continuamente contra Zulema. Según ella, practicaban magia negra y concurrían habitualmente a la casa de Salguero para hablar con los muertos. A esas sesiones también asistían Carlos Menem –que pretendía conectarse, con los brazos en alto, con las ánimas de Facundo Quiroga, de Juan Perón y de Evita– y Raúl Granillo Ocampo, quien fue ministro de Justicia de La Rioja y luego, durante la presidencia de su amigo, su secretario legal y técnico, embajador en los Estados Unidos y nuevamente ministro de Justicia, pero esta vez de la Nación.

–Un día me desperté y encontré la casa llena de gusanos que caminaban por la cama y los sillones. Otra vez me tiraron una serpiente en una fiesta. A veces, abría los cajones y aparecían patas de conejo empapadas en sal y cintas rojas. Yo sabía que eran ellos y que me querían volver loca. Mi vida era muy triste y los chicos eran mi única alegría –cuenta Zulema.

Zulema María Eva nacía el 25 de diciembre de 1970, bajo el ambicioso y terrestre signo de Capricornio, el mismo del aborrecido cuñado de su madre. Comenzaba a perfilarse la instancia democrática que en 1973 llevaría a Cámpora al gobierno y a Perón al poder, según el eslogan del Frejuli. Y las presiones de la campaña y de su familia, sumadas a su propio sueño de ser ungida primera dama riojana, la determinaron a poner en el freezer las disputas conyugales. Fue así como la primera asunción de Carlos Menem como gobernador los encontró unidos.

Y también las escandalosas peleas. "Carlitos, pobrecito, se abrazaba a mi panza cuando Carlos me quería pegar, para protegerme", recuerda ella hoy.

Por ese tiempo ella quedó encinta por última vez. Estaba en la residencia de la gobernación cuando empezó a tener pérdidas y a quejarse de un dolor sordo en el vientre. Estaba embarazada de seis meses. Menem llamó de inmediato a Margarita, la mujer de Jorge Rosatti, por entonces jefe de policía de La Rioja.

–Por favor, ¿se puede hacer cargo? –casi le rogó.

–Gobernador, por favor, es su esposa. Yo no puedo responsabilizarme…

El gobernador subió al auto, las acompañó hasta el hospital, entró, firmó la orden de internación, le dio un beso en la frente a su mujer y se fue. Después que pasó todo, Zulema quedó internada en la primera habitación de la izquierda.

–¿Lo viste?

–Sí, era una nena –respondió Margarita Rosatti.

–Yo nunca vi a nadie muerto. Ni a Juan Domingo ni a mi padre ni a mi hija –reflexionó Zulema.

Veinte años más tarde, tampoco vería muerto a Junior. Sólo que entonces no podía imaginarlo.

Por ese tiempo sus parientes políticos comenzaron a recomendarle que concurriera a lo de una espiritista para hablar con los muertos, como una forma de calmar sus angustias. Ir a lo de esa mujer no le traía buenos recuerdos, pero finalmente accedió.

–Zulema, podés hablar con el muerto que quieras, siempre que tenga más de cinco años muerto. ¿Con quién querés comunicarte? –le dijo la pitonisa.

–Quiero hablar con mi padre.

–Decíme el nombre.

–Mi padre se llamaba Amín Yoma y está enterrado en Siria.

Un sonido extraño brotó del fondo de la casa. Zulema Yoma cerró los ojos y agudizó sus sentidos. Aquella voz repitió su nombre.

–Este no es mi padre –gritó.

–Sí, Zulema, es don Amín, escuchá tranquila por favor –dijo la espiritista.

–¡Hijos de puta, éste no es mi padre! Mi padre me hablaba en árabe y éste tipo habla en castellano. ¡Delincuentes, mentirosos! ¿Me quieren volver loca?

Zulema baja el respaldo de su asiento, cierra los ojos y se cubre con la manta de lanilla a cuadros que le ha traído la azafata. Zulemita le hace caricias y hablan de Carlitos. Rechaza el menú que le ofrecen en la primera clase semivacía y apoya la cabellera rubia teñida sobre el asiento reclinado. Esa mañana no tuvo paciencia con Miguelito Romano, el coiffeur que le hizo el color y el brushing. Como una autómata vio preparar su valija mientras su manicura de toda la vida se ocupaba de limarle las uñas. Sólo quería que la dejaran tranquila.

Dos asientos más allá descansan sus hermanos Mohamed y Leyla. Se apagan las luces y en la pantalla aparecen los tres tenores: Luciano Pavarotti, José Carreras y Plácido Domingo. Los oye cantar como en medio de una bruma, la que cubre su alma. El ruido de las turbinas del avión de Air France adormece sus sentidos. Es sólo un momento impreciso. Parece un espacio de otro planeta el que está ahí. Pero no. Es ella. Y es él. Zulema Yoma y Carlos Menem. Son ellos, los mismos de ahora. Todos y ninguno, sobre la misma tierra árida que cobijó las turbulencias y desgracias de treinta años. Siente náuseas y un líquido amargo que asciende de su estómago. Tose y llora a la vez. Siente que se ahoga. Piensa en su hijo. Se toma el vientre con las manos y tiene ganas de vomitar. Zulemita deja el walkman y corre a buscar un vaso de agua. Se abrazan.

Otra vez entorna los párpados y deja fluir sus sueños. O sus pesadillas. No hay manera de parar el pasado. Vuelve, implacable, ante sus ojos cerrados. Carlitos está muerto, pero ella no quiere pensar en eso. No puede soportarlo. Por eso vaga más hacia atrás en el recuerdo, buscando un instante feliz, algo que la despiste, que esté lejos, muy lejos, y ya no duela.

En marzo de 1973, Carlos Menem había ganado ampliamente las elecciones de gobernador de La Rioja, pero a ella el debut como primera dama provincial le duró un suspiro.

El matrimonio volvió a separarse, esta vez formalmente, el 22 de octubre de 1973. Al menos eso es lo que dice un acta oficial registrada en La Rioja, que no lleva su firma. De todos modos, ¿qué importancia podría tener eso, si al poco tiempo volvieron a vivir juntos? Tanto se repitió la experiencia, que Zulema alcanzó el récord –quizá mundial– de ser tres veces primera dama de La Rioja y una vez de la Nación, en un alternar de rupturas y reconciliaciones salpicado por curiosas estancias en diversas cárceles.

Para febrero de 1984 llevaban ya siete meses juntos, luego de una separación de casi tres años. Una vez salido él de su exilio en Las Lomitas, y abierta la instancia electoral tras la derrota de Malvinas, se habían reunido en junio de 1983 y habían viajado a Bariloche, junto a sus hijos, en una segunda luna de miel. Pero cuando comenzó el gobierno la convivencia se tornó nuevamente imposible.

De aquellos tiempos data una de sus riñas más espectaculares. Fue con el anciano secretario general del gobierno riojano, Luis Basso, de ochenta años. Aquel 7 de febrero, Zulema, que ya había tenido dos encontronazos previos con Basso, irrumpió en medio de un acto en el que se firmaría el Acta de Reparación Histórica. Habían sido invitados Vicente Saadi y Adolfo Rodríguez Saa, y estaban las cámaras de la televisión filmando el acto. Cuando quiso ingresar en el recinto al grito de "te voy a matar, Menem", el funcionario la paró.

–¿Otra vez molestando al gobernador?

–¡Por favor, salga de acá! ¡Él es mi marido y usted no es nadie para levantarme la voz! –contestó Zulema.

–Metida de mierda, déjese de joder…

–Usted no le va a faltar el respeto a la esposa del gobernador, me renuncia ya, ¿me entendió? ¡Ya mismo! –gritó Zulema, y le tiró un cenicero por la cabeza.

Poco después, vociferaba ante la prensa que le estaban implementando una conjura para declararla insana. El tiempo demostró que no estaba tan equivocada. Susana Valente, vieja enemiga de Zulema, le confesaría a esta periodista, en 1997, que aquellos intentos fueron reales, "producto de la locura de aquellos años".

–Me amenazaron por teléfono, me tiraron víboras en la habitación y un cocodrilo en la pileta –aseguró.

Haciendo gala de su habitual humor, Menem relató otra versión:

–En la residencia tuve muchos animales. Un zorrino, un cachorro de león, y hasta un cocodrilo. Un día reviso todo y no lo encuentro. Me jugué una corazonada y lo llamé al jefe de Policía. Resulta que ahí andaba el pobre comisario García Rey dando vueltas por la ciudad con el bicho en el patrullero sin saber dónde dejarlo. Zulema –concluyó– se lo había dado porque estaba convencida de que iban a tirar el cocodrilo en la pileta mientras ella nadaba.

Héctor García Rey había sido designado a dedo por José López Rega en 1973 como jefe de policía en Tucumán, y había actuado en 1975 a las órdenes del brigadier Raúl Lacabanne en Córdoba, durante su intervención federal, como represor implacable. Públicamente repudiado, tuvo que alejarse del país y refugiarse en el Paraguay de Alfredo Stroessner, hasta que Menem lo rescató y lo trajo a La Rioja para acabar con los ladrones de gallinas y prevenir, según decía, cualquier subversión de izquierda.

Hacia 1984 era ya un manso comisario cuya mujer se había hecho confidente de las peleas conyugales de Zulema. Las malas lenguas rumorearon que el hombre mantenía un affaire con la primera dama, a partir de que se instaló a dormir en la residencia oficial cuando Menem se fue solo ese verano de vacaciones a Mar del Plata para descomprimir la situación. Pero la realidad era muy otra: García Rey se quedó en la residencia junto a su propia mujer para impedir que internaran a Zulema en un loquero. Y los entornos de Menem dispararon el rumor, para perjudicar a Zulema.

–Señora, la quieren sacar de acá y me han dicho que planean doparla para poder encerrarla en un instituto psiquiátrico –le advirtió.

Como consecuencia de esto, a mediados de marzo, Menem le exigió que renunciara, y como el comisario se negara, lo destituyó. Zulema hizo entonces algo asombroso: llamó a conferencia de prensa y anunció que daría refugio a García Rey y a su esposa en la residencia. Menem tuvo que viajar a Buenos Aires y pedirle auxilio a Antonio Troccoli, el ministro de Interior de Raúl Alfonsín. Troccoli convocó a García Rey y cuando el comisario llegó a la capital fue inmediatamente detenido. Pero detrás de él llegó también Zulema y declaró a todos los vientos:

–El gobernador hizo abandono de hogar, nos abandonó a sus hijos y a mí, no sabemos dónde está. Y yo me vine aquí a hacerme ver por médicos de fuera de mi provincia, para que certifiquen que soy una persona sana, porque allá hay personas que me quieren internar como insana porque les molesto –dijo. Y una vez más se separó.

Después del episodio con García Rey, Zulema se mudó a Buenos Aires con sus hijos. Su madre estaba muy enferma y murió en el Hospital Alemán. Amira entró en estado de shock e intentó suicidarse tomando un frasco de pastillas. Zulema se hizo cargo de la situación. Cuando Amira todavía se estaba recuperando, ella cayó en un pozo depresivo del que para salir requirió de ayuda médica. Por esa época, conoció al coronel Mohamed Seineldín y su mujer "Tuchi", con los que entabló una profunda amistad, que la ayudó a sobrellevar la situación.

Otra reconciliación tuvo lugar el 14 de mayo de 1989, cuando Menem fue electo Presidente. Las tratativas habían comenzado en 1988, cuando el peronismo convocó a elecciones internas para dirimir la candidatura entre Antonio Cafiero y el riojano. Menem y Zulema compartieron los ñoquis del 29 con las bases peronistas. Por esos días no fueron pocos los que hablaron de un acercamiento por conveniencia. Ella insistía, sin embargo, con que se trataba de una reconciliación basada en el amor y la comprensión.

Una de esas tardes, en la víspera de su décimo octavo cumpleaños, Zulemita había llegado a la residencia de La Rioja con un grupo de amigos en un auto importado de estridente color rojo. Tenía puestos unos shorts desflecados de jean muy cortos y una camisa anudada que dejaba ver la panza chata y tostada. Estaba poco en la casa y, cuando lo hacía, pasaba mucho tiempo en el dormitorio. La adolescencia la había vuelto rebelde y callada. Usaba el pelo largo negro natural recogido en una cola y el flequillo abultado. La ropa le marcaba una silueta casi perfecta. Piernas larguísimas, cola parada y poco busto.

–Nena, andá a sacarte esos "yores". Son muy cortos, parecen una bombacha. Andá a cambiarte –le dijo Carlos Menem apenas la vio.

–Ay, papi. No me digas eso, que a mí me gustan mucho –respondió ella con la voz aniñada, mientras se sentaba en sus rodillas como una nenita y le daba besos en la mejilla. Pegada su cara a la de él, con la mano le acariciaba los cachetes. De a ratos cerraba los ojos y le susurraba palabras incomprensibles.

Bien lo sabía Zulema: el padre no podía con su hija. Era la luz de sus ojos. La preferida. Su igual. Años después, su hija ocuparía el lugar que le hubiera correspondido a ella, si se hubiera quedado en Olivos. Zulema miraba la escena sin emitir comentarios. Vestía una blusa floreada y pantalones de color beige. Cara lavada, nariz retocada por la cirugía y el pelo rubio que se teñía ella misma con Preference 9, 1. Tenía ondas naturales y se hacía brushing en las puntas. Se quejaba del calor y de una fuerte jaqueca, que atribuía a una operación de cirugía estética en el abdomen que le hizo Ivo Pitanguy en Brasil, mientras Carlos Menem andaba de gira por Europa, con Miguel Ángel Vicco y Ramón Hernández. Aquella vez se asustó muchísimo. La hemorragia había sido tan fuerte que casi se muere.

En plan de recuperación, viajó tiempo después a La Prairie, en Suiza, invitada por el empresario Arnaldo Martinenghi. Allí le hicieron un tratamiento con células vivas, que según dicen, retrasa diez años el envejecimiento. Ese tratamiento cuesta veinte mil dólares en La Prairie rie y mil en Buenos Aires, pero con acento francés suena mejor.

Zulema observaba a su hija sentada en las rodillas de su padre. Era una escena reiterada, típicamente edípica. La relación entre su marido y Zulemita le generaba cierta inquietud, clásica en las madres de hijas adolescentes. Sobredimensionada por las particularidades de los protagonistas de esta historia. Aquella complicidad permanente y sus confidencias en voz baja la ponían de mal humor. Y aumentaban obsesivamente sus jaquecas. Por esa época Zulema se quejaba permanentemente de dolor de cabeza.

A la noche, mientras las mucamas preparaban la mesa al borde de la piscina, Carlos Menem se acordó de sus zapatos preferidos y fue a buscarlos. Los trajo al jardín mientras se quejaba de que Zulema no se ocupaba de sus cosas y no trataba con cuidado sus mocasines blancos. Días antes, la revista *Newsweek* se había ocupado de su estilo de caudillo populista y de aquellos zapatos, en un artículo firmado por su corresponsal en Buenos Aires, Joseph Contreras. Él los tenía ahora en las manos, los frotaba con frenesí para quitarle esa gruesa película de pintura blanca depositada en el cuero que le daban aspecto de gastados y que doblaba sus extremos hacia arriba.

–No es que estén viejos o sean anticuados, como muchos creen. Fíjense, hasta esa revista americana habló de mis zapatos. El problema es que esta mujer les pone litros de renovador –dijo con malhumor.

Muy cerca, Zulema comía semillas de pistacho y simulaba no escuchar sus quejas. Hojeaba la revista *Gente*, en la que los dos posaban en la tapa de los personajes del año. A él lo habían elegido por ganarle la interna a Antonio Cafiero y a ella, por reconciliarse con él.

A Zulema no le importaban mucho el trabajo de la casa ni las rutinas de la vida doméstica, excepto la preparación de exquisitos platos de su tierra, en la que se destacaba y que le servía para apartarla del aburrimiento. Los utilizaba para agasajar a Menem cuando las cosas entre ellos estaban tranquilas. Nadie como Zulema para preparar exquisitos keppes, cuajada o los típicos niños envueltos en hojas de parra. O para hacer el clásico puré de garbanzo con pimentón, cebolla, ají y aceite de oliva, o la ensalada árabe de perejil y trigo molido.

Sus hijos. Desde que nacieron, sólo vivió para ellos.

Los Yoma en pleno estaban aquella noche en la fiesta de cumpleaños de Zulemita. Una Amira muy distinta a la actual charlaba animadamente, haciendo planes para el futuro. Pelo oscurísimo y largo, con flequillo, nariz aguileña y algo ancha en la punta. La brutal metamorfosis posterior estaba lejos.

Zulema tenía con Amira –apodo que en árabe significa "princesa"– una relación casi maternal, aunque su hermana menor ya se manifestaba como una chica llena de ambiciones de poder y lujos. Su marido, Ibrahim Al Ibrahim, era un sirio de rasgos duros. Le gustaba presentarse como militar –y no lo era–, y los integrantes del clan lo miraban con desconfianza. "Es un pobre infeliz que no sabe manejar un revólver y que ni siquiera hizo el servicio militar... ", diría al poco tiempo el jefe de la familia, Emir Yoma.

Aquella noche, Ibrahim y Amira se prodigaban mimos y hablaban en árabe. Eran una pareja almibarada. Nadie imaginaba aún que tres años después los dos serían protagonistas de un escándalo internacional de lavado de narcodólares que haría tambalear los cimientos todavía frescos del menemismo en el poder.

A las ocho de la noche estaban sentados los diez hermanos Yoma alrededor de la larga mesa. Todos, acompañados por sus mujeres y sus hijos. El ambiente era de cordialidad y alegría. De la familia Menem no había nadie, salvo el candidato. Se hablaba en voz alta y se especulaba sobre el futuro.

Zulema lucía una blusa de raso colorada, jeans y ballerinas blancas. Estaba apenas maquillada: tenía los ojos suavemente destacados con un poco de sombra marrón, delineador y rimmel en las pestañas. Y en las mejillas, un poco de rubor. Se había peinado ella misma.

–Detesto ir a la peluquería y perder horas arreglándome el pelo. Además, soy odiosa y no me gusta que me lo tironeen ni que me maquillen. Prefiero hacerlo sola –explicaba.

A su lado, Carlos Menem sonreía, vestido con remera azul con rayas, pantalón de gabardina y sus amados zapatos blancos.

Minutos antes que el reloj diera las doce, Armando Torralba –un fiel colaborador de la familia, que había tenido problemas de salud por la bebida pero al que ella no abandonó y lo mantuvo en su puesto–, apareció con una torta rosada con dieciocho velitas encendidas. Zulemita, sonriente, se levantó y las apagó abrazada a su padre. Cerró los ojos y no quiso revelar sus deseos. Torralba, hombre sencillo y amable, se animó y dijo:

–Torta rosada, Casa Rosada. El año que viene festejamos en Olivos.

Y no se equivocó. Aquel fue el último cumpleaños que Zulema María Eva, la nena mimada de Carlos Menem, festejó en la residencia oficial riojana.

Exultantes, todos levantaron sus copas ante la premonición y Menem aprovechó el momento para hacerle señas a Junior. Se entendieron y entre los dos tiraron a Zulema a la piscina. Entusiasmadas, Amira y Zulemita empujaron a su vez a Menem, que cayó al agua en medio de las risas. Minutos después, Carlitos y Zulemita nadaban felices abrazados a sus padres en la piscina iluminada por las luces de los fuegos artificiales que anunciaban, además del cumpleaños, la Navidad de 1988.

Pasada la medianoche, y vueltos a vestir después del chapuzón, todos posaron para la foto en el comedor de la casa. Carlos Menem, vestido nuevamente de sport. Zulema, con un conjunto de Gino Bogani, de falda estampada y chaqueta verde, y un largo collar que hacía juego con los aros y anillos de oro que le había regalado Liz Fassi Lavalle. La familia sonreía y ellos se hacían bromas mientras obedecían las indicaciones del fotógrafo del semanario *La Revista*, destacado para cubrir el festejo.

Cuando Amalia Beatriz "Amira" Yoma, ya instalada como secretaria de Audiencias de Menem, fue acusada de lavar dinero para una organización de narcotraficantes, el juez español Baltasar Garzón tenía sobre su escritorio aquella fotografía. Un círculo rojo marcaba el rostro original de la cuñada del Presidente, que todavía sin cirugías, posaba sonriente junto a sus hermanos festejando el cumpleaños de Zulemita.

La foto atestiguaba que aquel 24 de diciembre de 1988, los Yoma parecían una familia feliz.

Durante la campaña, Zulema Yoma se convirtió rápidamente en una mujer popular y comenzó a ser muy requerida por los medios. Se publicaban perfiles sobre la posible primera dama, en los que se incluía desde información sobre su guardarropa y fragancias preferidas hasta sus ambiciones políticas.

"Sos la Evita de los ochenta", le gritaba la gente durante las Caravanas de la Esperanza. Ella devolvía la simpatía con una gran sonrisa. Todavía reía con facilidad. Tenía cuarenta y cinco años, olía siempre a perfume Pierre Balmain –su preferido–, se maquillaba con sobriedad y había empezado a lucir modelos diseñados por Eduardo Awada: look clásico de tailleurs, polleras finas y tacos aguja. Hablaba con gran admiración de su esposo y cuando le preguntaban sobre la posibilidad de que Menem perdiera, respondía algo que aún hoy repite:

–Creo en el destino, en eso soy muy árabe.

El acuerdo matrimonial había contado esta vez con la mediación de la Iglesia, y también con su bendición, y eso ayudó a aliviar las tensiones familiares. Zulema participaba de la campaña electoral junto a sus fieles colaboradores: su amiga, Nina Romero, el médico Jorge Mazuchelli –que terminó enamorándose de ella, pero platónicamente, ya que no hubo reciprocidad– y Antonio Palermo, que fue asesinado años después, en circunstancias poco claras. Los cuatro recorrían incansablemente todos los rincones del país prometiendo el oro y el moro a quienes votaran la fórmula Menem-Duhalde.

Cuando el recuento de votos convirtió a Carlos Menem en el nuevo presidente de la Nación, la pareja estaba en la Casa de La Rioja y, como dos tórtolos, se emocionaron juntos. Gentil, ella lo alabó:

–Admiro a Carlos porque sufrió cárceles, desprecios, humillaciones, pero nunca bajó los brazos. Por eso le pido a Dios que lo ayude. Si tiene que dar la vida por su patria, que la dé. No le tengo miedo a la muerte. Le tengo miedo a la muerte sin orgullo y sin honor. Carlos tiene orgullo y tiene honor.

El 8 de julio de 1989 el Presidente electo asumió el mando por adelantado, cuando el gobierno de Raúl Alfonsín fue desestabilizado por la hiperinflación. También por adelantado Zulema Yoma comenzó a dedicarse a la beneficencia, como cualquier primera dama que se precie.

Zulema recibió innumerables regalos. Empresarios, amigos y políticos querían congraciarse con ella y enviaban costosos presentes al piso de la calle Posadas. Pero todos tenían el mismo destino: la baulera. Allí se acumularon el órgano Yamaha de los hermanos Spadone; el pájaro de cristal y porcelana de Yasser Arafat; trajes y vestidos de los mejores diseñadores e infinidad de pares de zapatos de la casa Alonso; joyas de Ricciardi.

El 15 de julio, el diario *La Nación* aseguró que se instalaría a esos efectos en el Ministerio de Salud y Acción Social, donde el entonces secretario Rubén Cardozo le había destinado un despacho. El hecho se interpretó como su primer paso en el intento de ser otra Evita.

Al día siguiente, Alfredo Karim Yoma, hermano de Zulema, desmintió la noticia: "La esposa del señor Presidente no tiene previsto instalarse en oficina alguna dentro del Ministerio de Salud y Acción Social".

264

No obstante, Zulema viajó a La Rioja con un cargamento de tres toneladas y media de elementos para ser distribuidos en hospitales de esa provincia. No tenía despacho oficial, pero igual estaba entusiasmada con su tarea solidaria. El puntapié inicial lo había dado en la Capital Federal, con el Hospital Rivadavia, donde, gracias a sus oficios, se habían recibido donaciones importantes de dinero y equipos médicos.

Los primeros meses en el poder transcurrieron así, relativamente tranquilos. Era difícil saber si era feliz o no. Si lo estaba, lo disimulaba muy bien. Acompañada por Mazuchelli y Palermo, contestaba miles de cartas que llegaban a Olivos, con distintos pedidos. Zulema adoraba jugar a la baraja con el médico, mientras tomaban mate con palmeritas que les servía Ofelia, su fiel mucama. Seguía con obsesión los pasos de sus hijos y los de Carlos. Y miraba de reojo al entorno, que no veía la hora de sacársela de encima. Cuando se aburría, le pedía a Mazuchelli que le cantara una canción. Y Mazuchelli agarraba la guitarra y cantaba boleros. "Yo no quería mudarme a Olivos. Se llovía el techo, estaba lleno de goteras. Le cambié la decoración, era lúgubre. Se notaba que faltaba la mano de una mujer."

En esa época, Zulema y Carlos todavía dormían juntos. Algunas veces, él llegaba de alguna reunión con un ramo de flores o una caja de bombones. Y ella disfrutaba como una adolescente. Carlos Menem era feliz cuando veía a Zulema cerca de él, escuchando lo que él decía sin contradecirlo. O apoyando sus comentarios. Pero todo empezó a girar en círculos, como toda la vida. La relación se tensó y regresaron las peleas. Cada vez que él aparecía con un regalo, ella no lo besaba ni le agradecía. "Por algo me las trae", murmuraba y tiraba las flores a un costado. Por esa época empezaron a aparecer artículos periodísticos que relacionaban sentimentalmente a Menem con varias mujeres.

–Creo que están exagerando. Él es mujeriego, pero no creo que le dé el cuero para tanto… –les decía a las amigas.

En octubre, Zulema empezó a oler a quemado. Fue cuando desde el gobierno se promovió crear una fundación privada que absorbiera los programas de asistencia heredados del radicalismo, como el PAN y el Bono Solidario, cuyo vencimiento estaba previsto para marzo de 1990, y se propuso ponerla al frente de eso. ¿Acaso la querían usar para maniobras fraudulentas? Juró que no lo permitiría.

A sólo seis meses de asumido su marido en el gobierno, la primera dama publicó una solicitada en los diarios más importantes del país, que decía así: "Por este medio y en ejercicio del derecho que me asiste, públicamente expreso que jamás he autorizado a nadie para utilizar y/o invocar mi nombre para la creación y/o el auspicio de Fundaciones, Nucleamientos, Instituciones y/u Organizaciones de Beneficencia Nacionales, Provinciales, Municipales, Públicos ni Privados. Reservándome por lo tanto las acciones legales pertinentes al respecto".

Pero eso no fue lo primero. A principios de octubre de 1989, ya había denunciado anomalías en las comunicaciones de la residencia de Olivos y deficiencias en las medidas de seguridad en torno a ella y de sus hijos. Después de despedir a varios integrantes del personal de la residencia, decidió ir a pasar la noche al departamento de la calle Posadas.

Comenzó así una serie de intrigas y desavenencias que culminaron con el divorcio, previa expulsión de la primera dama de la residencia de Olivos. Tres años después, recostada en el blanco sillón del living del departamento de Posadas 1540 y comiendo semillas de pistacho, Zulema Yoma recordaba aquella Navidad calurosa en La Rioja con la familia unida.

–Qué bien que actuábamos, mamita, ¿no? ¡Qué circo! Mirá cómo me usaron estos delincuentes y me tiraron a la calle como a un perro. A mí y a mis hijos. Y lo peor de todo es que lo hicieron con el apoyo de mi familia. Después que me echaron, me contaron que Carlos dejó mis fotos. Yo·hubiera preferido que las saque. Es un hipócrita. Esa quinta está maldecida. De noche había ruidos raros. Como si hubiera fantasmas. Y eso que la hice curar. A las mujeres que pasaron por ahí les fue mal. Evita se murió tan joven y sufrió tanto. Lorenza Barrenechea (de Alfonsín) tuvo una vida tan triste, tan sola. Prefiero lo mío, aunque me maltrataron mucho. Dios castiga sin palos, madre. Sólo tenés que sentarte a esperar. Y yo estoy esperando.

En 1991 sobrevino el juicio de divorcio y más tarde llegó la demanda por pago de alimentos.

Para Zulema, 1991 fue un año agitado, no sólo por el divorcio sino por el escándalo del tráfico de drogas en el que se vieron involucrados sus hermanos. Respecto del llamado "Narcogate", Zulema declaró públicamente que existía una campaña contra sus hermanos y que tenía conocimiento de quiénes se dedicaban a la elaboración de estos siniestros planes. Íntimamente ella conocía mejor que nadie a sus hermanos y, en largas conversaciones con sus amigas, aseguraba que no ponía las manos en el fuego por ninguno.

–Dios los castigó. Se quedaron con los delincuentes y me dejaron sola, y ahí tienen el resultado.

El 18 de julio, dio a conocer un comunicado de prensa referido a un procedimiento policial que se había realizado el día anterior en su departamento de la calle Arenales al 2800.

–No van a encontrar droga en un domicilio decente. Si quieren saber sobre droga, pregúntenle a Duhalde y a Carlos Menem –lanzó.

Al día siguiente, el entonces vicepresidente Eduardo Duhalde, por pedido de su Jefe, convocó a una conferencia de prensa para desahogarse:

–Esta gota rebalsa el vaso, con esto demuestra un claro desequilibrio emocional… Se deben terminar las veladas acusaciones y dejar que los problemas judiciales se conviertan en causas de orden nacional.

Su hijo Carlitos era su gran debilidad. Lo veía entrar y a ella se le iluminaban los ojos. A la mañana temprano entraba a su dormitorio y lo despertaba con besos y abrazos. O miraban televisión acostados en la cama grande. Zulema se sentaba en la cocina y disfrutaba mirando cómo su "Chancho" comía, o le cebaba mate en el taller de la avenida Figueroa Alcorta. A veces llegaba y Carlitos estaba con una chica. Ella se ponía de malhumor y entonces, Rubén Valentona, el copiloto de Junior y director comercial del negocio, le hacía bromas para distenderla. Carlitos la levantaba en brazos y le juraba que no había otra mujer más hermosa que ella. Zulema se dormía sólo cuando su hijo había llegado a la casa. Pedía a las mucamas que dejaran encendidas las luces del cuarto, para saber la hora a la que llegaba. Un día, a la madrugada, se dio cuenta de que Carlitos no estaba. Se vistió y salió a recorrer los boliches. Lo encontró sentado en la vereda de Pizza Cero, comiendo con las "Jau Mach", unas rubias exuberantes que cantaban en televisión. Se asomó por la ventanilla del auto y de un grito se lo llevó con ella, ante la mirada de sus amigos. Cuando Carlitos se enamoró de María Vázquez, Zulema se desmoronó. No le gustaba aquella chica, a la que, sin embargo, conocía desde niña. "No me gusta, no sé por qué. Me parece que sólo quiere prensa. No lo va a lograr, nunca se va a casar con él."

Con Zulemita la relación era ciclotímica, tormentosa.

A medida que la "nena" fue creciendo, las disputas con su madre fueron en aumento. Casi al mismo tiempo que el amor compulsivo de Zulemita por su padre. A Zulema le disgustaba el papel de primera dama, que desempeñaba su hija. Su instinto de madre le decía que aquel ambiente no era bueno para sus hijos. Con Carlitos compartía sus sentimientos por el entorno y el poder. Pero con su hija, no había caso. Y aunque no lo dijera públicamente, en el fondo de sus palabras, navegaban los celos. Zulemita ocupaba el lugar que ella había dejado vacante cuando la echaron de Olivos.

Una voz en francés le avisa que en pocos minutos el avión tocará la pista del aeropuerto Charles de Gaulle, en París. Zulema abre los ojos sobresaltada y mira por la ventanilla. La bandeja con el desayuno está intacta. Se levanta y se dirige al toilette acompañada por su hija. Se cambia de ropa y se mira en el espejo. Cree que todo es una pesadilla de la que va a despertar algún día. Vuelve a sentir las náuseas de la noche anterior. El pasado y el presente que no se alejan. Nunca. Repasa con el cepillo el cabello rubio con matices más claros. Siente que ya nada le importa como antes. Ni las arrugas ni el cuidado obsesivo de su silueta. La imagen de su hijo muerto está en todas partes. Ocupa el mar de sus pensamientos y sus sospechas.

Apenas descienden del avión, una lujosa aeronave de la corona saudí las aguarda. Zulema, sus dos hermanos, Zulemita y los dos custodios argentinos que les puso Menem, serán conducidos a Jeddah, una de las ciudades más importantes de Arabia Saudita, a setenta y tres kilómetros de La Meca. Ni bien llegan, son recibidos por una guardia que le rinde honores de primera dama.

–Primera dama –le dice a su hija–. Qué extraño todo, qué absurdo.

El rey Fahd en persona las espera y las hace acompañar a un palacio donde las mujeres dormirán separadas de los hombres, como indica la tradición musulmana. Mármoles de Carrara, *robinets* de oro en duchas y lavabos, y alfombras multicolores tejidas a mano por artesanos que utilizan técnicas milenarias, en los dormitorios que tienen la extensión del desierto. Cortinados de seda de Damasco, bordados en hilos de oro y plata y espejos con los marcos de madera tallados a mano. Y a lo lejos, a través de los enormes ventanales, la voz de los muecines recordando siempre la hora de la oración.

Zulema no tiene ganas de comer, sólo de escapar, acallar las venganzas que la abrazan. Está allí, preguntándole a Dios el porqué de su tragedia, en la habitación de un palacio lejano. Tan lejano como su resignación.

Al otro día un Mercedes blindado negro, supercustodiado y alejado de los periodistas locales, las llevará en peregrinación hasta la ciudad sagrada de La Meca. Vestidas íntegramente de blanco y bajo una temperatura que roza los cincuenta grados, Zulema Yoma y su hija dan siete vueltas a la Kaaba, la piedra negra de Mahoma y el primer templo construido por Adán para adorar a Dios según la tradición musulmana, y donde están inscriptos los nombres sagrados de Alá.

Las vueltas las hacen siempre en el sentido inverso a las agujas del reloj, porque así giran en el cielo los astros. Y rezan durante ciento ochenta minutos en la gran mezquita por la memoria de Carlos Saúl Menem, hijo.

En el corpus de observancias del Islam hay cinco pilares que pasan por ser centrales y fundamentales, y la oración es uno de ellos para quienes tienen la *shaháda*, es decir, la profesión de fe por la que el musulmán testifica que no hay más Dios que Alá y que Mahoma es su último profeta.

Hay dos tipos de oraciones: la *du'a'*, personal y espontánea, no limitada por reglas o rituales, y la *salat*, que ha de ser ofrecida a Dios cinco veces al día con palabras y movimientos prescritos, en estado de pureza ritual y mirando en dirección a La Meca, lugar de nacimiento del Profeta, y a donde todo creyente debe peregrinar al menos una vez en su vida para refirmar su fe.

Las mujeres eligieron esta vez el ritual más simple, dado que su paso por Arabia Saudita duraría apenas tres días. De cualquier forma, no era ésta la primera vez que Zulema peregrinaba a La Meca. Lo había hecho con más tiempo en julio de 1993, cuando parecía que una nueva etapa en su relación con Menem se abría al futuro.

Entonces había sido invitada por el gobierno de Siria y los reyes de Arabia Saudita y Marruecos. Visitó esos países con Zulemita y ambas fueron agasajadas por el presidente sirio Hafez El Assad y su esposa Anissa.

Aquella vez habían llegado en un vuelo de Lufthansa, con destino a Damasco, previo cambio de avión en Frankfurt, Alemania. Se alojaron en el palacio de huéspedes presidenciales.

En el comedor de la residencia, frente a un cordero relleno con dátiles, Zulema y El Assad conversaron en árabe. Ella habló sus conflictos matrimoniales, la expulsión de Olivos, las dificultades que aquejaban a la familia Yoma y el viraje de la política internacional del gobierno argentino. Un testigo de aquella reunión aseguró que la opinión de Hafez El Assad sobre Carlos Menem, después de escuchar las cuitas de Zulema, fue lapidaria.

Los sirios siempre la respetaron por sus fuertes convicciones religiosas, que la llevaron a rechazar una conversión al catolicismo que le había ofrecido un integrante de la Iglesia riojana, en medio de la "reconciliación" política del año '88.

–Perdóneme Padre, pero soy musulmana y moriré musulmana. Yo no traiciono a los míos –le respondió Zulema a Esteban Inestal, párroco de la Iglesia de Chilecito y confesor de Menem.

Al otro día, a primera hora, salieron camino a Dumeir, la tierra de los Yoma, un pueblito de seis mil habitantes, ubicado a cuarenta kilómetros de Damasco y a ochenta de Yabrud, la cuna de los Menem. Hacía veintitrés años que Zulema no veía su pueblo natal. Rezó durante largo rato frente a la tumba enrejada de su padre. Una sepultura común, en plena calle. Sencilla, porque el culto islámico prohíbe la ostentación. Emocionada, lloró al recordar imágenes de su infancia, sus padres y sus amigos.

–Fue como recuperar algo propio, lejano, cumplí el sueño de mi vida –dijo a su regreso.

Al principio, ella había puesto ciertos reparos a ese viaje porque se consideraba en una situación delicada.

–Esto de ser primera dama para algunas cosas sí y otras no, te genera dudas. Hasta que llegué allá no sabía cómo me iban a recibir –confesó.

Sin duda, los mejores obsequios que recibió en ese viaje fueron los honores con que fue recibida en Siria y la invitación para visitar los lugares santos.

El lunes 19 de julio, cerca de las tres de la tarde, había emprendido con Zulemita y su hermana Delia, que las acompañaba, el viaje de la vida, la Ombra, hacia La Meca, a unos ochenta kilómetros de Jeddah. Cubiertas sus cabezas, ingresaron en el santuario descalzas y emprendieron la caminata de casi doce kilómetros por los sitios sagrados que no tuvo fuerzas para repetir tras la muerte de Junior. La había invadido entonces, como ahora, una sensación única, intransferible, mística, al contemplar el Pozo de Zamzam, horadado en la roca, cuya milagrosa agua salvó de la sed a Ismael y a su madre.

A Zulema, tanto como a Menem, el agua siempre la atrajo.

En el Corán se la menciona 262 veces. En árabe se la llama *al-ma'* y no por casualidad. Para los musulmanes es el símbolo de la creación. El agua cura, purifica y refacciona el alma, dice el Corán. Por eso, él se baña casi obsesivamente, varias veces al día, para sacarse las malas ondas, para quitarse al diablo de encima. Cuando Junior murió, Zulema acudió –a través de Yamal, un empresario libanés amigo– a la "Madre de Mohamed", una vidente, que vive en las montañas de Baalbeck, en el Valle de la Beckaa y lee el destino sobre el agua. Zulema le pidió a Yamal, que fuera en su nombre a preguntarle por Carlitos. La mujer le dijo a Yamal, en árabe cerrado, que Junior había sido asesinado y que a la familia le aguardaban otras desgracias.

Lejos estaba Zulema de imaginar que al lado de los dos cofres que guarda en su dormitorio –uno con tierra de la tumba de Mahoma y otro con tierra de la tumba de su padre, que recogió en el viaje de 1993– el destino la pondría en situación de tener que decidir si agregaba o no un tercero, con la tierra de la tumba de su hijo. Decidió que no, hasta saber si efectivamente ese cadáver que le dieron para enterrar era el de él.

A la hora del Magreb, que es cuando cae el sol, escuchó el murmullo de las oraciones colándose por todas las ventanas de la ciudad. Al día siguiente, las tres mujeres viajaron en el avión de la Corona unos cuatrocientos kilómetros hacia la mítica ciudad de Medina, donde murió Mahoma, y rezaron ante su tumba.

Por aquellos días todos sus temores giraban en torno de cómo la recibirían en los países árabes, pero sus miedos resultaron infundados. En Siria estaban ansiosos por verla. Desde hacía mucho, integrantes de su familia estaban reacondicionando la casa paterna de Zulema, en Dumeir, en espera de que algún día los visitara. Un lugar mágico, de callejuelas angostas y casas bajas de adobe y cal, sin puertas, y comunicadas entre sí por arcadas que dan a un patio común, repleto de plantas. Son apenas veinticinco mil habitantes, y de ellos, siete mil integran su familia. El casamiento entre primos es una vieja costumbre que aún se practica.

La gente es tímida y silenciosa y casi intimidan las miradas profundas de sus grandes ojos oscuros. Desde la entrada del pueblo, cuya antigüedad se remonta al año 245 de la era cristiana, se tiene la sensación de estar en presencia de alguno de los lugares descriptos en *Las Mil y una Noches*. El trayecto de la carretera que va desde Damasco a Dumeir estaba, en aquel entonces, superpoblado de imágenes del presidente Hafez El Assad y su hijo Basel, muerto en 1994, en un supuesto accidente.

Vendedores de mandarinas y pistacho mezclados con jóvenes integrantes del ejército sirio vestidos con ropas de combate, mujeres tapadas de la cabeza a los pies y hombres con khefiá (túnica blanca que se lleva en la cabeza), se destacan en el paisaje de la aldea ubicada a ochocientos kilómetros de Bagdad, Irak, y a sesenta de Damasco, de la que alguna vez partieron Amín Yoma y Chaha Gazal, en busca de un mejor destino.

A pesar de haber tenido un año trajinado, a Zulema se la veía entonces espléndida y sus parientes no se cansaron de elogiarla. Previo a ese viaje, en septiembre del '92 había comenzado a frecuentar junto con Zulemita el centro estético Pisanú, con el objetivo de mejorar las líneas y el cutis. Cristina Zeiter le había mejorado el *lifting* de Pitanguy, resaltándole pómulos y mentón. No había hecho más que ponerse a tono con Menem, quien había estrenado ese año nuevo look: corte de pelo sin patillas, lentes de contacto y tratamiento basado en picadura de avispas para alejar, de una vez y para siempre, las manchas que tenía en la frente.

A ella, el peinador Javier Matheus (de Roberto Giordano) le había borrado el look Farrah Fawcett y los flashes en la frente, que la avejentaban. Ahora lucía el cabello lacio y mucho más rubio. En cuanto a la ropa, se había animado a nuevos colores: había agregado el verde y el rojo a su vestuario de tonos pastel. Las faldas más cortas para lucir las piernas fueron la gran sorpresa.

La misma que se llevó Menem cuando la vio en el aeropuerto de Ezeiza, acompañando a Zulemita que lo esperaba para partir, en el *Tango 01*, rumbo a España.

–¿Y esa minifalda? –le preguntó el presidente sin quitarle los ojos de las piernas.

–¿No te gusta? –coqueteó Zulema.

El 17 de mayo de 1992, a la madrugada, Zulema recibió un llamado en su casa. Un hombre de voz áspera, tonada árabe y mal castellano se presentó como Monzer Al Kassar. Después de los saludos cordiales en los que hicieron referencias a sus ancestros árabes y la nostalgia por la tierra lejana, el vendedor de armas le dijo que estaba preocupado por la trascendencia del escándalo que salpicaba a su familia.

En su aparición del 21 de mayo en el programa "Hora clave", defendiendo a su familia, mostró el video en que se veía, en medio de un festejo en un restaurante de Damasco, a Munir Menem y Al Kassar, abrazados. En la misma semana reforzó su denuncia en un reportaje de *Gente*. Lo que se guardó, pero en cambio contó años más tarde a esta periodista, fue que al asumir Carlos Menem la Presidencia, el traficante de armas le regaló una ametralladora con una inscripción, en la que se lee: "A la Primera Dama Zulema Yoma, 8/7/89. Monzer Al Kassar". Contó que el mismo presente fue enviado a todos los miembros del gabinete más cercanos a Menem. Ella guarda el arma en un rincón de su casa.

–¿A vos te parece, madre, que esto se regala por nada? Me pregunto si la muerte de Carlitos no tuvo que ver con esto...

En esos días Menem le había regalado un gigantesco huevo de Pascua. Habían vuelto a hablarse por teléfono después de un año de no hacerlo y, más distendida, a ella se le había escuchado decir en medio de las audiencias de divorcio que "si fuera necesario para el bien del país y para mis hijos, volvería a vivir con Carlos".

En octubre, para el Día de la Madre, Carlos y Zulema almorzaron juntos, en un restaurante árabe. Estaba la familia Yoma en pleno. Al parecer, el encuentro fue planeado por Zulemita, la eterna mediadora entre ambos. Aprovechando la cercanía con su padre, le había arrancado la promesa de que pasarían en familia el Día de la Madre.

—Está bien, vos organizá todo que vuelvo ese día de Santo Domingo y voy para allá —se comprometió Menem.

La cita fue en el restaurante Laila. A la hora de las conclusiones, se tomaron dos posturas: una hablaba de reconciliación matrimonial y la otra, de operación política por parte de los Yoma, con vistas a la posibilidad de la reelección.

En agosto, cuando Zulema se internó en el Sanatorio Mater Dei para realizarse un chequeo, el Presidente se mostró preocupado e incluso la llamó desde el Uruguay para preguntarle cómo se sentía.

El 25 de diciembre, con motivo de la Navidad y del cumpleaños de Zulemita, la familia volvió a reunirse. Menem llegó en la víspera, un rato después de las diez de la noche, a la casa de Omar Yoma, para hacer realidad el deseo de Zulemita: el reencuentro familiar. De chica, había esperado siempre la Nochebuena porque en la calle se escuchaban los estruendos de los cohetes y bengalas.

—Son todos para mi princesa —le explicó su padre la primera vez que ella preguntó por qué tanta gente celebraba afuera su cumpleaños, pero ninguno entraba a saludarla.

Y fue él, también, el que un día le dijo:

—Cuando quieras mucho algo, sólo tenés que cerrar los ojos y desearlo hasta que se haga realidad.

Esa noche, Menem se divirtió durante toda la cena tirando cohetes a los pies de los casi treinta invitados. Zulema, sonriente, lo miraba sin intervenir. Al mismo tiempo, se encargó de aclarar: "No me voy a sacar fotos al lado de Carlos". Sin embargo, cuando los cuatro estaban listos para la foto familiar, hijos de por medio, él se las ingenió y apareció detrás de Zulema. "¡Salí de acá! ¡Te dije que no me voy a sacar una foto a tu lado!", estalló Zulema. Pero la imagen ya había sido estampada.

Un rato después, charlando con periodistas que compartieron la cena, Zulema decía entre carcajadas:

—Por algo hay una maldición árabe que reza "Ojalá te enamores", porque cuando uno se enamora, está realmente perdido.

Parecía una buena manera de finalizar un año que había sido muy movido para Zulema, a raíz de sus constantes visitas a los tribunales por su demanda de divorcio, y que había adquirido contornos dramáticos: una bomba había destruido el estudio de su abogado, Alejandro Vázquez, Carlitos había chocado en el rally de Nueva Zelanda y su ex secretario y amigo, Antonio Palermo, había sido asesinado a puñaladas en la puerta de su casa en Morón. Después de la expulsión de Olivos, Zulema se había quedado completamente sola. Marilú Giovanelli, su vocera, se había mudado a Miami, donde algunos periodistas la escucharon relatar horribles historias de la familia. Aseguraba tener casetes comprometedores y decía que se había ido de la Argentina porque Emir Yoma le había roto la mandíbula, en la puerta de su casa. Jorge Mazuchelli había desaparecido de Buenos Aires, días después de la muerte de Palermo.

–Jorge, andáte, que te van a matar –le había dicho una voz conocida, desde Olivos.

El apuesto médico riojano vivía en el Hotel Presidente y durante aquel tiempo no hizo otra cosa que acompañar a Zulema y sus hijos. Carlitos y Zulemita lo querían como a un tío y sólo salían a bailar cuando "Mazu" se quedaba con Zulema. Carlos Menem celaba a Mazuchelli, porque él no tenía contacto con sus hijos. Durante el juicio de divorcio, Mazuchelli había presentado un curioso diario personal, que detallaba los días anteriores a la expulsión de Olivos. Decía cosas como éstas: "A Menem se lo comienza a ver ya sin temor con María Julia Alsogaray, la que está tomando una fisonomía similar a Zulema en sus apariciones públicas (ropa, arreglo personal) y ocupa el lugar al lado del Presidente en cuanta reunión se realiza. Esta relación sería vista con buenos ojos por quienes pretenden la alianza liberal-menemista, tanto en la Argentina como en el exterior. Hace acordar a las antiguas alianzas de la Edad Media, entre las distintas monarquías europeas con fines de tener mayor poder. Por otro lado, se aparenta una relación con Yuyito González, quizá para tapar la otra. También se hace entrar en escena a Graciela Alfano. A Yuyito se lo vio de la mano con Menem una noche... (*sic*)".

Zulema, acompañada por su hija, viajó a La Rioja para convencer a Mazuchelli de que volviera con ella. Pero el hombre fue terminante.

–Tengo familia, no podía inmolar mi vida por ella. La cosa ahí adentro se había puesto pesada. A veces la extraño. Yo sé que es arbitraria, injusta, pero es como una criatura desprotegida. Siempre le faltó amor, le faltó alegría. Ella ayudó mucho y le pagaron echándola como un perro. Nunca voy a amar a otra mujer como la amé a ella –se lamentaba Mazuchelli ante amigos comunes.

–Zulema era caprichosa, obsesiva. Mazuchelli estaba muy metido con ella, la quería. Pero nunca pasó nada. Muchas veces le pedía a Jorge que le averigüe lo que hacía Menem. En realidad nunca estaba conforme. Cuando estaba con Carlos, se peleaban todo el día y cuando estaban separados, vivía pendiente de él. Pobre, nunca disfrutó de nada… –decía una amiga de toda la vida.

Las intenciones reeleccionistas dejaban ver como inminente una reconciliación a poco de comenzar 1993. Pero Zulema, aunque hacia fuera decía una cosa, hacia dentro no quería saber nada con volver con Menem. Y él tampoco. Jugaba con ella con el único afán de calmar las aguas. Sus hijos presionaban y a Zulema le interesaba defender sus intereses económicos.

"Ya no me compra con flores y sonrisitas." Después de la operación de carótida, las cosas siguieron un curso relativamente estable. Tanto que, el 18 de diciembre, cuando Zulema cumplía cincuenta y un años, Menem fue cómplice en la fiesta sorpresa que sus hijos organizaron en la casa de Amira Yoma.

–Ah… no, Carlos Menem, a esta altura no me engañás. Fui tu alumna veintisiete años y sé que cada vez que hay elecciones, me querés abrazar para la foto –dijo Zulema cuando su ex marido la tomó de la cintura para felicitarla.

Él, que estaba comiendo un sandwich de jamón y queso, le contestó:
–¿Qué decís? ¡Casi me hacés atragantar!

Pasaron toda la noche entre baile, sonrisas y diálogos cómplices.

–Vení, Zulema, saquémonos una foto los dos juntos –le dijo Menem hacia el final de la fiesta.

–¡No!, solos, no, que si no después la jueza –en referencia a la que llevaba la causa de divorcio– se enoja! –le contestó ella entre risas–. Hasta febrero –fecha en que debían finalizar los trámites de la demanda–, nada. Después, si vos querés, nos casamos de nuevo y hacemos la foto –prometió en tono de broma.

Poco antes de ese cumpleaños, había admitido ante la revista *Caras*:
–Me volvería a casar con el caudillo, con aquel de anchas patillas. Con el humilde, aquel del mate y del rancho. No con éste.

La relativa calma en las relaciones Menem-Yoma que reinó durante el año '93 comenzó a desvanecerse desde comienzos del '94, después de las vacaciones de verano en Pinamar, donde había alquilado una casa, casi sobre el mar, vecina al balneario CR.

Zulema volvió a Buenos Aires, mientras Zulemita se quedaba a pasar unos días con su tío Eduardo Menem. Pero de allí regresó más introvertida que nunca. Y la relación con su madre entró en crisis. Zulema la echó de la casa y la nena se trasladó a vivir a Olivos.

–Desde que volvió de Pinamar, la nena está irreconocible, hecha una muda. Hay intereses en juego para que el Presidente no tenga a su familia.

Durante la primera emisión del año de "Hora clave", Zulema Yoma culpó del alejamiento de sus hijos a Eduardo Menem, Eduardo Bauzá y a Carlos Corach. Exigió, sobre todo, más respeto por parte del hermano del Presidente, a quien acusó del "mareo" que sufrían sus hijos.

–Yo sé que ahora van a empezar los lenguaraces de siempre a decir que estoy loca. Pero los desafío a que vayamos los cuatro a un psiquiatra para ver quién es el que está fuera de sus cabales –le dijo a *Ambito Financiero*.

A su juicio los cambios en Zulemita no sólo habían sucedido en Pinamar.

–Viene de Olivos con mucha amargura, con cosas como el silencio, de encerrarse. También Carlitos, ese chico cariñoso, la imagen de un gran deportista, un chico del que yo estaba orgullosa... ¡y ahora que me aparezca como un playboy! Yo estoy muy dolorida, esto es a causa del poder, y él optó por lo más fácil. Se fue y tiene todo –se lamentaba.

Zulema insistía en que, desde el entorno presidencial, se había orquestado una política de seducción sobre sus hijos y que estaban mareados por el poder económico. Su enojo con Carlitos se acrecentó después del sonado veraneo de su hijo en Punta del Este, donde se había peleado a trompadas con un fotógrafo de la revista *Gente* y terminó detenido durante cuarenta y ocho horas.

–Le pido a mi hijo que vuelva a tener esa imagen linda y no de boliche, como las que están sacando todos los días –le dijo a Radio América.

Zulema se quejó de la actitud que había tomado Menem, quien se mantuvo al margen del problema judicial con el argumento de que su hijo ya era grande y debía hacerse cargo de las consecuencias de sus actos. Y mantuvo esa misma línea frente a las acusaciones públicas de Zulema.

Ella, sin embargo, siguió insistiendo con la existencia del complot:

–Primero empezaron con toda una familia, con mis hermanos Karim, Emir y Amira. Yo ya hace un mes que no veo a mi hijo Carlitos; ahora, continúa Zulemita. Me pregunto qué es lo que pasa –declaró Zulema al diario *Página/12*–. Sepan que acá estoy yo, que los estoy esperando, ya que soy la última de la película.

El escándalo no hizo más que refirmar el extraño vínculo que sostiene desde siempre con Carlos Menem. La operación de carótida, el año anterior, había acercado más íntimamente al padre con los hijos. Y Zulema no soportaba eso. Ese estrecho vínculo entre el Presidente y su hija originó la versión de que ambas competían por estar a su lado, gozando de los honores del rango.

Los hijos, según dicen los amigos de ambos, jugaron siempre como rehenes. Hasta ese momento, durante todas las peleas conyugales, la carta fuerte de negociación de Zulema habían sido los hijos, que le eran totalmente devotos, ya que aparecían siempre defendiendo a la madre y enfrentando al padre, Carlitos con más intensidad que Zulemita. Pero ese verano, los chicos pasaron de rehenes a protagonistas. Se cambiaron de bando y desataron una tormenta.

Conocedora de las conspiraciones del menemismo, Zulema no pensó, sin embargo, que todavía faltaba lo peor. Fatalista hasta la médula, ni siquiera eso la llevó a imaginar nunca tamaña tragedia. Una mañana de mediados de marzo de 1995, mientras se terminaba de lavar la cabeza, le dijeron que su hijo Carlitos había tenido un accidente y que estaba grave. Y entonces sí cayó en cuenta. ¿Cómo había podido ignorarlo? Con el pelo mojado y revuelto, Zulema Yoma salió del baño y lanzó desde el fondo de sus entrañas el grito más desgarrador:

–Lo mataron. A Carlitos lo mataron.

Antes de viajar a La Meca, Zulema no dejaba de advertir que el entorno de Menem volvía a conspirar contra ella. Ellos querían sacarla de Olivos. Esta vez había que operar incluso en contra de Menem, que sólo parecía encontrar consuelo en ella.

En esos días recibió una carta de Dionisio Aizcorbe, un místico vasco, discípulo de San Juan de la Cruz y de santa Teresa de Ávila, que vive en la cumbre de un cerro riojano como un eremita, dentro de un extraño castillo natural levantado con ramas y adornos que conforman un grupo escultórico esotérico. En un párrafo decía:

"Zulema: El semblante humano retrata rápidamente las embestidas emotivas del Alma, y también registra sus mínimos pensamientos. ¿No habéis notado que los rostros de las personas esclavizadas por los vicios y las pasiones ignominiosas se parecen a la fisonomía de ciertos pájaros y animales? ¿El buitre, con su nariz aguileña y los ojos con brillo de rapiña? ¿El voraz, al lobo? ¿El lujurioso, al caprino...?"

Buitre. Lobo. Caprino. Vicios y pasiones ignominiosas. Bauzá.

Eduardo Menem. Kohan. Hasta sus propios hermanos. Zulema los podía identificar en el entorno de Olivos, como imaginó tantas cosas que finalmente sucedieron. Y el poder, una constante en su vida y la de sus hijos. Los sobresaltos y las acusaciones. Idas y vueltas de un camino sembrado de maldiciones y amenazas. Desde aquel oscuro marzo de 1995 se los podía imaginar como siempre. Agazapados. Esperando. Recurriendo a los espíritus y a las conjuras. Ya le decía el viejo Dionisio que tuviera cuidado.

Esta vez ella les lleva ventaja, sin embargo. No podrán volver a echarla de Olivos. Se irá porque quiere, después de peregrinar a La Meca, cuando termine su duelo. Lo hará sin escándalo, discretamente, mudando poco a poco sus pertenencias al décimo quinto piso de Libertador y San Martín de Tours que le ofreció Gostanian. Después de todo, siempre había odiado esa residencia. "De ahí los presidentes salen muertos o presos. Esa casa esta maldita."

Otra vez la azafata anunciando la partida, ahora en inglés. Mira por la ventanilla opaca y un cielo gris plomizo le recuerda que están dejando Londres. Ese lunes 24 de abril se cumplían cuarenta días de la muerte de Junior y, en consecuencia, el final del duelo musulmán, así que Zulema y su hija emprendieron el regreso a casa.

El rey Fahd las había hecho llevar a Inglaterra en su avión privado. Allí conectaron con el vuelo de la British Airways que las dejará en Ezeiza el martes por la mañana. En el viaje ella aferra con fuerza el rosario musulmán y musita unas palabras en árabe. Trata de dormir, mientras su hija escucha música en un walkman.

–Pobre Zulemita, no sé qué será de su vida. Ojalá tenga suerte. Pero es tan parecida a su padre… –piensa, mirándola con tristeza.

Una frase que repetirá con el correr de los años, cada vez que las relaciones con su hija estallen.

Ramón Hernández las espera cuando bajan del avión y las traslada en helicóptero hasta el aeroparque. Se siente agotada, todo le da lo mismo. El cielo o la tierra. Siente los olores de siempre. Aquella figura conocida. Las mismas intuiciones. En el salón vip está Carlos Menem.

Su hija se adelanta y corre a abrazarlo. Lo besa con desesperación. En la boca, en las mejillas y en la frente. Lloran juntos.

Ella se acerca vacilante. Los anteojos negros Chanel y el pañuelo arrugado en la mano.

–¿Cómo estás, Menem?

–¿Y cómo querés que esté, Chiva?

Caminan hacia el helicóptero que los lleva de regreso a Olivos. A la misma quinta en donde velaron a su hijo y planificaron la campaña por la reelección, mientras ella dormitaba, dopada por los somníferos. "La quinta maldita", piensa mientras Menem le toma las manos y llora como un chico.

El helicóptero levanta vuelo. Zulema Yoma mira a su ex marido a través de los vidrios oscuros de sus anteojos. El perfil de aquel rostro amado y odiado hasta el infinito. Las marcas de los años disimuladas por el tratamiento de colágeno que le realiza el cirujano plástico Chajchir. Las manos. Las uñas arqueadas y emprolijadas por la manicura. "Manos como garras del diablo", solía repetir ella. Imagina cosas horribles, mientras el ruido de la máquina le recuerda una sola imagen: la de su hijo destrozado en medio del campo.

"A LA MEMORIA DE CARLITOS"

> Sorprendimos a cada uno por su pecado. Contra uno
> enviamos una tempestad de arena. A otros les sorprendió
> el Grito. A otros hicimos que la tierra se los tragara.
> A otros les anegamos. No fue Alá quien fue injusto
> con ellos, sino que ellos lo fueron consigo mismos.
>
> *El Corán,* versículo 40, de la Sura 29 "La araña"

–¡Bajen a tiros el avión!

Menem lanzó la orden y miró a los ojos de sus interlocutores. La temeridad y la audacia siempre fueron la columna vertebral de su personalidad. Porque, como reza la Biblia, "a los tibios los vomita Dios". Y él odiaba a los cobardes, a los temerosos, a los pusilánimes.

Los hombres sentados en el living de Olivos enmudecieron.

El jefe de los espías casi se atragantó con el cortado. El juez, gordito y cultor del bajo perfil, que había llegado al lugar por primera vez, con una mezcla de fascinación y nerviosismo, se pasó la mano por la frente transpirada. Miró a Anzorreguy y se animó.

–Presidente, perdóneme, pero no se puede hacer eso…

–¿Cómo que no? ¿Y quién dijo que no? Además, estos tipos están violando el espacio aéreo argentino. Así que, ni bien entran, los bajan a tiros y se acabó.

Ahora sí intervino el Señor Cinco.

–Presidente, no se puede porque al otro día tenemos un escándalo internacional. Hay leyes que hay que respetar…

–Qué leyes, ni qué leyes. Acá el único que da las órdenes soy yo. Y yo soy el comandante en Jefe de las Fuerzas Armadas y me hago cargo. ¿O no soy el Jefe?

Aquella mañana calurosa de marzo de 1995, los hombres llegaron a Olivos a informarle que después de veintidós meses de investigación, la SIDE había logrado detectar que en un desolado paraje de Catamarca, la tierra de la dinastía Saadi, aterrizaría una avioneta, con un cargamento de más de mil kilos de cocaína.

Se vivía el tramo final de la campaña electoral por la reelección y aquella información entusiasmó a Menem más que cualquier otra cosa. Los encuestadores no eran optimistas y su imagen estaba golpeada por el costo social del modelo económico y las denuncias de corrupción. El operativo Café Blanco sería un golpe publicitario brillante para demostrar su poderío y la confirmación de que su lucha contra el narcotráfico no eran puras palabras.

A las 7.45 de la mañana del martes 7 de marzo, una avioneta Piper Cheyenne 400 LS PA-42-1000 con matrícula colombiana, con tres tripulantes a bordo, forrada de cocaína, desembarcaba en El Recreo, en el límite de Catamarca con Santiago del Estero. La DEA había realizado varios relevamientos aéreos de la zona norte de la Argentina, y detectado infinidad de pistas de aterrizaje clandestinas.

El avión había recorrido sin escalas –el tercer sicario venía en la parte de atrás de la nave inyectando gasolina al motor– los seis mil kilómetros que separaban el pueblo de Leticia, en el sur de Colombia y el campito catamarqueño de Los Ucles. Hombres de la SIDE y la Policía Bonaerense se disputaban el decomiso de los más de cien paquetes que llevaban impresos en el envoltorio el águila del Cartel de Cali. El día anterior se había producido en Ascochinga, Córdoba, la detención de los jefes narcos, diez colombianos armados hasta los dientes y con sofisticados equipos de comunicaciones que desde hacía un tiempo operaban en el país. Eduardo Duhalde vio la posibilidad de montarse sobre el operativo y lo logró. Después de todo, él había colocado más de veinte hombres de su "mejor policía del mundo" y el comisario Mario "Nono" Naldi, con su Magnum 357 posó sonriente en todas las cámaras de televisión que le metieron adelante y se adjudicó el éxito del operativo.

–Hace dos años que estábamos trabajando en esta pista y lo mantuvimos en el más absoluto de los secretos para evitar cualquier tipo de filtración –dijo Carlos Menem, y felicitó a Anzorreguy en la reunión de gabinete. Los espías de la SIDE , comandados por Jorge Lucas, mientras tanto, rumiaban de odio contra el protagonismo que habían adquirido los "Patas Negras" de Duhalde, con Naldi a la cabeza.

Nunca quedó claro cuántos kilos de cocaína se secuestraron y quiénes integraban la conexión argentina de la organización que desde el '93 estaba instalada en el país. En tres días la cocaína secuestrada había variado entre mil kilos y mil ochocientos. Finalmente, la cifra oficial fue de 1.033 kilos. El juez federal de San Martín, Martín Suárez Araujo, el mismo que aquella mañana de marzo se sintió importante al ser invitado a la morada del Jefe, dijo: "No está comprobado que haya argentinos implicados. El jefe de la célula colombiana era tan desconfiado que traía su propia gente porque no confiaba en los argentinos. Por el momento, no hay ningún argentino en la causa". Horas más tarde, el "Nono" Naldi admitía que había un prófugo, de quien primero se dijo que era uruguayo y después resultó "el contacto argentino en la causa", un tal Mario César Álvarez. El 22 de marzo, era detenido en Santiago del Estero un piloto civil del aeroclub local que sacaba fotos para *La Nación* y *La Gaceta* de Tucumán y transportaba gente en su avioneta para llegar a fin de mes. El juez, amigo personal del Gordo Naldi, cambió rápidamente su postura inicial y ahora aseguraba que había más de diez personas con orden de captura.

El 15 de marzo, quince días después de que Carlos Menem, en un arranque, ordenara a sus hombres "bajar a tiros" la avioneta de los narcos colombianos y sólo a una semana del decomiso de la carga de blanca más importante de la historia argentina, Carlitos Junior se estrellaba con su helicóptero, en un descampado de Ramallo.

Carlos Menem, agobiado por la tragedia, no impidió que la muerte de su hijo fuera utilizada por sus hombres en la campaña electoral que estaba en marcha.

Días de fiesta

Domingo 14 de mayo de 1995. El televisor encendido en el living de Olivos trasmitía la imagen de la Casa Rosada iluminada, los bombos del Tula en la Plaza de Mayo, los festejos del triunfo. Los números sobreimpresos en la pantalla gigante revelaban que la reelección era un hecho consumado.

Zulema deambulaba por la residencia como una autómata. Nada le importaba menos que aquel bullicio artificial y los estúpidos festejos. Apretaba en la mano derecha –casi un tic– un pañuelo blanco arrugado y un rosario árabe de bolitas turquesas. Acariciaba las cuentas una por una. Con obsesión. Decía que el ejercicio le servía para descargar la angustia que la devoraba. En su cabeza rondaba un secreto a punto de estallar.

–No quiero vivir más, madrecita. No tengo fuerzas. No puedo dormir. No puedo creer que mi "Chanchito" esté muerto... ¿Por qué la vida se ensañó así conmigo? Hace treinta años que vivo en un infierno... –confesó a esta periodista con la voz entrecortada.

Estaba delgada y ojerosa.

Estábamos solas en el comedor de la casa. A través de la puerta cerrada se escuchaban las voces y las risas del living. Un locutor que trasmitía desde casa de gobierno repetía con voz engolada que la fórmula Menem-Ruckauf cosechaba más de ocho millones de votos. Los mozos caminaban apresurados con bandejas de champán y sándwiches de miga. Los cocineros preparaban la comida para la cena.

Desde la ventana se observaba la piscina rebosante de luces y el jardín perfectamente cuidado. Ese día de fiesta electoral se cumplían dos meses de la muerte de Carlitos. Su hijo, su cómplice y su par.

–Anoche soñé con mi hijo. Estaba vivo y me llamaba, pero yo no lo podía alcanzar. Trataba de tocar sus manos y no podía...

Zulema lanzó un suspiró profundo.

–A Carlitos lo mataron. A mi hijo lo mataron los mafiosos...

Descerraja la frase mientras mira todo el tiempo hacia la puerta que desembocaba en el Salón Blanco. Desconfiados, atentos. Entre el murmullo de las voces que festejaban el triunfo, Zulema recordó la sospecha que salió de su boca en medio de las exequias y entre el adormecimiento de los somníferos. El rostro se le contrajo en una mueca y llora.

–¿Quiénes pudieron hacer algo tan terrible? –pregunté.

–Muchos en el gobierno están contentos de que mi hijo esté muerto. Yo sé quiénes y por qué lo mataron. El secreto lo voy a guardar. Son muchos años de convivir con los delincuentes. Sé cómo actúan. El helicóptero de mi hijo tenía cortacables. En ese aparato me llevó a mí, a su padre, al presidente de los Estados Unidos. Carlitos era un chico cuidadoso y ese helicóptero era el más seguro del mundo. ¿Me pueden decir cómo se cayó? Siempre tuve un mal presentimiento. Nunca quise que le compraran ese helicóptero. Ahora, mi hijo está muerto y ellos ganaron la elección con su cadáver.

Un mozo interrumpió la confesión y le preguntó por su estado de ánimo. Había compasión en la mirada de aquel hombre humilde.

–Señora, qué lamentable el entorno del Presidente. Esta gente no respeta a los muertos. Si usted supiera las cosas que hablan algunos en el living...

Ella le tomó las manos y apeló a la religión para recordar que el castigo divino caería sobre aquellos hombres. Él le ofreció una bebida o un bocadito. Zulema se negó, tenía dolor de estómago, porque las semillas de pistacho que había comido a la tarde le habían caído mal.

283

Y siguió con sus confesiones.

–Pobre Menem, lo carcome la culpa. Está destruido, pero a su lado hay gente muy mala. Capaz de las peores cosas. Pensar que una vez le dije: "Tené cuidado, Carlos Menem, que el poder tiene un precio muy alto y te lo van a hacer pagar". Y ahora, mi hijo está muerto y nadie me lo va a devolver...

Con la voz quebrada pidió en árabe: *"Alah yrha mo"* ("Dios lo proteja", es la frase que los musulmanes dicen cada vez que mencionan a una persona desaparecida).

Repitió varias veces la oración, con los ojos cerrados.

A las 22.30 la residencia de Olivos resplandecía contra el cielo gris encapotado. A pocos metros, los hombres del estacionamiento corrían ayudando a ubicar los coches importados de vidrios polarizados. Entre auto y auto, se los podía observar intercambiando en voz baja los chismes del palacio con los choferes de funcionarios, adulones y parientes. Ahí estaban Pablo, Juan, Oscar, Norberto y Antonio. Nadie conoce más de la intimidad del menemismo que esos hombres opacos.

Hacía frío y la humedad de la noche calaba los huesos.

El Salón Blanco de la residencia estaba colmado. Había amigos sentados en los sillones de rattan en la galería de entrada. Otros, desafiando el clima, recorrían el jardín con copas de champán en la mano. Emir Yoma, el "Tío Emir" como lo apodaban en la intimidad, que acababa de regresar de la Rosada, Miguel Ángel Vicco y el sindicalista del plástico Jorge Triaca, celebraban exaltados y planificaban el futuro.

–Cuatro años más... –provocó Emir y lanzó una carcajada, al mismo tiempo que restregaba sus manos en un gesto de codicia.

Carlos Menem acababa de ser reelecto sin ballotage y conservaría el sillón presidencial hasta el año1999. Los votos cayeron como en una catarata y la victoria desbordó todos los pronósticos: casi el cincuenta por ciento del país apostó a la fórmula Menem-Ruckauf, por sobre la que aglutinaba a la flamante oposición, encabezada por José Octavio Bordón y Carlos "Chacho" Álvarez. El radicalismo con el rionegrino Horacio Massaccesi –el "Menem Rubio", como él mismo se autodefinió y que perdió en su propio distrito– acumuló apenas el diecisiete por ciento de los votos y sumó al radicalismo en la peor crisis de su historia. Una debacle que arrastraban desde que Raúl Alfonsín decidió protagonizar el Pacto de Olivos.

El rabino de las videncias

En Balcarce 50, el despacho presidencial relucía con sus oropeles y sus alfombras. Carlos Menem, frente a la mesa redonda, escuchaba las consignas de la muchedumbre reunida en la Plaza y el ruido ensordecedor de los bombos. La marcha peronista *aggiornada* por el Tula retumbaba contra las paredes. Cada tanto cerraba los ojos y la mente se le perdía allá lejos. El sueño del poder eterno hecho realidad. La ambición que toda la vida nubló sus pensamientos. La derrota de los "traidores de Bordón y Álvarez". Los vaticinios de las pitonisas, mentalistas y videntes a las que consultaba con obsesión, plasmados en los números que le alcanzaban sus hombres.

El habano Cohiba que Fidel Castro le enviaba con puntualidad, encendido entre sus dedos, mientras jugaba con el control remoto del televisor. A pocos metros, la puerta cerrada de lo que durante un mes fue el despacho de su hijo todavía le provocaba arcadas. Carlos Menem no podía evitar mirar la puerta de aquella habitación con terror y culpa. Sintió una puntada en el pecho, una sensación de vacío.

Y las lágrimas que le empapaban la cara.

En la calle seguía el repiqueteo tenaz de los bombos y las trompetas.

–Cuatro años más… –pensó en voz alta.

Igual que Perón.

–Igual que Perón, Jefe –susurró el hotelero Falak.

–Más que Perón –replicó Gerardo Sofovich y levantó la copa.

–Nunca. Nunca más que Perón –dijo Menem y rechaza los halagos con un gesto de fastidio.

La memoria le traía ahora flashes del pasado. Pequeños pantallazos de cercanas premoniciones.

El 9 de julio de 1994, Enrique Kaplan, amigo incondicional, primer peluquero y hombre de confianza en la Secretaría de Medio Ambiente, llegó a la quinta de Olivos. Caía la tarde, cuando un BMW negro de vidrios polarizados estacionó frente al chalet. Del auto descendieron Kaplan y varios hombres con acento extranjero. Uno de ellos, de cuarenta años, traje y sobretodo negro y sombrero alto de paño, subió al dormitorio del primer piso y lo recorrió a solas.

De hablar pausado, seguro y con un español perfecto, que practica cotidianamente con su mujer, la argentina Marina Tusón, el rabino Daniel Bittón es una eminencia respetada, entre los poderosos de la tierra. Su fama en Israel trascendió las fronteras y es hombre de consulta entre empresarios, millonarios y jefes de Estado. Carlos Salinas de Gortari, ex presidente de México, prófugo varios años de la Justicia de su país, y Carlos Andrés Pérez, ex presidente venezolano que pasó varios años en la cárcel acusado de corrupción, acudieron en su ayuda infinidad de veces, cuando las luces del poder todavía les iluminaba el ego. A Pérez, Bittón lo visitaba en el lujoso piso de Nueva York que el entonces presidente compartía con su ex secretaria y amante –actualmente también prófuga– y en medio de la catastrófica crisis social que azotaba al país caribeño. El rabino le aconsejó no insistir con la reelección.

–No lo intente. No va a terminar su mandato –predijo.

Carlos Andrés Pérez hizo caso omiso al hombre del oráculo. Y tal como él le había pronosticado, el venezolano no terminó su mandato. Destituido por el Congreso de su país y acusado de corrupción, pasó varios años en la cárcel.

El *Tango 01* llegaba con retraso de los festejos del Día de la Independencia en la provincia de Tucumán. Mientras esperaba, el religioso aceptó hablar en privado con el intendente de la quinta presidencial, Rodolfo Meiriño. Después de unos minutos, Meiriño regresó con el rostro desencajado. Bittón le había mencionado detalles íntimos de su vida que había creído que sólo él conocía.

Menem recordaba la conversación de una hora y media a solas, en su recámara, y el corazón que le latía aceleradamente. Daniel Bittón, prestigioso rabino, vidente y especialista en cábala –el arte que a través de la combinación de las letras hebreas del Antiguo Testamento intenta descubrir las claves de la creación– habló con Menem una hora y media a solas. Miró directo a los ojos del Presidente y le habló con voz firme.

Luego cerró los ojos y dijo una oración en hebreo. Carlos Menem preguntó con avidez. El hombre de negro respondió con seguridad. El pasado, el presente y el futuro de su vida se reflejaron en las palabras del religioso. Menem recordó aquellos dedos largos acariciando las fotografías de su madre y de sus hijos. La luz del atardecer que recortaba el cuerpo del rabino contra la pared de su dormitorio, entelada completamente en seda color obispo. Menem siempre estuvo convencido del significado mágico de los colores, y por eso, cuando reciclaron la quinta de Olivos, eligió para su habitación la tonalidad que las pitonisas le aconsejaron para protegerse de las malas energías. Revivió nuevamente el silencio gélido de la habitación, cuando los dedos del rabino se posaron sobre el rostro sonriente de su hijo. Carlos Saúl, como él. Veintiséis años, lleno de vida.

Ese solo gesto incierto lo quebró.

Aquel anochecer de julio de 1994 el rabino cabalístico descendió las escaleras alfombradas que conducen al dormitorio de Carlos Menem y pidió que le alistaran los autos. Tenía que llegar al aeropuerto para regresar a su país. Abajo, en el living, lo esperaban dos religiosos preocupados por la tardanza, que no despegaban los ojos del reloj. Enrique Kaplan y el intendente de la quinta de Olivos, el "Negro" Rodolfo Meiriño, no podían disimular la ansiedad.

–¿Qué habrá visto, que tardan tanto? ¿Qué le habrá dicho al Jefe? –interrogaban en voz baja.

Mientras aguardaban, matizaron el tiempo comentando un episodio que había ocurrido años antes en Buenos Aires y que había sido el origen de aquella visita. El hijo adolescente de un conocido empresario metalúrgico de origen judío había sido secuestrado en la puerta de su casa. Su padre se había negado a negociar con los secuestradores y había dado aviso a la policía. Los padres, aconsejados por el empresario Sergio Grosskpof, dueño de varios shoppings, solicitaron desesperados la ayuda del famoso rabino. Bittón los recibió y, después de escuchar los detalles del caso, pidió la presencia de un niño de ocho años (según la religión judía se es totalmente puro hasta esa edad) y un vaso. Puso la mitad de agua y la otra mitad de aceite. Acto seguido, le pidió al niño que dijera lo que veía. Y así, hasta que el chico vio a un adolescente encadenado a una cama.

–Este muchacho está vivo. Búsquenlo en una casa de las afueras, con jardín adelante. Lo tienen atado con cadenas a una cama. Va a salir con vida –reveló a sus padres.

En esas condiciones lo encontró la policía, tres días después, en una casa del gran Buenos Aires: con varios kilos menos y atado con cadenas a una cama.

Cuando Menem se enteró de la historia, le pidió a Kaplan que invitara al rabino a Olivos. Lo quería conocer para consultarle por su obsesión: la reelección.

Daniel Bittón miró fijamente a los ojos de Menem aquel invierno de 1994 y él comprendió el mensaje. Tuvo escalofríos en todo el cuerpo. Caminaron hasta la escalinata de entrada al chalet. El extraño visitante subió al auto y agitó suavemente la mano por una hendija de la ventanilla. Y se alejó a gran velocidad.

Ni una palabra de aquella conversación reveló Carlos Menem a sus adláteres. Ni la tonalidad de las luces ni las sombras que el religioso vio en su futuro. Ni el final de su vida que lo atormentaba con frecuencia. Los castigos divinos que presagiaba Zulema. La línea sutil que divide el cielo y el infierno de su vida.

–Va a ser reelecto por amplia mayoría. Es un hombre de suerte en algunas cosas, pero… –advirtió el rabino a Kaplan mientras salían de Olivos. Hizo una pausa y fijó los ojos en el paisaje.

–¿Qué más vio? ¿Qué le dijo?–preguntó Kaplan.

–Vio lo que tenía que ver. Él ya sabe… está escrito y así se hará –respondió el hombre con tono suave, pero terminante. Se acomodó el sombrero y guardó silencio hasta el aeropuerto.

"Teresa, no me dejes"

Carlos Menem sintió el abrazo de su hija y volvió a la realidad. Tomó un sorbo de jugo de naranja mientras escuchaba decir que media plaza bailaba al compás de "Matador", el tema de Los Fabulosos Cadillacs, que había sido el *leit motiv* de su campaña, a cargo de Tula y sus muchachos.

El despacho presidencial de la Casa Rosada era un hervidero de funcionarios y adulones pegajosos como moscas. Afuera, otros tantos forcejeaban por ingresar y eran rechazados a los empujones por la custodia. En medio de la algarabía, amigos y enemigos se cruzaban acusaciones por lo bajo. Conspiraban incansables. Luchaban por mantenerse en el cargo o se disputaban por un ascenso. Planificaban en voz alta futuros negocios. El titular de ATC, Gerardo Sofovich, concentraba todas las hostilidades, y no eran pocos los que pedían su cabeza. Revelaban el monto millonario –setenta millones de dólares– de la deuda del canal estatal durante su gestión, sus continuos viajes a los casinos de Las Vegas y la trama de un hecho nebuloso que circulaba de boca en boca y que hablaba de deudas impagas y amenazas de muerte.

–Carlos se tiene que sacar a este hijo de puta de encima.

–Pobre Carlitos –murmuró Menem y se recostó en el hombro de su hija. Ella lo secó con un pañuelo las lágrimas.

Alejandro Tfeli le susurró que había alguien que lo quería saludar.

–Carlos, te felicito, te dije que ibas a ganar. Te felicito sinceramente –dijo la mujer elegante y mayor. Tenía el cabello recogido en un rodete. Con actitud temerosa se acercó y le dio un beso en la mejilla. Ramón Hernández la fulminó con la mirada. Carlos Corach se alejó incómodo.

–Salí de acá. ¿No ves que está lleno de fotógrafos? Si nos ven juntos se arma un quilombo. Salí... –exclamó desencajado el influyente secretario legal y técnico.

Cuando Carlos Menem la vio, los ojos se le avivaron.

–¡Teresa, cuánto hace que no venías! ¿Te das cuenta cómo son las cosas? Tengo lo que más quería, pero me quitaron al Carlitos. Está muerto, Teresa... Ayudáme, como antes, por favor...

Se quebró en un nuevo sollozo. Zulemita lo abrazó y le dio un beso en la boca, mientras repetía el rito de secarle las lágrimas.

–Así es la vida, Carlos. Tenés que ser fuerte y salir adelante. Vos sabés, yo no vine más porque no quiero perjudicarte...

Mientras conversaba, ella le acariciaba las manos.

–¿Cómo está tu hijo? –preguntó Menem.

–Y... ya sabés cómo es aquello... Muy mal, pero dejémoslo ahí. Hay cosas que prefiero callarme. Cuando me necesites, vos sabés que estoy. Como estuve siempre en estos años.

–¿Ya te vas? ¿Por qué te vas, Teresa? No me dejes...

–Sí Carlos, es mejor así. Otra vez, felicitaciones.

Teresa Damonte, madre de Ricardo Damonte, el hombre que el gobierno había nombrado fiscal y que ni siquiera se había recibido de abogado, había sido –hasta que estalló el escándalo y se lo llevaron preso– la mentalista y contenedora espiritual de Carlos Menem. Cuatro días a la semana acudía al despacho presidencial a realizar las sesiones de energía sobre el cuerpo y la mente del presidente. Rezaban un padrenuestro y él la hacía partícipe de sus angustias y temores. De sus alegrías, de sus extravagantes ambiciones.

Teresa no sólo atendía al presidente, a quien conocía desde 1988, cuando un pariente la llevó hasta el primer piso de las oficinas de la avenida Callao 240, donde el entonces gobernador de La Rioja preparaba su campaña a la presidencia. El "Flaco" Eduardo Bauzá era un cliente fijo y tenaz de Teresa, depositaria además de sus más íntimos secretos. Y Carlos Vladimiro Corach, Elías Jassán y Esteban "Cacho" Caselli recurrían a ella cada vez que la incertidumbre y las intrigas de sus enemigos amenazaban sus aspiraciones de alcanzar la cima e incluso si algún problema sentimental interfería en sus vidas. Apenas la mujer salía del despacho presidencial, ellos esperaban al acecho y la arrastraban del brazo.

–¿Le dijiste? ¿Le dijiste a Carlos que yo tengo que ser ministro? –gritaba el "Petiso" Corach en su despacho de secretario de Estado, de la Rosada.

–No, Carlos, no pude. El presidente está deprimido y estuvimos hablando de otras cosas... –explicaba Teresa.

–¿Vos sos boluda o te hacés? ¡Ahora es el momento! Hay que aprovechar cuando está deprimido para sacarle las cosas. Estee… decíme, ¿vos creés que me va a nombrar ministro? –se habría preocupado Corach.

–Sí, Carlos, quedáte tranquilo, vas a ser ministro.

Cuando se descubrió el diploma trucho de Ricardo Damonte y se desató el escándalo, en el palacio le cerraron las puertas a la mujer de las videncias que calmaba al jefe. Al mismo tiempo, ella comenzó a recibir llamados telefónicos amenazadores en su casa, y en la cárcel su hijo recibió intimidaciones y alguna que otra golpiza que lo dejó de cama. Desesperada, Teresa Damonte trató de comunicarse infinidad de veces con sus antiguos clientes para pedir ayuda, pero nadie respondió jamás a sus llamados.

El mensaje telefónico que le dejaban a ella y a su hijo era siempre el mismo: "Ojo con lo que hablás, porque te reventamos".

Ricardo Damonte conocía a Carlos Menem desde que era un adolescente. Él asegura que lo quiere como a un padre. Y el "padre", que nunca ocultó que consideraba natural ubicar a sus amigos en cargos relacionados con la Justicia, lo nombró fiscal.

Cuentan allegados a Damonte que éste tuvo cierto prurito en aceptar la oferta porque todavía no se había recibido. Pero finalmente Ricardo entró a trabajar como fiscal por orden de Menem sin tener el título. En el juzgado de Juan Galeano recibía órdenes directas de Olivos y del secretario legal y técnico, Carlos Corach. Él habría sido el encargado de "cajonear" el expediente de la denuncia por enriquecimiento ilícito contra María Julia Alsogaray y otros tantos que involucraban a los amigos del poder.

Isabelita y Maradona

En la plaza seguían retumbando los bombos y los muchachos de los gremios, hambrientos y cansados, exigían la presencia de Menem en el balcón. Era la tercera elección presidencial consecutiva desde 1983. Todo un récord.

Adentro, él miraba televisión. Nada le producía más placer que ver los rostros desencajados de sus rivales políticos, reconociendo la derrota. Ahí estaban el "Pilo" Bordón y el Chacho Álvarez.

–Dos traidores, y a los traidores sólo les espera el infierno –decía en voz alta.

Los cortesanos aplaudían y reían.

Menem sonreía con una mueca que le torcía la boca, mientras escuchaba los argumentos de sus adversarios. Ya tenía *in mente* una estrategia para destruirlos. A su lado, Falak y Sofovich hacían bromas de mal gusto y alentaban sus odios políticos. Los mozos circulaban con bandejas de bocaditos de jamón crudo y queso y sándwiches con rodajas de pata de cordero o peceto. Gaseosas y vinos. Un lunch encargado por Eduardo Bauzá, que prohibió especialmente el champán.

–A ver si después nos acusan de que somos frívolos y festejamos con champán en medio de la muerte de Carlitos –dijo el mendocino al que Menem le había prometido ascender a jefe de gabinete en el nuevo período.

Por la puerta principal entró Diego Maradona –vestido de traje y colorida corbata Versace– con su manager Guillermo Coppola, un intimísimo acompañante de las correrías nocturnas del valet Ramón Hernández. Ambos concentraban desde siempre las desconfianzas de Zulema Yoma.

Después de la muerte de Carlitos, Diego Maradona se acercó a Carlos Menem con la excusa de que estaba conmovido por el episodio y el dolor por la pérdida de su hijo. Habían protagonizado varios cruces públicos en que Maradona tuvo palabras durísimas contra Menem. Muchos recordaban aquella fiesta de Año Nuevo en que el Presidente esperó al futbolista y éste lo dejó plantado y apareció en Cuba abrazado a Fidel Castro. En realidad, y según los habitantes de la intimidad, las intenciones del crack y su bronceado representante estaban dirigidas a que Menem intercediera para mejorar la situación judicial de Maradona y amortizar algunos rumores insistentes que hablaban de drogas y fiestas escandalosas.

–Vine a saludarlo, Presi –dijo Maradona sonriente.

Esa noche, Menem y Maradona coronaron la reconciliación –bajo la mirada vigilante de Gerardo Sofovich– conversando por teléfono en conferencia con el ex futbolista Pelé, ministro de deportes del Brasil. Del otro lado de la puerta llegaban los gritos e insultos de los que pujaban infructuosamente por ingresar en la intimidad. Tocar al ídolo, sacarse una foto y pedir un favor político cuando el máximo triunfo hace el sí fácil. Como siempre. Daniel Scioli, pero sin su mujer Karina Rabollini, una rubia ex modelo, diseñadora de ropa interior femenina, habitués ambos de algunas noches del microcine en Olivos y acompañantes del difunto Carlitos en sus salidas, permaneció en silencio con un vaso de vino blanco en la mano. A su lado, Claudia Bello, Juan Bautista Yofre y Miguel Ángel Toma seguían las imágenes del televisor. Los sindicalistas ultras Luis

Barrionuevo y Antonio Cassia rumoreaban sobre cambios y negocios marginales. El empresario y entonces titular de la UIA, Jorge Blanco Villegas, ex cuñado de Franco Macri, éste y el empresario Carlos Bulgheroni conversaban animadamente sobre la situación económica y fantaseaban sobre el futuro de algunos ministros que odiaban.

"Ahora Cavallo está más fuerte que nunca. Qué lástima, porque es un loco que a la larga va a traer problemas. Pero ahora van a tener que ocuparse de la desocupación", reconocían. Jorge Vives de Philip Morris y el ascendente banquero Raúl Moneta –en la cima de sus influencias– acompañaban los murmullos. El jefe de la SIDE, Hugo Anzorreguy hablaba animadamente con el jefe del Ejército, Martín Balza.

Una voz femenina con tonada castiza llegó desde el fondo de los tiempos e irrumpió en el festejo.

–Felicitaciones Carlitos. Bueno, tú sabes, si el General estuviera vivo estaría muy feliz. Desde el Más Allá, él nos protege y vela por nosotros.

–Gracias señora. Zulemita, saludá a Isabel Perón –replicó Carlos Menem.

La viuda de Perón, con tailleur rosa fuerte de Valentino y acompañada de la asesora presidencial y confesora de bajones nocturnos, Nora Alí, permaneció sólo unos pocos minutos en el lugar.

Carlos Menem la miró alejarse como a un fantasma del pasado y espantó la visión patética de la viuda vencida por el tiempo y el olvido. Su comprovinciana, que en la década el ochenta le devolvió un ramo de rosas que él personalmente le llevó a Madrid en plan de reconciliación, después de algunas escaramuzas partidarias. Ella se negó a recibirlo y el portero del edificio tiró las flores en la esquina. Menem se encerró en la habitación del hotel elucubrando argumentos para superar el papelón, que ya había llegado a todas las redacciones de Buenos Aires. Era la misma a la que defendió con un discurso inflamado en la Federación de Box, frente a un auditorio de fervorosos militantes de la izquierda peronista. En 1982, la corriente Intransigencia y Movilización, comandada por el caudillo catamarqueno, Vicente Saadi, realizaba un acto en homenaje a Evita. Menem mencionó en el micrófono el nombre de Isabelita y el estadio estalló en una silbatina. Pero él no dio marcha atrás. "Porque soy macho, voy a reivindicar a la compañera Isabel", repitió. "Soy de La Rioja, la tierra de Facundo Quiroga, el Chacho Peñaloza e Isabel Perón." Saadi lo tuvo que sacar por una puerta lateral, porque la militancia exaltada lo buscaba para golpearlo. Con Isabelita compartieron una amistad paradigmática: el ex almirante Emilio Eduardo Massera, el tenebroso dictador que ella apoyó como candidato del peronismo en los ochenta, agradecida porque juraba él mismo que le había salvado la vida, cuando cayó presa. En realidad, el hombre fuerte de la Marina tenía aspiraciones políticas y por eso la rescató de las manos de los verdes. Buscaba la bendición política de la viuda y alguna tajada de los millones que ella guardaba en el Banco Ambrosiano, de la Logia Propaganda Due. Los cinco años en prisión y los más de catorce simulacros de fusilamiento a los que fue sometida por el Ejército quebraron a la viuda de Perón y la sumergían en profundas depresiones. Cada vez que Isabelita aparecía por la Argentina, la dirigencia peronista temblaba ante la catarata de disparates que descerrajaba la mujer. En los comienzos del menemismo Isabel llegó reclamando la plata que le debían por el juicio que le había hecho al Estado por sus años de cárcel. Menem la alojó en el undécimo piso del edificio de Libertador y San Martín de Tours, el mismo en el que vivían Gostanian, el sindicalista de ELMA Santos Casale y después Zulema, y justo encima de la casa de Massera. El Presidente ordenó a la SIDE que pagara todos sus gastos y tiempo después de varias escaramuzas legales, Isabelita recibió los cuatro millones de dólares que reclamaba, porque, según decía: "Estoy pobre como una rata. Las hermanas de Duarte me quitaron todo". Algunas versiones decían que la plata en realidad salió de la caja millonaria que manejaba la SIDE, pero sirvió para desterrar a la viuda de la vida política argentina. Sus dislates traían a la memoria de la gente recuerdos de los años de plomo, la Triple A y el "Brujo" López Rega.

La vio alejarse y Menem sintió otra vez el gusto amargo en la boca. Su hija entrelazó las manos con las suyas, mientras desde la calle subía incesante la música y los cánticos de la hinchada peronista.

–¿Cómo voy a hacer para seguir viviendo? ¿Por qué Carlitos está muerto? –era el interrogante que lo acuciaba.

Alguien le recordó que tenía que ir al programa de Bernardo Neustadt. Un compromiso asumido por él mismo la semana anterior. Y sintió otra vez deseos de vomitar. Para colmo, el periodista había invitado a Domingo Cavallo al festejo mediático y él no tenía ganas de compartir el triunfo con nadie. Y menos con su ministro de Economía, cuyas veleidades y ambiciones soportaba cada vez menos.

La alegría y el dolor de esa noche era solamente suya. De nadie más. Y el poder también.

Para evitarse el mal trago del encuentro, cuando Neustadt lo llamó le dijo que aceptaba ir pero con la condición de que no fuera Cavallo.

En el estudio de Telefé, un todavía influyente Bernardo Neustadt –camisa azul a rayas y saco azul marino– levantó la copa de vinos Menem rosado y brindó por el triunfo en las urnas. Se sentía en la cúspide del poder, aunque sus depresiones retornaban con mayor frecuencia. A Bernardo, como a Menem, también lo angustiaba el final de su vida y la vejez que se aceleraba. Nadie imaginaba entonces que poco tiempo después iniciaría el camino del descenso, devorado por las luces del mismo poder que por esos días lo obnubilaba.

Apenas Menem ingresó en el estudio y vio a su ministro de Economía esperándolo, se acercó sigiloso al oído del periodista y le dijo malhumorado: "Me fallaste, Bernardo". El periodista "traicionó" a Menem en el afán de tener a su lado a los hombres que consideraba los protagonistas de la noche y por los que él hizo descarado lobby desde sus programas.

Carlos Menem estaba convencido de que él era el único protagonista. Y no estaba dispuesto a ceder ni un centímetro del escenario.

Minutos después, la imagen inmortalizó a los tres brindando con la copa en alto. Carlos Menem con una sonrisa forzada y Domingo Cavallo, exultante.

En aquella sala iluminada a full por los reflectores y abarrotada de alcahuetes, custodios y los directivos del canal amigo –Constancio Vigil y el abogado Carlos Fontán Balestra–, Menem se despachó a gusto contra los integrantes de la flamante coalición opositora, protestó por las denuncias de corrupción y la incomprensión de los periodistas.

"Cuando alguien viene a la mesa de uno y habla todo el tiempo de honestidad, en el momento que se va, hay que contar los cubiertos…", dijo malhumorado sin dar nombres. Sus hombres sabían que cada vez que el Jefe disparaba esta frase se refería a José Octavio Bordón, candidato a presidente de la oposición que ese domingo acumuló cinco millones de votos. Conocían los odios acumulados de Menem hacia el senador mendocino que saltó el cerco partidario y armó la alianza que lo enfrentó electoralmente. Participaban de las estrategias en marcha para desintegrarlo políticamente. Conocían el secreto que podía condenar a Bordón al ostracismo.

–Tiene que devolver la banca de senador –era la orden irrevocable de Menem.

–No se lo ve eufórico –le dijo Neustadt de pronto.

–Bernardo, tú sabés por qué– respondió acongojado y con la mirada perdida.

Hizo silencio y, de pronto, con rostro cansado, lanzó una frase directa, explícita.

–Dedico este triunfo a la memoria de Carlitos, mi hijo…

Regresó a Casa de Gobierno fastidioso y desencajado. Mientras descendía apurado del auto frente a la entrada de Rivadavia, levantó el brazo y saludó al gentío que ocupaba la plaza, con la V de la victoria.

Una vez en su despacho, otorgó de mala gana una entrevista a la CNN. Rodeado de sus alcahuetes, se generó una situación incómoda ante las preguntas incisivas de la conductora del noticiero en español de la cadena norteamericana, la ex Miss Universo Patricia Janiot. Sofovich y Falak intervinieron con tono amenazador y el reportaje terminó abruptamente, con la consabida trascendencia internacional.

Carlos Menem llegó hasta la sala de conferencias y habló ante más de doscientos periodistas. El malhumor que lo embargaba era por demás evidente y sus ojos despedían destellos de furia. El séquito que lo acompañaba temblaba al reconocer el enojo del jefe. Eran las 23.30 cuando confirmó públicamente a su gabinete y deslizó una zancadilla a Eduardo Duhalde, al que todos esperaron en vano en Balcarce 50. Duhalde los plantó sin avisar. Se quedó a festejar su triunfo en La Plata y a esa misma hora se dirigía con su mujer a una fiesta preparada especialmente en la parrilla El Mangrullo, en Ezeiza, de Alejandro Granados, cuya mujer –Dulce Visconti– había sido elegida diputada nacional por la provincia de Buenos Aires.

–Voy a responder como decía Perón: mi único heredero es el pueblo. Y Duhalde es el mejor gobernador que ha tenido la provincia de Buenos Aires en toda su existencia…

Terminó abruptamente la frase. Cada palabra llevaba implícito un mensaje, una advertencia. Tomó la mano de su hija y caminó hacia el balcón de la historia. Vaciló ofuscado, mientras con un pañuelo se secaba la transpiración de la frente. El traje oscuro de gabardina importada con finas rayas, la corbata Ferragamo con pingüinos, el pañuelo de seda haciendo juego, los gemelos de oro. Todo parecía estar en su lugar. Prolijo. Impecable.

Preguntó la hora y alguien le respondió. Eran los primeros minutos del 15 de mayo de 1995. Los fuegos artificiales estallaban contra la noche y la plaza giraba al compás de la música y las consignas. Escuchó su nombre coreado por miles de gargantas. Se sintió invencible y poderoso. Entre los gritos escuchó el llanto de su hija abrazada al pilar del "balcón de la historia". Levantó los brazos al cielo iluminado por destellos multicolores, empezó a hablar y dijo que le ganó a la oposición y a los medios.

Y en ese lugar dedicó el triunfo a la memoria de su hijo.

La sombra de Salinas de Gortari

Subió al helicóptero y sobrevoló en silencio la ciudad vacía. El ruido de la nave le perforaba la cabeza. A su lado, Ramón Hernández, impasible, controlaba el aterrizaje. La madrugada pringosa de Buenos Aires se humedecía en la cara. Las imágenes del camposanto y la sepultura del barrio miserable de San Justo se le incrustaban en la frente. Como un balazo.

–Pobre Carlitos, tirado en ese lugar de mierda –repitió frente a Ramón.

Subió al auto y se emprolijó el saco cruzado. La avenida solitaria de la residencia le pareció eterna. Miró los árboles y reseñó aquellos días absurdos.

La campaña electoral había quedado atrás de un tirón. La arrolladora potencia de maquinaria política partidaria, la estabilidad económica y la utilización emocional de la figura de Junior fueron los detalles más sobresalientes de la batalla por el poder. Después de la operación de carótida, sus hombres habían comprobado el poder de las tragedias personales sobre la psicología popular. Era, además, el triunfo del "voto cuota", ante el pánico que había generado la crisis mexicana de fines del '94. El desempleo llevaba una cifra récord del 18,4 por ciento y las sucesivas devaluaciones mexicanas se hacían sentir en el mercado local. El Tequilazo lo derrumbó. Temía no poder salir y las encuestas que le traían sus hombres eran pesimistas. En diciembre, la caída del banco Extrader, de Carlos Sosa y Marcos Gastaldi, había provocado numerosas corridas en la City. Pero hubo un hecho, que en los primeros meses de 1996, lo llevó al filo de la cornisa. México ardía en medio de escándalos financieros, guerra de carteles y asesinatos políticos. El PRI, que se había instalado en el poder desde hacía setenta años, vivía la peor de las crisis. Era el partido político gobernante más antiguo del mundo y aunque Carlos Menem envidió aquella perpetuidad, esta vez estaba ganado por el temor. La violenta caída de Carlos Salinas de Gortari, un hombre al que odiaba y celaba porque le robaba protagonismo, le hacía temer para sí un destino idéntico. La sombra del mexicano, cuyo hermano Raúl estaba preso, acusado de asesinato y corrupción, y al que Estados Unidos le había bajado el pulgar sin piedad, lo persiguió sin pausas y una noche se lo confesó a Emir.

Dos meses más tarde, el 15 de marzo de 1995, vivía en medio de un infierno.

Cada mañana, muy temprano, Cristina Tamarit, la misma cosmetóloga de Mirtha Legrand, le limpiaba el cutis, le realizaba suaves masajes con cremas, lo maquillaba y le quitaba las ojeras de las noches de insomnio. Cuando las sesiones terminaban, Menem caminaba como un zombie hacia el helicóptero, entraba en la Rosada y preguntaba qué actividades tenía en la agenda. Apenas terminaba una audiencia, se desplomaba y lloraba desconsolado. Por esos días hacía todo lo que sus hombres le ordenaban, sin pensar en nada. Durante el último acto de campaña en Rosario se negó a subir al palco. "No puedo, Chiche, me estoy cayendo", le dijo a Aráoz con un hilo de voz. Estaba pálido y transpiraba copiosamente. "Sí que podés, es un ratito", mintió Aráoz y lo subió al palco de un empujón, mientras con los dos brazos, abrazaba sus piernas. "Hijo de puta, ¿cuánto falta? Me quiero ir de acá". Dijo antes de empezar a hablar. Tomaba gran cantidad de sedantes para dormir –y ni así lo lograba– y tomaba pastillas para estar despierto. Cada mediodía, largaba todo y regresaba a Olivos para comer con Zulema y Zulemita. Con ellas sentía cierto alivio, pero presentía que se avecinaba un abismo. El monje negro Eduardo Bauzá se había hecho cargo del gobierno y Julio César Aráoz manejaba la campaña. Algunos actos que se realizaron en las zonas del conurbano manejadas por el sindicalista Luis Barrionuevo y el ex locutor lopezrreguista Juan Carlos Rousselot fueron inundados de afiches con la imagen de Junior vestido con el traje antiflama azul y blanco y una frase que decía: "Carlitos, mártir del peronismo". Los obsecuentes ordenaban a la gente flamear las banderas con la imagen del muerto, mientras Carlos Menem decía un discurso con la voz entrecortada y los ojos húmedos.

–Es increíble lo que pudo mi hijo, ¿no? Si yo quisiera jamás hubiera juntado la gente que espontáneamente se acercó a darle el último adiós. Pobre hijo… –había confesado Menem a esta periodista un mes antes, en el living de la residencia, después de enterrar los despojos de Carlitos en el cementerio.

La gloria y el cadalso.

Un camino que Carlos Menem conocía a la perfección.

Noche de pitos y manoplas

Zulema Yoma lo esperaba en la galería de la quinta. Disimuló los pensamientos y esquivó las miradas. En la mano derecha apretaba el pañuelo blanco, cada vez más arrugado y húmedo. En el cuello resaltaba una gruesa cadena de oro con una medalla que decía *Dios* en árabe, adornada por brillantes, tenía una pollera de tweed celeste, con blusa al tono y una chaqueta tejida del mismo color de la pollera. El cabello lacio y rubio sostenido por una vincha dorada, era producto de las manos del peluquero Miguelito Romano, que se encontraba desde muy temprano en la residencia acompañado por Mercedes, su mujer.

Funcionarios, amigos, y cortesanos agitaban ruidosamente las manoplas que repartió Armando Gostanian con la inscripción "Menem 95".

El rubio animador televisivo del programa de Lucho Avilés, Teto Medina, proponía encender los fuegos artificiales que estaban en las cajas al lado de la piscina y recibió una mirada fulminante de Zulema que lo hizo desistir. Mientras agitaba la manopla, reveló que el Presidente le había prometido un cargo en la Secretaría de Acción Social y que, por los pobres, abandonaría los chismes de la farándula. Diego Maradona, plenamente incorporado a la fiesta menemista, saltaba abrazado a su mujer, Claudia Villafañe.

Menem descendió del Renault 21 gris oscuro de vidrios polarizados y buscó la mirada de su ex mujer. Caminó hacia ella. Los adulones lo abrazaban, lo besaban. Apartó las manoplas que le rozaban la cara y saludó apenas, por lo bajo. Como nunca, registró los pensamientos solapados de Zulema. Casi treinta años juntos le permitía adivinar las tempestades. Los gestos imperceptibles. El rictus de la boca. Los nubarrones de sus ojos oscuros.

–Te felicito Menem –dijo ella y le dio un beso superficial en la boca.

Lloraron juntos en medio del zumbido de las voces.

La horda aplaudía con las manoplas y coreaban su nombre.

Emir Yoma hizo un gesto y reclamó silencio.

–Mirá si nos viera Carlitos –dijo con un hilo de voz entrecortada a Zulema.

Y desaparecieron adentro del chalet.

Carlos Menem comía en un rincón del comedor. De su cuello colgaba una servilleta de hilo blanca y en las manos sostenía un plato de sopa de verduras con trozos de pan tostado. Su comida preferida. Sentada a su lado, Zulema observaba la fiesta, los rostros de amigos y enemigos, el hermano Eduardo y su mujer Susana Valente, el entorno que despreciaba, sus hermanos, los amigos de su hijo que jugaban a las escondidas con Zulemita, y las manos que seguían agitando los juguetes estúpidos del gordo Gostanian.

–Lo mataron los mafiosos. A mi hijo lo mataron y ganaron la elección agitando un cadáver.

–¿Por qué la vida es tan perra? –me dijo apenas Zulema por lo bajo.

Repitió las confesiones desatadas horas antes en el comedor. Las palabras que dejó caer en el jardín a oscuras, mientras señalaba a lo lejos el lugar donde su hijo solía aterrizar con el helicóptero.

–Allá bajaba y cuando despegaba me saludaba con la mano. Pobre Carlitos. Pensar que muchas veces le dije a Carlos Menem que esta quinta estaba maldita…

Hizo una pausa e insistió:

–Lo mataron.

Se miró en el espejo de su vida: su primer hijo muerto a las dieciocho horas de nacer, sus dos abortos, la infelicidad del amor, las eternas peleas. Carlitos en el cementerio. Y la cruel paradoja que la trajo de regreso a esa quinta que odiaba.

En el salón sólo había risas, los mozos pululaban con bandejas llenas de copas y se escuchaba el ruido ridículo de las matracas.

En un rincón del salón un portarretratos de plata mostraba a Carlitos sonriente mientras Carlos Menem le acomodaba el nudo de la corbata. Fue antes de morir, en un programa de Mirtha Legrand. Por esa época, Carlitos intentaba acompañar a su padre en las tareas de gobierno. Un mes después, abandonó el traje, la corbata y el despacho que su padre le había preparado, al lado del suyo.

"No soporto este ambiente. Mi viejo está rodeado de corruptos", le confesó a un amigo.

–Presidente, lo felicito. Ojalá que estuviera vivo mi padre –dijo un joven parado adelante de Menem. Habló con afecto y cierta timidez.

–Gracias, hijo. Qué alegría verte… ¿Cómo está tu madre? –contestó Menem, con el plato en la mano.

El muchacho lo saludó con afecto y se apartó con timidez. Antes de retirarse, el joven le recordó que ese día se cumplían diez años y dos meses de la muerte de su padre. Era el hijo de Osvaldo Rossano, su médico personal que murió –tras agonizar una semana– cuando la avioneta en que viajaba junto a Ramón Hernández, Miguel Ángel Vicco, Héctor Fernández y Guillermo Armentano, se vino abajo minutos después de despegar de La Rioja.

Fue el 15 de marzo de 1988.

Carlos Menem empalideció. Ahí estaban las tragedias que por ciclos lo acosaban.

–Diez años. Parece mentira… –dijo con un gesto de resignación.

Menem observó unos segundos la espalda del muchacho que tenía la misma edad de Carlitos.

Retrocedió una década. Recordó todo de golpe.

El vértigo de la campaña electoral para las elecciones del '89 y del acto programado en Catamarca. Su decisión de bajar a último momento y volar en su propia avioneta. A los pocos minutos, la explosión cercana, el fuego y su equipaje calcinado. El llanto que ahogaba su garganta y sus gritos. Y el olor de la muerte.

–Carlos, es terrible. Los peritos de la Fuerza Aérea tienen pruebas de que la caída del avión fue un atentado. Pusieron agua en el tanque de combustible. Te quisieron matar.

Miguel Ángel Vicco tenía el rostro blanco como un papel. Los peritos que desparramaron las pruebas sobre su escritorio del despacho de la gobernación.

–Qué hijos de puta. Carlos, hay que hacer una conferencia de prensa urgente –exclamó Vicco aterrorizado.

Menem calló unos minutos.

–No, hay que tapar todo. Que nadie se entere de nada –ordenó.

Cuando murió Carlitos, los sobrevivientes de la caída de la avioneta recordaron ante esta periodista los detalles de aquel episodio. Y confirmaron la versión de que había sido un atentado.

–¿Quiénes y por qué querían matarlo? –pregunté.

–Y, vos sabés… En esa época, para llegar, Carlos arregló con todos. Con los árabes, con los montoneros, con los masseristas, con los narcos. A nadie le preguntaba de dónde salía la plata. A lo mejor, ese fue el primer aviso… –argumentaban.

Diez años más tarde, la memoria le traía a Menem la imagen de la avioneta cayendo en picada, explotando en el aire. En la cúspide de su vida política, en la noche de su gloria y su deceso, dio una última mirada a José Luis Rossano, que se alejaba con la cabeza baja. Zulema seguía a su lado. Perdida entre las voces, las risas y el champán. Podía adivinar su rencor.

–Sin que nadie se dé cuenta, me voy a ir a dormir –me dijo. Se levantó y desapareció por el pasillo.

Abrió la puerta del dormitorio con los números de su clave de seguridad y en el cuarto penumbroso distinguió el retrato de su hijo. Besó la imagen y lloró. Se sentó en la cama y tomó el somnífero que su médico le había dejado encima de la mesita de luz. Se acostó y cerró los ojos, ansiando el sueño. Escapar, como todas las noches de su vida.

A partir de esta.

PECADOS MORTALES

> Vi las serpentinas rojas del último
> carnaval y eran blancas.
>
> *PAUL GROUSSAC*

–Jefe, está buena la mina… Es de las que le gustan a usted. Ella quiere conocerlo y usted sabe, en una de esas… –le dijo Constancio ansioso y a él se le encendió la mirada.

Carlos Menem amaba a los famosos. A los ricos. A los exitosos.

Y Madonna era todo eso junto. Rubia, transgresora e impúdica. ¿Cómo permanecer indiferente a tales encantos, expuestos en el libro de fotografías que la mostraba en actitudes obscenas y provocativas? Apenas salió publicado en Estados Unidos mandó a sus hombres que se lo consiguieran. Pero había otra cosa: la piel blanquísima de la reina del pop le traía a la memoria la vedette Thelma Stefani, con la que vivió un tormentoso romance a mediados de los ochenta.

Se lo confesó a Ramón, cuando estuvieron solos.

Con Thelma –bellísima y voluptuosa–, Menem compartió infinitas noches, con ella pudo realizar todas sus fantasías, pero después de un tiempo, la inestabilidad emocional de la mujer, sus cíclicas depresiones, comenzaron a hastiarlo. Un día ella le dijo que quería una familia, hijos, casamiento. Y entonces, dejó de atender a sus insistentes llamados telefónicos. Al poco tiempo, agobiada por la soledad, el alcohol y las pastillas, la vedette se suicidó arrojándose por el balcón de su departamento.

Carlos Menem pensaba en aquellas fotografías de Madonna y sentía un cosquilleo en la boca del estómago.

Le dijo a Constancio que lo iba a pensar, pero en realidad ya lo tenía decidido. No le importaban las quejas de los dirigentes del partido, de los sindicalistas ni las de todos aquellos que exigían lealtad religiosa a Perón y a Evita. Él le prestaría el balcón.

"Son mediocres que se quedaron en el pasado, nunca entendieron nada", le dijo a Falak, cuando éste corrió a Olivos a contarle que la vieja dirigente de la derecha peronista Norma Kennedy y sus seguidores hacían manifestaciones de repudio frente al Hotel Hyatt, donde se alojaba la cantante. Justo él, que siempre pensó que estaba por encima de los próceres y de la historia; que estaba convencido de que, si Perón viviera, habría hecho lo mismo que él.

Lo tenía decidido, lo único que quería era hacerse desear.

Totalmente mimetizada con Eva Perón, Madonna ansiaba que él autorizara la filmación de una escena del musical de Webber en el balcón de la Rosada. Alan Parker, el director, deliraba con lo mismo.

Lo tenía decidido, pero quería que ellos vinieran al pie.

–Después de todo, ¿quién es el número uno acá, eh? –interrogó sentado en la galería del chalet, mientras Trapito, el perro que le había regalado Xuxa, le lamía los zapatos.

El cineasta Víctor Bó, muy peronista él, le imploró llorando que no les prestara el famoso balcón.

–Carlos, estos yanquis hijos de puta nos van a usar como hacen siempre –le dijo.

–Les vamos a demostrar que nosotros somos mejores y, además, que yo no le tengo miedo a nadie –contestó.

Buenos Aires hervía bajo el calor de febrero de 1996, cuando Carlos Menem se encontró con Madonna para darle el sí.

Lo que no sabía él es que Madonna volcaba en un diario personal sus impresiones de viaje y que la revista *Vanity Fair* reproduciría más tarde la parte que lo involucraba.

"Jueves 1 de febrero, de 1996

"Me empapé la cara con agua bien fría, me miré en el espejo y noté la marca roja en la mejilla, seguramente recibida en la batalla nocturna con los fans. ¿Me habré dañado inconscientemente yo misma? Eso debe haber sido el resultado de la conversación con Constancio, quien trató de explicarme por qué el Presidente no podía atenderme todavía. Por supuesto, él no me dijo nada. Y tuve que decir que me ofendía que el Presidente hubiera almorzado con Claudia Schiffer y entretenido a los Rolling Stones y no estuviera libre para encontrarse conmigo.

"Yo le pregunté por qué se hacía llamar peronista, si en los hechos su política era tan diferente de la de Perón. Él me respondió que estaba haciendo lo que haría Perón si estuviera en su lugar, en ese momento. Buena respuesta. Eso es lo que nosotros llamamos políticos."

"Jueves 8 de febrero de 1996

"(…) Tenía que abordar el helicóptero para encontrarme con el presidente Menem. Mientras me preparaba, pensaba cómo me sentiría yo si me pasara lo que le pasó a Evita, qué hubiera hecho si me estuviera muriendo. El Presidente se mostró muy cálido y acogedor. Me sorprendí cuando sentí lo mucho que me había gustado. Nuestro helicóptero aterrizó en las cercanías del Tigre. Cientos de flamencos siguieron nuestro recorrido. Yo caminaba hombro a hombro con el Presidente (pequeño, desafiante y bronceado) y un ciervo bebé se acercó y me olfateó. Él me dijo: 'No te pongas nerviosa, tú eres bienvenida aquí'. Me parecía vivir un cuento de hadas. Menem estaba rodeado de hombres de aspecto sospechoso y de una linda y formal señora mayor, que oficiaba de traductora.

"Nos sentamos y sus ojos me recorrían intensamente todo el cuerpo. Es un hombre muy seductor y pude ver que tenía los pies pequeños y el cabello teñido de oscuro. Me dijo que yo lucía como Evita, con quien él se había encontrado cuando era un muchacho. Hablamos de lo fanática que me había convertido de Evita, investigando todo sobre ella. Él no quitaba sus ojos de encima de mí. Los mosquitos empezaron a devorarnos, entonces fuimos adentro. Resultó esa clase de hombre que tiene su casa equipada con champagne, caviar, y frente a los cuales no puedo resistirme. Escuchamos algo de música de la película, para que él pudiese comprender el modo en que trabajábamos. Él no entendía. Cuando le hice escuchar la canción nueva, en la que Eva le canta a Perón cuando ella se enteró de que se estaba muriendo, yo vi una lágrima en su mejilla. Yo noté que los hombres que lo seguían a todos lados atendían todos sus deseos y parecían estar enamorados de él. Ellos estaban muy mal peinados y me miraban con desconfianza.

"Descubrí a Menem mirándome insistentemente el bretel del corpiño, que apenas se me asomaba. Él siguió haciéndolo a lo largo de toda la tarde y cuando se sintió descubierto, me sostuvo la mirada. Empezamos hablando de la reencarnación, de Dios, de los fenómenos psíquicos. Él dijo que creía en el poder de la magia y que algunas veces se veía involucrado en situaciones que no podía explicar. 'Como Dios', dijo. Y yo pensé en una línea del libro *El alquimista* que dice algo como: 'Si tú quieres algo lo suficientemente fuerte, la tierra entera conspira para ayudarte a conseguirlo'. Entonces respiré profundamente y le dije: 'Por eso es que yo creo que usted podrá cambiar su opinión y nos permitirá filmar en el balcón de la Casa Rosada'. Él me miró y me respondió: 'Todo es posible'.

"Luego nos avisaron que era la hora de la cena, el Presidente se levantó y me preguntó si quería lavarme las manos. Yo pensé que era una pregunta un tanto extraña, pero supuse que era un maniático de la limpieza. Quizá yo lucía sucia. Quizás él quería que yo me fuera de ese ambiente para hablar de mí. Yo tardé bastante tiempo enjabonándome en el baño y observando la decoración del segundo piso. Habré vuelto a los quince minutos y cuando bajé las escaleras los hombres estaban todos alrededor de la mesa esperando por mí. El Presidente acomodó la silla y cuando me senté, recién todos se sentaron. Durante la comida hablamos desde Mao Tsé Tung hasta el mambo. A las once de la noche volvimos todos al helicóptero, que nos esperaba como un gran insecto. El Presidente tomó mi cara entre sus manos, me besó en las dos mejillas y me deseó buena suerte. Él se fue y yo quedé flotando dentro de la cabina todo el camino a casa. Él había trabajado toda su magia sobre mí. Sólo puedo esperar haber hecho lo mismo."

"Febrero 23

"Tuvimos un nuevo encuentro con el Presidente, pero menos interesante que el anterior. Fuimos con Alan Parker, Jonathan (Price) y Antonio (Banderas). Alan trataba de remarcar su deseo de tener el balcón, pero mientras tanto discutía sobre pizzas. Entonces yo dije que por qué, en vez de hablar de pizzas, no hablábamos del balcón. Y Menem dijo ahí que podíamos utilizarlo, así como cualquier otro edificio gubernamental.

"Me olvidaba de mencionar a la hija de Menem, Zulemita. Una joven delgada que se veía muy frágil y muy triste. Ella le tomó la mano a su padre durante toda la charla y ellos se besaron y susurraron cosas el uno al otro en un modo muy íntimo. Yo estaba impactada por lo que ellos hacían."

Los faroles de la Plaza de Mayo fueron cambiados por otros de mitad de siglo. Por las calles aledañas, que fueron cerradas al público durante la filmación, circularon decenas de autos de los cincuenta alquilados a los coleccionistas. Centenares de extras cobraron buen dinero por imitar a los "cabecitas negras", a los queridos descamisados de Evita. Y Madonna hizo su discurso-canción en el histórico balcón de la Rosada. Pero la bronca de los peronistas de alma debe haber sido mucha, porque el estreno de *Evita* en Buenos Aires resultó en fiasco. Tanto a Menem como a Madonna les costó remontar el costo de esta aventura.

"Calmáte, Chiva…"

El ambiente político estaba caldeado. Igual o más que el sol del verano que recalentaba el asfalto de las calles de Buenos Aires. La guerra con Cavallo continuaba a todo vapor. Duhalde trataba de instalarse como el delfín y por más que Menem le decía "metéle para delante", cada vez que él sacaba el tema, al otro día se encontraba con alguna operación en contra, originada en la Rosada. Gustavo Beliz saltaba la barrera del justicialismo y, por sobre las burlas y festejos de sus antiguos pares, que lo apodaban "zapatitos blancos", formaba su agrupación Nueva Dirigencia. Y Ramón "Palito" Ortega, descansando de su azaroso paso por la gobernación de Tucumán, lanzaba desde su opulenta mansión de Miami dardos envenenados contra Duhalde y se postulaba como candidato para el '99.

Se barajaban dos nombres para enfrentar a la oposición en las elecciones a senador porteño: Domínguez o Ruckauf. Pero las relaciones entre Carlos Menem y su vicepresidente transitaban una zona de gran turbulencia. En el búnker de Olivos se habían enterado que Ruckauf especulaba en privado y con cierto tono festivo sobre la mala salud de Menem. Y que cada vez que el Presidente andaba de viaje por el mundo, "Rucucu" usaba la cama del dormitorio presidencial de la Casa Rosada.

Aquellas minucias molestaban a Menem intensamente.

Los muy próximos sabían que el usufructo de las pertenencias del Jefe era un pasaporte seguro al ostracismo. Nadie que se preciara de leal podía sentarse en el sillón de pana gris del living, en su cama de Olivos o de la Casa de Gobierno, en la banqueta de madera de la cocina, o lo que es peor, atreverse a posar sus ojos en alguna mujer que hubiera pasado por sus manos. Gerardo Sofovich vivió esto en carne propia por arrebatarle a Menem la chicharra que usa para llamar a los mozos cuando se sienta frente al televisor.

–¡Quiero mostaza de Dijon! No puede ser que en esta quinta me traigan mostaza de mierda… –exclamó Sofovich fuera de sí, con el aparatito en la mano, mientras Menem guardaba silencio.

El animador, que le traía al Jefe las mejores chicas de su programa, no integró durante un tiempo el plantel de aduladores. En castigo Menem dio la orden de que no lo dejaran entrar a la quinta.

Ese mismo sistema corría para los negocios que se cocinaban en el poder. Dejaba hacer a todos, pero ninguno podía acumular más riquezas que él. Quien se le animaba, entraba rápidamente en una zona oscura y afilada.

Carlos Federico Ruckauf había cometido un tercer error imperdonable: se lo veía muy cerca de Eduardo Duhalde. En aquellos días de solapadas operaciones de perpetuidad menemista, la cercanía con el gobernador era sinónima de alta traición.

En febrero, José Octavio "Pilo" Bordón pegaba un portazo a la coalición opositora, en la que había sido protagonista privilegiado y con la que recolectó en 1995 cinco millones de votos. Con la excusa de que sus compañeros no permitían el ingreso de Beliz para disputar internas abiertas de la coalición, Bordón redactó entre gallos y medianoche su renuncia al cargo de senador nacional y anunció un "retiro espiritual" en Washington.

El golpe asestado al corazón del Frepaso fue festejado con champán en la Rosada. Desde que Bordón abandonó el justicialismo para aliarse con Álvarez, Carlos Menem juró no parar hasta verlo destruido.

El ex gobernador mendocino, educado en el Colegio Marista de San Isidro, de mirada esquiva y obsesivo discurso anticorrupción, no pudo escapar del patético callejón de aquellos que transitaron el poder, y a los que había condenado en público con actitud desafiante. Salvo casos excepcionales, todos dejaron alguna huella en el barro. Y Menem conocía mejor que nadie las hilachas de cada pasado, las debilidades.

Por esos días se dijo que aquella abrupta renuncia escondía un pacto encubierto entre el menemismo y Bordón. Los trabajos de informatización de la gobernación mendocina con la empresa IBM –que desembocaron en un proceso judicial– fueron turbios, y Bordón dejó allí la marca de sus dedos.

Con estos datos en la mano, el menemismo actuó en consecuencia. Cinco millones de dólares y la garantía de sobreseimiento en el proceso judicial que se le venía encima alentaron a Bordón a romper con el Frepaso.

–Me dieron el lugar, el día y la hora de la noche en que se concretó la operación. Tengo hasta los mínimos detalles, pero no quise averiguar más. ¿Para qué? La actitud del "Pilo" me confirmó todo –decía apesadumbrado su ex mano derecha, ex Guardia de Hierro y actual legislador por Alianza Alberto Flamarique, en su casona de dos pisos, en Mendoza.

Bordón abandonó rápidamente la Argentina y se instaló a estudiar en los Estados Unidos, donde paradójicamente compartió el exilio con su enemigo político José Luis Manzano. Alguna vez regresó con algún discurso encendido, con el que intentaba justificar aquella incomprensible reacción y levantar una imagen pública manchada por las sospechas.

Menem había ganado otro round político. Pero la pelea seguía en casa.

La mañana del 15 de marzo se levantó, como siempre, a la hora en que los rayos del sol empiezan a pintar de rojo el horizonte. A pesar del somnífero, apenas había podido pegar un ojo en toda la noche. Subió al helicóptero y marchó rumbo al cementerio Islámico de San Justo. Se cumplía un año de la muerte de su hijo.

Antes de salir, se miró en el espejo de la cómoda: tenía los ojos enrojecidos y las líneas que le surcaban el rostro se habían profundizado ostensiblemente. Pasó la mano por los pómulos y advirtió la flaccidez de la carne. Hacía varios meses que el cirujano plástico Chajchir no venía por la quinta a aplicarle colágeno para atenuar los estragos del paso del tiempo. Nada odiaba más que envejecer. Sin embargo, aquella mañana sintió que nada le importaba demasiado: ni la vejez ni la noche ni las mujeres. Cada tanto alguna mujer lo acompañaba. Aquellas compañías femeninas mantenían en alto su autoestima y lo ayudaban a olvidarse un rato de la culpa por la muerte de su hijo. Y a espantar la soledad, que le pesaba como una bolsa de plomo.

A fines del '95, Zulema había llegado una noche a Olivos y le había rogado que le dijera qué había pasado con Junior.

El recuerdo de aquel dialogo le producía vértigo.

–¿Dónde está tu padre? –le preguntó Zulema a su hija, apenas entró en el chalet, mientras los alcahuetes desaparecían por los pasillos hacia las entrañas de la casa.

–Ya viene, mami, está en el dormitorio.

Zulema esperó sentada en el living. A los quince minutos, se decidió. Subió corriendo las escaleras y de un golpe abrió la puerta del dormitorio. Carlos Menem estaba acostado, con el cubrecamas hasta el cuello.

–¡Así te quería encontrar, cobarde! ¡Salí de la cama, hijo de puta y decíme por qué mataron a mi hijo!

De un tirón, Zulema arrancó la colcha. Menem estaba acurrucado, vestido con un equipo de jogging rojo y azul, y zapatillas blancas.

Bajaron al comedor de la casa.

–Decíme por qué lo mataron al Carlitos. ¿No ves cómo estoy? Me estoy muriendo en vida. No puedo comer, no puedo dormir…

Menem tamborileaba los dedos sobre el vidrio de la inmensa mesa ovalada.

Durante los quince minutos que duró el monólogo, no abrió la boca. Se levantó e intentó posar la mano sobre la cabeza de su ex esposa.

–Calmáte "Chiva"…

–No me toqués, hijo de puta, delincuente. Lo entregaste, al Carlitos lo entregaste… Te juro por el alma de mi hijo que vas a pagar todo lo que nos hiciste. Hasta que no me digas lo que pasó, nunca más me vas a ver. Nunca más, ¿entendiste?

La vio salir a Zulema como un vendaval.

Y aquella noche, otra vez, no pudo dormir.

Volvió del cementerio y se sumergió en la capilla de la residencia. Estaban preparando la misa, con la conducción del oficio a cargo de monseñor Antonio Quarraccino y el nuncio Ubaldo Calabresi. El pequeño habitáculo estaba colmado de amigos y obsecuentes. Constancio Vigil, Alberto Lestelle, Mario Falak, lloraban todo el tiempo, con más intensidad que el propio Menem.

Mi vida por una tapa

–No puedo más, tengo el corazón roto, mamita… Nunca imaginé que mi familia me hiciera una cosa así… Los mandaron a provocar, alguien los mandó a pegarnos… Es el delincuente que está sentado en Olivos, el que me torturó durante treinta años… El jefe de todo esto es Carlos Menem.

A las cuatro de la madrugada de ese domingo 23 de junio de1996, el timbre del teléfono había alterado la quietud de mi casa. Agitada y sin parar de llorar, Zulema Yoma siguió:

–Mamita, estoy en el cementerio y le pegaron al doctor Vázquez. Mi sobrino Yalal le pegó una trompada en el medio del ojo, lo tiraron al piso y lo patearon. Emir, Zulemita y los custodios… Mi hermano me empujó… Zulemita gritaba y le pegaba a Vázquez con los tacos de las botas…

Se tropezaba con las palabras y gemía desesperada.

Una semana antes, el llamado de una mujer le había advertido que la tumba de su hijo iba a ser profanada. Se lo dijo en árabe. Su abogado, Alejandro Vázquez, había recibido el mismo aviso, aunque en español. El sábado 21 de junio, al mediodía, ambos decidieron ir al cementerio islámico para averiguar qué había de cierto en eso.

Ya en la necrópolis, en una oficina minúscula, Zulema le preguntó a Carlos, el cuidador, qué pasaba con la tumba de Carlitos. Le juró con el Corán en la mano que si le decía la verdad no lo iba a delatar.

–Si te lo asegura con el Corán en la mano, no va a decir nada –insistió Vázquez.

El cuidador se animó: hizo un croquis de la zona donde se encontraba la tumba, y dijo que Carlitos ya no estaba allí.

–Señora, vino gente de la SIDE y se llevó el cadáver.

Zulema vio que la tapa de concreto que cubría la tumba estaba anegada de agua y que el cemento parecía como recién puesto. La profanación era indudable, pensó, y la tierra que habían echado alrededor seguramente era para despistar.

Salió como un balazo hacia la SIDE. Quería hablar con Hugo Anzorreguy, Lo esperó horas, pero se tuvo que ir sin ser recibida. El paso siguiente fue denunciar lo sucedido. Abrió una causa paralela en el Juzgado Federal de Morón, a cargo de Jorge Rodríguez, quien citó al cuidador a dar su testimonio. Pero Carlos, esta vez, no relató los hechos del mismo modo en que lo hizo frente a Zulema Yoma. El hombre aseguró después que había sido amenazado.

Desde ese momento, los pasos de la ex primera dama fueron vigilados.

Se controlaron las visitas que recibía en su piso de Libertador y se interfirieron sus teléfonos. Los pocos periodistas que tenían contacto con ella también eran vigilados y presionados. Se deslizó a los medios de comunicación que Zulema Yoma había enloquecido tras la muerte de su hijo. Buscaban evitar que se tratara públicamente el asunto. Es que, en 1996, la geografía política y personal del Jefe se había transformado en un infierno.

En esos días, Carlos Menem vivía al borde del abismo. Estaba seguro de que la muerte de su hijo había sido un accidente, pero el convencimiento de Zulema sobre el atentado, sus declaraciones intempestivas, lo acosaban día y noche. Alargaba las sesiones de golf para descargar sus desdichas. Su amigo Constancio Vigil, el instructor Jorge de Luca y Alberto Kohan lo acompañaban cuatro veces por semana a algún club cercano.

–Esta mujer lo está volviendo loco. No puede decir las cosas que dice… Pobre Jefe, está destruido –era la letanía de Constancio Vigil.

Una mañana, el periodista Jorge Jacobson entrevistó a Zulema en Radio Continental. Carlos Menem se desayunó con las explosivas declaraciones de su ex esposa, en Olivos, mientras conversaba con Eduardo Bauzá.

–Constancio, el Presidente está destruido. ¿Cómo permitiste que saliera esta loca diciendo disparates, o vos no sabés que está loca? ¿Al final, sos el dueño de esa radio o qué carajo sos? –explotó el Flaco.

El celular del principal accionista de Telefé, Continental y Atlántida, e integrante del grupo de obsecuentes presidenciales, le ardió en la oreja.

–Por favor, Eduardo… por favor, dígale al Jefe que se quede tranquilo, que nunca más va a volver a ocurrir.

Constancio Vigil tembló de miedo.

–¿Qué les pasa a éstos? ¿Cómo sacan a esta loca sin consultarme? ¡Con todo lo que el Jefe hizo por esta empresa! No puedo permitir que por un reportaje, estos imbéciles tiren todo el negocio a la mierda…

Se comunicó con el director de la radio y amenazó con que la próxima vez que un periodista de la emisora entrevistara a Zulema terminaría en la calle. Y comenzó a presionar sobre el directorio de Atlántida para evitar cualquier referencia a la cuestión. Tenía una sola contra: Aníbal Vigil Cornejo Patrón Costas, su sobrino, un joven introvertido, amable y con cierto idealismo, que se había hecho cargo de las revistas más importantes de la empresa a partir de la muerte sorpresiva de su padre en Normandía, Francia. "Anibalito" era muy parecido a su progenitor. Nacido en el seno de una familia tradicional de la clase alta, profundamente católica y conservadora, arrastraba por formación una actitud despectiva por los populismos. Los desbordes del menemismo, la relación genuflexa de su pariente con Menem, las noches de juerga en Olivos y los escándalos que protagonizaba Constancio, fueron motivo de eternas disputas familiares. Al igual que su padre, despreciaba a Menem y a su entorno, pero carecía de la habilidad y la astucia necesaria para desenvolverse frente a la inconmensurable trama de negocios que su tío tejía con Menem. Y en los que la empresa –para vergüenza de Constancio C. Vigil, el abuelo fundador– había quedado involucrada.

Carlos Menem amaba salir en las revistas de Atlántida, sobre todo en *Gente* y en *El Gráfico*. Codearse con la farándula, con Susana Giménez, con Mirtha Legrand, con las modelos, en la paradigmática fiesta de los personajes del año, que luego ilustraba la tapa de *Gente*, era un acontecimiento que no postergaba por nada del mundo.

–Menem no va, este año no lo quiero ver en la tapa. Hay mucha corrupción y este tipo no es ajeno a lo que pasa. Se dicen muchas cosas feas, hay situaciones raras que no me gustan –dijo Anibalito.

Aquel noviembre de 1995, en el despacho del primer piso, se ajustaban los últimos detalles de la convocatoria más importante de la revista. Jorge de Luján Gutiérrez, que a lo largo de los años había sabido trepar desde pinche del archivo hasta director de *Gente* y que a esas alturas era un profundo conocedor de la interna familiar, intentó terciar suavemente.

–¿Te parece? ¿No es muy fuerte? Digo…

—Luján, la decisión está tomada. No lo quiero a este tipo en la tapa de "Los personajes".

Y así fue. La decisión provocó turbulencias en el seno del directorio y Constancio, después de escuchar los lamentos de Menem, tuvo que pedirle explicaciones a su sobrino. Pero no hubo caso. Y no solamente Menem no estuvo, sino que en su lugar apareció sentado Bordón.

Menem sintió aquel desafío como una puñalada en la espalda. Y juró venganza.

Navidad en la residencia de Olivos. Menem posa para las fotos de un reportaje a *Gente*.

—¿A vos te parece justo lo que me hicieron? No me invitaron para la tapa y yo gané la reelección por más del cincuenta por ciento de los votos. Por favor… esos no tienen cara, después de todo lo que yo hice por ellos. Venían acá a adularme, a mendigarme que les arreglara los quilombos financieros que tenían. Yo les arreglé todo, ¿y ahora ellos me dejan afuera? Encima, hablan pestes de mí. ¿Se creen que yo no me entero? Pero no importa, me la voy a bancar. Soy mil veces mejor que ellos. Soy Carlos Menem, ¿se entiende, no? Después, ya veremos… cómo termina todo —dijo, guiñando un ojo.

Parados al lado de un inmenso árbol de Navidad, en la residencia de Olivos, habíamos tenido una larga conversación matizada por altibajos.

De pronto se sintió molesto por algunas preguntas, se levantó y lanzó el consabido reproche:

—Siempre lo mismo, siempre ustedes preguntando por los pobres y los jubilados —y se marchó a un acto en el Regimiento Patricios.

—No te preocupés, el Jefe ya vuelve —dijo Raúl Delgado.

Con el fotógrafo nos quedamos solos en Olivos, presos de una situación muy extraña. ¿Volvería? ¿Cuándo? A los quince minutos, Menem regresó con una sonrisa de oreja a oreja y siguió como si nada.

A mediados del '96, Aníbal Vigil hijo era destituido de la dirección de la revista *Gente* en una operación relámpago motorizada por su tío Constancio, con el aval de gran parte del directorio. Telefé tenía una deuda con el fisco de quince millones de dólares, que le fue condonada. La trastienda del episodio se desarrolló en el despacho presidencial de Olivos. Aunque ya había antecedentes (Zulema, la publicación de una nota de tapa sobre el hijo extramatrimonial que fue levantada a último momento por orden de Menem, los detalles de la muerte de Junior), esta vez el detonante fue un reportaje realizado en Olivos por los periodistas Any Ventura y Jorge Sigal.

Menem se molestó por las preguntas y se quejó con Constancio. Éste voló a la oficina del primer piso de Azopardo y México y le exigió a su sobrino que le mostrara el contenido de la nota antes de enviarla a taller para su impresión. Anibalito imaginó –y no se equivocó– que el reportaje iba a pasar por las manos de Menem y de su entorno, de manera que decidió mandarlo tal cual, para evitar su censura.

Aquel mínimo movimiento fue su tumba. A los diez días, Atlántida vivía una crisis familiar con maniobras políticas como nunca antes en su historia. Ni siquiera su pasado de complicidad con un ala de la dictadura militar –la del Ejército contra la Marina– había sumido a esa empresa periodística en aquel caos interno. La caída del "Pibe", como le decían a Aníbal en Olivos, fue festejada por la fauna del Jefe, incluido el mismísimo tío, Constancio Vigil.

–Se acabaron los problemas. Quedé tan bien con el Jefe, que ahora me va a ayudar con los nuevos negocios. ¿Sabe una cosa? Tenemos muchos planes. Es tan generoso, un hermano. Y, además, yo cumplí también con mi sueño: siempre quise dirigir *Gente*, de toda la vida, ¿sabe? –le explicaba Constancio a su acompañante, mientras conducía por la Panamericana.

En el baúl del flamante Mercedes gris metalizado de dos puertas –que esta vez compró por derecha– descansaba la bolsa de los palos de golf para la rutina de los domingos.

"Dice el papi que no se puede"

El gobierno vivía sacudido por salvajes internas.

Domingo Cavallo tenía todos los cañones apuntados hacia sus enemigos de adentro y afuera del gabinete, y los disparaba en declaraciones que amenazaban derrumbarlos. La figura de Alfredo Yabrán ya no era la sombra que sobrevolaba los pasillos del Palacio y alimentaba fábulas y misterios. Ahora era peor: estaba presente cada minuto como un mal augurio. La guerra desatada entre el inasible empresario telepostal y el arrebatado ministro de Economía ocupaba varios frentes. No era lo único: el escándalo por la venta de armas a Croacia y Ecuador acababa de explotar, y también el affaire de las coimas por la informatización de IBM Banco Nación, que involucraba a menemistas y cavallistas.

El 21 de junio, la sociedad había observado espantada las imágenes de Patricia Lanusse –la hermana del fiscal Pablo Lanusse, que investigaba a la mafia del oro– con la cara cortada y la palabra "oro" marcada en la frente.

En la soledad de aquellos días, Carlos Menem se atormentaba con la imagen del cuerpo desfigurado de Junior. Se metía en el dormitorio y hablaba con el retrato de su hijo muerto, invocaba su espíritu y por momentos sentía que el fantasma de su hijo se le presentaba en la habitación. Ahí estallaba en llanto y le pedía perdón, ante la mirada azorada de Ramón Hernández. Los sollozos nocturnos de Zulemita que, encerrada en su dormitorio, se pasaba los días sin probar bocado, lo abrumaban. Su hija había entrado en un estado de anorexia que se había convertido en una "cuestión de Estado". Todo el gabinete hablaba de su extrema delgadez.

Después del episodio del cementerio islámico, Zulema le solicitó al juez federal de San Nicolás, Carlos Villafuerte Ruzo, a cargo de la causa del accidente, una inspección ocular de la tumba de su hijo. El magistrado la citó a las tres de la madrugada del 23 de junio, para cumplir con el trámite "en la forma más discreta posible". Una medida absurda, que alimentó innumerables sospechas. Mientras Vázquez y la ex primera dama iban en camino al cementerio, Anzorreguy llamaba a Lourdes Di Natale, la polémica secretaria de Emir Yoma, para que le avisara a su jefe de esa novedad.

Aquella madrugada en que todos se trenzaron a los golpes sobre la tumba de la familia Yoma en el cementerio islámico de San Justo, el cadáver de Junior parecía interponerse también entre Zulema y Zulemita. Por entonces, la hija casi no hablaba con la madre. Entraba como una autómata al piso de Libertador y San Martín de Tours, y permanecía así todo el tiempo. En cambio, pasaba muchas horas acompañando a su padre, en Olivos. Emir Yoma tenía prohibida la entrada a la casa de Zulema y hacía largos viajes por el Sudeste asiático atendiendo sus negocios. Zulema estaba convencida de que con respecto a la muerte de su hijo sus hermanos jugaban a favor de la postura del gobierno, y que además alimentaban las teorías de la supuesta locura de ella. El cuñado protagonizaba otra vez varios escándalos: los affaires de la mafia del oro y armas, y sus relaciones con Alfredo Yabrán se habían hecho públicas.

–¡No se puede hacer la autopsia del Chancho, mami! ¡No se puede, porque dice el papi que hay que destruir el cadáver! –gritaba y lloraba a su vez Zulemita en la cocina de la casa de la madre, que intentaba tranquilizarla con su Corán de tapas verdes entre las manos. Pero ni así lograba que dejara de tirarse de los pelos, presa de un ataque de nervios.

Zulemita acababa de llegar de Olivos y reproducía frente a su madre una conversación que había tenido con Carlos Menem.

El cartero llama dos veces

El 12 de julio de 1996 se exhumó el cadáver de Carlos Saúl Menem hijo y se le practicó por primera vez una autopsia en la Morgue Judicial. Parecía adrede: la medida había sido dispuesta por el juez el 2 de julio, día del cumpleaños de Menem. Pese a esto, el Presidente había celebrado su sexagésimo sexto aniversario junto a Zulemita, en Anillaco.

Como parte de aquel escenario apocalíptico, una semana antes, la casa del senador Eduardo Menem, ubicada en la calle Lidoro Quinteros del barrio de Núñez, había sido tiroteada por cinco desconocidos, que trataron de ingresar en la vivienda y mataron a uno de los custodios. Nadie quería responder en voz alta a la pregunta obvia: ¿Intento de robo o venganza?

Se respiraba un clima enrarecido. El gabinete completo desfiló por la casa del hermano del Presidente, con los rostros desencajados. Sentado en la cocina de su casa, Eduardo Menem temblaba de miedo y afirmaba que el episodio había sido un atentado, mientras el gobierno se esforzaba en sugerir que todo era obra de delincuentes comunes.

¿Por qué Eduardo Menem y su mujer Susana Valente estaban convencidos de que alguien los había querido matar? ¿Qué secretos escondía el hermano Eduardo? Si lo que decía era cierto ¿qué mensajes había detrás de aquellos tiros enloquecidos?

Eduardo "Sapito" Menem era amigo de Alfredo Yabrán desde tiempos inmemoriales y esta relación, que aquél supo mantener con habilidad en la trastienda de su vida, no era ignorada por ningún integrante del gobierno. Una vez por semana, Alfredo Yabrán pasaba a desayunar por la casa del senador y éste utilizaba los servicios de la empresa de aviones Lanolec, propiedad del empresario entrerriano, para gran parte de sus viajes. Los amigos de Yabrán aseguraban que las prestaciones entre ambos iban más allá: que cada mes el "Cartero" depositaba en manos de Sapito una fuerte contribución de color verde y que éste retribuía sacando las leyes que favorecían sus negocios.

Domingo Cavallo siempre lo supo y advirtió al prolijo senador de los peligros de aquella amistad. Desde las entrañas del poder, incluido el mismísimo Carlos Menem, deslizaban que el apego era tan profundo que la casa que habitaba Eduardo Menem y su familia habría sido un generoso regalo de Alfredo Yabrán en agradecimiento por las atenciones. La mansión, propiedad del empresario Juan de Dios Rodríguez –vecino de Domingo Cavallo– había sido vendida al hermano Eduardo en una suma cercana al millón de dólares. Una versión que circuló con fuerza en los días posteriores al tiroteo revelaba que el pago de la vivienda se habría realizado con un cheque de una de las empresas que Yabrán reconocía como propia. Rodríguez relató la operación inmobiliaria con lujo de detalles, en un asado realizado por esos días en su mansión del country Tortugas.

¿Aquella amistad oculta con Yabrán estaba relacionada con el sangriento episodio? ¿O era simplemente, como aseguraba Zulema, una cortina de humo para desviar la atención de la autopsia de su hijo?

La noche anterior a la exhumación, Menem trató de convencer a Zulemita para que lo acompañara otra vez a La Rioja. Quería desaparecer de aquel escenario dantesco, eludir sus propias pesadillas. Entró en el dormitorio del primer piso de la residencia de Olivos y arrastró a "la nena" –como le sigue diciendo– de los brazos, mientras ella decía que no.

–¡Vos te venís conmigo, quieras o no quieras! –le gritó fuera de sí.

–Soltáme… ¡no me toqués, porque te mato! Yo me quedo con la mami. ¡Mirá lo que está pasando con mi hermano… y vos te vas! –le recriminó Zulemita, en medio de un ataque de llanto.

Carlos Menem, desorbitado, vio salir a su hija corriendo de la quinta. Se acurrucó en la cama en posición fetal y lloró como un chico. Ramón Hernández le sacó los zapatos, lo cubrió con la colcha y se puso a preparar los bolsos para escapar hacia el refugio de la montaña.

A las cinco menos diez de la mañana del 12 de julio llegaron al cementerio Islámico, Ricardo Klass, abogado de Menem, y Alejandro Tfeli, su médico personal. Debajo de una carpa de tela de doce metros por cinco –encargada por el empresario Alfredo Péculo, a cargo del procedimiento de sacar el ataúd, a la empresa Roggerone, de Martínez– aguardaron la llegada de los jueces federales Villafuerte Ruzo, Gabriel Cavallo, de Capital Federal, y Jorge Rodríguez, de Morón. Con ellos, había gran cantidad de policías, miembros de la SIDE, dos escribientes con computadoras y empleados del cementerio.

El horario para la exhumación había sido fijado para las cinco en punto, pero aguardaron media hora a que llegara algún representante de Zulema Yoma. A las cinco y media comenzó la tarea. La imagen de la carpa iluminada contra la oscuridad, las sombras de las siluetas moviéndose sobre la fosa provocaban escalofríos a periodistas y custodios que presenciaban la operación. Antes de levantar la loza que cubría el sepulcro, Tfeli abrió el Corán y rezó una oración en árabe.

Rodolfo, el capataz del cementerio, ayudado por otros dos empleados, rompió con un cortafierros la loza de cemento. Sólo el ruido de los martillazos alteró el silencio. Con una cincha levantaron el cajón de madera de cedro, de ciento ochenta y cinco por setenta y ocho centímetros, y un peso, vacío, de ochenta kilos. En el izamiento se desprendieron dos manijas y partes de placas de madera. Presurosamente las colocaron en una bolsa de náilon.

Dentro de la carpa, Alfredo Péculo y Vicente Messiano, representantes de la cochería de San Nicolás que había provisto el ataúd, reconocieron que se trataba del original. El empresario nicoleño, sin embargo, notó que faltaba el Cristo de la tapa, pero le explicaron que había sido retirado por cuestiones religiosas, ya que el muerto era musulmán. Péculo –dirigente peronista que durante la última dictadura fue vinculado con la pesada del Ejército y que, según dicen, realizaba trabajos sucios con la funeraria– daba órdenes todo el tiempo.

Encintado con tres fajas, que fueron firmadas por todos los presentes, el féretro fue cargado en una ambulancia Mercedes Benz MB1800, blanca, que partió hacia la Morgue Judicial.

Eran las 7.50 de la mañana y el sol apenas despuntaba.

En Olivos y la Rosada el aire se cortaba con una navaja.

El matador

Carlos Menem permaneció aislado en el refugio ecológico "La Aguada de las Alturas", una pequeña Suiza de veinticinco mil hectáreas con lago artificial poblado por truchas, cisnes y patos, y un parque inmenso sembrado de lavandas, que el arquitecto Alberto Rossi había logrado reproducir en las laderas del Velazco. Al Presidente le gustaba escaparse allí cada vez que alguna situación lo agobiaba. Se perdía por los caminos de la montaña, cruzaba el puente colgante sobre la vertiente o permanecía en el muelle que daba al lago. Desde ahí, amaba observar el vuelo de los cóndores que anidaban en la cumbre de los cerros o hablar con los corzuelos, una especie de ciervos en extinción. La noche de la exhumación se encerró en el dormitorio de la cabaña de quebracho colorado, descolgó de la pared el retrato de su hijo y cayó en un trance místico. Permaneció largo tiempo con la mirada perdida, la cara empapada de lágrimas, mientras murmuraba incoherencias.

El domingo 1º de julio, el justicialismo, con Jorge Domínguez a la cabeza, había perdido estruendosamente las elecciones a jefe de gobierno de la Capital Federal, frente a Fernando De la Rúa. No obstante, al día siguiente, Carlos Menem festejó su cumpleaños en Anillaco, un ritual que sólo suspendió en 1995 debido a la muerte de su hijo. Los tres Eduardos –Duhalde, que supo bailar en el mismo lugar con una damajuana en la cabeza, Bauzá y Menem, su hermano– faltaron a la cita, condicionados por la debacle del peronismo en las elecciones capitalinas.

Carlos Menem se sentó a la mesa de la hostería Los Amigos –del sindicalista Alfonso Millán–, rodeado por su hija, su cuñado Emir, sus hermanos Amado y Munir, el peluquero Tony Cuozzo, el gobernador Ángel Mazza, la funcionaria mendocina Lidia Domsic (que aseguraba tener videncias), Julio Márbiz y Armando Gostanian –que repartía monedas de plata con la inscripción Menem '99–, el doctor Tfeli y el secretario de Medios, Raúl Delgado.

Al pueblo no llegaron funcionarios de primera línea, pero abundaban los aduladores y pedigüeños. El ultramenemista juez de la Corte Suprema de Justicia, el eterno "viudo" Adolfo Vázquez (en su despacho tiene un enorme retrato de su mujer muerta y cada vez que llega una visita se para frente al cuadro y llora), llegó para demostrar su inquebrantable lealtad.

–Presidente, queremos aclararle que estas tres vaquillonas representan su tercera elección –dijo el jefe de los asadores.

–No, no digas eso, que acá están los periodistas y después se arma lío… –sonrió Menem.

–Acá está el pueblo que se la banca –terminó el paisano, con una cuchilla en la mano y un tenedor en la otra, entre los aplausos de los obsecuentes que levantaban las copas de champán Dom Perignon.

Los bombos del Tula empezaron a tronar y todos se pusieron a cantar "Matador", el tema de Los Fabulosos Cadillacs.

La torta de dieciséis kilos había llegado en el *Tango 03* que trajo a Zulemita a bordo, justo para romper en llanto mientras miraba a su padre apagar las velitas importadas especialmente de Francia. Durante la velada la joven se quebró varias veces sobre el hombro de Menem recordando al gran ausente, su hermano.

El festejo trajo aparejados numerosos cuestionamientos públicos.

–El avión fue pagado por amigos del Presidente, para que llegue bien la torta, esos sponsors también se hicieron cargo de la comida y de la mesa de quesos y fiambres –replicaba Ricardo Mosutti, dueño de la confitería que atiende la Casa Rosada.

Mientras los invitados presidenciales saboreaban catorce cabritos, trescientos sesenta chorizos y tres vaquillonas, decenas de obreros levantaban cerca de allí la célebre pista de aterrizaje que los amigos de Menem habían mandado construir para halagar al Jefe.

La hostería de Anillaco mostró su mejor cara reeleccionista, pero Menem mantuvo todo el tiempo una mirada de hastío.

Ese mismo martes 2 de julio, por la tarde, regresó a Buenos Aires. Le urgía convocar a una reunión de gabinete para calmar las aguas de la crisis que había desatado en su entorno la derrota electoral. Mientras sus ministros se acusaban unos a otros por el desastre que vivía el justicialismo, el Presidente volvió a apagar las velitas. Los más obsecuentes aseguraban que todo se debía a la falta de dirigentes de nivel en la Capital Federal y le daban con un palo a Ruckauf, que había declinado la candidatura. Los más críticos sostenían que todo se debía al creciente malhumor de la gente por la situación económica y los altos índices de desempleo –diecisiete por ciento–, que Cavallo había dado a conocer públicamente cuarenta y ocho horas antes de la elección. Y pedían su cabeza.

–Ese hijo de puta es el culpable de todo, su plan genera desocupación. Él mismo le dijo a Menem en privado que el índice era del dieciséis por ciento y después salió a aclararlo y lo hizo quedar en ridículo, hay que hacerlo mierda –exclamaba Corach.

Esta última teoría, previamente esbozada por el senador Eduardo Vaca, había enfurecido a Menem, no porque se sintiera solidario con Domingo Cavallo, al que despreciaba hasta lo indecible, sino porque significaba aceptar el fracaso de su gobierno.

–Después de todo, es un problema de ellos. ¿Yo qué tengo que ver? –exclamó frente a sus ministros. Y se retiró de la reunión.

Se lo veía cabizbajo y con la mirada agobiada. No hablaba ni festejaba los chistes. Ni las intrigas de sus hombres contra Cavallo lo seducían como antes. Carlos Menem estaba harto del "Mingo" y hacía meses había determinado fecha y hora de su destierro. Fue cuando Cavallo se presentó en el programa de Grondona y denunció que en el gobierno había corrupción y mafias. No le perdonaba su falta de sumisión, ni la popularidad que le habían generado sus escandalosas denuncias. Pero, sobre todo, la ruptura de los códigos que –como los mafiosos– sus hombres respetaban religiosamente. "Yo inventé a este hijo de puta", repitió cuando supo que Cavallo se había reunido con Chacho Álvarez y Graciela Fernández Meijide, episodio que rebasó todos los límites de su paciencia.

Pero Cavallo nunca había hecho profesión de fe menemista: no jugaba al golf, ni al tenis, no salía de noche, no se le conocían amantes y, lo peor de todo: se llevaba bien con su mujer y ella influía demasiado en sus movimientos. Las intimidades del matrimonio eran motivo de burlas entre los obsecuentes nocturnos. Menem había empezado a odiar a Sonia Abrazian con la misma intensidad que a su marido. Cada vez que Cavallo le hacía un planteo sobre Alfredo Yabrán y sus conexiones en el gobierno, le mentía. Le decía que se tranquilizara, que él también estaba contra las mafias, y que le dejara manejar los tiempos.

Cavallo hace el siguiente relato sobre aquel tiempo de locura:

"A pesar de que fui descubriendo el dualismo de Menem y la campaña de desprestigio y acoso judicial, no pude abandonar el gobierno durante el año '95, ni a principios del '96 porque sabía que el regreso de los capitales, el aumento de los depósitos bancarios y la salida de la recesión podrían haberse revertido drásticamente ante mi renuncia. Además, tenía la esperanza de que Menem reflexionara y tomara la línea de acción de su primer gobierno. De hecho, en nuestras conversaciones a solas, él desmentía a los legisladores que decían recibir mensajes contradictorios con la posición oficial del Poder Ejecutivo. Me decía que su falta de acompañamiento público a mis denuncias sobre Yabrán era sólo una cuestión de *timing* y me aseguraba que no era responsable del acoso judicial y que impediría que Jassán y Corach lo alentaran".

Cuando su ministro se retiraba, Menem explotaba de odio, y prometió el infierno para el insurrecto. Primero la desolación y después la cárcel. Por la misma época, Cavallo denunció "acoso judicial" por parte del gobierno y de Alfredo Yabrán. Las causas contra el ministro llovían en los juzgados federales de Comodoro Py, cuyos integrantes –en su gran mayoría– respondían a Carlos Vladimiro Corach.

Yabrán era amigo de Carlos Menem, lo mismo que de su hermano Eduardo, de Antonio Erman González y de Raúl Granillo Ocampo, desde comienzos de los años ochenta y nadie en la intimidad desconocía esta situación. Diego Ibáñez fue el intermediario de los encuentros apenas Menem salió de la cárcel y cada vez que estaba en Buenos Aires, el petrolero lo pasaba a buscar y partían a reunirse con el "Cartero" en el Hotel Presidente, del amigo Aldo Elías, o a cenar en una elegante casona de Martínez donde vivía la atractiva Ada Fonre, ex secretaria y amante de don Alfredo.

Emir Yoma también era un viejo amigo de Yabrán –situación que Cavallo no ignoraba– y, sin embargo, cada vez que el ministro percibió que estaba al borde del abismo, recurrió al cuñado del Presidente para que intercediera por él ante Menem.

"Los actos de corrupción se manejan en el Ministerio de Economía, así que las denuncias alrededor del tema no rozan al ala política del gobierno. Fíjense, en cambio, lo que pasa con la Aduana, las exportaciones e importaciones, el caso del Banco Nación…", eran las punzantes declaraciones presidenciales por esos días.

Aquel mes de julio de 1996, Carlos Menem vagaba en sus propios infiernos. Tenía profundas razones para estar así, pero nadie podía hablar de "ese tema" en su presencia. Él mismo lo había prohibido.

Bauzá y Duhalde almorzaron en La Plata y capitaneaban una de las mayores ofensivas contra Cavallo, de gira en Canadá junto al cantautor tucumano Palito Ortega, de quien era entonces íntimo amigo y al que ayudaba en sus aspiraciones presidenciales.

"Algo hicimos mal para que el electorado nos dé vuelta la cara", dijo Bauzá y se jugó públicamente por la candidatura de Duhalde: "Es el candidato para el '99". El gobernador debía luchar contra el eje Cavallo-Ortega-Beliz y encima Luis Barrionuevo, que anunciaba su incorporación a la Liga Federal, le generaba más inquietud que alegría. Hombre del riñón de Olivos, en el duhaldismo se miraba con recelo su incorporación, sobre todo porque Duhalde intuía que Menem no abandonaría sus deseos de continuidad. Se sabía que esta vez la pelea por la sucesión sería a muerte.

En medio de este caos, el 11 de julio, el ministro de Justicia Rodolfo Barra debió renunciar, acusado por las organizaciones judías de su pasado nazi y de haber participado en su juventud del ataque a una sinagoga. En el gobierno nadie podía hacerse el distraído, había un pasado para todos los gustos: montoneros, fascistas y masseristas. El gabinete completo aplaudió a Barra de pie, a modo de despedida, y Menem se confundió en un abrazo con quien había sido uno de los más leales al sistema.

El pasado de Barra había sido descubierto por la revista *Noticias* y Menem no toleraba que una información periodística pudiera torcerle el brazo. Tardó tres días en aceptar que tendría que hacerlo renunciar, y finalmente lo hizo porque temía que la noticia pudiera embarrar su próximo viaje a Estados Unidos. Aunque la intención inicial del periplo era ver a la Selección Nacional en el Mundial de Fútbol de los Estados Unidos, sus hombres le habían confirmado su deseo máximo: un encuentro con Bill Clinton.

Mientras se hacían los preparativos para la asunción de su reemplazante –el rollizo abogado riojano Elías Jassán, sospechado de mantener negocios con Alfredo Yabrán–, a veinticinco cuadras de la Casa de Gobierno, se iniciaba la ceremonia más penosa: la autopsia del cuerpo de Junior.

La autopsia

El 12 de julio, el juez Gabriel Cavallo ordenó la apertura del ataúd y el subdirector de la morgue, Mario Rosenfeld, coordinó el estudio del cadáver. En la sala había alrededor de veinte personas, entre ellas los peritos propuestos por Zulema Yoma, los del presidente Menem y los oficiales; los abogados de ambas partes; y doce especialistas en neurología, traumatología y cirugía torácica de la Academia Nacional de Medicina, de la Facultad de Medicina y de la Asociación Médica Argentina.

La pericia arrojó varias sorpresas. Entre otras, que el féretro no estaba cerrado herméticamente: no sólo se encontraba roto y deteriorado en su parte superior y lateral sino que, además, la tapa metálica interna no estaba sellada ni soldada. La presunción de Zulema acerca de que la tumba de su hijo había sido profanada comenzaba así a tomar visos de realidad.

Sobre la tapa se encontraron restos de tierra colorada –algo bastante extraño, puesto que en San Justo la tierra es negra– y, para colmo, su examen químico nunca pudo realizarse porque los frascos en los que se colocaron las muestras extraídas desaparecieron de la morgue.

También se tomaron veintiséis placas que fueron comparadas con viejas radiografías de Carlitos y se concluyó que todas correspondían a la misma persona. En las obtenidas después de muerto se constataron fracturas de tórax a la altura de la séptima y la octava costillas, del brazo izquierdo y de ambas piernas. También, fracturas conminutas (múltiples y en trozos pequeños) del macizo facial y ambos maxilares, y fracturas múltiples de pómulos, huesos de la nariz y de la cavidad orbital.

El cráneo presentaba fracturas en todos los huesos que conforman su base, entre ambas orejas y desde la nuca al centro de la cabeza, a saber: esfenoide, silla turca, temporal izquierdo, peñasco occipitotemporal izquierdo y apófisis mastoidea.

El examen dactiloscópico no pudo realizarse debido al estado de putrefacción de los tejidos blandos; y en cuanto al odontológico, se compararon las radiografías tomadas durante la autopsia con su ficha personal, en poder de su odontólogo particular, Carlos Miguel Cecchi, y la correspondencia fue absoluta.

En conclusión: la muerte de Junior se produjo por fracturas óseas múltiples y la causa del traumatismo cráneo-encefálico fue un mecanismo de golpe o choque contra objeto duro y de gran intensidad, aseguraron. Las lesiones debidas a las fracturas del cráneo y del macizo facial eran capaces de producir sobre los tejidos blandos meningo-encefálicos y vasculares, el consiguiente deterioro neurológico y ocasionar el coma y la muerte, se sostuvo.

Zulema esperó afuera de la sala, acompañada por una mujer del Centro Islámico. Tenía en las manos una mortaja blanca para colocarle a su hijo. Cuando intentó entrar, Tfeli la paró en seco y le dijo que eso era imposible, que el cadáver de Carlitos no estaba en condiciones.

A la una de la tarde, el juez Cavallo encintó el ataúd. La caravana –de más de veinte vehículos oficiales– llegó al cementerio islámico cuarenta minutos después. El cuerpo de Carlitos Menem fue depositado en un sepulcro nuevo, al lado del anterior, junto a su abuela Chaha Gazal, madre de Zulema.

Antes de partir de la morgue, y pese a que la tumba tenía visos de haber sido profanada, Zulema dijo:

–Me he reencontrado con Carlitos. Ahora sé que es mi hijo, e iré a rezarle sabiendo que es él.

En lugar de poner fin a la incertidumbre, la autopsia despertó infinitas dudas y suspicacias. Zulema había reencontrado a su hijo, pero seguía obsesionada y el resultado de la pericia no la convencía.

Su mente estaba abrumada por extraños sueños y vaticinios. Sus treinta años de convivencia con Menem y sus entornos le decían que las cosas no eran como le decían ellos.

–No creo ni en el agua que toman –decía.

Consultaba médicos, buscaba personalmente testigos –a los que grababa con un pequeño aparato que llevaba escondido en el bolsillo– y hablaba con distintos expertos. Trabajaba en la casa hasta altas horas de la madrugada, sin despegarse del Corán y cada tanto, se disparaba con una declaración explosiva.

–Mi hijo no murió en un accidente. No era un loquito piloteando. Lo mató la mafia.

Menem se negaba a hablar del tema y pasaba horas encerrado en su habitación de la residencia de Olivos.

Los peritos de Zulema llamaron la atención sobre ciertos puntos de la pericia y solicitaron las respuestas de los forenses oficiales y de los propuestos por el presidente Menem. Se referían a las siguientes cuestiones:

1) Composición de la tierra hallada entre la tapa de madera del féretro y la metálica, y origen de su procedencia.

2) Naturaleza y origen del deterioro del féretro, ya que los clavos de la base estaban destruidos y casi provocaron que se desfondara. También solicitaron especificaciones sobre la posible presencia de ácido o agua en la tumba.

(Estas cuestiones no fueron respondidas por los forenses porque, adujeron, no respondían a temas médicos.)

3) Razones de la putrefacción avanzada del cadáver.

(A esto se respondió que se suceden varios procesos de putrefacción y transformación cadavérica, que comienzan a las veinticuatro horas del deceso, en especial, para los tejidos. En cuanto a la reducción esquelética, ésta comienza al año y medio o dos años de la muerte, y se completa a los cinco años. Como en este caso, desde la muerte hasta la autopsia habían pasado sólo dieciséis meses, concluyeron que todo se aceleró por la presencia de insectos que devoraron los tejidos, debido a que el féretro no se hallaba herméticamente cerrado.)

4) Posibilidad de la presencia en el cuerpo de ácido y de qué clase.

(La respuesta fue que no se hallaron ácidos durante la autopsia.)

5) Explicación sobre la falta de seis dientes, ya que en el examen realizado el día del fallecimiento por el médico de la Policía de San Nicolás, Nicolás Rovera, constaba que la dentadura estaba completa.

(Se contestó que durante la necropsia, por manipulación del cuerpo y debido al estado de los tejidos, se produjeron fracturas y desprendimientos de piezas dentarias, aunque no se explicó por qué después de la autopsia esos dientes no aparecieron en algún lugar del recinto.)

6) Razones sobre las fracturas de cúbito y radio no consignadas en el informe médico de la policía de San Nicolás, aunque descriptas en la Historia Clínica del Hospital San Felipe, y presencia de toxinas en partes blandas y huesos.

(Se respondió que las fracturas tenían las mismas características que las anteriores, es decir, que todas fueron contemporáneas, y que la existencia o no de toxinas sería posteriormente determinada con un examen toxicológico.)

7) Determinar si el cráneo se correspondía con el resto de los huesos del cadáver, ya que en el informe cadavérico y las radiografías obtenidas en el Hospital San Felipe no se mencionaban las fracturas citadas en la autopsia.

(Los forenses afirmaron que había correspondencia absoluta entre cráneo y tronco, no sólo corroborada por el estudio radiológico sino porque el cráneo se hallaba unido al resto del cuerpo por puentes de tejidos en putrefacción, que se desprendieron al colocar el cuerpo sobre la mesa de autopsia.)

8) Posibilidad de supervivencia en función de las fracturas del cráneo halladas el día de la autopsia, no detectadas antes, y determinación de contemporaneidad de todas las fracturas.

(La respuesta fue que todas las fracturas eran contemporáneas y como consecuencia de golpe o choque contra objeto o superficie dura, y que estas lesiones eran idóneas para provocar la muerte en breve lapso.)

¿Pudo haberse salvado?

Pero hubo disidencias y muy serias. Éstas tomaron cuerpo en un informe elaborado por el médico traumatólogo Alberto Raúl Mejía, quien se había negado a firmar las conclusiones de la autopsia y aseguró por escrito que la muerte de Junior no podía deberse al hundimiento de cráneo porque éste no tenía ninguna fractura y que si le hubiesen efectuado de inmediato una traqueotomía podría haberse salvado.

El informe fue realizado a pedido de Zulema Yoma el 23 de octubre de 1996. Se basó en la comparación entre el estudio del material radiográfico y de las piezas anatómicas de la Historia Clínica de Carlos Saúl Menem (h) N° 64.386 –confeccionada en la Unidad de Terapia Intensiva del Hospital San Felipe, inmediatamente después del accidente– y el informe elaborado por el médico de la Policía de San Nicolás, con la autopsia N° 1.439/96, realizada en la Morgue Judicial, el 12 de julio de 1996. También se tomaron en cuenta radiografías de cráneo de 1991, tomadas en el Sanatorio Mater Dei, de la Capital, con motivo de tratamientos médicos anteriores.

Este estudio estuvo dirigido a responder fundamentalmente a los puntos 5, 7 y 8 de la requisitoria de la querellante, que se hallan en el informe de la autopsia practicada el 12 de julio de 1996.

De la comparación entre las placas tomadas tras el accidente y durante la autopsia con las de 1991, Mejía dedujo que "el hueso frontal se presenta sano, no está fracturado en ninguna de las placas radiográficas pre y post mortem", y que, por lo tanto, "no hubo hundimiento del hueso frontal", como se afirmó en la Historia Clínica, el examen *post mortem* inmediato y la autopsia. Aseveró también que los huesos temporales, parietales y del occipital estaban sanos, sin señales de fractura, y que las impresiones de los vasos meníngeos pueden confundirse con fracturas. Finalmente consignó que los huesos observados guardaban relación entre sí y que no fueron dañados por el traumatismo.

Mejía concluyó textualmente: "No existió una alteración estructural (fracturas) del cráneo que justifique un daño grave de la masa encefálica. Por lo tanto, es poco probable que el fallecimiento se haya producido como consecuencia de fracturas del cráneo, que NO EXISTIERON" (en mayúscula e imprenta en el original).

En cambio, agregó, el occiso "sufrió una disrrupción facial, fractura conminuta del maxilar superior e inferior, asociada con un desprendimiento de todo el conjunto de la base del cráneo y con despegamiento de la bóveda palatina y orofaringe, de la base del cráneo hasta la columna cervical y, probablemente, más abajo. Esto produce un extenso hematoma, que provoca obstrucción inmediata de las vías aéreas superiores, lo que trae como consecuencia un severo trastorno respiratorio, con dificultad progresiva de la oxigenación, hasta llegar a la anoxia y daño cerebral consecutivo. A esto se agrega generalmente la aspiración de sangre a los pulmones, lo que complica y agrava el cuadro".

"En estos pacientes, la causa más frecuente de riesgo de vida no son las lesiones del cráneo sino la obstrucción de la vía aérea y, por lo tanto, mueren por asfixia", destacó.

En respuesta a la posibilidad de supervivencia, planteada en el Punto 8 de la pericia, Mejía sostuvo que "la única posibilidad de salvar la vida de estos pacientes en accidentes graves es la de restablecer en forma inmediata la vía de aire. En este caso, se debió haber realizado una traqueotomía de inmediato, agregándole aspiración traqueal y bronquial y un sistema de ventilación mecánico. Teniendo en cuenta que el accidente se produjo a las 11.30 horas y que el ingreso del paciente al hospital San Felipe figura en la Historia Clínica a las 12.30 horas, esto debe traducirse médicamente, que una hora de anoxia grave produce daños cerebrales irreversibles, causa de muerte por coma", puntualizó finalmente.

Las disidencias del doctor Mejía fueron muy importantes para Zulema, porque motivaron que otros peritos modificaran sus posturas originales. A esta altura la causa judicial estaba plagada de situaciones lo suficientemente sospechosas como para poner en duda la hipótesis del accidente.

Los peritos toxicólogos concluyeron en un primer informe, del 27 de septiembre de 1996, que en todas las muestras analizadas (diez frascos, que incluían órganos, cabellos, un trozo de mortaja y fauna cadavérica) "no se comprobó la presencia de elementos o compuestos de importancia toxicológica". En un informe posterior, del 14 de octubre de 1996, confirmaron lo dicho. Pero hicieron una curiosa salvedad: "Reiteramos nuestra posición científica en cuanto toda vez que, por no haberse acreditado fehacientemente a través del pertinente análisis de ADN, el estudio deviene incompleto al no estar sustentado en la certeza de la persona sobre la cual se investiga, máxime el tiempo transcurrido. También dejamos a salvo nuestra posición acerca de no suscribir que la totalidad del material examinado corresponde a una única y misma persona".

El informe fue presentado ante el juzgado federal de San Nicolás con la firma de los doctores Estela Bruch Igartúa de Findor, Ana María Caresana y Otomaro Enrique Roses.

Zulema entendió enseguida que el cuerpo examinado podría no haber sido el de su hijo y que incluso las partes estudiadas podían pertenecer a varios cadáveres, pero curiosamente, se negó a que se estableciera el ADN. Estaba convencida de que también en eso podían fraguarle los resultados.

Festejen con champán

La historia era cada vez más compleja, su trama incluía denuncias, amenazas y mensajes cruzados, y Zulema pasaba sus días y sus noches sumergida en ella. No hablaba de otra cosa que del cadáver de Carlitos. Encendía incienso y rezaba en árabe, con el Corán en la mano. Desesperaba con cada dato que pudiera estar relacionado con lo que ella consideraba que había sido un atentado de la mafia. Acusaba de la muerte de su hijo a Ramón Hernández y al médico Alejandro Tfeli. "Vieja, si algún día me matan, el culpable es Ramón", revelaba que su hijo le dijo antes de morir. Recibía cartas y atendía personalmente a personajes oscuros, algunos relacionados con los servicios de inteligencia, que le contaban historias alucinantes. Estos personajes eran manejados desde el despacho de Carlos Corach: ahí cobraban y eran enviados a la casa de Zulema para involucrarla en situaciones disparatadas y ensuciar la causa.

Zulemita había regresado a su lado, aunque visitaba con frecuencia a su padre en Olivos. Escuchaba en silencio los relatos necrofílicos de su madre, mientras comía bocaditos árabes en la mesa de la cocina.

—Nena, ¿le dijiste a tu padre que tu hermano está enterrado sin cabeza, que profanaron el cadáver, le dijiste? Mirá lo que hicieron con tu hermano estos delincuentes...

Zulemita guardaba silencio y cuando no podía más, rompía en llanto.

El 17 de julio, renunciaba el ministro de Defensa Oscar Camilión, empujado por el escándalo del tráfico de armas a Ecuador y Croacia. Había declarado en el Congreso que conocía los nombres de los delincuentes involucrados, pero que no los podía decir en ese momento.

El juez federal Jorge Urso había pedido su desafuero a la Cámara de diputados para procesarlo por encubrimiento. Era el segundo ministro que le presentaba a Menem la renuncia en una semana.

–¡Estos tipos me cagaron la vida! Pasé por todos lo gobiernos como un hombre decente y ahora me tengo que ir como un corrupto… –dijo Camilión llorando de la bronca en su despacho y dando un puñetazo sobre su escritorio.

Pero, como no hay dos sin tres, tampoco ahí pararon las renuncias. El 26 de julio de 1996, después de violentísimos enfrentamientos, Carlos Menem se deshizo de Domingo Cavallo. La decisión había sido largamente acariciada por el menemismo. Alfredo Nallib Yabrán se aprestó a vivir a partir de esto –y después de las piedras arrojadas en su contra y de una exposición pública que odiaba– una burbujeante primavera.

Llamó por teléfono a Corach, Jassán, Granillo Ocampo y Eduardo Menem –sus amigos en el gobierno– para felicitarlos por la medida. Y se comunicó con los celulares de Emir Yoma y de Ramón Hernández para que le transmitieran al Jefe sus sentimientos.

–¡Hay que festejar con champán, ganamos! –exclamó el "amarillo" (lo apodaban así por el color de las camionetas de las empresas que reconocía como propias) del otro lado de la línea.

Ese mismo viernes Cavallo había ido al despacho presidencial. Ya sabía que en Olivos ajustaban los últimos detalles de su destierro. Y quiso ganar tiempo aprovechando la llegada de David Mulford a la Argentina, convencido de que en esos momentos su salida provocaría una crisis económica insostenible. Él era un "hombre de Estados Unidos" (Cavallo gozaba con aquella definición) y esa relación lo hacía sentirse imprescindible. Había amenazado a Menem con su renuncia en tres oportunidades y pudo comprobar que después todo volvía a la normalidad.

Cavallo, al igual que Menem, se creía Dios.

Pero no contó con un detalle: el país del Norte tenía millonarios intereses en la Argentina y no los iba a tirar por la ventana por una pelea que a esa altura ya no le traía beneficio alguno. El Plan de Convertibilidad se sostenía solo. Y Menem era un socio tan o más leal que Cavallo.

El Presidente lo recibió como siempre. Una sensación extraña, cortante, flotó en el ambiente.

–Carlos, esto no da para más. Se terminó…

–Está bien, Mingo, pero dame tiempo para encontrar un reemplazante. No tengo a quién poner, pensemos con la cabeza fría, ¿quién se te ocurre?

–Roberto Alemann no es un mal candidato. Pero para que acepte tenés que llamarlo vos personalmente…

Los dos se saludaron con aspereza y Cavallo partió a almorzar con

Susana Decibe, en el restaurante Llers de Palermo Chico. Había imaginado que una salida lo menos traumática posible llevaría dos o tres meses. Y de eso hablaba con su par de Educación, cuando las radios anunciaron su salida del gobierno. Desde ahí, ordenó a su vocero Adrián Gómez: "Andá a la sala de periodistas del ministerio y desmentí todo. Yo no renuncié nada, esto es una operación".

A las tres y media de la tarde, el jefe de Gabinete, Jorge Rodríguez, lo llamó al celular y le dijo que el Presidente quería su renuncia. Al rato, el diputado César Arias se comunicó con Horacio Liendo, secretario de Planeamiento del Ministerio de Economía, y le prometió –siempre en nombre de Menem– que en treinta días se terminaría el acoso judicial y que él, como titular de la comisión de juicio político de la Cámara de Diputados, se iba a encargar de rechazar los innumerables pedidos de desafuero que se habían acumulado durante aquella guerra sin cuartel.

Carlos Menem, omnipotente, divulgó por televisión que él lo había sacado a Cavallo del gobierno. "Le pedí la renuncia", dijo feliz. El establishment, los mercados, los inversores y los acreedores esperaban en vilo. Esa mañana, muy temprano, cuando el sol asomaba apenas en el horizonte, había ido solo, como un relámpago, al cementerio de San Justo.

Se arrodilló frente a la tumba de su hijo y rezó.

–¿Qué pasa, Jefe? ¿Por qué fue justo hoy al cementerio? –le preguntó Tfeli.

–Porque necesitaba hablar con Carlitos, le pedí que me ayude. Hoy es un día difícil…

Con la renuncia de Domingo Cavallo se terminaba una etapa. Todo había salido según su intuición y sus órdenes se cumplieron al pie de la letra. Menem había ganado la guerra. Como de costumbre, la suerte estaba de su lado. Se metió en el jacuzzi que Ramón le había preparado, y se dispuso a meditar en el agua. Trató de dormitar. A la vez que alivio, sentía una absurda sensación de pérdida.

Menem nombró ministro de Economía al titular del Banco Central, Roque Fernández, un "Chicago boy" que acompañaba a Cavallo desde el principio. El único que no llamó al cesanteado para solidarizarse en su despido.

Apenas se enteró de la noticia, Zulema Yoma llamó al vigésimo tercer piso del edificio vidriado de la avenida Libertador para hacerle llegar su respaldo al cordobés. El padre de la convertibilidad era enemigo de sus enemigos y, por lo tanto, su amigo. Cavallo aseguró siempre que la muerte de Carlitos era el "tercer atentado".

Los primeros días de octubre, después de varios allanamientos realizados por el juez Tiscornia en las investigaciones sobre la "Aduana paralela", Carlos Menem vio la posibilidad de sacar provecho personal en dos sentidos: la sensibilidad de la gente respecto de la existencia de mafias –que habían denunciado Zulema y Cavallo– y la posibilidad de enviarle un misil al ex ministro, ya que la Aduana había estado a cargo de un hombre de su extrema confianza: Gustavo Parino, que en ese momento tenía abiertas más de cincuenta causas judiciales en contra.

–Jefe, tiene que aprovechar el momento, y de paso lo mata a ese hijo de puta... Hay que mandarlo preso –le susurraban sus entornos y el nuevo escriba de sus discursos, Emilio Perina, o Moisés Constantinovsky, como era su nombre real.

"Por Perón y por Irina, mi hija", explicaba el ex asesor de Frondizi. En septiembre de 1997, Perina se convirtió en el monje negro que le aconsejó a Menem cargar contra el periodismo.

Además del encendido discurso contra la corrupción, Menem ordenó la creación en la Cámara de Diputados de dos comisiones investigadoras, una que analizaría los contratos de IBM con el Banco Nación y la DGI, y otra para la "Aduana paralela". El trasfondo de la operación no era la investigación de corrupción, sino la continuación de la guerra contra Cavallo. "Hay que destruir al Pelado", era la orden que bajaba de Olivos.

El miércoles 9 de octubre, Domingo Cavallo, furioso, llegó a la residencia después de pedir una audiencia a través de su secretario, José Luis Giménez. Fue la última vez que habló con Menem en privado.

–¡Mingo, tanto tiempo! ¿Cómo está Sonia? ¿Y los chicos? –se acercó con una sonrisa y le pasó la mano por la espalda al hombre que odiaba más que a nadie en el mundo.

–Estoy muy ocupado, tengo muchas invitaciones para dar seminarios en el exterior. Voy a estar viajando por el mundo, por lo menos hasta el mes de abril del año próximo. Y después voy a quedarme en Buenos Aires, porque quiero presentarme como diputado nacional.

Menem le dijo, como sorprendido:

–Mingo... me parece bien, porque a pesar de que todos decían que eras un técnico, siempre fuiste un hombre de la política. Vos sabés que yo siempre pensé que la política está por encima de la economía. Además, creo que con Gustavo (Beliz) van a poder trabajar muy bien juntos.

Cavallo hizo silencio y entendió el mensaje. Carlos Menem lo quería afuera del justicialismo, al que lo había invitado a afiliarse en el año

1992, antes de que su fracaso estruendoso en la provincia de Córdoba provocara festejos de muchos miembros del gobierno nacional.

El cordobés fue directamente al motivo que lo había impulsado a pedir la audiencia.

—Quiero decirte que estoy muy sorprendido, porque ahora estás decidido a luchar contra la corrupción y las mafias. Lo que yo hice todo el tiempo mientras fui ministro, y Corach y Jassán me hacían la vida imposible, desmintiendo lo que yo decía. Y atacándome por todas partes. Me sorprende que te des cuenta recién ahora...

Menem se mantuvo en un filoso silencio.

—Carlos, yo no te creo. Esta es una estrategia más para destruirme. Vos sabés que Tiscornia es un corrupto, vos mismo me mandaste a preparar un pedido de juicio político contra él porque protegía a contrabandistas y evasores. Esto es una cortina de humo para proteger a Yabrán y entregarle el Correo, los aeropuertos y los DNI. Corach y Jassán te vendieron un buzón y te aclaro que les va a salir mal, va a ser un bumerán.

Menem estaba desencajado, hervía de furia. Trató de mostrar calma.

—Mirá, Mingo, a mí nadie me vende ningún buzón, no sé si te soy claro.

—Te conviene explicarle a la gente lo que está pasando. Yo no te creo nada de lo que decís.

Menem mostró esta vez cierta preocupación.

—Mingo, vas a escupir para el cielo. Te vas a oponer a lo que vos hiciste...

—Si de algo estoy seguro, es que la economía no está en discusión: va haber crecimiento con estabilidad. Pero te aclaro que voy a seguir con mis denuncias contra Corach y Jassán, que hacen lobby con sus jueces amigos para perjudicarme políticamente. Te aviso que esos delincuentes no van a conseguir destruirme.

A esta altura, el ambiente estaba tenso. Entraron los perros y Menem aprovechó para distenderse. Jugaba con los animales para disimular la bronca.

—Mingo, si la economía marcha bien, como vos decís, entonces la gente va a querer que yo vuelva a ser Presidente en el '99...

Cavallo lo miró asombrado. No contestó y apuró la despedida. Cuando subió al auto, le dijo a su secretario:

—Es inútil, José Luis, a este tipo lo único que le interesa es el poder. Y es capaz de matar por mantenerse en el poder.

"Me van a tirar un muerto"

El trámite de la autopsia seguía a los tumbos y el gobierno no le perdía pisada, especialmente el doctor Tfeli, de estrechísimas relaciones con el mundo de la medicina prepaga y los laboratorios, y Carlos Corach, con sus influencias judiciales con los federales.

El juez Villafuerte Ruzo era amigo de Carlos Corach y Zulema lo tenía prácticamente adentro de su casa. El ex corredor Jorge Cupeiro –socio de Zulemita en la agencia de autos Toyota– era a su vez amigote de Alberto Piotti, ex juez de San Isidro y luego secretario de Seguridad de Duhalde, y del comisario Naldi, miembro de la "maldita policía". Y, además, conocía al juez de la causa desde hacía muchos años. Así, triangulaba la información que obtenía de boca de Zulemita acerca de los pasos de Zulema en torno de la investigación de la muerte de su hijo. Cuando Carlitos se estrelló con el helicóptero, el primero en llegar al lugar fue Piotti, pero cuando Zulema pidió que lo citaran a declarar en la causa, el juez lo llamó con sugestiva demora. Ya caído en desgracia, un Piotti barbudo y demacrado llegó al juzgado, declaró muy escuetamente y no respondió ninguno de los interrogantes. Tampoco nunca fue citado a declarar su amigo, el comisario Pedro Klodczyk.

Los peritos odontológicos manifestaron también su disidencia. El 13 de diciembre de 1996, la doctora Beatriz María Maresca –que fue quien produjo el informe de la autopsia, junto con los dentistas Carlos Cecchi, Inés Cecchi y Susana Pezze– afirmó que "durante la confección de la ficha odontológica de la exhumación se destacó la falta del sector dentario y óseo antero-superior, correspondiente a la zona de canino a canino" y que "no existe una razón científica o específica para justificar la falta en ese momento de dicho sector".

Carlos Cecchi es el dentista personal de la familia Menem y de gente tan conocida como Amalita Fortabat, el nuncio papal Calabresi, Susana Giménez, Mirtha Legrand, Mariano Grondona, Bernardo Neustadt y varios sindicalistas.

A partir de las disidencias, el juez Villafuerte Ruzo decidió convocar a otra junta médica para alcanzar una opinión única, pero Zulema presentó un recurso de nulidad para impugnar esta medida: lo que había que hacer era confrontar a todos los peritos intervinientes, no llamar a terceros ajenos, sostuvo.

El año 1996 finalizaba en medio de turbulencias sociales.

El 26 de diciembre se realizó el paro general convocado por la CGT en protesta por la ley de flexibilización laboral impulsada por el gobierno, con tanto éxito como el apagón organizado en agosto por la multisectorial opositora.

–Se ve que tienen pocas luces –dijo mofándose de los protagonistas de la original protesta.

Estaba furioso, pero trataba de que no se le notara. Las encuestas aseguraban que su imagen estaba por debajo de Duhalde y a la altura de Alfonsín. Las escuchaba y se negaba a aceptarlas. Un mediodía almorzó en Olivos con el jefe de la SIDE, quien, carpetas en mano, le mostró que el ánimo en el gran Buenos Aires estaba por el piso. El ochenta por ciento de los encuestados creía que Menem no era capaz de conducir la crisis económica y social.

Mientras tanto, Zulema desesperaba por la poca difusión que se le daba a la investigación sobre la muerte de su hijo. Hacía varios meses que había cortado todo contacto con Carlos Menem. Presionaba a través de Crónica TV, *Diario Popular*, radios del interior y corresponsales extranjeros, los únicos que publicaban sus denuncias. Hablaba constantemente por teléfono con Sonia Cavallo y los fines de semana se cruzaban una a la casa de la otra a tomar el té con masitas y compartir sus penas y rencores. Zulema aprovechó entonces para acercarle a Cavallo una carpeta con la causa. El ex ministro, que soportaba una guerra de acusaciones judiciales de algunos funcionarios, y sobre todo una embestida de Alfredo Yabrán, se juntó con sus hombres y revisó minuciosamente la investigación sobre la muerte de Junior. Y en cada oportunidad que le ponían un micrófono, aseguraba que le creía a la ex primera dama.

Una mañana de domingo, Zulema presagió, en conversación telefónica con esta periodista:

–Ninguno de ustedes investiga lo que pasó con Carlitos. Tengo un mal presentimiento, madre. Algún día le va a pasar algo a uno de ustedes y entonces se van a acordar. Yo sé cómo operan estos mafiosos, llevo treinta años conviviendo con ellos...

Fue como una premonición. El 25 de enero de 1997 el país amaneció otra vez frente al espanto.

Se encontró en Pinamar, a pocos metros de la casa de veraneo de Eduardo Duhalde, y en el camino que el gobernador hacía todas las mañanas para ir a pescar, el cadáver calcinado de un fotógrafo de la revista *Noticias*, José Luis Cabezas.

Aquí se desata el nudo de otra historia tan tenebrosa, como tantas que poblaron la década. El brutal asesinato de Cabezas desnudaría una turbia trama de conexiones entre la policía de la provincia de Buenos Aires y el duhaldismo. Y Yabrán se encontraba en el ojo de un huracán, del que sus amigos menemistas no lo pudieron salvar. Desde el primer momento, Duhalde pensó que aquella muerte era un aviso del menemismo. "Estos hijos de puta me tiraron un muerto", les dijo a sus hombres. Hacía tiempo que el gobernador avizoraba la noche negra que se le venía encima.

–Yo sé que un día me van a tirar un muerto –le confesó a esta periodista un ardiente domingo de febrero de 1996, mientras contemplaba los lánguidos flamencos del lago de la quinta de San Vicente–. Estos tipos son capaces de cualquier cosa con tal de destruirme, de no dejarme llegar. Sé que tienen pensado sacar un arrepentido que va a confesar que me vieron vendiendo droga...

En agosto de ese mismo año, el periodista Carlos Dutil, de la revista *Noticias*, lo golpeó fuerte al desnudar un entramado de negocios turbios, drogas y enriquecimiento ilícito que involucraba a los uniformados de la provincia, aquel temible ejército de cuarenta y ocho mil hombres, los "Patas negras", a los que había defendido con pasión con una frase que lo estigmatizó para siempre: "Es la mejor policía del mundo". Aquella investigación, que más tarde se transformó en un libro, *La Bonaerense*, obligó a Duhalde a cortarles las alas a sus amigos, el comisario Pedro Klodczyk y el secretario de Seguridad, Alberto Piotti.

La historia de las relaciones de Eduardo Duhalde con el narcotráfico era antigua. Estaba incorporada en el imaginario popular, hasta el punto de que Mirtha Legrand, en uno de sus almuerzos, allá por 1992, en pleno Narcogate, le preguntó a boca de jarro si él era narcotraficante. Fue a propósito de la firma del decreto que nombraba al sirio Ibrahim Al Ibrahim, al frente de la Aduana de Ezeiza. Cada vez que le hacían una pregunta semejante, Duhalde aseguraba que eran campañas de los carteles de la droga para desprestigiarlo, porque él luchaba contra la droga. Y desempolvaba de su biblioteca un libro de su autoría en el que da consejos sobre cómo luchar contra el flagelo.

Una de las versiones más fuertes aseguraba que alguna vez, hacía ya muchos años, Duhalde habría tenido algún traspié y que, al verse descubierto, pactó con la DEA, y que a partir de su colaboración los norteamericanos se encargaron de borrar las huellas de ese pasado.

Apenas se enteró del asesinato de Cabezas, Duhalde dijo que él se iba a hacer cargo personalmente de la investigación. Era el nuevo sheriff del subdesarrollo.

–¿Se dan cuenta por qué este pelotudo nunca va a ser Presidente? Porque no es como el Jefe. En lugar de hacerse cargo del quilombo, tendría que hacer como nosotros: tirarles el paquete a la policía y a la Justicia. Y después, hacerse el boludo, como hace Carlos –festejaban en el despacho de Corach.

–Yabrán mató a Cabezas, no hay duda. ¿Por qué lo defendés a este tipo? –se animó a plantearle Duhalde en un acto público que compartió después de mucho tiempo con el Presidente.

–¿Y dónde están las pruebas, eh? ¿Dónde? Por favor… Yo estuve preso acusado por algo que no hice… Y me comí cinco años –le contestó Menem y le dio la espalda.

Una tarde de finales de invierno de 1998, en la suite del segundo piso del Hotel Alvear, Duhalde recordó aquel diálogo ácido y la abrupta oscuridad en los ojos de Menem. Confesó que aquel gesto le confirmó el tono de la relación que unía al empresario telepostal con el Presidente. Y que fue a partir de ahí que abandonó para siempre cualquier entendimiento.

–Se terminó. No creo nada de lo que dice. ¿Cómo puede ser que este tipo sea tan frío? ¿Tan calculador? No le importa nada: ni el hijo muerto, ni el otro hijo que tiene en Formosa. Este hombre no tiene sentimientos, es un psicótico del poder. Creo que no sería capaz de mandarme matar, pero desconfío del entorno –descerrajó de un tirón, como buscando su propio convencimiento.

La profanación

Zulema solicitó por esa época, a través de oficios enviados al Presidente de la Nación y al gobernador de la Provincia de Buenos Aires, que se le otorgara a la muerte de su hijo igual tratamiento que el dispensado en la investigación del asesinato de Cabezas. Nunca recibió respuesta.

En la misma línea, eligió dos peritos al azar entre los designados por la Academia Nacional de Medicina para realizar la autopsia de Junior, y los intimó para que respondieran sobre el rol desempeñado en ella. Esto es, si habían actuado o si se habían limitado a fiscalizar la tarea de los otros, y si dieron respuesta y en qué calidad a todos los puntos cuestionados por la parte querellante.

Los médicos Alberto Agrest y Osvaldo Fustinioni jamás contestaron esas cartas documento. En cambio, el presidente de la Academia Nacional de Medicina, Andrés Stoppani, rechazó la intimación, aclarando que sólo ante el magistrado podían aquellos peritos efectuar declaraciones. Pero éstos nunca fueron citados.

Teniendo en cuenta las disidencias que se iban sumando en el informe original, el 4 de marzo de 1997 Zulema Yoma solicitó al juez Villafuerte Ruzo autorización para controlar las muestras que habían sido reservadas en la Morgue Judicial para su estudio. Entre ellas, trozos del ataúd, una manija, una medalla de oro y muestras de fauna cadavérica y de la mortaja. Pretendía constatar si esos efectos estaban debidamente conservados.

El 13 de julio de 1996, un día después de que se practicara la autopsia, el abogado de Zulema, Alejandro Vázquez, fue a verla y le dijo en tono severo y apesadumbrado:

—Señora, debo confesarle una dolorosa verdad.

Le contó que el profesor Fustinioni lo abrazó y le dijo que el cráneo de Carlitos Menem había quedado en la Morgue, separado del cadáver que se había inhumado. Y que le aconsejó:

—Usted no puede ocultarle la verdad a esa madre.

En ese mismo momento, Vázquez llamó por teléfono al doctor Victorio Anselmo y lo convocó a la casa de Zulema.

—Fuimos los tres al living —relató Zulema—, y Vázquez le preguntó si el cráneo estaba en la morgue, porque a él le parecía que el que había visto era muy chiquito para ser el de Carlitos. Anselmo le aseguró que estaba enterrado.

Después de escuchar esto, los dos fueron a consultar al juez federal Bagnasco.

—Me hice la tonta y le pregunté si él sabía algo acerca del cráneo de Carlitos, que si podía ser que hubiese quedado retenido en la morgue —contó—. El juez me aseguró que debía estar enterrado, pero por las dudas, delante mío llamó por teléfono a la morgue y le contestaron que el cráneo se encontraba allí.

Después, Zulema visitó al juez Cavallo y le hizo la misma pregunta. Este magistrado le dijo que todo el cuerpo había sido enterrado. Y no mentía, por lo menos, en cuanto a que había sido enterrado con un cráneo. La fiscal Amalia Sívori y la secretaria del juzgado Sonia Neustadt vieron que había una cabeza dentro del féretro, cuando lo cerraron. Pero, ¿era la de Carlitos?

Zulema fue a la morgue.

—Cuando aparecí, desaparecieron todos, mamita, estaban escondidos —recordó.

Pidió entonces un teléfono para llamar al ministro Corach, ya que le dijeron que sin su autorización nadie la atendería. Después de algunas horas, con el sí de Corach, los empleados empezaron a aparecer y le confirmaron que allí había un cráneo.

No es inconcebible que algo de este tenor haya sucedido si se tiene en cuenta que algunos de los peritos firmaron el informe pericial sin leer-lo. Así lo admitió el odontólogo Carlos Cecchi, quien le dijo a Zulema que los forenses formaron una cola muy larga para firmar y que cuando llegó su turno, pasada la una de la tarde, " nos apuraron, así que firma-mos sin leer…".

El único médico que se negó a firmar fue el doctor Mejía, perito de parte de Zulema y viejo amigo de la familia.

–Yo no firmo nada que no haya hecho, no les voy a tirar mi honra a los perros –dijo el traumatólogo.

Fue al cabo de una reunión de peritos que se celebró en la Morgue Judicial a efectos de mostrarle el video de la autopsia. Mejía se había pre-sentado con la abogada Rita Janá y Lucho Pineda, el amigo inseparable de Carlitos. Una vez finalizada la exhibición del video, alguien se acer-có a Mejía y le dijo que al día siguiente debía pasar por el subsuelo de Tribunales, donde funciona el Cuerpo Médico Forense, a firmar el infor-me. Y él se negó.

Como broche de la pericia toxicológica, la jefa de Laboratorio de Entomología Forense, la doctora Adriana Oliva, destacó respecto de la fauna cadavérica encontrada, que "no se ha estudiado el género en el país, por lo cual no se puede afirmar si hay una sola especie o varias, o si se trata de la especie común europea *Conicera Tibialis*". ¿Qué hacía una fauna así en el cuerpo de Carlitos?

"Aquí está la medallita"

La Junta Médica Final, convocada por el Juez Villafuerte Ruzo, se llevó a cabo el 25 de septiembre de 1997 en el Aula de la Morgue Judi-cial. La mayoría de sus integrantes habían participado en la autopsia del 12 de julio de 1996. Estaban los médicos Reynaldo Ludueña, Eugenio Caputi, Oscar Noguera, Osvaldo Curci, Mario Rosenfeld, Heraldo Don-newald; y como peritos por la querella, Alberto Mejía, y Avelino Barata, por parte del presidente Menem. Se convocó también a otros profesiona-les: Cynthia Urroz, Salomón Schachter, Isaac Kaminszicik, Ramón Lei-guarda, Carlos Gherardi, Eduardo González Toledo, Armando Maccag-no, Víctor Poggi y Alberto Foresi, este último como nuevo perito de la querella.

El informe resultó asombroso: los peritos propuestos por Zulema Yo-ma terminaron adhiriendo a la misma posición que los peritos oficiales y se retractaron completamente de sus disidencias. Llamó sobre todo la atención el giro de Mejía, que había fundamentado en modo muy profesional las anomalías halladas en la autopsia. Sobre la base de un estudio fotográfico, reconocía lo que antes había negado usando letras mayúsculas. Ahora, según él, no sólo "existían fracturas en la base del cráneo" sino que, además, esas lesiones "eran vitales", algo en lo que coincidieron todos los integrantes de la junta.

El segundo punto fue resolver si la atención brindada en el Hospital San Felipe de San Nicolás respondió a prácticas médico-científicas habituales y compatibles con las lesiones que padecía el accidentado. Por unanimidad se contestó –incluyendo a Mejía– de manera afirmativa, agregando que la infraestructura técnica del hospital y la atención dispensada al paciente fueron las adecuadas.

El doctor Foresi, sin embargo, manifestó que "no podría afirmar que el cráneo pertenezca a Carlos S. Menem (h), pero tampoco negarlo", por lo que recomendó se realizara el estudio de ADN.

Respecto de la posible existencia en el cadáver de restos de esquirlas o fragmentos metálicos vinculados con procesos explosivos, los peritos manifestaron por unanimidad que "no se observan tales circunstancias". También coincidieron en que la pérdida de seis dientes se debía a la manipulación del cuerpo y al mal estado de los tejidos.

El doctor Mejía nunca habló con Zulema de su cambio de posición, y tampoco nunca fue citado a declarar. Pero ella lo sigue respetando, porque, a su entender, "hizo todo lo que estuvo a su alcance, pero deben haberlo presionado". La junta médica final fue, sin duda, el último paso para apurar el cierre de la causa. Pero se sumó a la larga lista de irregularidades que la rodearon desde su comienzo.

Representantes de distintas casas mortuorias aseguran que es imposible que un cuerpo alcance, en apenas dieciséis meses, el grado de descomposición en que se halló el cadáver de Junior, a menos que se le coloque alguna sustancia que la acelere.

En el mismo sentido, un integrante clave del cuerpo médico que practicó la autopsia confirmó en estricto *off the record*:

–Es evidente que al cadáver le hicieron algo.

La autopsia de Silvio Oltra se llevó a cabo dos años y medio después del accidente, esto es, un año después de la de Carlitos Menem. El cuerpo del automovilista, sin embargo, estaba intacto.

Varios hechos confusos, por otra parte, indican que la tumba pudo haber sido profanada. En el video de la autopsia, por ejemplo, se ve a uno de los médicos tomar la medalla de oro que estaba dentro del féretro, y decir:

338

–Acá está la medallita… ya la conocía.

Raro, por cuanto las únicas personas que sabían de la existencia de esa medalla eran Zulema Yoma y Zulemita. La madre se la había dado en la intimidad a su hija con el mandato de colocarla dentro del féretro.

La fiscal Amalia Sívori, que en 1997 estaba a cargo de la causa, se comunicó con la madre de Junior para recomendarle que "en forma urgente" pusiera custodia en la tumba, ya que iba a ser profanada. Zulema se comunicó con el juez Rodríguez, de Morón, y sin revelar la fuente de información logró que la Gendarmería Nacional ejerciera esa vigilancia.

Además, el 26 de mayo de 1998, presentó un escrito al juez Villafuerte Ruzo, solicitándole una copia en crudo del video de la autopsia, ya que el suyo había sido editado. Hasta hoy no la ha obtenido.

Por su parte, Zulemita aseguró –ya en total concordancia con su madre– que el juez le había dicho que la muerte de su hermano había sido un atentado y que el helicóptero estaba lleno de proyectiles. El magistrado nunca la desmintió, pero su actuación en la causa se orientó siempre hacia la hipótesis del accidente.

Sueños premonitorios

Muchos de los pasos que Zulema Yoma siguió durante la causa los decidió después de tener sueños increíbles con su hijo, que ella interpretó como indicios, por más que eso es algo de lo que no habla demasiado por temor a que la crean loca. Soñó que su hijo era un feto que dormía con ella y le daba una tarjeta con una inscripción que no alcanzaba a leer. Tiempo después, mientras Vázquez anunciaba por televisión que la muerte de Carlos Menem (h) había sido un atentado, Zulemita sufrió una crisis de nervios y su madre, con la intención de calmarla, tomó el Corán para leerle alguna frase. Al abrirlo se cayó una tarjeta que nunca había visto, con una frase del libro sagrado que decía: "Nada te turbe, nada te espante, todo se pasa. Dios no se muda, la paciencia todo lo alcanza. Quien a Dios tiene, nada le falta, sólo Dios basta". Era la tarjeta que Junior le alcanzaba en sus sueños.

En ocasión de la autopsia, tuvo otro sueño. Carlitos le decía:

–Mami, me duele la pierna, que me vea el doctor Mejía.

Este médico lo había operado de una pierna después del accidente de moto que tuvo en julio 1989. Hasta ese momento, Zulema no había designado un perito de parte, porque no conocía a nadie. Entonces, Vázquez lo llamó y Mejía aceptó porque, según dijo, no iba a permitir que ensuciaran a Carlitos diciendo que era drogadicto.

Ya otras veces Zulema Yoma había temido por la vida de su hijo. La primera, en 1987, cuando sufrió una peritonitis aguda mientras estaba en La Rioja. Ella, sola su alma, lo trasladó en avión hasta Buenos Aires para que fuera atendido en el Hospital Español. La segunda vez fue aquel accidente de moto en Cruz del Eje, adonde viajó con un amigo. Zulema le había dicho:

—Chancho, no se te ocurra ir en moto.

—No, vieja, quedáte tranquila.

Pero se fue en moto y su amigo, que iba en una máquina similar, lo atropelló.

El 15 de marzo de 1995, ella se guió por esa intuición que sólo poseen las madres. Cuando recibió el aviso de que Carlitos había tenido un accidente, la miró a Zulemita y le dijo:

—La tercera es la vencida. Tu hermano está muerto.

Fue en la Ruta Nacional N° 9, en el kilómetro 211, a la altura de Ramallo, mientras piloteaba un helicóptero rojo y blanco marca Bell, con destino a Rosario para participar en una carrera de TC 2000.

Ese día había salido de su departamento de la calle 11 de Septiembre al 1700, muy temprano. Montó en su Nissan Pathfinder negra y pasó por la casa de su madre, en Posadas 1540, para despedirse, como lo hacía siempre que viajaba. Eran las ocho y media. Zulemita le pidió que la llevara a su mamá en el viaje para que se distrajera. Carlitos le contestó:

—No puedo, voy con una mina.

Estaba un poco raro esa mañana. Dijo que le dolía el estómago. Zulema le alcanzó un Sertal para que se le pasara. Su hijo se fue y ella hizo algo insólito: lo dejó partir sin darle su bendición. Cuando se dio cuenta, salió corriendo y le gritó:

—¡Chancho, Chancho...!

Pero Junior había desaparecido por el ascensor.

Eran las nueve cuando se encontró en la confitería La Rambla, que queda en la esquina, con sus dos amigos, César Perla y Luis Pineda. Iba acompañado por tres de sus cuatro custodios: Barcelona, Noriega y Bauer. El otro, el sargento Acosta, aquel día había pedido su retiro.

Junior se fue en el auto de su custodia hacia la quinta presidencial de Olivos, desde donde partiría en helicóptero hacia el aeródromo de Don Torcuato. Allí cargaría combustible antes de volar hacia Rosario y recoger a Silvio Oltra. El plan era que Perla, acompañado por Barcelona, manejara la Nissan negra hasta esa ciudad santafesina, y Pineda se fuera en moto. Y así lo hicieron.

A la altura del kilómetro 205 la camioneta pinchó un neumático y pararon para repararlo en una estación de servicio. Mientras esperaban vieron que, por encima de sus cabezas, el helicóptero que manejaba Carlitos se adelantaba unos kilómetros...

Antes de cederle la camioneta a su amigo, Junior sacó de allí un maletín gris metálico que contenía treinta y tres mil dólares, dinero que llevaba para alquilar autos de carrera. En su billetera llevaba mil pesos para gastos menores.

El operario de playa de Don Torcuato, Jorge Bolla, vio un helicóptero en la plataforma de carga de combustible e identificó bien pronto a la máquina y a su dueño, ya que lo había atendido otras veces. También vio que a unos veinte metros de la nave de Carlitos estacionó un Renault 21, bordó, del que bajó Silvio Oltra con unos bolsos que cargó en la parte trasera del Bell. El aparato tomó potencia, ascendió unos setenta u ochenta metros y rumbeó hacia el norte. No había, según Bolla, otro ocupante.

A las once y media, a la altura del kilómetro 211 de la RN 9, el helicóptero, que según testigos volaba a muy baja altura, enganchó los rotores en unos cables de alta tensión y se precipitó en un sembradío de maíz. El campo, que pertenece a Angélica Olleros, estaba al cuidado de Epifanio Siri, quien en ese momento tomaba mate en el patio de su casa. Siri escuchó una explosión, vio caer al helicóptero y observó los cables cortados.

En la estación Esso que se encuentra frente a la autopista, mientras hablaba por radio con su patrón, el camionero Samuel Abeldaño vio pasar la máquina. La siguió con la vista porque le llamó la atención que volara a apenas unos treinta o cuarenta metros sobre la cinta asfáltica. De repente, observó que chocaba contra los cables, seguía un trecho y luego caía a tierra. Bajó del camión y fue corriendo hacia el lugar del accidente. Escuchó que entre los hierros retorcidos, colgando del cinturón de seguridad y con las piernas recogidas, alguien se quejaba. Empezó a pedir ayuda, sin hacer caso a las advertencias de los curiosos:

–Dispare de ahí que va a explotar...

Se acercaron dos muchachos más, uno de ellos con una cuchilla. Con ella, Abeldaño se metió debajo del helicóptero y cortó el cinturón. Cuando lograron sacar al herido, se dieron cuenta de que estaba tragando sangre. Con cuidado, optaron por colocarlo de costado y apoyarle la cabeza en una chapa. El camionero notó que el muchacho respiraba normalmente y que movía las manos y la cabeza. Le dijo que se quedara tranquilo y se arrodilló a su lado "como para que no se sintiera solo", dijo, hasta que llegó la ambulancia. Mientras esperaba, vio que ya estaban reparando los cables que unos minutos antes habían sido cortados por el helicóptero.

Una ambulancia con personal policial de la provincia de Santiago del Estero, que pasaba por la RN 9, fue la que llevó al hijo del Presidente al Hospital San Felipe de San Nicolás. A las once y cuarenta y cinco habían parado a cargar combustible en la estación Esso y allí se enteraron de lo sucedido. Aunque estaba muy cerca, tardó demasiado en llegar al hospital. La historia clínica consigna que el paciente ingresó a las doce y treinta. El trayecto fue recorrido varias veces por Zulema Yoma y sus abogados en diferentes horarios. Y el tiempo máximo que llegaron a tardar fue de sólo diecisiete minutos.

Aquel día a esa hora, Menem charlaba animadamente en su despacho de la Casa Rosada con Gustavo Beliz, el sindicalista Roberto Digón, Jorge Argüello, Patricia Bullrich y Claudia Bello. Sin golpear la puerta, irrumpieron en el despacho Hugo Anzorreguy, Alejandro Tfeli y Ramón Hernández.

El hijo del Presidente ingresó en el hospital de San Nicolás en estado de coma profundo, con respiración asistida. Nicolás Rovera, el médico de la policía, determinó que padecía "traumatismo severo de cráneo, con fractura, hundimiento del macizo facial y otorragia izquierda que demuestra una fractura en la base del cráneo, y fracturas en miembro superior izquierdo y miembros inferiores".

Carlos Menem Junior murió el 15 de marzo a las quince y diez por un paro cardiorrespiratorio provocado por politraumatismo de cráneo. Un equipo de diez médicos, encabezado por el director del hospital, Ismael Passaglia, trató de estabilizarlo, pero el cuadro se complicó.

–Al chico le hicimos noventa minutos de masaje cardíaco cuando lo normal son treinta minutos –aseguró Oscar Carreto, uno de los médicos del equipo.

Cuando se produjo el deceso, estaban dentro de la sala Passaglia y Tfeli, que permanentemente entraban y salían. En un momento, Tfeli cruzó su mirada con la del Presidente y bajó la vista. Zulema Yoma se enteró unos minutos más tarde.

El informe *post mortem* realizado por el médico policial Rovera dejó constancia de que la muerte se produjo por "depresión neurológica y paro cardiorrespiratorio irreversible". Y que, "dado que el examen externo demuestra en forma clara e inequívoca la causal de muerte, no se realiza el examen interno (autopsia)".

Zulema asegura que la mujer del juez Levene le confesó que, esa misma tarde, la esposa del jefe de la SIDE había suspendido un té que iba a ofrecer en su casa a damas de la alta sociedad. Margarita Molinne O'Connor, hermana del juez de la Corte Suprema, le habría dicho por teléfono a la señora de Levene que el encuentro quedaba cancelado, porque "a Carlitos Menem lo mataron de un tiro en la nuca".

Los muertos no hablan

Zulema Yoma sostuvo siempre que la caída del Bell no fue un accidente sino un atentado. Pero muy poca gente le creyó desde un principio. La desaparición de la valija con treinta y tres mil dólares y del Rolex de oro, que luego le fue devuelto al Presidente, no alcanzaba para fundamentar esa sospecha.

La venta como chatarra de partes de la nave que debían ser sometidas a pericia técnica, en cambio, comenzó a hacer ver la situación con otros ojos. Sin embargo, hizo falta que demasiados testigos fueran asesinados o amenazados para que muchos se dieran cuenta de que Zulema no estaba loca.

- EPIFANIO SIRI, un testigo clave de la caída del helicóptero, que era el cuidador de la propiedad donde se desplomó el Bell Ranger III, murió poco después de declarar, atropellado por un camión al cruzar la ruta. Un examen de sangre demostró que había tomado alcohol. Existe un sumario por homicidio culposo.
- ANTONIO SÁNCHEZ TROTTA, un ex convicto, que estaba en el lugar del accidente, había dicho que en el helicóptero se encontraba una mujer rubia, que permanecía con vida. "La mujer no llegó al hospital y a Carlitos lo dejaron morir como un perro", aseguró. Y luego le envió al Presidente y a Zulema sendas cartas certificadas donde decía saber quién había robado la valija con el dinero. Dos días después de salir en libertad, fue baleado por la policía y murió. Se levantó un sumario por atentado y resistencia a la autoridad, seguida de muerte.
- CARLOS SANTANDER, un asaltante que aseguraba tener filmaciones del accidente, fue muerto días después en un tiroteo.
- MIGUEL LUCKOW. Era investigador operativo de la Junta de Accidentes Aéreos y tuvo a su cargo el peritaje de los restos del helicóptero en su etapa inicial. Nunca llegó a presentar el informe: fue asesinado a balazos en la puerta de su casa el 26 de septiembre de 1995. El suma-

rio policial indica homicidio y robo, pero a Luckow ni siquiera le quitaron la billetera.

- HÉCTOR BASSINO, comisario general y jefe de la división Helicópteros de la Policía Bonaerense, fue enviado al lugar del siniestro por el entonces jefe de la institución, Pedro Klodczyk. Fue el primero en llegar al campo y en revisar el Bell de Carlos Menem. El comisario, que se retiró en 1996, fue acribillado en la esquina de Cerrito y Libertad, en Bernal, a las cuatro y media de la tarde del 17 de junio de 1997. Se habló de intento de asalto.

- Un médico de San Nicolás, de apellido MARTÍNEZ, fue asesinado a cuchilladas pocos meses después de la caída del helicóptero. Tenía uno de sus consultorios en la ciudad de Ramallo; fue el primer médico en llegar al lugar del siniestro.

- JORGE ARTONI, empleado de la Secretaría de Seguridad, afirmó haber escuchado de boca del titular de esa cartera, brigadier Andrés Antonietti, que en el helicóptero viajaban tres personas. "Vas a ser boleta", lo amedrentaron por teléfono. El 2 de junio de 1997 balearon su casa.

- EDUARDO EMILIO MANCHINI, perito en balística de la Gendarmería Nacional, fue baleado en la calle. Fue operado el 16 de julio de 1997. Difícilmente vuelva a ser la persona que era, ya que una bala se le alojó en la cabeza.

Hubo también testigos falsos y otros que aportaron declaraciones increíbles.

- JUAN IMBESSI, el delirante ex agente de la SIDE, declaró que la muerte de Junior fue una venganza por los atentados contra la AMIA y la Embajada de Israel. Y le echó culpas al Mosar (sic), por el Servicio de Inteligencia Israelí, que en realidad se llama Mossad. La manera en que, supuestamente, mataron a Carlitos fue alterando el altímetro, dijo. Y en el colmo del delirio agregó que la operación había estado a cargo de un grupo integrado por el publicista David Ratto y los dirigentes radicales Enrique "Coti" Nosiglia y Mario Negri. Los expertos en navegación aérea precisaron que Carlos Menen (h) no usaba el altímetro, ya que el helicóptero nunca volaba muy alto. Imbesi fue procesado por falso testimonio.

- ERICH CHUZÓN ZÁRATE, el peruano que se cambió el nombre y afirmó ser colombiano, integrante del Cartel de Medellín y del grupo guerrillero M-19, confesó ante Telefé que había asesinado al hijo del Presidente. Y fue reproducido en una nota de tapa por la revista *Tres*

Puntos. Pero el colombiano trucho terminó quebrándose ante el juez, reconoció que mintió y acusó a la emisora de haberlo preparado durante meses. Fue procesado por falso testimonio.

• La funcionaria menemista YOLANDA GUZMÁN sostuvo que la víspera de la muerte Junior le dijo en la Casa Rosada que tenía miedo y que lo iban a matar. Hay siete testimonios concluyentes que indican que el hijo del Presidente no estuvo en la Casa Rosada ese día. Guzmán fue procesada por falso testimonio.

La tercera pasajera

La hipótesis de que en la máquina iba una tercera persona cobró cuerpo con otros testimonios, además del de Sánchez Trotta. Algunos testigos a lo largo de la ruta aseguraron que el Bell venía siguiendo a un Fiat Uno negro –que según otro testimonio sería blanco–, manejado por una mujer. Y supusieron que Junior iba coqueteando con ella.

–Iba jugando entre los autos –dijeron.

Según estos comentarios, una vez caído el Bell, una mujer rubia bajó del Fiat Uno y comenzó a golpear el techo del coche mientras repetía:

–Se mató, se mató.

En ese momento, siempre a estar por esta versión, el auto de la custodia de Menem Junior se detuvo, hizo subir a la mujer y retomó el carril a Buenos Aires.

Otro de los que manejó una versión semejante fue el playero de la Esso Jorge Daniel Pagnini: allí habría ingresado un Fiat Uno blanco. Según él, la mujer descendió llorando y luego bajó un hombre, que la subió al auto y partieron, pero esta vez la dirección aludida fue Rosario.

El policía Rubén Ariel Tissera, que estuvo en el lugar del accidente, declaró que, mientras estaba en su móvil, le informaron desde la Unidad Regional de San Nicolás que "era muy posible que arriba del helicóptero hubiera tres personas, que ya conocían a dos y que faltaba identificar a la tercera".

Por su parte, el piloto de automotores Tito Bessone, que también estuvo en el lugar, le dijo a Tissera:

–Entendí que iban a subir a una chica en Don Torcuato, cuando ellos (Carlitos y Oltra) bajaran a cargar nafta; lo único que sé es que era una modelo.

Lo cierto es que, después del accidente, se denunció que había una mujer en el helicóptero, que era una modelo rubia y que fue llevada por orden del oficial de policía Héctor Penini, en una ambulancia, con rumbo desconocido.

En ese sentido, el piloto de helicópteros Octavio Piñero, que se encontraba en Don Torcuato cuando Junior estaba cargando combustible, contó frente a todos los medios:

–Vi con claridad que el asiento trasero izquierdo, cuya ventanilla tiene vidrios traslúcidos, estaba ocupado por una mujer de veinte a veinticinco años, rubia, muy bonita, que tenía el pelo largo, lacio, raya al medio, sin anteojos, vestía camisa o blusa blanca y un chaleco color beige. La observé con detenimiento en los diez o quince segundos que pasó delante de mí, porque me llamó la atención su belleza y porque es muy parecida a una amiga mía, Shalimar Reinal, que vive en Grecia desde 1988 –dijo.

También Carlos Ruckauf, vicepresidente de la Nación, declaró que después de recibir la noticia del accidente le llegó la versión de que había tres heridos.

Pasado unos meses, un libro sugestivo titulado *Una rosa para Junior* salió a la venta. En él se relata que había una tercera persona en el helicóptero. Pero en este caso, Divah, como se la llama en la ficción, es señalada como la autora del supuesto atentado contra la vida de Junior. Consultado por la justicia, el autor Carlos Cabrera –un individuo extraño que vive en Zárate y cuyo seudónimo es Reo West –dijo que escribió la novela basándose en recortes periodísticos y en comentarios de la gente de la calle.

Fuera de la ficción, Mario Aguilar Rizi, otro tenebroso ex agente de inteligencia, declaró que efectivamente hubo una mujer iraní en el helicóptero. Para él se trataba de una terrorista infiltrada en el círculo de Junior un mes antes, presentada por un tal Oscar. Pero ningún testigo del entorno de Menem (h) vio jamás a esa mujer.

Tampoco la vieron Osvaldo Álvarez, que cargó el combustible; ni Jorge Medina y Jorge Bolla, que estaban cuando despegó el helicóptero; ni Alejandro Servidio y Martín López, técnicos aeronáuticos. Ellos y veintisiete testigos más declararon que en la nave sólo viajaban Carlitos y Oltra, y que cuando el Bell cayó, uno agonizaba y el otro estaba muerto.

Jorge Brasseur, un chofer de micros, dijo que paró su unidad cuando cayó el helicóptero y vio dentro del aparato tres cuerpos, incluyendo el de una mujer. Pero los pasajeros del micro negaron que hubiera parado y el tacógrafo de la unidad indicó que no hubo detención.

Vendan la chatarra

Al poco tiempo del accidente, los restos del Bell Ranger III fueron introducidos en un camión de la Municipalidad de Ramallo y llevados a un galpón, sin haber sido inventariados. Los abogados de Zulema Yoma denunciaron que esos restos, luego, fueron entregados sin orden judicial a la compañía de seguros Grupo Juncal. Pasados siete meses, y allanamiento mediante, fueron recuperados y puestos a disposición del juez Villafuerte Ruzo. Aún no se sabe a ciencia cierta si las piezas corresponden al helicóptero en cuestión. Increíblemente, en el momento de hacer las pericias, se encontraron con que lo habían separado en partes y vendido éstas.

El encargado de retirar los restos del helicóptero por parte del Grupo Juncal fue el liquidador Julio Seghetti. Éste dijo que mantuvo reuniones con el brigadier Viola, de la Junta de Accidentes Aéreos civiles, con directivos del Grupo Juncal y con Aurelia Hoffman, presidenta de la sociedad propietaria del helicóptero –Heli Air– para decidir el destino final de los restos de la máquina.

Después de declaraciones periodísticas de Zulema Yoma donde se daba cuenta de las irregularidades cometidas con los restos de la nave, el brigadier Viola envió los restos al juez, aclarándole que se había enterado por los medios de comunicación de que los buscaban…

En marzo de 1999, la ex secretaria de Emir Yoma Lourdes Di Natale declaró ante la Justicia que su antiguo jefe había cobrado el seguro del helicóptero. Aseguró que Aurelia Hoffman era la testaferro de Emir y que había cobrado seiscientos cincuenta mil pesos del seguro en dos cheques. Dijo, además, que su ex jefe estaba muy apurado por recibir ese dinero.

Lourdes también habló del maletín que llevaba el hijo del Presidente: según ella, llegó a manos de Hoffman junto con otras pertenencias del joven, que Aurelia tendría escondidas en una caja fuerte en las antiguas oficinas de su jefe, en el octavo piso de la calle Paraguay y Florida. Después de las declaraciones de la mujer, las oficinas del cuñado fueron desmanteladas con sospechoso apresuramiento.

Pese a todo lo dicho, a más de cuatro años del accidente, todavía continúa la pesquisa respecto al destino de los restos de la nave y de las pertenencias de Carlos Menem (h).

El día que Carlitos fue Facundo

El expediente judicial alcanzó, hasta el 16 de octubre de 1998, cuando se archivó la causa, sesenta y tres cuerpos. Originalmente fue caratulado "Menem, Carlos Saúl y Oltra, Silvio Héctor, sus muertes por accidente aéreo" y lleva el N° 25.856/95. Veintiocho meses después del episodio, el juez federal de San Nicolás, Carlos Villafuerte Ruzo, modificó la carátula inclinándose por una denominación intermedia: "Carlos Menem, Silvio Oltra, sobre investigación de las causas de sus muertes".

Esta concesión tuvo su origen en un reclamo del presidente Menem, en marzo de 1998, que reforzaba una solicitud anterior de Zulema Yoma. En este trámite ambos fueron representados por el mismo abogado, Carlos Cartey, quien elevó el pedido de cambio de carátula por la de "doble homicidio calificado".

El giro en la actitud del Presidente se debió al resultado de la pericia realizada por la Gendarmería sobre las partes de la nave, que determinó la presencia de impactos de bala en restos del helicóptero.

Independientemente de esta causa, a pedido de Zulema Yoma se promovieron otras dos demandas: una, por la entrega inconsulta de los restos del helicóptero (causa N° 26.215), con cuatro cuerpos y manejada, al igual que la causa principal, por el juez Villafuerte Ruzo. Otra, que lleva Jorge Rodríguez, juez federal de Morón, se refiere a la presunta profanación de la tumba de Menem (h) en el cementerio islámico de San Justo.

El 22 de abril de 1997 el Congreso consideró oportuno iniciar una investigación. Por iniciativa del senador Alberto Maglietti, el Senado creó una comisión especial "de investigación de todos los hechos y circunstancias relacionados con la desaparición física de Carlos Facundo Menem, hijo del señor presidente de la Nación". La iniciativa mostró tropiezos desde el principio: el segundo nombre de Menem (h) era Saúl, no Facundo.

Integrada por seis senadores, la comisión debía expedirse en un plazo de noventa días, prorrogables por treinta días más. Para el 22 de agosto de 1997, fecha en que vencía el plazo, la comisión ni siquiera se había formado.

Ya a fines de julio de 1997, Zulema Yoma presentó un recurso de *per saltum* ante la Corte Suprema de Justicia, para que el tribunal asumiera la investigación. Pretendía que el juez Villafuerte Ruzo dejara la causa debido a que, frente a la pericia realizada por Gendarmería sobre los restos del helicóptero, que confirmó la existencia de cuatro orificios, el magistrado seguía considerando que "hasta el momento no se habla de armas de fuego".

El *per saltum* fue rechazado por recomendación del procurador general de la Nación, Nicolás Becerra. En su dictamen consideró que la causa no contenía evidencia suficiente que determinase una "gravedad institucional" que ameritara el otorgamiento del recurso requerido.

El pedido de cambio de carátula a "doble homicidio calificado", elevado conjuntamente por Carlos Menem y Zulema Yoma, fue rechazado por el juez el 24 de abril de 1998. Esta decisión motivó el recurso de apelación por parte del propio Presidente en la Cámara Federal de Rosario. En junio, ésta se pronunció en contra de investigar si el hijo de Menem había sido asesinado, argumentando que el recurso era inadmisible, "ya que no está dirigido contra una resolución judicial". Sin embargo, exhortó al juez Villafuerte Ruzo a arbitrar las medidas para que "dentro del menor tiempo posible se ponga fin a la incertidumbre sobre las causas que produjeron el hecho que se investiga".

Tomando al pie de la letra la recomendación que le hiciera la Cámara Federal de Rosario, el juez archivó la causa el 16 de octubre de 1998. "Los elementos tenidos en cuenta no indican que las muertes de Carlos Saúl Menem (h) y de Silvio Héctor Oltra hayan sido originadas en una convergencia intencional por parte de terceros", sentenció.

El 21 de ese mismo mes, Zulema Yoma apelaba ante la Cámara Federal de Rosario, con el patrocinio de Marcelo Bermolén. Por separado y con diferentes argumentos, también lo hicieron Carlos Menem y el fiscal Pedro González Valle. Por medio del abogado Carlos Cartey, Menem sostuvo que en las pericias de Gendarmería –donde se comprobaron orificios por impactos de bala en el helicóptero siniestrado– quedan elementos para indagar.

El fiscal González Valle solicitó la reiteración de algunas pericias que, en su momento, había pedido Zulema Yoma. Entre ellas, una tendiente a determinar la posible existencia de fragmentos de metales que coincidirían con los que forman parte de las municiones.

En el entorno se sospechó que la decisión de Menem de avalar a su ex esposa había tenido como objetivo principal alejar al cavallista Franco Caviglia del patrocinio de la causa. Más de uno de sus colaboradores –*off the record*– deslizó que el Presidente no había variado sustancialmente su posición y que su actitud estuvo dirigida a demostrarles a Zulema y a Zulemita que no fue él el responsable del cierre de la investigación.

"Hijo mío, ¿quién te mató?"

Zulema Yoma confiaba en que un movimiento masivo de apoyo, similar al que se gestó después de la muerte del reportero gráfico José Luis Cabezas, lograría la reapertura de la causa.

El punto de partida fueron unos carteles que aparecieron en la última semana de noviembre de 1998 en las principales calles de Córdoba, Rosario y San Nicolás, entremezclados con los carteles de campaña por la interna de la Alianza. Tenían la imagen de Junior y la leyenda: "Hijo mío, ¿quién te mató y por qué?". Los mandó a imprimir como recordatorio, para pegarlos cada 23 de noviembre, día del cumpleaños de su hijo, y cada 15 de marzo, aniversario de su muerte.

En mayo ya le había enviado una carta al papa Juan Pablo II para que "ruegue al Señor; me asista en la lucha que estoy librando en busca de justicia y descanso eterno en paz de mi hijo". En octubre de 1997, Zulema había afirmado que un sector de la Iglesia sabía cómo habían matado a su hijo "pero no habla". Su apelación a la máxima autoridad religiosa del catolicismo tenía la intención de acceder a esa parte de la Iglesia. Lo cierto es que, cuando se entrevistó con el nuncio Calabresi, éste se desencajó y, espantado, le devolvió la carpeta sin mirar las fotos. "Ay, señora, yo no puedo mirar este horror. ¿Cómo anda haciendo esto?" El único que la recibió y estudió cada dato con sumo interés fue el obispo de Zárate, monseñor Rey. "Hay infinidad de irregularidades y de episodios dudosos. Pobre mujer, lo que hicieron con el hijo es tenebroso. Profanar un cadáver es pecado mortal."

Zulema llegó a solicitar la ayuda del presidente de los Estados Unidos, Bill Clinton, a través de una carta en la que pidió "apoyo para enfrentar la impunidad que gozan en la Argentina los criminales y los corruptos". En ella hacía mención a la visita que por esos días realizó a la Argentina el director del FBI, Louis Freeh, en coincidencia con el lanzamiento de una iniciativa de los Estados Unidos para combatir el crimen organizado a nivel internacional.

El cuarto aniversario de la muerte de Junior fue recordado por Zulema con una carta colocada al pie de la estatua de la Justicia, en Tribunales, en la que solicitó la reapertura de la causa en la que se investiga la muerte de su hijo.

"Durante cuatro años me he visto obligada a recorrer sus estrados —señaló— buscando la respuesta que cualquier ciudadano afectado por un crimen merece: quiénes fueron y por qué. En lugar de respuestas, encontré desidia, incompetencia y, más grave aún, encubrimiento."

Un pedido de juicio político contra el juez Villafuerte Ruzo, elevado al Consejo de la Magistratura el 16 de junio de 1999 es, hasta el momento, el último paso de la lucha que Zulema Yoma inició el 15 de marzo de 1995 para descubrir la verdad sobre las causas de la muerte de su hijo. La solicitud pretende "llegar a una sentencia que lo separe del cargo para el que ha demostrado una total ineptitud", algo de lo que también se lo acusa en torno de otro hecho desgraciado: la masacre de los rehenes de Ramallo, sucedida en septiembre de 1999.

Si era verdad, como aseguraba el gobierno al principio, que había sido un accidente por imprudencia de Junior, ¿por qué nunca lo probaron? ¿Por qué Emir Yoma hizo desaparecer parte del helicóptero? ¿Por qué los peritos no se ponían de acuerdo? ¿Por qué algunos cambiaron sus declaraciones sobre la marcha? ¿Por qué había tantos testigos muertos en circunstancias sospechosas?

El 12 de octubre Carlos Menem iniciaba una gira que incluía una visita oficial a Francia, su participación en la Octava Cumbre Iberoamericana de Oporto, en Portugal, y un encuentro con el presidente español José María Aznar.

—Nena, aprovechá este viaje y arreglá para visitar a la pastorcita que vio a la Virgen de Fátima. Dicen que es vidente, a ver qué te dice sobre tu hermano. Que tu padre le pida a sus amigos del Vaticano. Llamálo a Calabresi, que esos tipos la pasaron demasiado bien con tu padre en el gobierno. Que te gestione el encuentro —le dijo Zulema a su hija, apenas se enteró del viaje.

Vaticano mediante, y acompañada por su amiga Mónica Gostanian, Zulemita visitó a Lucía Jesús Dos Santos, de noventa y un años, quien vio a la Virgen de Fátima —la de las famosas profecías sobre la Segunda Guerra, la bomba nuclear y el fin del mundo— cuando tenía diez, y que ahora vive encerrada en el monasterio de Coimbra, sin ver el mundo exterior desde hace más de cincuenta años. Hablaron durante una hora y quince minutos, a través de las rejas de la celda. La "Nena" le mostró la fotografía de su hermano sonriente, con traje antiflama de corredor.

—Pobre muchacho, lo asesinaron —le dijo.

Y se persignó.

—Papi, papi, la mami tiene razón: ¡al Chancho lo asesinaron! —gritó Zulemita, desaforada, apenas ingresó a la suite de su padre.

Aquella noche, Menem no pudo dormir. La frase de su hija le retumbaba en las sienes. Se sintió mal. Una arcada le cerró el estómago. Tfeli le tomó la presión: la tenía levemente por debajo de la media normal. El médico trajo el aparato que utiliza para controlar la diabetes hereditaria de Menem: el azúcar en la sangre de su jefe había subido de golpe. Le administró un sedante.

Menem estaba sumido en una nueva depresión, que le costó disimular en plena gira. Sólo encontraba paz conversando con el sacerdote riojano Martín Gómez, uno de sus confesores, que había participado en el periplo y que también sufría la misma afección. Durante el vuelo de regreso, Menem no se despegó de su lado, mientras apretaba entre sus manos una Biblia.

–Martín, nunca lo voy a superar. A mi hijo lo mataron por culpa mía –le dijo al cura, entre sollozos.

"El padre lo sabe"

Una tarde de verano, húmeda y pegajosa, en un bar de Avenida del Libertador, el hombre –alto, robusto y de aspecto latino– vino a charlar con esta periodista, como lo hacía siempre que necesitaba alguna información de primera mano. Era una fuente "A1", como se dice en la jerga cuando algo es confiable. Ocupaba un altísimo cargo en una embajada que se mantiene acéfala, ubicada en las cercanías del lugar, de modo que era "doble A1", si se quiere. El hombre dijo:

–No tenga ninguna duda, esta mujer dice la verdad. Al hijo lo mataron. Y el padre lo sabe.

DE FANTASMAS Y MUERTOS

Los espíritus están de nuestra parte, ellos nos vigilan.

JOHN BERENDT, Medianoche
en el jardín del bien y del mal.

—Nunca los voy a dejar tranquilos. Cuando me muera voy a andar por ahí, como un fantasma, siempre dando vueltas...

La Hostería Los Amigos de Anillaco estaba repleta. Era el 31 de diciembre de 1994. Carlos Menem comía bolitas de keppes con cuajada mientras hablaba de sus obsesiones: las supersticiones, la muerte, la espiritualidad. A su lado, el gobernador Bernabé Arnaudo sonreía cómplice. El funebrero Elías Saad y el sindicalista del vidrio Alfonso Millán lo miraban embobados.

—¿Usted cree en la reencarnación? —preguntó esta periodista.

—Claro. Yo me voy a reencarnar. Para mí la muerte es un paso previo a una vida mejor junto a Dios. Si tenemos la precaución de leer la Biblia, vamos a ver que tiene un gran contenido de espiritualidad. ¡Allí se habla del Espíritu Santo! Cuando el demonio trata de seducir a Jesucristo, éste le da una respuesta contundente: "No tan sólo de pan vive el hombre" (*sic*).

—Entonces, va a ser un fantasma...

—Por supuesto —admitió con una sonrisa pícara—. Mi película preferida es *Ghost, la sombra del amor*. Una maravilla, la vi cinco veces. El espíritu del hombre volando por el espacio... Pero bueno, ver para creer, como decía San Martín (*sic*). Yo, como todos, tengo un ángel protector. No sé quién es el mío, pero yo siento permanentemente que atrás mío hay alguien... El ángel o el espíritu, o el fantasma, que me acompañan, son mis guías. Y el mío ha sido siempre Jesucristo. Y también los caudillos, que ya se habían muerto cuando yo nací. Facundo Quiroga, Vicente "Chacho" Peñaloza. Sus espíritus me protegen desde el Más Allá…

Desde siempre, Carlos Menem ha recurrido a todo cuanto estuviera a su alcance para calmar sus angustias, sus temores y satisfacer su ambición de poder. Cualquier instrumento es útil en su camino a la trascendencia: brujas, talismanes, vudú, espiritismo, símbolos religiosos. La Biblia, la Tora y el Corán nunca estuvieron ausentes de sus dormitorios, y alimentaron aquellas creencias. En la casa que compartió con Zulema, en la calle Alberdi 165, de La Rioja, muchas noches lo vieron caminar alrededor de la fuente árabe del patio, con los brazos levantados hacia el cielo. Con la mirada perdida y a los gritos, convocaba la presencia de los espíritus de sus ancestros.

–Mire, ahí esta el loco, hablando otra vez con los espíritus… no sé qué hacer con este hombre… –decía Zulema desde la cama matrimonial, señalando hacia el patio.

El médico Gustavo Brizuela que había llegado a la residencia a efectuarle un control por su embarazo, quedó impresionado por lo que veían sus ojos.

–Doctor, ¿usted no cree en los espíritus? Yo hablo con los muertos y ellos me contestan –le preguntó Menem cuando entró en la habitación.

–Qué sé yo… algunos habrá –respondió Brizuela, por compromiso.

–Viste, Zulema, ¡el doctor cree en los espíritus! Vos sos la única que me hacés la contra…

–No, gobernador, no deforme mis palabras. Que yo tenga dudas no quiere decir que piense, como usted, que los fantasmas están como unos pelotudos sentados sobre una nube, esperando para hablar con usted. ¡Esto es una locura!

A pesar de las opiniones de algunos, ese sentimiento acompañó a Menem toda su vida, y le sirvió para sostener ante los suyos que él contaba con el poder de la magia y de los grandes brujos. "Quédense tranquilos, muchachos, que, mientras vayan conmigo, nada malo les va a pasar. *Io* lo tengo todo arreglado con el de arriba", aseguraba cuando alguien le manifestaba miedo.

En la década del sesenta esta convicción lo convirtió en asesor legal del Centro Espiritista, de Francisca Salguero, quien fuera su primera protectora contra las desgracias.

Sus años en el poder estuvieron acompañados por innumerables oráculos, provistos por videntes o mentalistas que para él eran verdaderas protectoras espirituales.

La mendocina Azucena Agüero Blanch lo conoció en 1983, durante una cena en su provincia natal. "Un día antes yo había soñado con un cacique y cuando miré a Menem a los ojos por primera vez, sentí su energía y me di cuenta de que él sería Presidente. Él era el cacique con el que yo había soñado", le confesó a Marisa Grinstein, de la revista *Noticias*.

En 1989 Menem contrató a Azucena. Ella le renovó su talismán del poder (duran dos años) y redobló sus esfuerzos para inmunizarlo contra sus enemigos. "Veía que iba a tener una presidencia brillante, pero no veía que en el '95 él se fuera a su casa. Supe que se iba a quedar. Él está siempre recién bañado y perfumado. Es la envidia de la gente, por eso le hacen brujerías todo el tiempo. Yo lo ayudo y lo voy a ayudar siempre."

Teresa Damonte lo acompañó intensamente, desde 1987 hasta 1994 (cuando estalló el escándalo con su hijo Ricardo). Lo visitaba en el despacho de la Rosada y en Olivos. "Menem es un ser muy especial, casi sobrenatural. A veces, parecía estar poseído. Yo le trabajaba los dos hemisferios y se calmaba. Él besaba la cruz y lloraba mucho."

Los servicios de Teresa fueron muy solicitados por el gabinete. Su extrema cercanía con Menem la colocó en situaciones delicadas al extremo. Conoció secretos de Estado, operaciones políticas y negocios sucios. Durante sus años con Menem, Teresa recibió fuertes presiones del entorno. La mujer tenía sobre el Jefe más influencia que un ministro y aprovechando esta circunstancia, ellos la usaban para solicitar favores y prebendas. A la par que se beneficiaba con los servicios de Teresa, Menem se conectó con otras videntes, y esta situación generó verdaderas guerras entre hechiceras.

El séquito, celoso del poder de Teresa sobre el Presidente, introdujo a otras. Blanca Curi, la española Aschira y Lily Sullos pasaban esporádicamente a dejar sus predicciones y cartas astrales. Dominado por su pasión por el ocultismo, Menem escuchó a todos. Lo visitaron mentalistas, brujos, adivinos, rabinos, macumberos de Brasil y hasta un sanador filipino que pasó por Buenos Aires.

En junio de 1992, tuvo un encuentro místico con Indra Devi, la mítica maestra de yoga de noventa y tres años, quien logró dormirlo en cuanto lo conoció. Menem, fascinado, la invitó a La Rioja. En la cama de la suite de la Hostería Los Amigos, en Anillaco, Devi lo sometió a una nueva sesión de relax de veinte minutos y el Presidente se volvió a dormir. "Se despertó sobresaltado y ya iba a salir corriendo, pero le dije 'No brinca' (sic). Le expliqué que no hay que salir de golpe del relax, hay que estirarse primero", recordó ella.

En 1993, completó sus conocimientos sobre control mental, una actividad que, siguiendo los consejos de su tía Haifa, practica desde la época en que era gobernador. Ese año conoció a José Mouyabed, director para la Argentina, Paraguay y Uruguay de Silva Mind Control. El hombre lo visitó en Olivos y juntos practicaban en el dormitorio. Apenas asumió la presidencia de la Nación, cansado de una carraspera provocada por una lesión en las cuerdas vocales que le impedía hablar con naturalidad, Menem acudió a la capilla del padre Mario Pantaleo, en González Catán. Él curó lo que según Tfeli, su médico de cabecera, hubiera terminado inevitablemente en la sala de operaciones. A partir de ese momento, también el padre Mario tuvo a Menem entre sus devotos.

El tipo de religiosidad de Carlos Menem, cercana al mesianismo, llegó a generar situaciones desopilantes: era habitual ver a Teresa abandonar su despacho mientras, al mismo tiempo, ingresaba monseñor Emilio Ogñenovich a darle la confesión.

La muerte es para Menem un tema clave. Sin embargo, temerario, la desafió constantemente. Tanto en carreras de rally como piloteando aviones y helicópteros. Con el *Capiango* –un Cessna monomotor bautizado así en homenaje a Facundo Quiroga– atravesó a gran velocidad los cerros que bordean Anillaco, burlando los peligrosos vientos de las laderas y los escondrijos, mientras sus invitados se acurrucaban paralizados en los asientos. "El que me quiera acompañar, que venga. Yo voy al límite. El que tiene miedo, ya sabe lo que tiene que hacer. Ahí está la puerta", repetía.

Cuando Marcela llegó a Anillaco a celebrar el Año Nuevo de 1994, ya en pareja con Menem, descendió tambaleándose del avión. Le había bajado abruptamente la presión a seis, después de un trayecto peligrosísimo: Carlos Menem había pasado rasante por una ve corta aguda que se forma entre dos montañas. Ella se había acostado en el piso del avión, mientras Falak le colocaba paños mojados en la frente. Apenas aterrizó, fue socorrida por Tfeli.

Menem confiaba en su buena fortuna. En abril de 1983, uno de los motores del avión dejó de funcionar. Su piloto, Germán Arballo, lo advirtió a los gritos. "El aparato se arqueó y fue difícil mantenerlo planeado hasta divisar un campo para descender. Los últimos metros fueron casi en caída libre, con el estómago estrujado por la inminencia. Aterrizaron violentamente en la Ruta Nacional 51, cerca de Arrecifes y Menem salió ileso, con el corazón en la boca", relatan Alfredo Leuco y José Antonio Díaz en su libro *El heredero de Perón*.

En enero de 1988, en un viaje entre Córdoba y La Rioja, se abrió una de las puertas del avión. La súbita descompresión succionó el cuerpo de Menem, mientras la máquina perdía estabilidad. Cuentan que los acompañantes, entre los que estaba el sindicalista Saúl Ubaldini, lo sujetaron hasta el límite de sus fuerzas, mientras el piloto aterrizaba de emergencia en plena ruta.

El 13 de septiembre de 1993, cuando Menem recorría Formosa en una gira de campaña, el helicóptero se cayó encima de un rancho. Todos salieron ilesos. En esa oportunidad, el helicóptero militar Chenook que lo transportaba con toda la comitiva presidencial se desplomó desde cinco metros de altura, en la localidad de Pozo del Montero, cerca de Las Lomitas.

En agosto de 1994, al regresar de un viaje oficial a Chile, el *Tango 01* se sacudió en medio de violentas turbulencias en plena cordillera. Los pasajeros, entre los que estaban Julio César Aráoz y la empresaria Amalia Lacroze de Fortabat, entraron en pánico. Menem se levantó tranquilo y –abrazándose al respaldo de uno de los asientos como en estado de trance–, emulando al emperador romano Julio César, dijo: "No temáis, porque vais con el César y su estrella". Mientras Amalita y Aráoz vomitaban, Menem, con la sonrisa de un pastor, les aseguraba que nada malo les iba a pasar, mientras viajaran con él. Este episodio se repitió, de manera idéntica, en un viaje a Nueva Zelandia en febrero de 1998. Con las mismas palabras, intentó calmar a los pasajeros del *Tango 01*, que bailaba sobre el mar, bajo ráfagas de viento de ciento cuarenta kilómetros por hora. Cuando el avión pudo aterrizar en la ciudad de Auckland, Menem descendió sonriente y se burló de las caras desencajadas de sus acompañantes. Según los pilotos, sobrevivieron de puro milagro.

En La Rioja aseguran que Carlos Menem está protegido por un "viborón". Los riojanos están convencidos de que el reptil es el verdadero oráculo del Presidente. En un mundo gobernado por la irracionalidad y el ocultismo, cualquier elemento sirve para explicar el poder y la incalculable fortuna acumulada por el Jefe durante los últimos diez años.

El antropólogo y arqueólogo Julián Cáceres Freire, ex director del Instituto Nacional de Antropología, señala en uno de sus libros: "Viborón se le dice en La Rioja a la víbora más venenosa que existe, que generalmente la gente le dice víbora de cascabel. Es un reptil que vive en la montaña y aparece cuando llueve mucho y las aguas bajan. Es mejor matarlas. La leyenda dice que cuando al viborón se lo quema, le nacen pelos. Pero eso no es verdad. Es que estos animales tienen un pene que por efecto del fuego sale para afuera, es bífido y por eso la gente cree que es el pelo".

Cáceres Freire confirma la leyenda con tono escéptico pero respetuoso: "De Menem se dice que tendría un familiar (viborón) en un rincón, bajo un ropero. Esta versión se fortaleció desde que él se hizo la cabaña en la montaña: aseguran que se encierra allí para hablar con su mascota o talismán de la suerte y que éste es quien le dice qué tiene que hacer y cómo gobernar". La existencia de un "familiar" –siempre según Freire– es una creencia muy antigua, y llegó a América de la mano de la colonización española y figura en todos los diccionarios, porque se remonta a la cultura de los griegos y los romanos. En la antigua Roma se aseguraba que la familia de los Borgia debía su poder a la influencia de un "familiar". En el centroeste y norte de la Argentina dicen que este ser sobrenatural, que por lo general se alimenta de seres humanos, da riquezas sólo a su dueño. Generalmente se cree que surge de un pacto hecho con el diablo.

El entorno de Menem no escapó al influjo de la disparatada leyenda. Cada vez que éste se recluía en Anillaco, sus hombres murmuraban explicaciones que acrecentaban el misterio del retiro. "El Presi se fue a la montaña a meditar y a hablar con sus animalitos. Ahí no puede entrar nadie", decía Tfeli, enigmático. Antes del viaje a Londres en octubre de 1998, Menem desapareció durante varias horas. Ni su secretario privado ni su médico personal ni su custodia revelaron su paradero. Menem llegó piloteando su avión hasta Anillaco y desde ahí, en una 4x4, manejó veinte minutos hasta la "Aguada de las Alturas", donde se encerró en soledad. No atendió al gobernador "Didi" Mazza ni al funebrero Saad, sus habituales compañeros de andanzas. Al otro día, con aspecto renovado, se trepó al *Tango 01* rumbo a Buenos Aires, para emprender con Zulemita su primera visita al Reino Unido.

Lejos de la mitología, la "Aguada de las Alturas" es una casa como cualquier otra. Nada hace sospechar que en su interior se realicen prácticas paganas o se oculte al reptil de los poderes mágicos, como afirman sus comprovincianos.

El 31 de diciembre de 1995, realicé para la revista *Gente* el primer reportaje que Carlos Menem otorgó en el lugar.

–Acá vengo a cargar energías y a conversar con el "rey de la noche" –me dijo, señalando a un pájaro que se posaba en un árbol.

El fotógrafo lo retrató, frente a la cabaña de quebracho colorado y caminando por la reserva de animales. Pero la estadía en su lugar predilecto no logró borrar la tristeza de su mirada. Eran esas las primeras fiestas que pasaba sin su hijo. Esa tarde, en el living, les dio vía libre a sus hombres, que decían que "un rey como él" no podía seguir aterrizando en medio de la ruta y que era necesario "sacar recursos del Estado" para construir una pista adecuada a su rango.

–Muchachos, se va a armar un quilombo… –contestó, dudoso.

–Y qué importa, Jefe. ¿Quién es el número uno acá? –desafió el brigadier Antonietti.

La casa de los misterios es una pequeña prefabricada de madera, traída especialmente del Chaco. Tiene un living y una cocina chica. La habitación presidencial tiene una cama de madera artesanal, hecha en el sur, y un cubrecamas de piel. Hay dos bancos y un entrepiso abierto, con dos cuchetas. En todas partes hay retratos de Carlitos y algunos de Zulemita. A pocos metros, se encuentra la casa de los caseros y un quincho. Afuera, el lago artificial inmenso y el parque cubierto de flores.

Nada extraordinario.

–Este "delincuente" tiene el bicho escondido en la cabaña, ese animal es el que le da el poder. Creéme, madre, que Carlos Menem tiene un pacto con el diablo. Lo conozco bien, siempre hizo lo mismo. Yo lo voy a encontrar y vas a ver cómo se le acaba todo…

A mediados de 1998, en uno de sus viajes al refugio, Zulema llegó acompañada por su hija, con la obsesión de encontrar bajo los cimientos de la casa algún rastro del enigma. Zulemita y su novio, Sebastián Dinardi, influenciados por el relato de Zulema, recorrieron los alrededores de la casa, buscando indicios del diabólico animal. Zulema, junto con su amiga Nina Romero, hizo trasladar a un brujo que vive cerca del aeropuerto de La Rioja para que la ayudara en su búsqueda. El hombre permaneció un día en el refugio, pero su pesquisa fue infructuosa.

–Zulema vino desesperada. Fui con ella y revisé todo, revolví abajo y arriba, pero nada. Acá todos creen en la historia esa, la del bicho. Carlos Menem siempre anduvo en cosas raras y los que están con él también. Pero ese día, yo no tuve suerte… –aseguró el hombre.

Sin embargo, la superstición creció. Zulema conocía bien las prácticas especiales de su ex marido, y en su desesperación se mezclaban los fantasmas del pasado con las intrigas de sus enemigos. La creencia popular no hizo más que alimentar sus sospechas.

–Nunca dejes que Menem te abrace. Fíjate las manos, tiene las uñas curvadas, como garras. Te abraza y te mata. Es el diablo –decía.

Carlos Menem es contradictorio. Al mismo tiempo que desafía a la muerte, se estremeció cada vez que una tragedia lo tocó de cerca. No podía dejar de pensar que era el destinatario de una mala señal. Algo que llegaba del Más Allá, para opacar sus triunfos. Maldiciones de Zulema o de sus enemigos políticos. Aterrorizado, recurrió a sus brujas y a la Biblia, suplicando perdón por sus pecados. Armando Torralba, el viejo mayordomo de la residencia riojana, no se cansa de repetir las muchas veces que lo encontró abrazado al tomo del Antiguo Testamento, con la mirada extraviada. O caminando por el jardín mientras realizaba movimientos alucinados.

La muerte de su hijo tuvo el poder de la maldición de los dioses sobre su cabeza. Y Menem volvió a caer en la irracionalidad.

La Argentina esta plagada de historias inverosímiles de poder y despoder. De locura y de muerte. El menemismo no fue otra cosa que el fiel reflejo de estas desmesuras. Más allá de las hechicerías, los diez años de gobierno de Carlos Menem estuvieron signados por tragedias inesperadas. Muertes nunca aclaradas, atentados y suicidios dudosos. El violento contraste de sus extremos y la amoralidad de su personalidad, que atrae y expulsa, generó en la sociedad más de lo mismo.

Nadie puede acusar a Carlos Menem por estos hechos. Pero, a la luz de su historia personal, es verdad que casi todo lo que él tocó terminó en tragedia.

1989

El asesor personal en temas orientales

El 24 de junio de 1989 sonó el teléfono y Menem, todavía gobernador de La Rioja, se sobresaltó por la mala noticia. Un avión alquilado –un Piper Séneca PA34 con matrícula VL-LND– había sido declarado en emergencia por problemas climáticos en las cercanías del aeropuerto de La Rioja. En él viajaban Jorge Prieto, el piloto de veintidós años, y Phillip Hueiny Song, un especialista en acupuntura oriental que residía en Mendoza y viajaba asiduamente a La Rioja para entrevistarse con el entonces gobernador. Menem abordó una avioneta de la gobernación y salió en búsqueda de su amigo Song, el hombre que había subido al Piper con una enorme valija que cerraba con una clave numérica personal. Después de cuarenta y cinco minutos, un desperfecto en los retenes del líquido de freno obligó a Menem a realizar un aterrizaje de emergencia. Los pronósticos no eran buenos. En la pista lo esperaban tres autobombas, cuatro ambulancias, dos camionetas de la Fuerza Aérea y seis patrulleros de la policía de La Rioja.

–Fue un susto, nada más. ¡Casi se quedan sin jefe! –bromeó cuando al fin pudo bajar a tierra.

El destino del avión en el que viajaban Song y Prieto sólo se conoció siete años después, el 8 julio de 1997. El aparato apareció destrozado en las sierras de El Velazco, a ochenta kilómetros al sur de la capital riojana, entre Patquía y Tudcum. "Muchas veces vi sobre la ladera del cerro esa mancha blanca, brillosa, pero siempre pensé que se trataba de un nido de cóndores", relató Mercedes Nicolás Mercado, una de las dos personas que hallaron los restos mientras arreaban sus vacas.

Song y Prieto yacían junto al aparato con el cráneo roto. Se especuló con la existencia de un tercer pasajero, pero nunca se pudo comprobar. A un año del accidente, Rosa Domínguez de Song, esposa del acupunturista, relató a un diario mendocino el papel de su marido en el gobierno de La Rioja: "Tenía la misión de conectarse con gente de Oriente para que visitaran fábricas y otros emprendimientos económicos, interesar en negocios de importación o exportación de telas. Llevaba gente a La Rioja para hacer distintas operaciones, todo por directivas de Menem, de quien era asesor personal…". Junto a Song, la policía mendocina halló una maleta de viaje con documentación sobre un proyecto de radicación industrial en La Rioja y una billetera que contenía una tarjeta de crédito, setenta billetes de mil australes y cinco de cinco mil. De la valija con cierre codificado no hubo ni noticias.

De Song no se habló nunca más. "Integraba mi equipo de asesores personales", respondió por escrito el presidente de la Nación al juez federal de Mendoza, Manuel Rodríguez. Entre los objetos encontrados en la oficina había una tarjeta que decía: "Dr. Phillip H. Song, asesor personal en asuntos orientales del Dr. Carlos S. Menem".

El amigo

El destino de Julio Corzo no pudo ser más trágico. Su lucha por ver a Menem presidente lo empujó a un lugar de privilegio junto al hombre, que por entonces comenzaba a construir su poder sobre la base de alianzas y operaciones políticas. Corzo era riojano, ocupaba el Ministerio de Acción Social y como su amigo, Carlos Menem, lucía en su muñeca un reloj de oro con la imagen de Juan Domingo Perón. Fue diputado y –según la mitología menemista– fue el primero en proclamar públicamente la candidatura presidencial de Carlos Menem, cuando los militares ya golpeaban a la puerta de la Casa Rosada y el gobierno de María Estela Martínez de Perón entraba en su agonía crítica. "¡El salvador de la patria es Carlos Menem!", exclamaba Corzo.

Cuando murió le faltaban sólo cuatro días para cumplir cincuenta años. El avión Lear Jet que lo transportaba a Misiones para presidir el lanzamiento del Bono Solidario cayó en picada a las aguas del río Paraná el 23 de septiembre de 1989. "Llovía mucho y el avión daba vueltas sobre el río. Notamos que estaba muy bajo y de pronto sentimos el golpe, el chapuzón", relató Atilio Álvarez, secretario del Menor y la Familia mientras aún estaba recuperándose de la experiencia. Además de Álvarez, hubo otros cuatro sobrevivientes: Alberto "Beto" Conca (un ex militante montonero que trabajaba entonces para el Ministerio del Interior y luego llegó a ser número dos de Claudia Bello en la Secretaría de la Función Pública), Silvia Martínez (también funcionaria de Interior) y los dos pilotos del Lear Jet, Héctor Dos Santos y Darío Benítez.

Corzo no murió por el impacto. "Con Silvia Martínez pudimos rescatar a Corzo de adentro del avión. La máquina flotaba y nos ubicamos sobre el fuselaje, donde le dieron masajes cardíacos y respiración boca a boca. De pronto el avión se dio vuelta y comenzó a hundirse. Entonces fue cuando vimos que un bote venía a ayudarnos. Llevamos a Corzo a bordo del bote, pero se lo veía muy mal, con sangre en el rostro y había tragado mucha agua", dijo Atilio Álvarez. Conca aseguró haber visto cómo Corzo se golpeaba la cabeza con un costado del fuselaje, lo que le provocó un estado de semiinconsciencia. También contó que todos entraron en una crisis nerviosa cuando las aguas del río se agitaron: "Yo empecé a gritar: ¡Viva la Patria! ¡Viva la Patria!, pensando que todos nos íbamos a morir. Al final, gracias a mis gritos, la lancha de Prefectura pudo vernos, a pesar de la intensa niebla".

La muerte de Corzo ocurrió dos meses más tarde que la de Miguel Roig. Pero el impacto fue diferente. Quienes conocen a Carlos Menem no dudan en catalogar a esta tragedia como el primer golpe en la vida política del Menem presidente. Estaba a punto de viajar por primera vez a Estados Unidos y la noticia de la muerte lo desmoronó. El reemplazante de Corzo fue Antonio Erman González, quien ocupaba la vicepresidencia del Banco Central y de este modo llegaba a su primer ministerio. Políticamente, hubo una redistribución de funciones. Habían pasado solamente dos meses desde el desembarco en Balcarce 50. "La muerte de Corzo lo dejó a Bauzá libre. Corzo era otra clase de político, mucho más racional y menos conspirativo. Después, el entorno triunfó sobre la política", concluyó Julio Bárbaro, cerrando el relato sobre la mala fortuna del sector que propuso a dos ministros que a los dos meses estaban muertos. Por el fallecimiento de Julio Corzo, el gobierno decretó tres días de duelo nacional.

1990

El comienzo de los tiempos violentos

Hasta aquí, accidentes, tragedias, el mito de la "yeta" (mala suerte) que comienza a erigirse alrededor del Presidente y especulaciones que no siempre coinciden con las versiones oficiales. Pero si hay una característica que destaca la muerte de Guillermo Ibáñez por sobre las anteriores es que se trata de la primera muerte explícitamente violenta que ocurre durante el gobierno de Carlos Menem.

Guillermo era el hijo de Diego Ibáñez, el dirigente del gremio petrolero que había compartido la cárcel con Menem. El viernes 6 de julio de 1990, Guillermo fue secuestrado poco después del mediodía, mientras manejaba una camioneta Ford F-100 cerca de su casa, ubicada en el barrio Peralta Ramos de Mar del Plata. El joven, de veintiocho años, fue sorprendido por cuatro hombres armados cuando circulaba por la calle Vernet al 3000. A punta de pistola, los delincuentes le ordenaron que se bajara de la camioneta y lo hicieron subir a un automóvil. En el primer contacto con la familia Ibáñez, pidieron un rescate de dos millones de dólares. Carlos Menem y Julio Mera Figueroa –por entonces ministro del Interior– se involucraron personalmente en la investigación. Mientras tanto, el juez Pedro Federico Hooft comenzó a actuar de oficio, ya que la familia no había hecho la denuncia.

El 16 de julio, la familia Ibáñez recibió una visita oficial: Menem y Mera Figueroa llegaron a Mar del Plata junto con los entonces diputados nacionales José Luis Manzano y Augusto Alasino. "Vine para acompañarlo, para traerle mi solidaridad, mi afecto, mi cariño a Diego Ibáñez, y poner todo lo que necesite a su disposición", dijo Menem a los periodistas que lo abordaron a la puerta de la casa de Pringles 2456.

Ni el apoyo presidencial ni los dos millones de dólares aportados por el empresario Alfredo Yabrán, amigo personal de Diego Ibáñez, fueron suficientes. El 25 de julio, la policía informó que el cuerpo sin vida de Guillermo Ibáñez había sido hallado en un descampado ubicado a veinte cuadras del aeropuerto marplatense de Camet. Guillermo había recibido un balazo en la nuca quince días antes, y su cadáver había sido arrojado a un pozo de noventa centímetros de profundidad y un metro y veinte de diámetro. Yacía junto al revólver calibre .38 con que lo mataron.

"¡Hijito querido, no podés ser vos! ¡Dios no puede ser tan malo…! ¡Qué te hicieron, hijo mío… qué te hicieron!", gritaba Angélica Villarreal mientras literalmente arañaba la carrocería de la ambulancia que trasladaba a su hijo al Hospital Regional de Mar del Plata.

El sindicalista nunca pudo reponerse del asesinato de su hijo. Carlos Menem trató por todos los medios de sacarlo de su estado depresivo, lo llevó a todos los viajes internacionales y lo invitaba a comer a Olivos. El 1º de enero de 1995, Ibáñez se estrelló en su auto, camino a Tandil.

El brigadier

Rodolfo Echegoyen era brigadier. Llegó a titular de la Administración Nacional de Aduanas por recomendación de su amigo Alfredo Yabrán y ocupó el cargo entre el 5 de febrero y el 7 de noviembre de 1990.

La aduana argentina nunca había tenido buena imagen. Siempre se la señaló como un lugar infectado de corrupción, mafias y negocios fraudulentos.

"A mis seres queridos: No pude aguantar la traición política de mis amigos. Perdón por no estar estructurado para aguantar tanta presión y peso sobre mi espalda. Perdón a mi esposa e hijos. A mis amigos, guarden de mi familia. Comodoro Moreira (Negro) hacéte cargo de mis cosas. Gracias. Rodolfo. Buenos Aires 12/12/90. Nadie de este estudio tiene nada que ver con este suicidio político", escribió –supuestamente– Echegoyen en un papel con membrete del Poder Judicial de la Nación que dejó sobre su escritorio en su oficina de la calle Arroyo 845. La caligrafía irregular sugería trazos de dos personas diferentes.

Era el 13 de diciembre de 1990. La policía lo halló muerto de un balazo en la boca, disparado esa misma madrugada. Su familia no dudó ni un segundo. El supuesto suicidio no podía ser otra cosa que un asesinato mafioso: "Rodolfo estaba amenazado, se llevaba a la Aduana hasta los saquitos de té y el azúcar por temor a que lo envenenaran". Meses antes de la renuncia le dice a un pariente de Córdoba, que había sido amenazado de muerte, pero que no quería preocupar a su esposa.

Los indicios de un posible asesinato no son pocos: el revólver Smith & Wesson de la Fuerza Aérea que se usó para disparar en la boca de Echegoyen colgaba del dedo pulgar de su mano derecha, como si el tiro no hubiese ejercido fuerza alguna y el arma hubiera permanecido allí, inmóvil, en la mano de quien murió instantáneamente. La primera pericia no mostró restos de pólvora en la mano con la que se habría disparado. Además, el brigadier tenía un llamativo hematoma en el entrecejo, posiblemente producto de una pelea previa.

A Echegoyen le decían el Indio. Jugó al golf y al tenis con su hijo José Ignacio en el club de la Fuerza Aérea hasta el último momento. "Pocos días antes de que lo mataran, papá dice 'En esta casa no se habla más de Yabrán', y a la vez desaparece la letra Y de su agenda", relato José Ignacio. El mismo Yabrán había sido el encargado de anunciarle a Echegoyen en Pinamar que sería el titular de aduanas, en enero de ese mismo año: "Rodolfo, andáte a Buenos Aires, que Aldo Elías te va a llevar con Erman González para arreglar tu nombramiento en la Aduana". Para su familia, una clave del supuesto homicidio la constituye un discurso que el brigadier pronunció el 20 de junio de 1990, en su cumpleaños, durante un seminario regional de entrenamiento en control de drogas del Cono Sur: "Sabemos del enorme poder de los carteles, al extremo, que su forma de vida es permanecer ocultos por la sombra de sus crímenes, al margen de las leyes, despreciados por la sociedad".

Los días anteriores a su muerte, el brigadier habló con su hermano, que vivía en Suiza: "Yo, ante la droga, me paro, porque acá lo que está en juego es el futuro de la Argentina, de nuestros hijos. Pero no te hagas problema, yo voy a hacer lo que hizo papá. Estoy juntando documentación y voy a denunciar todo esto".

Su hija Marcela es abogada y con el tiempo se convirtió en la letrada querellante de la causa de su padre, que fue cerrada provisionalmente en 1991 por el juez Roberto Marquevich y reabierta recién en abril de 1997 por la jueza Silvia Ramond. Durante su actuación, Marquevich fue claro en un punto. Exactamente en la foja 286 del expediente dice: "Echegoyen investigaba procedimientos permisivos no sólo en Ezeiza sino en todo el país. Y no sólo relacionados con subfacturaciones aduaneras. Puedo decir que advirtió el ingreso de drogas y divisas".

La familia de Echegoyen recibió a lo largo de estos años infinidad de amenazas de muerte y algunos de sus miembros fueron protagonistas de hechos por demás extraños.

El amigo en las sombras

Fue vicegobernador de Antonio Cafiero en la provincia de Buenos Aires, en los comienzos del gobierno de Carlos Menem. Más tarde se convirtió en diputado nacional, hasta que, a los cuarenta y cinco años, el 5 de abril de 1992, un paro cardiorrespiratorio lo sorprendió en su habitación del Hotel Hermitage de Mar del Plata. La muerte de Macaya nunca fue aclarada. ¿Su corazón se paró como consecuencia de una sobredosis o se trató de una muerte natural?

En los tiempos en que Carlos Menem cumplía su arresto en Las Lomitas, Macaya fue número puesto a la hora de las visitas. Los dos trabaron una profunda amistad, hasta el punto de que, durante su confinamiento en Tandil, Menem vivió en un departamento que le había prestado su amigo. En el momento de morir, Luis Macaya estaba en Mar del Plata junto con su secretario –Jorge Barrientos– y su chofer. Los tres se dirigían a Rivera –a quinientos kilómetros de Mar del Plata– para participar de un acto partidario. Macaya era sociólogo y productor agropecuario. Carlos Menem, apesadumbrado, viajó a Tandil para participar del entierro de su viejo amigo.

El oscuro asesinato del secretario de Zulema

Antonio Palermo conoció a Carlos Menem, en 1983, en La Rioja, adonde viajó como empresario de la Compañía de Seguros Chacabuco. Allí conoció también a Erman González y a Eduardo Bauzá. Palermo aportó plata y acercó dirigentes para la campaña. Armó la escenografía en la sala de directorio de su compañía, en Sarmiento 767 de la Capital Federal, para la primera conferencia que Carlos Menem dio en Buenos Aires, la misma en la que manifestó sus deseos de llegar a ser Presidente.

Con el tiempo, Antonio se convirtió en una especie de tutor para Carlitos y Zulemita. Tenía un poder otorgado por el matrimonio Menem-Yoma, para acompañarlos en sus viajes, mientras ellos fueron menores de edad. Un decreto lo convirtió en asesor *ad honorem* del Ministerio de Salud y Acción Social, en la época de Julio Corzo. Cuando a Zulema la echaron de Olivos, Antonio Palermo tomó partido por ella y por sus hijos, a los que le unía un gran afecto. En los días anteriores al homicidio de Antonio, las amenazas telefónicas a Zulema Yoma se repitieron y una bomba destruyó el estudio de su abogado, Alejandro Vázquez.

En la vereda de la casa de la calle Castelli 516, de Morón, el 25 de junio de 1992 –a quince días de declarar en el polémico juicio de divorcio de Menem y Zulema–, Antonio Palermo fue asesinado de una cuchillada en el estómago.

Había nacido en Italia y llegado a la Argentina cuando tenía doce años. Jamás se nacionalizó. "Apuntaló gente de la política sin ser político –relata su hermana Amalia–. Era empresario, trabajó en Canal 9, en el área de publicidad, y llegó a ser presidente de la Compañía de Seguros Chacabuco, empresa que fue liquidada en 1986 de un modo muy raro. Antonio ya apoyaba a Menem y había puesto plata para la campaña. Yo no sé qué pasó en el medio, pero desde la política hubo una intención de atarlo de pies y manos. No sé de dónde vino la mano negra, pero mi hermano le pidió auxilio a Menem y él se lo negó. Esa fue la primera traición. Yo entiendo que no sólo no lo rescataron del agua: también me parece que alguien lo tiró al río."

En la noche del 25 de junio, Antonio llegó temprano a la casa familiar. En la cena, conversaron sugestivamente sobre ladrones, policías y criminales, tema poco habitual para los Palermo. "Después, en la cocina, él cambió totalmente el tono de voz y dijo: 'Cuídenme mucho, porque si a mí me llega a pasar algo, van a sufrir'", recuerda Amalia.

Esa noche, mientras toda la familia dormía, un asaltante que parecía drogado entró a la casa y revolvió cajones "buscando papeles". Antonio escuchó los gritos de su hermana, bajó corriendo y cuando alcanzó al hombre en la vereda, éste le metió una cuchillada en el estómago.

"Mi hermano murió esa misma noche en el hospital de Morón. Las cosas nunca me cerraron. El tipo gritaba '¡Yo todavía no terminé!'. Ese día y el siguiente recibí llamados raros que decían 'Ya está hecho, está cumplido'. Tuve que pedir custodia. Con los días me convencí: mi hermano había sido víctima de un crimen político. De Menem no recibimos ni siquiera un trapo de piso. Con todo lo que Antonio hizo por él y sus hijos, no fue capaz de venir al velatorio."

Un integrante del entorno presidencial recordó: "En el gobierno, todos sabíamos que algo raro había pasado con Palermo. Estaba prohibido hablar del caso".

Un juez de la familia de los Saadi

El juez Efraín Rosales Saadi viajaba en su Peugeot 505 por la ruta que une Catamarca con Tucumán. Pasó por el puesto caminero de Huacra y allí preguntó cuánto demoraría en llegar a destino, si viajaba a noventa kilómetros por hora. Viajaba solo y encontró la muerte tras chocar con un camión. Rosales era primo del ex gobernador Ramón Saadi y en aquellos días enfrentaba una investigación judicial por la entrega de cartas de ciudadanía a veinte sirios y libios. Fue enterrado sin autopsia y tampoco se le realizaron pericias a su automóvil.

La muerte del juez arrojó una sombra más sobre la familia del fallecido padrino y mentor de Carlos Menem. Los Saadi veían desmembrarse su imperio. Ramón no era más gobernador. Antonio Onésimo Saadi había sido detenido por posesión de cuatro kilogramos de marihuana y Efraín Rosales Saadi, muerto misteriosamente mientras era investigado por un delito que hacía recordar al escándalo judicial que provocó Monzer Al Kassar al conseguir su ciudadanía en Mendoza.

La DEA (Drugs Enforcement Agency) investigaba la existencia de pistas clandestinas en Catamarca. El aeródromo de Tinogasta estaba en la mira de esa organización norteamericana. El ex intendente de esa ciudad estaba entre los sirios que habían solicitado la radicación a Rosales Saadi: había ejercido su mandato siendo extranjero.

La muerte se acerca a la familia presidencial

El 30 de diciembre de 1993, Miguel Aboud fue asesinado de un disparo en la sien mientras se encontraba adentro de su automóvil BMW, estacionado frente al Jardín Zoológico, en el barrio de Palermo. Aboud era el proveedor de motocicletas del negocio que Zulemita tenía en Vicente López.

Cuando el desconocido se acercó a su auto, Aboud trató de defenderse con una pistola 9 milímetros, pero no pudo. Pocos días antes –según relató Horacio Verbitsky en *Página/12*– un desconocido había ingresado en el depósito en el que Aboud guardaba los *containers* con las motocicletas que importaba. Le apoyó una pistola en el pecho y accionó, sin éxito, dos veces el gatillo.

Verónica Zar era la novia de Aboud. Recibió un disparo de bala de un arma calibre .32 en la cabeza y sobrevivió. Ella fue quien dio a conocer los detalles de la relación comercial de su pareja con la hija del Presidente. Los nombres de Miguel Aboud y Zulema Menem figuraban en la agenda de Ramón Solari, quien fue detenido por el juez de San Isidro Ezequiel Igarzábal, por ser sospechoso de integrar una banda de ladrones de autos importados. Solari se decía colaborador de la policía bonaerense, y como tal declaró en la causa por el atentado a la AMIA, aportando detalles sobre Carlos Telleldín.

El Rey de la Noche

La de Leopoldo "Poli" Armentano fue, sin duda, una de las muertes que más conmovieron al entorno íntimo del presidente de la Nación. La noche antes de que fuera asesinado, Poli había cenado en el restaurante El Mirasol, frente al Hyatt, con Ramón Hernández, Guillermo Coppola y el jefe de la custodia presidencial, Guillermo Armentano. Poli era dueño de las discotecas El Cielo y Trumps. En su círculo íntimo se movía gran parte de la farándula artística y política de Buenos Aires.

Las vueltas que la causa Armentano daría en la Justicia son dignas de una parodia. El encargado de la investigación –el juez Francisco Trovato– terminó preso luego de ser apresado en Brasil, por la SIDE.

Guillermo Cóppola –habitué de Olivos– fue señalado como sospechoso del asesinato de su amigo por Trovato, quien, sin embargo, nunca pudo procesarlo. Tampoco pudo aclarar por qué el portero del edificio de la calle Demaría 4719 afirmó haber visto ingresar a Coppola en el departamento de Armentano quince minutos antes de que llegara la policía. Nunca fue aclarada la verdadera relación que existía entre Armentano y Hernández, aunque varios testigos afirmaron que Hernández frecuentaba el grupo de Coppola y Armentano.

En la noche del homicidio, la cena había terminado en una acalorada discusión por negocios. Se tejieron todo tipo de historias. Se habló de droga, de mujeres despechadas y de negocios oscuros, amparados desde el poder. La diputada Elisa Carrió, que llevó adelante la investigación, recibió reiteradas amenazas de muerte, que la obligaron a cambiar su domicilio varias veces.

Blanca Armentano, la madre de Poli, se hizo cargo de los negocios de su hijo. En 1994, a pocos meses del homicidio, relató que Carlitos Junior la visitó en una de sus discotecas. Junior subió la escalera que llevaba a la oficina de la madre del Rey de la Noche y cerró la puerta. Según Blanca, este fue el diálogo que tuvieron.

—Decíme, Carlitos, hijo, ¿quién lo mató a Poli? Te pido por favor que si sabés algo me lo cuentes…

—Blanca, te aconsejo que no te metas. Este tema es muy pesado.

La secretaria de Junior

Sonia Álvarez Puente trabajaba como secretaria privada de Carlitos. Tenían una excelente relación y ella fue su secretaria y confidente durante cinco años. En 1994, Sonia se mató en un accidente automovilístico. Circulaba por la Ruta Nacional 9, transportando a Córdoba una camioneta 4x4, de Carlitos, que la esperaba para competir en un rally.

Cuatro años después, sus hermanas, Valeria y María Eugenia, no dudan de la fatalidad del accidente. "Desde un primer momento nos acercamos a la ruta y los testigos nos contaron que a Sonia se le había cruzado un perro, y que el impacto fue producto de una maniobra violenta." "Mi hermana era muy reservada. No nos interesa especular con versiones sobre un atentado o una vinculación de su muerte con la de Carlitos. Queremos que descanse en paz", insiste Verónica.

La ex secretaria de Emir Yoma, Lourdes Di Natale, cuenta lo contrario: "Carlitos me vino a ver, y estaba destruido. 'Me mataron a la Sonia', me dijo llorando".

Carlos Menem Junior no dudó en viajar desde Córdoba para asistir al sepelio de su secretaria. Quienes participaron de la ceremonia fúnebre lo vieron muy afectado por la tragedia. En la puerta de su Ford Escort número 10 con el que compitió en el Rally de la República Argentina, Junior pintó en castellano y en inglés: "En memoria de Sonia".

José Estenssoro

José Estenssoro volaba en un avión (Gulf Stream II matrícula N409Ma) con destino a Quito, Ecuador, cuando a seis minutos de aterrizar en el aeropuerto Mariscal Sucre, un error –según las pericias– hizo que los pilotos Arturo Pagniez y Abelardo Pallich se "pasaran" nueve kilómetros de la pista en su aproximación final y chocara contra el cerro Sincholagua a doscientos ochenta kilómetros por hora. Era el 6 de mayo de 1995 y la epidemia de muertes trágicas no se detenía.

Estenssoro, con el que Menem mantenía una muy buena relación, tenía planeado encontrarse en Ecuador con Peter Gassney, directivo de la petrolera Maxus, que YPF (Yacimientos Petrolíferos Fiscales) acababa de adquirir. ¿Cómo pudo sufrir una falla de esa magnitud en uno de los aparatos más sofisticados construidos hasta el momento, el mismo que –en su versión III– utilizaban Bill Clinton y sus funcionarios?, se preguntaron varios especialistas en tecnología aeronáutica. Los pilotos, de gran experiencia, no reportaron a la torre de control ninguna irregularidad durante todo el vuelo, que duró casi cinco horas.

En la intimidad del poder siempre quedó la duda de si se trató de un accidente o un atentado.

El general que sabía demasiado

"Sé todo lo de las armas. Sé quiénes manejaron la operación y hacia dónde van las valijas con la plata. A la Río Tercero la volaron. Si me pasa algo, Mercedes (por su mujer) lleva todo a una escribanía de Uruguay. Por las dudas...", les dijo el general de brigada Juan Carlos Andreoli a dos amigos íntimos, una semana antes de que el helicóptero en el que viajaba cayera en el Campo Argentino de Polo. Era el 6 de octubre de 1996. Andreoli viajaba junto a su esposa, y miembros de los ejércitos argentino y peruano. El aparato se ladeó antes de caer, tocó con las aspas el suelo y luego se incendió. El juez federal Jorge Urso cerró la causa como accidente, sin esperar la posible aparición de indicios que demostraran que pudo haber sido un atentado. En la caída murió el coronel Juan Carlos Aguilar, segundo de la Central Nacional de Inteligencia Militar, agregado militar en la embajada argentina en el Perú cuando los aviones con armas aterrizaron en Ecuador, en 1995. Había recibido un aviso del gobierno peruano denunciando el tráfico ilegal. El 13 de septiembre de 1996, Andreoli habló con Horacio Rodríguez Larreta, por entonces secretario de Privatizaciones del Ministerio de Defensa, en una fiesta realizada en Campo de Mayo. Tenía la camisa empapada de sudor y alterado, dijo: "Decíle a Camilión que se ocupe de Cornejo Torino. Lo dejaron solo. El hizo todo lo que le pidieron y lo abandonaron". El coronel Cornejo Torino era el titular de Fabricaciones Militares de Río Tercero. Hasta que la fabrica voló por el aire.

La amiga del Presidente

El 22 de diciembre de 1996 hacía mucho tiempo que Cristina Noemí Perone había dejado de ser Jacinta Pichimahuida, la ingenua maestra de la serie televisiva. A duras penas podía mantenerse en el rol de Cristina Lemercier, la actriz. Conoció a Carlos Menem en 1985 y vivió en la residencia riojana un episodio trágico con su hija Julia, a la que un puma del zoológico del entonces gobernador casi le arranca la cabeza de un zarpazo. La rubia actriz mantuvo un apasionado romance con Menem, quien la nombró asesora presidencial; hasta que perdió el puesto cuando la descubrieron solicitando créditos mediante la invocación de su amistad con Menem. Por esa época, Cristina no pasaba por un buen momento: la efímera fama que la acompañó ya no le sonreía, y en Olivos no atendían sus llamados telefónicos.

Ese domingo, en la quinta de San Miguel, Cristina discutió ásperamente con su ex esposo Raúl, hermano de Palito Ortega que durante los años setenta se hiciera famoso cantando bajo el nombre artístico de Freddy Taddeo. Según la versión oficial, Cristina tomó el revólver Smith & Wesson Special calibre .38 y se pegó un tiro en la cabeza.

"Aunque la causa sigue caratulada como 'suicidio', no puedo asegurar que eso fue lo que ocurrió. Hoy por hoy, en la causa no está claro si fue un suicidio, un accidente o un homicidio", declaró cinco días después la jueza María Teresa Lumbardini. Los forenses hallaron dos orificios de bala en la frente de Lemercier, y opinaron que nadie puede suicidarse dos veces. Más tarde, la autopsia reveló que los dos orificios fueron provocados por la misma bala, que se fraccionó al ser disparada. Lo que más llamó la atención a los investigadores fue la gran cantidad de moretones que la actriz tenía en la parte delantera del cuerpo –que pudieron ser producto de la pelea con su ex marido–, así como la ausencia de marca alguna alrededor de los orificios de bala, característica esencial de un disparo efectuado a corta distancia. El hecho de que el proyectil ingresara en línea recta, obligando a suponer que Lemercier tuvo que extender los dos brazos para efectuar ese disparo, abonó las dudas.

La actriz agonizó durante cinco días en un sanatorio de San Miguel y murió el viernes 27 a causa de un paro cardiorrespiratorio. Sus familiares se inclinaron inmediatamente por la hipótesis de un accidente: "Fue un trágico accidente. Esa es la única verdad", escribió Pablo, su hijo mayor, en una carta a los medios de comunicación. Horacio Frega –interventor de ATC (Argentina Televisora Color)– derrumbó de plano la hipótesis de un suicidio por falta de trabajo: "El viernes renovamos el contrato para realizar un ciclo infantil durante el '97", declaró el funcionario. Tristemente, Cristina tuvo el mismo destino que otra rubia con la que Menem compartió días y noches de desenfrenado romance: la vedette Thelma Stefani, quien se suicidó tirándose por la ventana de su departamento.

1998

Horacio Estrada

El capitán de navío Horacio Estrada apareció muerto en su departamento de Arenales 910, 8° piso, A, con un balazo en la cabeza. Era el 25 de agosto y en Sudáfrica, las autoridades dejaban libre a Diego Palleros, el ex coronel que con su testimonio se convirtió en una pieza fundamental de la investigación judicial.

A Estrada lo habían acusado de haber supervisado personalmente los *containers* con armas. Según el periodista Daniel Santoro, "era un hombre clave en la ingeniería del tráfico de armas, porque fue el contacto entre Diego Palleros y el traficante francés Jean Bernard Lasnaud, quien vendió las armas y municiones de Fabricaciones Militares al ecuatoriano Roberto Saseen en 1995". Cuando el juez Urso y el fiscal Carlos Stornelli allanaron el departamento del marino muerto, encontraron documentos que lo vinculaban con Palleros y Lasnaud, papeles de las empresas vinculadas en el escándalo (Hayton Trade, Debrol y Daforel), números de cuentas bancarias en suiza y folletos de armas para su comercio.

Durante la dictadura, el marino había actuado en la ESMA (Escuela Superior de Mecánica de la Armada) bajo el seudónimo de "Humberto". Franco Caviglia –ex diputado del Grupo de los Ocho devenido luego hombre de Domingo Cavallo– lo vinculó con Alberto Kohan, al asegurar que Estrada perteneció a la FEPAC, "una fundación que conducía Kohan", que fue el centro de operaciones durante la campaña presidencial de Carlos Menem en 1988.

El juez Jorge Urso lo había citado a declarar, pero Estrada se negó y presentó un escrito admitiendo su participación en las gestiones de la operación.

Cuando la mucama entró a las once de la mañana, lo encontró muerto sobre su escritorio. Frente a él había dos armas, una pistola 9 milímetros y una 3.80, con la que supuestamente se efectuó el disparo.

La muerte de Estrada dejó más dudas que cualquier otro "suicidio". El disparo ingresó por la nuca, desde el lado izquierdo, por lo que, para suicidarse, el militar escogió la postura menos habitual y más incómoda: con la mano izquierda y desde atrás. La sien no presentaba la aureola característica que sobreviene cuando el disparo es realizado a corta distancia. Según determinó la autopsia, no había pólvora en sus manos. Sin embargo, los médicos forenses se inclinaron inmediatamente por la hipótesis del suicidio. El ambiente no aparentaba ser el hogar de un hombre acorralado. En una repisa se hallaron varias películas pornográficas, objetos eróticos y una botella de champán en la heladera. Un mal menú para alguien que planificó morir.

Don Alfredo

Se pegó un escopetazo en la boca, en su campo de Entre Ríos, la tarde del 20 de mayo de 1998. Construyó su imperio con los militares del Proceso, creció con el radicalismo y durante el menemismo alcanzó el pico más alto de su poder. Casi al mismo tiempo, comenzó su caída.

Su muerte sembró infinidad de hipótesis y sospechas. Según las encuestas, la gran mayoría de los argentinos nunca creyó que el "Amarillo" estuviera muerto. Lo imaginan veraneando en una playa del Caribe, disfrutando de sus cinco mil millones de dólares.

En su excelente trabajo *Don Alfredo*, el periodista Miguel Bonasso esboza la teoría que Yabrán habría sido un instrumento más en la lucha entre Menem y Duhalde y que el asesinato de Cabezas "fue una operación sobre otra operación, con el único fin de inculpar a Yabrán y sacarlo del medio".

Viejo conocido de Menem, en el último tramo de su despiste y en medio de acusaciones de Duhalde y de Cavallo, acudió a la Rosada, donde encontró una efímera cobertura de sus viejos amigos.

Si su muerte fue inducida por alguien más poderoso o simplemente aturdido por el fantasma de terminar preso, Alfredo Yabrán decidió poner fin a su vida, son dos incógnitas que difícilmente se podrán dilucidar. Lo que sí queda claro es que su vida marcó a fuego estos años inverosímiles.

El hombre de las zapatillas rojas

Si el lugar elegido por Estrada para dispararse (detrás de la oreja y con la mano izquierda) resulta a la vista incómodo, el sitio que supuestamente escogió Marcelo Cattáneo para suicidarse es directamente increíble.

La antena de la que apareció colgado uno de los principales involucrados en el escándalo de las coimas en el contrato entre IBM y el Banco Nación está ubicada detrás de los sombríos pabellones de Ciudad Universitaria, casi sobre el contaminado Río de la Plata.

Marcelo Cattáneo –acusado de repartir las coimas– vestía jogging azul, zapatillas rojas y anteojos negros, un modelo absolutamente alejado de sus gustos habituales, según su mujer. Era hermano de Juan Carlos Cattáneo, el ex subsecretario de Alberto Kohan, involucrado en el mismo caso. Lo encontraron el domingo 4 de octubre, entre las tres y las cuatro de la tarde. Su camioneta Fiat Fiorino con la que proveía de alimentos al buffet del Club Universitario no estaba, apareció días después, lejos de allí. Como si se tratara de una miniserie de terror, los misterios aumentaron con el transcurso de los días. Primero se dijo que Cattáneo había entregado al cavallismo una carta con el diagrama completo del recorrido de las coimas, involucrando a su propio hermano. Más tarde se sumó un detalle macabro: Marcelo tenía en su boca –apretado entre la lengua y el labio inferior– un recorte periodístico del diario *La Nación* referido al escándalo de las coimas. Demasiadas similitudes. ¿Otro mensaje mafioso? A esta altura, ¿quién podía creer en la hipótesis del suicidio? Quienes lo hacían, divulgaron una deuda que Cattáneo tenía con la empresa Baxxor, donde trabajaba. La deuda fue confirmada por Jorge Asencio, titular de Baxxor, pero las sospechas continuaron colgadas de la antena.

El 15 de octubre, la familia Cattáneo sorprendió a todos, cuando su abogado, Luis Dobniewsky, declaró públicamente: "A esta altura, la lectura de los hechos nos indica que se trató de un suicidio. Ahora es necesario que descanse en paz". Detrás había quedado un disquete en su computadora con pistas tan importantes como las de la carta. El extraño recorrido de su auto y su ropa, la extraña antena en la que se colgó y el recorte sobre las coimas, como última cena.

LA NENA

Lo encontré a la sombra de los ombúes de su quinta,
recostado en las faldas de su hija, sobre un banco
de madera en que ella estaba sentada; y con unos locos
que siempre la acompañaban a su lado (uno de ellos
lo llamaba pomposamente el señor gobernador).

MARÍA SÁENZ QUESADA, *Las mujeres de Rosas*

–Mi vida está destruida. No tengo nada. No tengo familia, no tengo
novio, no tengo hijos. El último novio que tenía, la mami lo echó de casa. Ella nunca está conforme. No vivo en ninguna parte. En Olivos, siempre estoy sola. El Papi está muy mal y se escapa todo el día con el golf.
Siempre está jugando al golf. A veces, son las cuatro de la mañana y no
sé dónde anda. No puedo dormir. Vivo todo el tiempo entre la espada y
la pared. La mami no entiende que yo al Papi lo quiero. No me importa
lo que haya pasado entre ellos, siempre va a ser mi Papi. Y el Carlitos está muerto. Nada ni nadie lo va a resucitar. Siempre lo voy a llevar en mi
corazón, pero está definitivamente muerto. Y yo estoy viva y estoy sola.
¿Quién se acuerda de mí? Que Dios me perdone, pero a veces pienso que
este infierno se va a terminar el día que la mami se muera y se reencuen-
tre con el Chancho...

Zulema María Eva secó las lágrimas que le empapaban la cara con
el puño de su campera de jean. Su voz de nena era apenas un susurro in-
terrumpido por ahogos. Su amigo y confidente, en aquel mediodía de invierno de 1996, la escuchó en silencio. Ella observó el paisaje a través
de los vidrios polarizados de la Pathfinder negra: la calle de tierra, la villa, y a pocos metros, la entrada al cementerio islámico de San Justo. Tomó las flores, descendió de la camioneta y caminó despacio hacia la tumba. A lo lejos, se escuchó el clic de una cámara fotográfica y unos bultos
se asomaron. Los reconoció a través de los anteojos negros Armani. Eran
de la revista *Caras*, su preferida. A Zulemita le fascinaba el estilo del se-

manario de Perfil. Fotos grandes y un lenguaje ligero. Amaba verse reflejada en sus páginas.

Se arrodilló, compungida, y lloró otra vez.

En esos días de locura, recorría la vida como una autómata.

La muerte de su hermano la había hundido en un lodazal. Y las pesadillas que habían poblado sus noches de la infancia regresaban recurrentes. Las imágenes eran las de siempre: monstruos que la atacaban y se la devoraban mientras dormía. Recordaba sus gritos y la mucama que se quedaba de guardia a los pies de su cama, en la residencia riojana.

Su vida en la provincia fue sencilla. Nada del otro mundo. Un pequeño gym y una piscina en la residencia, para matar el aburrimiento. El sol ardiente, las siestas con amigos en el dique Los Sauces, las peleas con su hermano y las noches del sábado en Strega, la confitería frente a la plaza.

–Me encanta el sol. En La Rioja siempre nos vamos con un grupo de amigos al dique, a nadar. Ahí hace un calor infernal. Pero de todas formas me encanta. Disfruto mucho las horas que paso allí. Muy pocas veces he tenido oportunidad de ir a la costa Atlántica. Sólo de tanto en tanto y alguna que otra vez a Mar del Plata. Cuando estoy en Buenos Aires casi no salgo. Ahí no tengo amistades, no es lo mismo que en La Rioja. Allí todos nos conocemos y vamos a bailar a Strega –contaba.

Por entonces, vestía ropa muy informal. Lo que ella describía como el "estilo europeo": jeans, camisas, buzos, zapatillas. Y el pelo sauvage, con un jopo. Aunque también tenía buenos vestidos para algunas ocasiones:

–El modisto Eduardo Awada sabe lo que me gusta y conoce mi look, reconozco que soy muy coqueta.

Pero aquel era todavía su jardín de infantes. Ni soñaba convertirse en la cándida primera dama virtual de la Argentina menemista. Tenía diecisiete años, quería ser modelo y piloto de rally. No le interesaba la política. Y planeaba estudiar derecho pese a las enormes dificultades que tenía para terminar el bachillerato.

Ojos de mirada profunda, figura espléndida y sonrisa generosa, a veces, pícara, y otras, ingenua. Cálida, afectuosa, aunque también ciclotímica, depresiva y explosiva, solía jactarse de ser "la mimada" de Carlos Menem a la vez que reconocía que "Carlitos es el preferido de la mami".

–Por favor, no me saquen fotos cuando me estoy riendo, no me hagan tentar, si no, la foto va a ser toda risa –les decía a los fotógrafos.

Bromeaba así sobre su ancha boca, en aquellas primeras notas periodísticas que las revistas del corazón comenzaron a hacerle en su condición de hija de aquel gobernador de poncho y patillas con aspiraciones a Presidente.

Pero no era una chica alegre. Las violentísimas peleas y las separaciones de sus padres eran una sombra ominosa que había sobrevolado su infancia y se proyectaba sobre su porvenir. Corría 1988, y aunque el faro de su vida aún lo eran Zulema Yoma y su hermano Carlitos –la imagen del hombre que tenía en la familia–, en lo hondo de su corazón ella ansiaba recuperar a su padre, sentarse en sus rodillas y volver a ser su ardillita. ¡El juego de las ardillitas!

–Papi, papi, hagamos ardillitas.

–Bueno, hagamos ardillitas.

Las narices juntas, rozándose, y las uñas rascando suavemente las mejillas... Un juego de niña que siguió jugando de grande, en Olivos. O en la residencia Marigny, en París. O en el castillo Akershus, en Oslo. O en el Palacio Imperial de Japón.

La boca grande y generosa, a medio centímetro de la boca de su padre.

A lo mejor se le daba de nuevo. Pero, mientras tanto, ya hacía cuatro años que ella vivía con su madre, su hermano y su depresiva tía Amira –que intentaba suicidarse a cada rato– en la Capital Federal. Y sólo de tanto en tanto viajaba a La Rioja para ver a su papá gobernador, siempre que éste no estuviera demasiado peleado con su madre, no lo hubiesen metido preso o no estuviese de gira.

Ya le había pasado cuando cumplió quince años. ¡Justamente sus quince! Le había pedido especialmente a su mamá que la llevara a La Rioja a pasar su cumpleaños con la ilusión de ver a "el Papi". Zulema hizo de tripas corazón y marchó hacia allá con ella y con Carlitos. Se acercaba la Navidad y los corazones se ablandan para las fiestas. Pero Menem no quiso saber nada. La relación del matrimonio estaba otra vez hecha trizas y él evitaba a toda costa cruzarse con su ex mujer. Ese 25 de diciembre de 1985 Zulemita recibió sus quince años con los ojos rojos de tanto llanto y una infinita tristeza en el alma. Su padre había resuelto pasar la Navidad –y, por lo tanto, también el cumpleaños de la nena– en la residencia, comiendo chivito asado junto a los Menem y los advenedizos que rondaban la casa. Los Yoma quedaban excluidos. Y Zulemita optó por "la mami".

La amiga de Zulema, Nina Romero, su marido Antonio Turbay y los tres hijos del matrimonio le organizaron entonces una velada en el complejo Yacampi, el mismo lugar donde Zulema había pillado a su marido haciendo el amor con Ana María Luján. Sumados su hermano, su madre y ella misma, sólo fueron ocho sentados a la mesa, ningún pariente y ni un regalo importante. Pero al día siguiente, en la puerta del Hotel Plaza, donde Zulemita se había alojado junto con su mamá y el Chancho, un auto cero kilómetro colorado, con un enorme moño arriba del techo, la esperaba. Se lo había mandado su padre de regalo.

El destino le tenía reservada, además, otra espléndida sorpresa: por esos días Zulemita conoció a Daniel Romero, un chico de veintiún años, nacido bajo el signo de Escorpio, con el que se puso de novia y se hizo mujer. Un astrólogo le hubiera dicho que ése era el hombre de su vida: en la carta astral de una mujer, el hombre ideal viene dado por el signo en el que está Marte. Y por más que sea de Capricornio, el Marte natal de Zulemita está en Escorpio, aseguran.

Aquel fue el noviazgo más largo que se le conoció. Y, probablemente, también el más intenso. Daniel era amigo de Carlitos y le apasionaban tanto como a él los autos y las motos. Como Zulemita vivía en Buenos Aires, a su pedido, Menem le consiguió un buen empleo en la sucursal porteña del Banco de La Rioja. Vivía gratis, como casi todos en el Hotel Presidente, cuyo dueño era Aldo Elías, el amigo a quien Alfredo Yabrán debió auxiliar cuando las cuentas impagas de los peronistas que poblaban el hotel amenazaron llevarlo a la quiebra.

Además de piloto, Daniel era basquetbolista. Alto, buen mozo y bastante mayor que ella, poseía un carácter fuerte y lograba casi siempre ponerle límites a su personalidad celosa y posesiva. Sabía cómo manejar las furias de su novia: simplemente la zamarreaba.

Una de las peores escenas de celos que Zulemita le hizo fue cuando creyó que Daniel se había involucrado con Amalia Pinetta, quien, efectivamente, tuvo un amorío fugaz, pero con Junior. Al principio, a Daniel le divertía que lo celara. Posesivo y apasionado, él podía entenderla. Pero finalmente se hartó: Zulemita lo llamaba veinte veces por día, lo abrumaba con sus preguntas, se sentía vigilado, seguido, espiado. Y la dejó.

Sin embargo, ella todas las veces que pudo volvió a él. Y él, que la amaba con locura, caía otra vez en sus brazos. Entre novio y novia, ambos tuvieron encuentros amorosos hasta bien entrado 1997. Cada vez que Zulemita iba a La Rioja, donde él había regresado a vivir, ella lo llamaba y se escapaban a un hotel.

Luego Zulemita se puso de novia con otro y Daniel se casó con una comprovinciana. Hace poco la pareja tuvo un bebé. A veces, en el contestador telefónico de Daniel queda registrado que alguien llamó y no dijo nada. Otras veces, él atiende, dice "hola" y escucha un largo silencio. "Daniel está convencido de que es Zulemita quien hace esos llamados. Ella todavía lo sigue amando y él, aunque no puede olvidarla, prefiere estar lejos", comentó una amiga.

Hacia 1988 los proyectos de vida de Zulema María Eva no eran muy ambiciosos.

–Quiero ser modelo. Ya estuve haciendo algunos desfiles en La Rioja y no me fue nada mal. Qué sé yo. Todos mis amigos me incitan. Y de tanto decírmelo me lo han hecho creer. Me dicen que tengo buena figura, que soy alta y de piernas largas… No sé si será cierto. Pero la verdad es que tengo ganas. Papá está loco con la idea. Me da ánimos. ¿Mamá? Mmmmm… –decía.

–¿Modelo? ¡Te voy a dar modelo, yo! A tu padre podrás convencerlo fácil, pero, lo que es a mí, te a va a costar mucho… –advertía Zulema.

Otra de sus aspiraciones era correr carreras de auto "como papá y mi hermano Carlitos", a lo que su madre se oponía también fervientemente.

–Si fuera por mi mami, sólo tendría que casarme y tener hijos, pero yo estoy esperando a cumplir los dieciocho años para sacar el carnet de piloto. Me gusta correr rally y creo que para eso sí tengo muchas condiciones…

Su carácter no varió con los años: siempre fue caprichosa y desconfiada, el polo opuesto de Carlitos. El más querido por la gente era su hermano, un sagitariano abierto y bondadoso, que, sin embargo, con ella era un terrible "guardabosque".

–Cuando crecimos fui "recluida". En el departamento de Posadas, hizo instalar un teléfono en mi cuarto. Cuando nos encontrábamos de noche en un boliche, me dejaba tranquila un rato. A los cuarenta minutos comenzaba a levantar las cejas para que me fuese, y yo me iba. Ni bien llegaba a casa, sonaba el teléfono de mi habitación: era él controlando que ya estuviera en la cama.

Junior le llevaba dos años y tenía con su hermana una relación mitad fraternal y mitad paternal. La celaba, le ponía límites y hasta le financiaba algunos gastos. Una vez ella le regaló a Menem para un cumpleaños un mate que decía "Zulemita" de un lado y "Carlitos" del otro, y fue su hermano quien le dio el dinero para comprarlo. Con un padre dedicado tan completamente a la política, era previsible que en la casa ese rol tuviera que cumplirlo Junior.

–Cuando éramos chicos, mamá siempre nos hacía levantar la mesa a los dos. Hasta que un buen día él dejó de hacerlo y mamá ya no se lo pidió más. Ese día entendí que Carlitos se había convertido en el señor de la casa –admitió Zulemita.

Carlitos corría rally, pero por nada del mundo quería que su hermana siguiera sus pasos. Para él, ésas eran cosas de hombres. Una tarde, cuando Zulemita daba vueltas de prueba en el autódromo, hizo algo insólito.

–Carlitos era muy machista. En la playa andábamos con las motos porque a los dos nos gustaban los deportes acuáticos. Pero cuando yo me quise dedicar al automovilismo, casi me acogota. Cuando estaba haciendo mi cuarta vuelta de prueba, empezó a sobrevolar la pista con un helicóptero. Pensé: "Este me mata". Cuando me bajé del auto, me sacó el casco y me dijo que ésas no eran cosas para mujeres. Me subió al helicóptero y me llevó directo a casa.

En aquellos tiempos Zulemita repetía una frase que hace mucho nadie le escucha: "La mujer debe estar un paso detrás del hombre, y el mejor lugar para ella es en la casa con los hijos".

¿Para qué entonces se habría recibido de bachiller con tanto sacrificio?

El martes 27 de diciembre de 1988, un Ford Falcon y un Fiat Duna blanquecinos de polvo estacionaron frente a la escuelita de Villa Mazán, un pueblito escondido, a un costado de la ruta desierta que une a La Rioja con Catamarca. En el Duna viajaba Zulemita Menem y Nina Romero de Turbay, la inseparable amiga de su madre. Las acompañaban el chofer, Alfredo Herrera, y Miguel Dinópulos, un profesor de contabilidad, nacido en Aimogasta y conocido en aquellas comarcas como "El Griego". El Ford traía a varios custodios de la Gobernación y no era aquella la primera vez que semejante comitiva conmocionaba la tranquila aldea riojana: durante tres días seguidos, el operativo se había repetido.

Zulemita entró en la escuela con una gran carpeta. Era un día fundamental para ella: debía rendir dos exámenes, Instrucción Cívica y Geografía. Los últimos de su zigzagueante derrotero por la escuela secundaria, que por obra y gracia de las continuas separaciones y reconciliaciones de sus padres, incluyó cinco colegios.

La primaria había sido más estable: dos años de jardín de infantes en la escuela Federico Froebbel y desde primero hasta séptimo grado en el colegio Castro Barros, ambos en la ciudad de La Rioja.

El comienzo de la secundaria coincidió con el exilio de Zulema Yoma en Buenos Aires, tras la primera trifulca pública que tuvo con su marido: luego de atrincherarse en la residencia gubernamental, había abandonado la provincia en compañía de sus dos hijos, deshecha por las falsas acusaciones del entorno de su marido y con el convencimiento de que su cuñado Eduardo la quería hacer internar en un psiquiátrico.

En ese clima, en 1984, Zulemita estrenó su primer año en el Colegio Guido y Spano, en la Capital Federal. Para hacer el segundo y el tercero, se cambió al Normal 6. Luego, un respiro en la relación conyugal determinó que pudiera hacer el cuarto año en el Joaquín V. González de La Rioja. Pero el quinto le quedó colgado y tuvo que darlo libre en dos colegios: aprobó seis materias en el Nacional de Anillaco y las últimas cinco en Villa Mazán.

El 27 de diciembre de 1988 hubo una gran fiesta en la residencia del gobernador. Zulemita ya era bachiller y el festejo se justificaba no solamente por su valor académico, sino, principalmente, porque era el resultado de una "operación" político-docente.

El periodista y profesor de Filosofía, Miguel Wiñazki investigó para la revista *Noticias*, en 1994, los entretelones de los exámenes de Zulemita en la remota escuela de Villa Mazán.

La profesora de Geografía, Daniela Moreno de Quinteros, no tuvo empacho en admitir que la aprobó "por necesidad".

–Yo no la aprobé por obligación ni por compromiso, pero sí por necesidad. Se oía decir que necesitaba el título con urgencia… y eso es una necesidad. Circulaba el rumor de que había que aprobarla porque tenía que ir a estudiar abogacía –dijo.

La docente también destacó detalles importantes: "Saber que era la hija de Menem… saber que se le iba a dar una mano y que se le iba a tener una consideración, y que por eso se eligió este lugar".

¿Zulemita mereció o no el aprobado? La profesora Quinteros le confesó a Wiñazki que "la verdad es que no me respondió muy bien, yo le pregunté cuál era la mina más importante de La Rioja y ella no sabía. La nuestra es una provincia minera y en general todos los chicos saben responder que es Famatina, pero ella no. Yo la tuve que ayudar con una serie de preguntas y no caía, no caía".

La profesora que concedió el generoso aprobado reconoció que en esos momentos "no era una chica preparada", y que, aunque quizá cambió después, "no daba para estar estudiando en una Universidad de Buenos Aires".

A Carlos Orqueda le tocó examinar a Zulemita en Instrucción Cívica, y la clasificó con "un cuatro rasposo".

El docente le explicó a Wiñazki que fue un examen en el que "desde luego, no se le preguntaron temas profundos, porque sabíamos que la chica realmente necesitaba aprobar".

Dinópulos fue el "operador" de Menem y Zulema para obtener el bachillerato de Zulemita. Lo hizo con acierto y discreción, sin prepotencias, casi con guantes blancos. La profesora de Geografía contó: "Ese muchacho me ofreció lo que yo quisiera, pero después del examen. En ese momento no necesitaba nada, porque estaba trabajando, pero cuando tuve la necesidad lo fui a ver y entonces me dijo que no me podía ayudar, porque para eso tenía que verla a Zulema, y como Zulema no venía a La Rioja…".

Zulemita también había aprobado en Villa Mazán las otras tres materias: Física y Química, el primer día, y Educación Física, al siguiente. ¿También por el estado de necesidad?

Conseguido el diploma, quiso seguir los pasos de su padre y se inscribió en la Universidad Nacional de Córdoba para estudiar Derecho. Allí hizo un primer año brillante: 9 en Derecho Romano, 9 en Filosofía, 6 en Introducción al Derecho. Rafael Vaggione, entonces rector de esa facultad y también diputado provincial menemista, estaba contento de tenerla en esa casa de altos estudios, cuyo edificio Menem ayudó a refaccionar con un subsidio de dos millones de pesos.

–¿Tenés novio Zulemita? –le preguntaron por esos días.

–¡Ayyyyy, no me preguntes por esas cosas delante de Papi! ¿No ves que me está pellizcando?

–Yo soy un padre normal. De mi hijita debo confesar que soy extremadamente celoso. Es que ella es muy bonita. Tiene el mismo rostro oriental de mi madre. Recuerdo que de chico salía con mi madre y todos los hombres la piropeaban. Yo me volvía loco y los echaba pensando que la ofendían, cuando en realidad la halagaban. Igual soy con mi hija.

–Ayyy, papito, cuando sea grande voy a ser abogada como vos. ¿Saben una cosa? Mi papá me prometió ponerme el bufete en La Rioja. Mi papá en un tanque. Un tractor capaz de pasarle por encima a todos. Y para que mamá no se ponga celosa, voy a decir que heredé de ella el gusto por la pintura y por la música. Los que le tienen miedo a mi papá no lo conocen. ¡Fíjense qué pintón que es!

–¡Claro! Halagá nomás a tu padre –dijo Zulema–. Y vos, Carlos Saúl Menem, ¿tenés idea de lo que te va a costar esto? La nena te ha dejado tan bien parado, que por lo menos te va a pedir una tarjeta de crédito. Acordáte de lo que te digo…

Pero en el '90, tras perder la cursada por no inscribirse a tiempo, Zulemita pretendió emigrar a la Universidad de Buenos Aires. Allí no le aceptaron el pase: le exigían cursar el Ciclo Básico Común y aprobarlo, para reconocerle luego las materias rendidas en Córdoba.

Estos avatares la llevaron a cuestionarse si era ésa realmente su vocación, de manera que se sometió a un test en Universitas, para averiguarlo. Descubrieron que tenía aptitud para lo artístico y lo plástico, no para las letras ni los números. Se anotó entonces en la Universidad de Belgrano para cursar Arquitectura, y allí sorprendió a todos con sus maquetas: "No parecían la obra de un alumno que recién comenzaba la carrera", sospechó un profesor.

En realidad, Zulemita se pasaba las tardes en el estudio del arquitecto Alberto Rossi, de la avenida Santa Fe, el que le preparaba los trabajos para sus exámenes. A cambio, el ambicioso Rossi cobró con creces aquellos servicios: Menem le encargó la millonaria remodelación de Olivos, la terminación de la casa de Anillaco y el refugio de la montaña.

–Venía cargada de carpetas y yo le hacía todo. Otras veces, mis socios trabajaban con ella. Un día, le dije que dejara la carrera, porque me daba cuenta de que no entendía nada. Que no era lo suyo. Pero Zulemita decía que soñaba con ser arquitecta –comentaba Rossi.

Cuando pasó a segundo año, el sueño se diluyó.

En 1992 se vistió de reina para acompañar a su padre por el mundo y así fue como perdió la regularidad. A pesar de los insistentes pedidos de la familia, el rector de la Universidad de Belgrano se negó terminantemente a reincorporarla: "Aquí, la hija de un Presidente tiene los mismos derechos y deberes que la hija de cualquier trabajador", sentenció Avelino Porto sin signos de sucumbir al "amiguismo" ni a las presiones de todo tenor que recibió de parte del entorno y de la propia Zulemita, que no cesaba de llamarlo.

En mérito a su prestigio personal, Porto había sido convocado por el Presidente para ocupar en el '90 la conflictiva cartera de Acción Social y para salir a pelearle en el '91 a Fernando De la Rúa, nada más que para perder decorosamente la candidatura a senador por la Capital Federal. Pero Menem no apreció su ejemplo ético, y Zulema tampoco.

–Es una injusticia, porque la nena está representando al país, es una embajadora de la Argentina que se sacrifica por la Patria, así que yo creo que merece más respeto por parte tan luego de alguien que es un rector –protestó Zulema en un reportaje.

El Presidente también lo castigó: dejó de dirigirle la palabra durante once meses. Recién volvió a hacerlo cuando necesitó alguien confiable para sanear el PAMI después del "affaire retornos" de la gestión de Matilde Menéndez, y no encontró dentro del menemismo a nadie que lo fuera. Pero Porto volvió a decirle no y la elección terminó recayendo en Víctor Alderete.

Sin rumbo vocacional, pero decidida a tener un título superior, Zulemita se inscribió en la Universidad Argentina de la Empresa (UADE) con la intención de estudiar Administración. Luego, otra vez cambió de idea y se decidió por Comercio Internacional. Había ingresado en la institución en 1993 y en 1994 cursaba ya tercer año. Una alumna brillante.

–Lo que pasa es que curso en doble turno, por eso es que voy tan adelantada. Además, la carrera me apasiona, porque me resulta muy útil para mi negocio de venta de motos importadas –explicaba Zulemita.

Todo siguió viento en popa hasta aquel malhadado lunes 14 de noviembre en que rindió su segundo parcial de "Envases y embalajes". Una compañera, Martina Kambic, la acusó de haber aprobado el escrito valiéndose de una suerte de walkie-talkie sofisticado, provisto de auricular y micrófono inalámbricos, a través del cual alguien, que a lo mejor se encontraba en la camioneta Chrysler de vidrios polarizados que usaba su custodia, le habría soplado las respuestas. La revista *Noticias* destapó el escándalo el 27 de noviembre de 1994.

–Se estaba copiando, eso es *vox populi*. Ella se sentó al lado de una amiga mía, Viviana, que estuvo veinte minutos sin poder concentrarse porque Zulemita no paraba de hablar y recibir respuestas –confesó la alumna.

Martina Kambic también dijo que, tras una reunión que se hizo en la rectoría tres días después del examen –que, pese al tecnomachete, Zulemita apenas aprobó con cuatro–, les había gritado, primero a Viviana y luego a ella:

–¡Te voy a matar por buchona!

De inmediato, Zulemita hizo mutis por el foro y se alejó del país.

Estuvo en Aspen unas cuantas semanas, sin custodias, sin fotógrafos detrás y sin darse a conocer como hija del presidente argentino. Y luego viajó a Siria en misión oficial junto a su padre. Durante ese viaje a la tierra de sus abuelos, en un reportaje que esta periodista le hizo como enviada especial de la revista *Gente*, Zulemita admitió entre otras cosas que se había sentido pésimamente a causa de aquel incidente en la UADE.

–Me alejé porque estaba muy mal, una revista había empezado una campaña en mi contra y me estaba destruyendo la vida. Me costaba dormir de noche, lloraba todo el día, había llegado a adelgazar cinco kilos en diez días. Soy muy religiosa y todo el mundo lo sabe. Dios fue una gran ayuda. Rezar toda las noches fue mi mejor terapia. No necesito más, porque después de todas las cosas que me tocaron pasar desde chica, si no creyera en Dios, no quiero pensar en lo que hubiera sido de mi vida… A pesar de tener veinticuatro años siempre fui muy pegota de mis padres y en este mes los extrañé un montón. Después de este distanciamiento creo que encontré mi identidad. Creo que estaba medio confundida y no sabía muy bien lo que quería. Con mis compañeros de la UADE, después

385

de lo que inventaron los medios, quedé en muy buena relación. Jamás me copié, ésa fue una campaña en la que yo fui una víctima. Pero yo no soy una persona rencorosa, eso lo aprendí de mi Papi. A él le hicieron mucho daño pero supo perdonar. Cuando encontraba a alguno de los que tuvieron que ver con el tiempo en que él estuvo preso, le preguntaba: "Papi, ¿por qué está aquí esta gente? Y él me respondía tranqui: "Hija, en la vida hay que aprender a perdonar, hay que pensar en el futuro".

Pero tanto perdón no alcanzó para salvaguardar de la desgracia a Martina Kambic. Conduciendo el auto rumbo a Neuquén, donde vive su familia, rodó junto a sus hermanos en un infortunado accidente y quedó cuadripléjica, apenas cumplidos los veintiún años.

Los dos años que sucedieron al desalojo de Olivos fueron muy tumultuosos para Zulemita: tomó partida por su madre, pero a la vez, sufrió mucho por no ver al padre. Comenzó a tener una vida desenfrenada, salpicada de desequilibrios emocionales.

Continuamente llamaba a Olivos y hablaba con Ramón Hernández. Lo usaba para dejar mensajes cargados de insultos a su padre. En una oportunidad, en el departamento de su madre en La Rioja, después de una de esas conversaciones –como siempre– violentas, sufrió un ataque de nervios y se dejó rodar por la escalera desde el quinto piso del edificio.

Fue atajada por la custodia y sólo se golpeó, pero continuó presa de los nervios tironeándose del pelo, llorando y sin dejar de gritar en contra de su padre. En ese estado subió al auto y salió haciendo picadas por toda la ciudad. La encontró Antonio Turbay, el marido de la íntima amiga de Zulema, en el parque Yacampi, con el auto abollado, tirada afuera y diciendo incoherencias. Esa, dicen, fue su primera tentativa de suicidio.

–No quiero vivir, no doy más. Estoy harta… ¡Tráiganlo a mi Papi! –pedía.

Turbay la regresó al departamento, donde un médico le suministró un tranquilizante.

En aquellos tiempos, Carlos Menem se había lanzado a la conquista de Europa y sus mandatarios. Proliferaban los viajes al Viejo Mundo y en ellos el Presidente era continuamente acompañado por una periodista de ATC, Leyla Aydar, ex Miss Argentina, con la que, se dice, vivió un apasionado romance y a quien le regaló un reloj Leroy de platino que ella sigue llevando actualmente en su muñeca.

Zulemita no podía soportar la imagen de Leyla en la pantalla del canal oficial. Y tampoco hoy digiere que la mujer continúe trabajando en ATC:

—¡Sacá a esa de ahí! —es el reclamo constante de Zulemita a su padre.

Días turbulentos para la niña provinciana, quien en Buenos Aires se lanzó decidida a conocer la noche porteña. Al principio, la gran ciudad deslumbró sus ojos rasgados, idénticos a los de su abuela Mohibe. Poco después de la exclusión de Olivos, fue incansable en la recorrida de boliches, marcada de cerca por los custodios y por su hermano Junior.

Había encontrado una buena excusa para escapar de los escombros de su familia. Marearse, olvidar por unas horas, negar las desdichas cotidianas.

Cuando conoció a Leopoldo "Poli" Armentano, luego asesinado, quedó fascinada y creyó que había tocado el cielo con las manos. Para el empresario, dueño precisamente de El Cielo y Trumps, las más famosas discos de la ciudad en esos años, tanta admiración no le resultaba cómoda.

Horacio Verbitsky, en *Página/12*, escribió al respecto: "El Rey de la Noche de Buenos Aires no sabía cómo manejar la fascinación que suscitaba en la niña provinciana: temía tanto enredarse con ella, como desairarla".

Pero no tuvo alternativa y abrió distancias, después de que Zulema Yoma, intuitiva como siempre, irrumpiera en El Cielo, reprochándole la cercanía con sus hijos. Días antes, Armentano había tenido una acalorada discusión con Junior, que también le había prohibido acercarse a su hermana.

Cuando todo esto ocurría y era la comidilla de los medios periodísticos y farandulescos, Zulemita fue internada en la clínica Mater Dei.

No hubo modo de saber qué le había pasado.

El 15 de marzo de 1995, Carlitos se estrellaba en Ramallo y unos meses después Zulemita descubría que Menem había recibido en Olivos a Marta Meza y a Carlos Nair, el hijo que ambos engendraron en Las Lomitas, escena que *Noticias* registraría como nota de tapa.

Desesperada, llamó a Menem por teléfono y lo insultó:

—Así que, a rey muerto, rey puesto. ¡Qué rápido le encontraste reemplazante al Chancho! —le reprochó a los gritos.

Después se fue a Olivos y amenazó al padre con matarse si volvía a saber que "ese bastardo" volvía por allí. Iracunda, descontrolada, corrió a refugiarse a la casa de su madre, se tomó un frasco de pastillas y tuvo que ser internada nuevamente en la Mater Dei, donde se le practicó un lavaje gástrico.

—Estoy viva, estoy viva —la escuchó decir Elsa Serrano, en medio de la habitación en penumbras. Zulemita estaba totalmente dopada, apenas susurraba. Alito Tfeli se paseaba nervioso, mientras la modista levantaba las persianas para dejar entrar la luz del sol, que iluminó el rostro pálido y los ojos entrecerrados de la joven. Al lado de la cama, esperaban inmensos osos de peluche y varios ramos de rosas que le había enviado su padre.

Así concluyó otra situación de desequilibrio emocional, que –según varios testimonios– la habría arrastrado a un nuevo intento de quitarse la vida.

Entre el '95 y el '96, cuando empezó a repartir sus días entre Olivos y el piso de Libertador y San Martín de Tours, donde habitó con su madre tras la muerte de Junior, Zulemita estaba tan delgada que no se animaba con las minifaldas. Sus kilos eran motivo de murmullos en los pasillos y en los rincones del gabinete. La presunta anorexia de Zulemita Menem se había convertido en una cuestión de Estado.

Menem le insistía todo el tiempo: "Zulemita, comé". Era como una letanía. "¿Comiste, nena?" La relación padre-hija se intensificó a partir de la muerte del hermano. Al mismo tiempo, empezó a sufrir lo que los psicólogos llaman "un proceso de regresión": hablaba como una nenita de cinco años. Tenía pánico a la soledad y la enloquecía pensar que el padre podía tener una mujer.

Según testimonios del entorno, de pronto, de madrugada, se levantaba, se subía al auto y enfilaba para la residencia. La custodia, que la seguía, alertaba que iban para Olivos: "Atención Z-125 por Avenida del Libertador". Una madrugada, llegó a las cuatro y media, entró por el túnel de Libertador con las luces bajas, muy despacio dio varias vueltas alrededor de la residencia y se fue por la entrada de la calle Villate. Sólo para que el padre, si estaba en su dormitorio con alguna mujer, aguantara el susto de que se le apareciera y le hiciera un escándalo.

Los celos enfermizos por el padre es algo que Zulemita no puede disimular en ninguna parte ni circunstancia, y hasta hoy no ha logrado superarlo: en uno de sus últimos viajes, una vistosa empleada del Aeropuerto de Ezeiza, a quien Menem conocía de otros tiempos, recibió un codazo y una reprimenda de Zulemita cuando se le acercó y le dio un beso.

–¿Quién sos vos para darle un beso a mi Papi? –le dijo.

Y no fue broma.

Sin embargo, estos sentimientos son avivados en la intimidad del palacio, por los hombres de Carlos Menem.

–Ojo, Zulemita, no lo dejes solo a tu Papi, porque está enfermo… –advierte el medico Tfeli, en las víspera de algún viaje.

Y ella corre solícita, prepara su vestuario, sus joyas, sus propios laderos y parte a acompañar al Papi, que sin ella, no puede vivir.

Y Carlos Menem disfruta de la obsesión de su hija, en su disputa eterna con Zulema Yoma.

–Zulemita es como la mujer. Cumple el papel de la mujer que Carlos no tiene. Llega a Olivos, ordena la comida, entra en el dormitorio sin llamar y cuida que el padre no fume o coma cosas que le hagan mal –dice un alto funcionario.

El duelo no elaborado por la muerte del hermano. El fluctuar constante entre el padre y la madre. Algún novio, como Federico Suárez Salvia, piloto de motos supersport, expulsado por Zulema porque, según ella, "es un vago que no trabaja". Y sus poquísimas amigas, a quienes su madre tampoco quiere porque "se aprovechan de la nena, que las lleva a pasear gratis por el mundo". Su ir y venir entre el amor y el odio al padre. Entre ser mujer o niña. Pobre Zulemita, todo se conjugaba en su contra.

Finalmente, se produjo lo previsible: un cuadro depresivo que se manifestó como anorexia, debilidad, mareos. Las penas la habían enfermado. No se mantenía en pie. Estaba deshidratada por no comer ni beber. Y sus tías Leyla y Delia Yoma debieron internarla de urgencia en la Clínica Suizo Argentina el 9 de noviembre de 1995 con un diagnóstico de "deshidratación aguda con hipotensión ortostática".

La anorexia es un suicidio en cuotas, pero Zulema salió a explicar lo inexplicable: "Zulemita nunca dejó de comer, pero todo le caía mal. Lo que ella tiene es un gran agotamiento".

Estuvo internada tres días y una de las visitas que recibió fue la de Carla Currone, la viuda de Silvio Oltra, quien llegó con el pequeño Matko en brazos. Ver a su ahijado le hizo muy bien a Zulemita. Pero la reconfortó más la presencia de su padre, que esa misma noche la fue a abrazar.

Las relaciones entre Menem y la familia Yoma se habían reanudado durante el festejo de la Nochebuena de 1994, en la casa de Amira, quien, a raíz del escándalo del Yomagate, y a su obligada renuncia como directora de audiencias, hasta ese momento no había vuelto a dirigirle la palabra a su cuñado.

El milagro había sido obra de Zulemita, que en la madrugada del 25 de diciembre cumplía veinticuatro años y deseaba como regalo reunir a toda la familia. Paradójicamente, ése fue el último cumpleaños y la última Navidad que pasó junto a su hermano.

Esa noche Zulemita fue el centro de atención: su padre no dejó de mimarla y acariciarla, y hasta le dio de comer en la boca. Zulema hizo lo mismo con Carlitos. Edipo estaba de parabienes.

Hubo cóctel de langostinos, caviar y centolla, para empezar. Luego, asado con ensaladas varias. El obsecuente Mario Falak, dueño del Alvear

Palace Hotel, había supervisado todos los detalles y se comió de lo mejor. Zulemita sopló emocionada las velitas y en el doble brindis por la Navidad y el cumpleaños de la hija, Menem y Zulema se dieron un beso en la mejilla.

También hubo regalos para Amira: el Presidente le regaló un elefante de felpa, de casi un metro de altura, repleto de bombones de Lyon D'Or.

Chacho Marchetti y su madre María Angélica, Delia, Leyla y Omar Yoma, así como Nadia y Alicia –las hijas de Karim–, participaron en la fiesta. De los Yoma sólo faltaron Naim, que no pudo venir de La Rioja; Emir, que había viajado a Punta del Este; y Karim que en ese momento estaba en Madrid. Zulema, eufórica, bailó una danza árabe, de pura agradecida porque el 18 de diciembre, para su quincuagésimo segundo cumpleaños, su hijo le había dedicado su última victoria en el rally de San Luis.

–Mami, ahora tenés que bailar para mí –le había pedido Carlitos.

Menem aplaudía sonriente y su nena estaba en la gloria. Pero tres meses después, el helicóptero se desplomó y, con él, también los sueños de Zulemita.

Pese a esto, el lunes 1º de mayo, el gobierno realizó en el Teatro Cervantes el acto político más importante de la campaña por la reelección: el lanzamiento del programa Argentina en Crecimiento 1995-1999, con un plan de inversiones por 87.000 millones de dólares, presuntamente destinado a crear empleos y satisfacer necesidades básicas de la población. Zulemita estuvo en ese acto sobre el escenario, al lado del padre y vestida de riguroso luto, con un conjunto de chaqueta y palazzo negros.

Era la segunda vez que aparecía en público tras la muerte del hermano. La Caravana de la Lealtad, que tuvo lugar en La Matanza unos días antes, había sido el debut. Saludó a los manifestantes llevándose las manos a la boca y abriéndolas en besos generosos. Y sólo se quebró cuando leyó en uno de los pasacalles: "Carlitos nos está acompañando desde el cielo".

Cuando alguien le preguntó de dónde sacaba fuerzas para estar haciendo campaña por el padre, Zulemita contestó:

–La religión me ayudó a entender su muerte. Esto no quiere decir que la haya superado. Para los musulmanes, esta vida es corta, es un tiempo que se mide en años, pero la vida eterna es la que se vive junto a Dios, y ésa es la que no tiene límites. Y como sé quién era mi hermano tengo la certeza de que está pegadito a Dios.

No volvió a estudiar en la UADE. Y tampoco en ningún otro lado. En cambio, se dedicó de lleno a facturar y hacer negocios.

Más allá de su tono aniñado, ahora ella es una empresaria exitosa.

Es difícil discernir a qué debe más su éxito comercial: si a su carrera truncada o a su estrecha ligazón con el poder. Según la revista *Noticias*, el negocio de los autos le permitió a Zulemita facturar en 1998 la nada despreciable suma de 8,6 millones brutos. Un logro que ella agradece a su tío Emir, porque le prestó el primer millón y medio de dólares, y a la legendaria gloria del Turismo Carretera Jorge Cupeiro, su socio, verdadero conocedor del negocio y amigo entrañable de Carlos Menem. Un personaje sinuoso, despreciado por Zulema, de estrechas amistades con el cuestionado ex juez federal Alberto Piotti, el juez de la causa de Junior, Carlos Villafuerte Ruzo, y algunos integrantes de la "Maldita Policía", como el comisario Mario Naldi y Mario "Chorizo" Rodríguez.

El emprendimiento empresarial, lanzado formalmente el 6 de marzo de 1998, vendió 287 autos. Animada por el éxito, Zulemita se compró un loft próximo al Paseo Alcorta, uno de los lugares más chic de Buenos Aires, por doscientos sesenta mil dólares, que Anne Bazán, una arquitecta/decoradora de Chilecito, ayudó a decorar en un estilo rústico e informal. Allí se reúne con sus amigos a escuchar música y a ver videos.

Su imperio económico –desmedido para su edad– se compone de las siguientes empresas:

- NÚÑEZ AUTOS S.A. Rubro: compra y venta de vehículos Toyota, cuyo directorio está integrado por Jorge Cupeiro y Miguel Ángel Ellí. Zulemita sería dueña del cincuenta por ciento, pero no figura como tal.
- VIDENCIA S.A. Rubro: inmobiliaria y financiera, dirigida por Cupeiro y Zulemita.
- MOTOHOUSE S.A. Rubro: compra y venta de motocicletas. Directorio: Zulema María Eva Menem y Zulema Yoma.
- CHAREN. Rubro: gastronomía. Directorio: Jorge Gamondes y Osvaldo Grasso. Aunque Zulemita no figura, firmó como presidenta el cambio de sede. El nombre de esta sociedad fue idea suya en homenaje a su hermano. La creó a los quince días de la muerte de su hermano. "Charen" quiere decir "Chancho rengo". Así lo llamaba a su hermano, que por un accidente de moto andaba arrastrando una pierna.
- KARTE S.A. Rubro: compra y venta de automotores y repuestos. Zulemita aparece como socia, pero Carlos Menem declaró ser el dueño del 99,2 por ciento.

¿Por qué la injerencia de Jorge Cupeiro en los negocios de Zulemita? El personaje lo explicó muy sencillamente:

–Me mandó a llamar el Presidente. Me explicó que no se podía ocupar de su hija. Y eso yo lo hago con gusto.

Cupeiro y Carlos Menem se conocieron en 1974, cuando el "gran maestro del Chevytú" –nombre con el que los aficionados bautizaron a su Chevrolet preparado para correr– organizaba rallies en las azarosas tierras riojanas.

–Reina, reina, atendéme… –dice Cupeiro, todo el tiempo, en el contestador de Zulemita.

Hoy, entre bienes inmuebles y automotores, la primera dama virtual de la Argentina atesora un patrimonio de casi tres millones de dólares y ha quitado de en medio a su tío Emir. Éste, que al prestarle su primer millón y medio de dólares había confiado en ir con ella en el cincuenta por ciento en las ganancias, se ha quedado con la sangre en el ojo.

–Ojo, con Zulemita, es mala. Mucho ardillita, mucho papito, mucho mamita, pero es peligrosa, es ambiciosa. La nena es peor que Amira –asegura el tío Emir a sus íntimos.

No sólo Emir Yoma lo piensa. En el entorno de Menem nadie la quiere, aunque lo disimulan para cuidar sus cargos: "Te la echas en contra a la nena y sonás con Carlos", dicen por lo bajo. Mario Rotundo pensó que le podía pasar algo peor que eso. El 8 de julio de 1998, con la venia de Zulema Yoma y un casete grabado en la mano, denunció ante el juez Rodolfo Canicoba Corral que la hija del Presidente lo había llamado tres veces en una misma mañana a su celular y que, además de insultarlo, le había reiterado sin cortapisas: "Te voy a pegar un tiro".

"Zulemita Menem fue acusada de amenazar de muerte a uno de los principales asesores de su madre", tituló el ya desaparecido diario *Perfil* al día siguiente.

En la intimidad ella sostenía que Rotundo "le llena la cabeza a mi mami y la pone en contra de mi papi por lo del Chancho". En Olivos, los odios hacia Rotundo tenían y tienen razón de ser. En los albores del menemismo, el dirigente le había prestado sus oficinas céntricas al grupo de riojanos que apoyaban a Menem para que pudiesen trabajar en la campaña. Pagaba los gastos, las mujeres, los viajes y hasta los vestidos de las amantes del Jefe. Varios millones de las congregaciones religiosas con las que Rotundo estaba vinculado fueron deglutidos por las fauces menemistas. La amistad se quebró tras la asunción presidencial, cuando Rotundo le reclamó a Menem los ocho millones de dólares que decía haber invertido para que triunfara. Después de intensas presiones del nuncio Ubaldo Calabresi, con el que Rotundo mantenía una intensa relación desde tiempos lejanos, pudo, a fines del '91, cobrar un millón de dólares. Esteban "Cacho" Caselli, entonces segundo de Bauzá y actual embajador en el Vaticano, le hizo dos entregas a Rotundo, de doscientos mil dólares cada una, en la nunciatura apostólica. Los seiscientos mil restantes fueron transferidos a través del Ministerio del Interior a la provincia de Buenos Aires, a favor de la congregación religiosa Hijos de la Sagrada Familia, los cuales eran uno de los acreedores de los préstamos de la campaña, plata que se devolvió bajo el título de "subsidios". Como las intenciones de Rotundo de cobrar el dinero restante fracasaron, en 1993 presentó un recurso judicial en el que la suma se agigantó. Ahora, Menem le debe quince millones. Antes y durante el viaje a Londres, se desarrollaron las últimas negociaciones. Además de Carlos Corach y el coronel Jorge Igounet, en algunos casos Zulemita ofició de intermediaria entre Rotundo y Carlos Menem.

Luego de la muerte de Carlitos, y mientras Zulema estaba dedicada de lleno a investigar sus causas, el misterioso Rotundo volvió a escena. Zulema le abrió las puertas de su casa y él se convirtió por un tiempo en su asesor y virtual vocero.

Cuando esta periodista escuchó decir que la propia Zulema le había recomendado hacer la denuncia judicial contra Zulemita, no pudo creerlo.

–Zulema, ¿por qué alentó a Mario Rotundo a ir en contra de Zulemita?

–Tengo mis razones, mamita. No quiero que a Rotundo me lo revienten de un tiro en la cabeza y después salgan a decir que lo mató Zulemita. Es para protegerla, yo sé cómo actúa esta mafia...

Cuando el portón de la residencia de Olivos se cerró tras ella, Zulema Yoma no sólo perdió una batalla conyugal sino también el rol de primera dama, e inmediatamente comenzó a advertir que otras mujeres del entorno presidencial –María Julia Alsogaray, Adelina Dalesio de Viola y hasta la peinadora Estela Londero– aspiraban a ocupar el lugar vacante.

Zulemita también se sintió frustrada. En aquellos tiempos, su padre sólo les mandaba la vianda. Su madre estaba derrumbada en su casa de Posadas, agobiada por el inicio del polémico juicio de divorcio, aislada, porque no sólo había sido traicionada por su entorno sino que, desde Olivos, Menem había dado la orden de que nadie podía tener contacto con ella. Y Zulemita se sentía más sola que nunca. Le había escrito una carta a Zulema. Se la dejó sobre la mesa de luz y decía así:

"Mamita quiero escribirte un millón de cosas. Cosas que realmente no sé expresar con palabras porque me arrebato demasiado, me pongo mal, muy nerviosa o directamente no lo sé explicar. Quiero que me ayudes a tener mi propia vida, mis propias cosas, mi independencia, mi plata. Quiero que la vida me devuelva eso que una vez se llevó. Yo sé que esto que tenemos algún día se va a terminar, quizás sigamos teniendo algo o a lo mejor no tenemos nada. Mamita te pido que me ayudes…"

Pero su estado de angustia no duró demasiado. En junio "el Papi" la invitó a la Cumbre de Presidentes de América Central en Nicaragua, y también le pidió que lo acompañara a España.

Todo un desafío para la ingenua chica riojana que recién comenzaba a probar las mieles del poder, pero que acometió con el mismo ímpetu inconsciente con el que había enfrentado sus estudios. El papel de primera dama requirió un aprendizaje tan largo como la distancia que separa a Anillaco de Europa, el mismo que Zulemita sorteó con altibajos pero con éxitos, con la guía de la modista Elsa Serrano antes que con el asesoramiento de los funcionarios de protocolo de la Cancillería.

Mamá Zulema la acompañó a la prueba de la ropa. Estaba inquieta con el viaje de Zulemita, pero al mismo tiempo tenía contradicciones lógicas. Su hija ocupaba el lugar que a ella le habían quitado por la fuerza. Y aunque a Zulema jamás le importaron los oropeles del poder, mientras ayudaba a su hija con el vestuario, sentía cierta puntada en la boca del estómago.

Sólo Carlitos, su amado hijo, la ponía en el lugar adecuado. Cada vez que le preguntaban, él decía terminante: "Acá hay una sola primera dama, mi madre".

Y Zulema no cabía en sí de orgullo.

En Nicaragua, Carlos y Zulemita estuvieron nada más que tres horas.

El comandante Daniel Ortega no quería levantar el cese del fuego, en la guerra con la contra nicaragüense. Y Bush, ante la negativa, le pidió a Menem que redujera el perfil de la visita. Menem llegó con aires de pacificador, pero sus sugerencias no fueron escuchadas. Durante la cena en el hotel cercano al aeropuerto, habló de la importancia de lograr la paz, ante un Ortega que no articulaba palabra. El comandante sandinista estaba embelesado, con los ojos –cubiertos por los anteojos de miope– clavados en Zulemita. Mientras los camareros servían las exquisitas langostas, Ortega no perdió el tiempo y se acercó a la joven: "Sabes, chica, todo esto me pilla tan de sorpresa que no he tenido tiempo para una recepción más importante como tú te mereces…".

Zulemita bajó los ojos, ruborizada. El encendido comandante –famoso por sus innumerables y escandalosas aventuras amorosas– prosiguió y mirándola a los ojos, le dijo:

–Por eso, niña, lo único que tengo para obsequiarte es mi birrete.

Frente a toda la comitiva, Ortega se quitó su gorro de comandante y se lo colocó en la cabeza de Zulemita, que, intimidada por la situación, sólo atinó a decir "gracias", en un susurro.

–¿Y éste a quién le ganó? Que deje de mirar a la nena, porque terminamos a los tiros… –le dijo Menem a Ramón, mientras disimulaba sus palabras con una sonrisa apretada.

Cuando Zulemita llegó a España acaparó todos los elogios.

Se escuchó decir: "Es una verdadera princesita, es una verdadera pequeña dama". Pero hubo un error imperdonable a la hora de armar los conjuntos de ropa para el viaje. Las primeras damas, según las normas, deben vestir faldas, y Zulemita había llevado muchos pantalones y polleras largas. Cuando ya era tarde para remediar el desliz, todos optaron por poner como excusa la juventud de la hija del Presidente y pasar por alto el detalle.

En realidad, Zulemita creía que sus piernas eran extremadamente delgadas. De ahí el apodo familiar de "Garza".

"Qué horrible, parezco un tero", decía frente al espejo. Trataba de ocultarlas porque vivía aún bajo la influencia varonil argentina, que, a contramano del gusto europeo, aprecia las pantorrillas generosas. Y Elsa Serrano no había logrado aún convencerla de que correspondía otro look y que sus piernas eran dignas de aplausos y no de críticas.

De todas maneras, para Zulemita todo aquello fue un verdadero cuento de hadas hasta que un día, paseando por Madrid, se encontró con el rostro de su tía Amira en la tapa de la revista *Cambio 16* y este título: "Confirmado el Yomagate. A la cárcel". Aunque la noticia no tuvo gran repercusión en España, se suspendieron todas las entrevistas solicitadas a Zulemita.

Sin embargo, siguió con sus entretenimientos extraprotocolares. Por la noche fue a bailar acompañada por Javier Matheus, el peinador que la atendió durante el viaje y que se presentó en algunas ocasiones como su secretario privado, y el arquitecto Rossi, a quienes algunos señalaban como su "amigovio" y autor de las maquetas que habían asombrado a los profesores de la Universidad de Belgrano.

Aquella visita fue realmente importante para Zulemita, toda una prueba de fuego. Incluyó almuerzos con los reyes, reuniones de alto nivel y alguna escapada para conocer la movida madrileña en compañía nada más y nada menos que de la infanta Elena, la hija mayor del rey de España. Aquella noche ningún paparazzi pudo conocer el destino de las jóvenes: habían ido custodiadas especialmente por la Guardia Real. Al otro día, Zulemita ocultó sus ojeras bajo grandes anteojos oscuros Chanel, mientras Carlos Menem la miraba arrobado. Frente a toda la comitiva y los periodistas, padre e hija intercambiaron secretitos y caricias. Como dos tórtolos. Después del escándalo desatado en el pabellón argentino de la Expo de Sevilla, la recepción fue cálida y ordenada. Beba Bidart le dedicó a Menem el tango "Ventarrón". Zulemita largó una carcajada al escuchar "Todos te llaman ventarrón por tu bravura y tu coraje". Identificada con la descripción de la cantante, tomó del brazo a su padre y le estampó una catarata de besos en la mejilla.

Además de los vestidos de fiesta –uno en tafeta de seda natural amarillo con corsage bordado y falda amplia, y otro con pollera tubo y sobrefalda–, Serrano armó especialmente para la hija del Presidente cinco conjuntos de pantalón amplio, blusa y blazer y un tailleur con saco tipo cardigan.

Al regreso de ese viaje de ensueño, Zulemita declaró:

–Todo ha sido extraordinario. Papá me pidió que lo acompañara. Fue algo hermoso. Yo lo hablé con mi mamá y ella me dijo que viniera. Me gusta haber estado en el lugar que le correspondía a ella. Mamá me pidió que acompañara a mi papá y eso hice. Papá y mamá están muy contentos porque cumplí la función que me dieron y yo estoy muy feliz también por eso.

La alumna había aprobado sin copiarse. Y en octubre de 1998 sacó sobresaliente, nada menos que en Gran Bretaña, en una visita que para la diplomacia argentina, y fundamentalmente para el ego de Carlos Menem, era primordial.

El miércoles 27 de octubre de 1998, a las 15.40, el *Tango 01* aterrizó en Heathrow bajo una persistente llovizna. Menem, de traje gris oscuro y corbata violeta, y su hija, de tailleur blanco, con capelina también violeta, fueron recibidos por un representante oficial de la reina Isabel y conducidos en un Bentley al hotel Claridge, donde se alojaron durante su estadía londinense. La gira en total duró seis días, y los había llevado antes a Portugal, España y Francia.

Esa noche, padre e hija cenaron en un restaurante árabe de Picadilly Circus y a la mañana siguiente, ambos vestidos de negro, rindieron homenaje en la catedral de Saint Paul a los soldados británicos muertos en Malvinas. Zulemita inició la conquista de los británicos derramando lágrimas y secándolas con un pañuelo blanco por debajo de sus anteojos oscuros.

Con la prestancia de un príncipe y su princesa, Menem y su hija entraron el miércoles 28, a las 13 en punto, en el Palacio de Buckingham. Él, de traje gris oscuro, camisa blanca, corbata y pañuelo amarillos. Ella, con un traje blanco de falda corta y un peinado recogido con una larga trenza a la espalda. Luego de pasar frente a una guardia de honor, fueron recibidos por la reina Isabel II y su esposo Felipe, duque de Edimburgo, quienes los agasajaron con un almuerzo íntimo en el Salón 1844, que el embajador Rogelio Pfirter obtuvo como excepción.

El menú consistió en croquetas de cangrejo, filete de ternera con alcauciles y puerro salteados, papas noisettes y ensaladas. De postre, compota de naranja y para beber, vinos Royal Vintage cosecha 1960.

Antes de retirarse, Menem y la reina intercambiaron regalos. Isabel le obsequió una caja con una condecoración y un retrato de la pareja real con dedicatoria. A su vez, el presidente argentino le entregó a la reina un cuadro de Eleonor von Endelberg, una caja de plata repujada y un poncho de vicuña.

Esta prenda gaucha casi motiva infartos a varios funcionarios del Foreign Office. El rígido protocolo británico impide besar o tocar a la reina, lo que no fue óbice para que Menem le colocara a Isabel el poncho con sus manos e, inevitablemente, las posara sobre su real humanidad. La soberana pareció no darse por enterada de la gaffe o la audacia del invitado. Acarició la tela de vicuña y murmuró con una sonrisa: "Beautiful".

Otro motivo de sorpresa para los reyes y los cortesanos fueron los arrumacos que intercambiaban padre e hija. En una sociedad en que la norma básica es el puritanismo y el evitar las demostraciones emotivas, el beso en la boca que intercambiaron Zulemita y Menem resultó asombroso y fue registrado por los diarios y la televisión. Sólo Lady Di hubiera podido permitirse tal transgresión. De regreso al Claridge, padre e hija recibieron a Sarah Ferguson –cuya madre vivió en la Argentina muchos años– y las princesas Eugene y Beatrice, de 8 y 10 años respectivamente.

A la noche, el anfitrión fue el Lord Mayor de Londres, Richard Nicholson, en una fiesta celebrada en la Mansion House. Menem lució de frac y Zulemita fue el centro de atención por su atuendo: un vestido de seda natural y gasa íntegramente bordado en un diseño craquellé *made in* Serrano, tasado en siete mil quinientos dólares.

La chica de Anillaco se sentó junto al príncipe Andrés, quien no disimuló su arrobamiento/encantamiento.

Al día siguiente, los diarios ingleses publicaron "The first lady of the fashion" (La primera dama de la moda) o "The beautiful little first lady of Argentina" (La hermosa primera damita de la Argentina). Zulemita había impactado a todos los británicos.

Lo mismo le había pasado a Jacques Chirac, presidente de Francia, cuando Menem y su hija lo visitaron en París, en una escala anterior a Londres. El mandatario quedó impresionado y, antes de ingresar al salón donde se realizó la recepción oficial, se acercó a su colega argentino y le dijo que "tenía una hija muy simpática" y que era "la primera vez que daba una cena de gala con una primera dama tan linda y encantadora".

En franco tren de galantería, Chirac le dijo a Zulemita que le gustaría que se quedase a vivir en Francia.

Zulemita reverdeció los laureles que conquistó en Londres en marzo de 1999, cuando el príncipe Carlos, heredero de la corona británica, visitó el país.

Carlos no era una figura simpática para los argentinos, y seguramente menos lo era para Zulemita. De alguna manera, se lo veía como el "verdugo" de Lady Di. Se alojó en la embajada británica en Buenos Aires y tuvo que soportar una algarada de manifestantes de izquierda, pero haciendo honor a la flema británica transitó la gira con dignidad y simpatía, y dejó una buena imagen.

El punto principal del ceremonial fue una recepción en el Salón Versalles del Hotel Alvear. La cena incluyó salmón ahumado con crema y champiñones, medallón de lomo con humita, tomate al verdeo y frutos del bosque con helados de cedrón y pistacho.

Zulemita, que lucía un vestido largo blanco, entallado, de escote profundo, tuvo un postre más distinguido: la invitación a bailar del príncipe de Gales apenas se escucharon los primeros compases de un tango.

La foto recorrió el mundo y los tangueros argentinos se sintieron reivindicados. Carlos no era comparable al mítico Cachafaz, pero se las arregló muy bien para descifrar la compleja coreografía.

–Voy a aprender a bailar mejor el tango y volveré a la Argentina –prometió ante los cuatrocientos invitados. Y, volviéndose hacia el presidente Menem, le dijo–: Su hija ha logrado conquistar la totalidad de los corazones británicos.

En su discurso, Carlos sobrepasó las normas protocolares al recordar el episodio del poncho de vicuña y asegurar que "mi madre es la prenda que más estima". Una exageración que le fue agradecida por los nativos.

"Puede estar orgulloso, realmente su hija impactó a todos los ingleses", fue el saludo que eligió el primer ministro Tony Blair para despedir al presidente argentino en su histórica visita a Londres. Una vez más, Zulemita había logrado poner contento al Papi.

"Es la Diana argentina", comentaban los fotógrafos británicos que montaban guardia en pleno corazón de Chelsea, el barrio preferido de Lady Di, reservado sólo para ricos y famosos. Las horas que Zulemita se había pasado estudiando con un video cada movimiento de la princesa, cada gesto, cada pose, imitándolos una y otra vez frente al espejo, junto con la lectura de la biografía que escribió Andrew Morton, que subrayó incansablemente, habían dado sus frutos.

Ya no se acordaba del episodio vivido a fines de 1994, cuando fue acusada públicamente por sus compañeros de la UADE de copiarse en los exámenes. ¿Cómo podía importarle la mala onda de ese pequeño grupo de grises estudiantes ahora, cuando, como una Cenicienta, se veía admirada por nobles y plebeyos, y encima hasta la comparaban con su adorada Lady Di?

Aunque Zulemita se inspiró en el look de Diana, hubo sin duda ciertas diferencias en el estilo de cada una. Para el día, Zulema usó tailleurs muy parecidos a los de Lady Di: superclásicos, de seda en color *off white*, con blazers largos que apenas dejaban asomar la falda, pero mientras la princesa usaba un largo Chanel, Zulemita optó por las minis, diez centímetros arriba de la rodilla. Diana adoraba el calzado clásico, los escarpines o escotados del diseñador Manolo Blahnik o de Gucci, y Zulemita prefirió el mismo modelo, pero de Ricky Sarkany y de Lonté.

De todas maneras, fue tal el deslumbramiento de los ingleses con Zulemita que tanto *The Times* y *Daily Mail* como *The Sun* destacaron la elegancia, la belleza de la joven, sus dones naturales de auténtica embajadora y llegaron a decir –erróneamente– que en 1992 fue nominada oficialmente como primera dama argentina.

Cuatro meses después, en julio de 1999, a la Cenicienta le llegó la hora, se terminó el baile y la carroza se trocó en zapallo. Zulemita confesó a la revista *Gente*: "Estoy en crisis con mi novio y no me caso".

No mucho antes había dicho:

–Cuando yo me case, mi novio, Sebastián Dinardi, va a tener que venirse a vivir con mi mami y con mi papi.

La faceta más conflictiva de la vida de Zulema María Eva Menem es –y lo ha sido siempre– la sentimental. La madre y el hermano le espantaban los novios, y el padre la absorbía hacia su esfera. Aunque, en los últimos tiempos, mamá Zulema sólo ansía que su hija se case y forme una familia. Supersticiosa, ella teme que si la nena continúa cerca del padre y su entorno, el destino no le deparará más que desgracias. Especialmente, la de una Zulemita atada a la soledad y al despoder de Carlos Menem.

La historia registra casos de mujeres infelices en ese mismo sentido, tan sin sentido.

Lucrecia Borgia, viuda por obra presunta de su hermano César y de su padre, el papa Alejandro VI, que enloqueció de celos al ver a su hija enamorada, en la tortuosa Roma del Renacimiento. Y, más cercana, Manuelita Rosas, la hija del Restaurador, que la única vez que se negó a obedecer a su padre fue a los treinta y seis años, cuando decidió casarse con Máximo Terrero, el novio de su primera juventud.

Lucrecia y Manuelita tenían conciencia de la servidumbre a la que se veían sometidas. Zulemita, en cambio, es ambivalente. Quiere y no quiere. No se decide a elegir entre ser mujer o ser la hija del Presidente.

En febrero de 1995, cuarenta y cinco días antes de la muerte de Junior, en el lobby del hotel más caro de Ciudad del Cabo, en Sudáfrica, esta periodista le preguntó a Carlos Menem qué iba a hacer el día que Zulemita se casara.

–Zulemita nunca se va a casar –dijo.

En ese momento, ella, que estaba pegada a él, comenzó a hacerle arrumacos y ratificó:

–Papi, cuando vos seas muy, muy viejito, nos vamos a ir a Anillaco, a vivir todos juntos con el Chancho y con la Mami...

–No, Zulemita. Dejá que el Chancho se vaya con la Mami. Nosotros vamos a vivir juntos –contestó Menem.

No era la primera vez. Cuando Mirtha Legrand le preguntó si creía que podía enamorarse otra vez, el Presidente contestó imperturbable:

–Yo estoy enamorado de Zulemita.

Justamente en *Las mujeres de Rosas*, de María Sáenz Quesada, se describe una relación análoga:

- "Rosas ha sentenciado a su hija al celibato eterno –supone Mármol– pues no sólo no autoriza su casamiento eventual, sino que en torno de ella no hay un solo hombre capaz de inspirarle una pasión noble y profunda".
- "Hacia 1850 la gloria de Manuelita estaba en su cenit: gracias a los extranjeros y al éxito de la política exterior de Rosas, los periódicos eu-

ropeos hablaban de la joven porteña. En Madrid la llamaban 'la célebre Manolita' y la *Reveu de Deux Mondes* afirmaba: 'Cuenta ella en Europa, desde Turín a Copenhague, con gran número de admiradores y amigos'".

• "Su hija Manuelita era casta y buena, y lo mejor de Buenos Aires la rodeaba por adhesión o por miedo".

• "¿Seguiría Manuelita cuidando a su padre, el tan querido pero despótico tatita que ahora, fuera del poder, se volvería cada vez más caprichoso?".

Hay otros paralelismos entre Manuelita y Zulemita, entre la niña de Palermo y la nena de Anillaco: el Restaurador también se valía de los encantos de su hija para seducir a importantes funcionarios extranjeros.

Sáenz Quesada cuenta que, en 1847, cuando la Confederación Argentina guerreaba contra la coalición franco-británica y soportaba el bloqueo del puerto, el negociador del Reino Unido ante Buenos Aires Lord Howden se rindió incondicionalmente a Manuelita, hasta el punto de vestirse de gaucho, con chiripá, botas de potro, chambergo de ala corta, rebenque y espuelas de paisano, para acompañarla a cabalgar en Santos Lugares.

Cuando Howden se le declaró en una encendida misiva, ella le contestó que no lo amaba, pero que lo apreciaba y respetaba como a un hermano. El lord le respondió entonces como un *gentleman*, con otra carta que iniciaba así: "Señorita de mi profundo respeto y hermana de mi tierno cariño…". El corolario fue que, pasado un mes, Inglaterra levantó el bloqueo.

Zulema María Eva Menem no consiguió la devolución de las Malvinas, pero al menos bailó el tango con Carlos, sedujo a Andrés, imitó a Lady Di, comió con la Reina, aceptó encantada que le prestara su peluquero real y brilló en Londres como una gema argentina. ¿Cómo podría Dinardi remontar tantas complicidades vividas entre Zulemita y su padre?

Cuando Zulemita le hizo la confidencia a *Gente* de su crisis sentimental, hacía mucho tiempo que en su vida había ingresado el misterioso miembro del clan familiar: Yalal Nachrach, su primo, hijo de Delia Yoma, un tipo parco, oscuro, sinuoso, con el que, sin embargo, ella parece recuperar por momentos a su hermano perdido.

De cuarenta y tres años, nacido y casado en Siria, Yalal ha sido citado en la investigación por el atentado a la AMIA y en la causa de las armas. Quizá por esto sus parientes lo llaman "el hezbollah". Zulemita decidió cortar su relación sentimental de más de dos años con Sebastián

Dinardi después de mantener una larga conversación con Yalal en la confitería Tabac, de Avenida del Libertador.

Totón Dinardi la había conocido en abril de 1997, cuando ella se acercó a su concesionaria, frente a la cancha de River, a preguntar por el precio de una Toyota. Bien parecido, de treinta años, callado –según Zulema Yoma, "de poca personalidad, por eso a Zulemita no la puede"–, el empresario logró seducirla, pero no la conquistó definitivamente. Sin embargo, nunca se la vio a ella tan sexy. Ni tan contenta: "Totón, Sebastón, te quiero un montón", rimaba Zulemita. "Qui, qui, qui, quí, sos para mí", reía. Y seguramente también jugaba, como con papá, a las ardillitas.

Pero eso no los eximió de tener varias trifulcas: él no soportaba sus continuos viajes, ni ella que a él no le interesara el poder ni se integrara al clan. Alguna de esas veces Zulemita admitió:

–No estamos pasando un buen momento, estamos distanciados. De casamiento no hay nada, ni este año ni el próximo, es algo que ni siquiera tengo pensado. Pero, el día que lo haga, lo haré por mi religión, la musulmana. Esa es una condición indispensable para el hombre que se quiera casar conmigo.

En marzo de 1998, Sebastián la acompañó a Ezeiza y, minutos antes de que ella emprendiera la gira presidencial por Australia y Nueva Zelanda, en su calidad de primera dama, se despidieron con un apasionado beso en la boca.

En esa oportunidad, alejada del séquito presidencial, Zulemita confesó:

–No soy peronista ni tengo partido político. Eva Perón fue una de las figuras más grandes del mundo, pero a mí no me gusta hablar de política, yo simplemente acompaño a mi papá para que no esté solo.

Casi enseguida, en mayo, Menem la llevó en visita oficial a los países escandinavos, a lo largo de una gira de cinco días que comenzó en Oslo, Suecia. El rey Gustavo XVI y la reina Silvia los homenajearon con una velada en el Palacio Real. Para esa ocasión, Zulemita eligió un vestido largo beige de encaje color crema en el que se destacaban dos condecoraciones: la plaqueta al grado de Gran Comendador de la Estrella Polar y la Plaqueta de Isabel la Católica, que había recibido en España durante su primer viaje como primera dama virtual. Los soberanos suecos quedaron encantados con su aspecto angelical.

Pero el problema fue que el novio se cansó de tantas despedidas y ausencias. En noviembre de 1998 estalló el primer gran conflicto entre los tórtolos: fue cuando Zulemita abandonó el departamento de Dinardi, donde se encontraba instalada.

–Yo no te estoy diciendo que te vayas, así que no te voy a ayudar a bajar tus cosas –le advirtió aquella noche Totón, mientras Zulemita bramaba indignada y lo cubría de insultos, porque todo lo que ella hacía era por su padre y él era un egoísta de porquería.

Unos días después, Zulemita se dirigió al Aeroparque dispuesta a embarcarse hacia Rosario. Había sido convocada a una audiencia judicial en torno de la causa Menem-Oltra. Subió al avión Lear Jet 60 WFM con los miedos de siempre. Y esta vez tuvo razón: la máquina entró en emergencia al despegar, en el momento en que carreteaba a más de doscientos kilómetros por hora.

Pudo ser un calco de la tragedia que luego enlutaría a los familiares de los sesenta y siete pasajeros de Lapa que murieron inmolados en un accidente absurdo. Pero esta vez el piloto notó a tiempo que la máquina sufría una ligera inclinación hacia la derecha, y la detuvo en seco.

Los cuatro neumáticos principales reventaron a raíz de la brusca frenada. Un principio de incendio en el sistema sembró el pánico entre los pasajeros, pero aquello no fue más que un mal trago.

Aunque de inmediato dispusieron de otro avión, Zulemita resolvió no ir a Rosario. Ese miedo terrible que de tanto en tanto la invade, cuando vuela y apagan las luces, o cuando se queda en su dormitorio sin compañía al lado, había vuelto a azotarla con furia.

–Me pedía que durmiera en el piso de su dormitorio del avión presidencial. Me pedía que no la dejara sola porque la aterraban los fantasmas –contó más de una vez Elsa Serrano.

Aunque la muerte de Junior ayudó a acrecentarlos, los terrores nocturnos de Zulemita son de vieja data y parecen provenir de su infancia, de cuando el padre y la madre se peleaban y ella se acurrucaba tras la puerta con su hermano, que entonces estaba y la protegía, no como ahora.

Sola en medio de toda soledad.

–Desde chica le tiene miedo a la oscuridad, por eso obliga a los mucamos de la residencia a estar despiertos toda la noche, velando sus sueños. Ama los helados Haagen Dasz y algunas veces manda a sus custodios a comprarle helados a las cuatro de la mañana, simplemente porque se despertó con ganas –contó un miembro del entorno de Olivos.

Zulemita había viajado en ese *mismo* Lear Jet infinidad de veces. Una de ellas, en misión humanitaria. Fue cuando las inundaciones. La escoltaron dos gigantescos aviones de carga Hércules C 130 de la Fuerza Aérea, con nueve toneladas de alimentos no perecederos (yerba, dulces, azúcar, leche en polvo), doscientos colchones, más de mil frazadas, veinte mil litros de agua mineral, pañales descartables, ropa y calzados.

Quería dejar en alto su calidad de presidenta de la Fundación Carlos Menem Hijo.

–Cumplo el pedido de mi hermano de ayudar a quienes lo necesitan. Creo que todos los que sufrimos un duro golpe en la vida comprendemos a los que sienten dolor. Por eso tengo la necesidad de ayudar a la gente –explicó.

La reconciliación con Dinardi no tardó en llegar. Fue en Punta del Este, durante las vacaciones.

La fotografiaron caminando por la península junto a su madre, haciendo ejercicios aeróbicos con su íntima amiga de los últimos tres años, Mónica Gostanian, en la casa que habitaron frente al puerto, o abrazándose con Sebastián por casi un mes. Y se rumoreaba que no más allá de marzo habría boda. Pero en julio de 1999 se produjo la ruptura final.

–Es la mujer de mi vida, nunca voy a querer a otra mujer como la quiero a ella. No la dejé, yo quería casarme con ella. Le ofrecí una vida tranquila, normal, con hijos. Pero Zulemita me dejó. A lo mejor algún día se dará cuenta de que cometió un gran error, que se perdió lo mejor. Pero ella eligió el poder, eligió al padre –reconoció Dinardi a esta periodista, una tarde, en la casa de Zulema.

Poco tiempo después, libre como una paloma, Zulemita tuvo una experiencia desagradable. Su padre la llevó al casamiento de la hija de su amigo, el empresario naviero Fernando Miele, presidente de San Lorenzo de Almagro, y presunto socio de Al Kassar en la venta de armas. Su hijo y mano derecha, un muchacho de gran tamaño que no se distingue por sus buenos modales, se le acercó y charlaron juntos gran parte de la velada, lo cual despertó la versión de que había nuevo romance. Cuando el semanario *Gente* le preguntó si era cierto y si no le molestaba salir en las revistas, él muy torpemente contestó:

–Yo anduve con muchas minas que fueron tapa de revistas, y si ando con Zulemita ustedes nunca se van a enterar. La verdad, la vi ahí tan sola, en el casamiento de mi hermana, que me dio lástima y me acerqué. Pero ni sé de qué hablamos, porque yo había tomado tanto que ni me acuerdo las cosas que le dije…

Al leer semejante noticia, Zulema Yoma no pudo menos que explotar:

–Mirá lo que este tipo dice de vos, nena. ¿Cómo te exponés a esto? La culpa es de tu padre que te vincula con esta gente –clamó ante Zulemita, quien, indignada, le confió a su vez a Elsa Serrano:

–No sé por qué me relacionan con ese gordo ordinario. Se ve que las revistas no tienen nada mejor para vender.

Sentada a su escritorio, en el taller Martínez, desde donde lidera el equipo de automovilismo deportivo Menem Competición, Zulemita atiende su diminuto celular Motorola VT 3620, que le permite filtrar los llamados. Si es su padre, literalmente se enciende y, sin ocultar su alegría, cambia automáticamente el tono de voz: empieza a hablar en diminutivo, como una madre sobreprotectora malcriando a su hijo o como una nena caprichosa que quiere ser la única en el pensamiento y el corazón de Carlos Menem.

–¿Dónde estás? ¿Con quién? ¿A qué hora terminás? ¿Podremos encontrarnos a las ocho? ¿Y a las nueve? ¿Me jurás que no estuviste con esa? Mirá, Papi, que si la veo en Olivos... se arma, ¿eh?

Como él duerme sólo cuatro horas por día, ella también:

–No me gusta dormir, siento que estoy perdiendo el tiempo –dice.

Se la ve contenta porque de a poco está logrando el sueño de su hermano: convertir a su equipo en una escudería competitiva y ganadora. Menem Competición tiene actualmente tres coches corriendo, dos Renault y un Toyota, que compiten en la categoría rally, y un BMW que participó de La Copa de las Naciones. Dos veces un Renault del equipo salió campeón y tres años consecutivos un Toyota.

Vive rodeada del mundo que amaba Carlitos. En su oficina hay una réplica del helicóptero en el que se accidentó y sobre su escritorio descansan sus últimas fotos.

El 2 de julio de 1999 Carlos Menem cumplió sesenta y nueve años y Zulemita, un poco resignada, dijo:

–Desde que falleció mi hermano, el tono de las fiestas ya no es el mismo. Ahora es algo más íntimo. Para mí este año lo más importante fue darme cuenta de que pasó otro año más y que tengo a mi Papi conmigo. Porque para todos es el Presidente, pero para mí es mi papá. Y yo vivo por mi mami y por mi papi.

El 15 de marzo, al cumplirse el cuarto aniversario de la muerte de Junior, le había dejado esta carta a Zulema en la mesa de luz:

"Mamita, hoy es un día lleno de tristeza para nosotros tres. Sé más que nadie lo que sufrís y el dolor que llevas adentro, pero también sé que por lo único que vivo en esta vida, es por vos y por el pa, por eso quiero que te cuides mucho y que sepas que Carlitos te va a proteger siempre y por él vas a encontrar la paz. Él desde allá y yo desde acá te vamos a cuidar mucho siempre. Pero ojito, nos tenés que ayudar. 15-III-99. Tus chanchitos y/o chanchita".

Entre el cielo y el infierno, entre su madre y su padre, entre Olivos y el piso de Libertador. Así, transcurren sus días. La fraseología fundacional del menemismo hablaba de "los niños ricos que tenían tristeza". ¿Imaginó Carlos Menem, durante aquellos encendidos discursos del '88, que una década más tarde su hija sería el fiel reflejo de sus presagios? Zulemita tiene todo y al mismo tiempo no tiene nada. Una vez, en Siria, esta periodista le pidió que enumerara tres deseos. Pensó un segundo y dijo frente al grabador: "Irme a un lugar donde nadie sepa quién soy y caminar tranquila por la calle, sin custodios. Que mis padres, cuando sean viejitos, vivan juntos en Anillaco y que mi familia encuentre la paz". La desazón en su mirada y la búsqueda de una tranquilidad familiar que jamás conoció.

El 11 de agosto de 1999, mientras el cielo se oscurecía en Siria, la tierra de sus ancestros, ganada por la sombra del Sol, a ella se le oscurecía el alma. Dicen que los eclipses son malos, que traen tristezas y desgracias y tienen razón. Nuevamente Zulema Yoma, harta del pegoteo enfermizo del padre con su hija, la había alejado de su casa. Como un bólido, recorrió los veinticinco kilómetros que separan de la quinta presidencial, bajó del auto y se refugió en la planta alta, donde aún conserva su dormitorio.

Allí no tiene su colcha de los "Ciento un dálmatas" que la cobija cuando duerme en Libertador. Y nadie cuida tan bien como Zulema que haya siempre un Corán en la mesita de luz. Tiene, sí, fotos de su padre, de su madre y de Junior, en ambos lugares. Y también muchos perros de los otros, no los de Walt Disney, sino de verdad. Quince en total, porque la extensión del parque de Olivos lo permite.

En lo de Zulema, sólo vive Yin-yin, la hermana de John John, que Menem guarda con él en la residencia, dos diminutos yorkshires blancos. Pero Trapito, el siberiano que ella adoraba, ya no está. Un maldito custodio se lo atropelló hace poco dando marcha atrás el auto. Trapito quedó tendido dando un tremendo aullido de dolor. Fue unos días antes de su viaje a Nueva York, aquel de la fiesta en el yate apostado en la bahía, donde ella lució ese espléndido vestido strapless con perlitas bordadas a mano por Elsa Serrano y el reloj Cartier, de platino y brillantes.

Antes de viajar se había pasado dos días tirada en la cama llorando la muerte de su perro y al menos otras cuatro horas gimiendo porque Roberto Giordano le había cortado demasiado el pelo. Lía, la experta peluquera que atiende las cabezas más famosas de la Capital –la de Mirtha

Legrand, la de la directora de *Clarín*, Ernestina Herrera de Noble, la de Sonia Cavallo–, le estaba haciendo un brushing cuando le dijo:

–Zulemita, el pelo no se usa más así. Es demasiada melena, hay que rebajarlo, cortar un poco las puntas, que están quebradizas.

–Ay, ¿te parece? Bueno, córtamelo un poquito –le había contestado.

–Yo no, que te lo rebaje Roberto –sugirió Lía, conociendo el paño.

Y así fue como Giordano se lo cortó.

De regreso a la residencia, se miró y, como Sansón, se sintió desguarnecida por la pérdida de un centímetro y medio de su pelo. Se le sumó lo de Trapito y no paró de llorar hasta que, avisada por su propia mucama, Lía la llamó al celular y la consoló:

–Bueno, Zulemita, no es para tanto. Te juro que estás hermosísima, sólo es cuestión de acostumbrarte. Mañana te vas a ver diferente. Además, un centímetro y medio crece muy pronto.

Y la terminó convenciendo. Después de todo, ¿qué tenía que ver la Zulemita de ahora con aquella del peinado con jopo que usó desde el '89 hasta el '92? ¿O con aquellos reflejos rubios, que inauguraron el look de los años '92 al '96? ¿O el semiplatinado del verano del '97? Ya era hora de terminar también con el estilo sauvage que Miguel Romano le imprimió, tiñéndole el pelo de tono tabaco, con mechas más claras en la frente, y cortándoselo en siete capas para darle más volumen.

Lo mismo había sucedido con su forma de vestir, cuando trocó los equipos de joggings y las zapatillas por vestidos de gala y los elegantes tailleurs de faldas cortas. Y de hecho, con su propia figura, ahora más estilizada, prácticamente perfecta.

El cuerpo espectacular que luce ahora no es producto de la casualidad, sino de la constancia: hace cuatro años que entrena sin parar. Cuando falta al gimnasio In Shape, es porque va a la casa de Fabiana y Mónica Gostanian, donde las tres hacen la rutina, que nunca dura menos de una hora y media, en un minigym, bajo la supervisión de la personal trainer Vanesa Fisicaro. La hija del Presidente adora los ejercicios de bíceps y glúteos, pero detesta los abdominales.

–Ahora Zule está buscando redondear y aumentar el volumen muscular de los hombros. También queremos marcar más las piernas, que ya están tonificadas. Por supuesto, buscamos todo esto sin perder la elegancia –le confió en abril de 1999 Fisicaro a la revista *Para Ti*.

Por la estética Zulemita hace tanto como por la empresa Menem Competición: se interna tres veces por semana en la clínica de estética del médico especialista Carlos Pisanú, en el Barrio de Belgrano, escultor de las siluetas de Soledad Silveyra y de Valeria Mazza.

Carlos Pisanú es, además, su confidente más íntimo, una especie de psicólogo. A su consultorio llegó desolada infinidad de veces, lloró largas horas abrazada al médico, que la escuchó y la aconsejó como un padre. A él le habló del karma de su vida, sus miedos más profundos y las tantas veces que no tuvo más ganas de vivir.

–Nadie me quiere, estoy sola… –repetía entre ahogos.

Después que se iba, Zulemita le dejaba a Pisanú cartitas con dibujitos animados y corazoncitos, escondidos en el escritorio. "Gracias, doc. Te quiero mucho", escribía.

–No soy tan deportista como el Papi, pero cuando puedo corro un poco para hacer algo de ejercicio. Trato de ir dos veces por semana al gimnasio para trabajar los músculos de mis brazos con pesas y para el resto del cuerpo lo veo al doc –declaró la propia Zulemita.

Recurrió por primera vez a Pisanú en 1990 porque tenía cinco kilos de más. Para bajarlos se sometió a un plan personalizado de alimentación y tuvo que abandonar por un rato los dulces, que, como a toda descendiente de árabes, le gustan demasiado. Elsa Serrano fue testigo de cuánto los ama:

–Cuando viajé con ella a Finlandia, a fines del '97, entramos a un shopping exclusivo de caramelos. Eran pisos y pisos repletos de golosinas y Zulemita se volvió loca al verlos, quería comprarlos a todos. Nos fuimos de allí con doce bolsas enormes.

El régimen de Pisanú no fue muy estricto, porque, como Zulemita reconoce cada vez que le preguntan cómo hace para estar tan en línea:

–La verdad es que como de todo y no engordo. Creo que es porque soy como mi papá: no duermo casi nada y estoy todo en día en movimiento.

Por qué Zulemita duerme tan poco, es algo que está en su propia naturaleza, como lo denota su carta natal: un aspecto tenso entre Mercurio y Urano, como ella tiene, es típico de las personas demasiado nerviosas, que estallan por cualquier cosa y están en permanente actividad, aseguran los astrólogos.

Pero al respecto también los psicólogos tienen mucho que decir, sobre todo cuando se enteran de que alguien ha nacido luego de un parto complicado y con el auxilio de fórceps, como fue su caso.

Como Menem y Carlitos, Zulemita tampoco nació en Anillaco, como pretende el Presidente desde que supo que el nombre de ese pueblo significa "agua caída del cielo". Aunque los tres figuran anotados en el Registro Civil como nacidos en Anillaco, lo cierto es que el padre vino al mundo en La Rioja y sus hijos en Córdoba.

Tras la mala experiencia sufrida con la muerte del pequeño Juan Domingo, a las dieciocho horas de nacido, Zulema no quiso saber nada de volver a parir en La Rioja. Todo aquello era para ella la metáfora de la mala fortuna.

Unos días antes de tenerla a Zulemita, Zulema marchó hacia Córdoba, acompañada únicamente por Chaha, su madre, y se alojaron en un modesto hotel del centro. Llegado el momento, la parturienta se internó en la Clínica San Martín.

El embarazo había sido malo: lo signaron contracciones y pérdidas, y también los llantos y las broncas de Zulema porque su marido la engañaba y la convivencia era un infierno. Pero el parto fue todavía peor. No tenía dilatación, que hubo que provocar con goteo, y fue necesario colocarle la peridural.

Zulemita venía al revés y hubo que darla vuelta antes de que saliera del útero. Para eso se utilizaron fórceps. La nena nació el 25 de diciembre de 1970, a las cinco de la tarde, bajo el signo de Capricornio y con la cabeza algo lastimada y deformada. Hubo que aplicarle oxígeno, porque demoró en respirar.

Tanto demoró en el quirófano, que la abuela Chaha empezó a pensar que Zulemita había muerto:

–¿Por qué no llora? ¿Por qué no llora? ¿Se murió? –les preguntaba a las enfermeras, temiendo lo peor.

Zulemita llegó al mundo sin recibir el abrazo y el beso de un padre.

Carlos Menem estaba muy ocupado en La Rioja con asuntos menores, que posiblemente él consideraba más prioritarios que asistir al nacimiento de un hijo. No lo había hecho con Juan Domingo. Tampoco con Carlitos. ¿Por qué iría a hacerlo ahora con una "chancleta"?

Carlos Menem apareció por la clínica al otro día.

Por decisión de su suegra, al regreso de Córdoba Zulema se quedó unos días en la casa paterna de los Menem. Doña Mohibe consideró que sería lo mejor: allí, Rosa, la bondadosa criada, podría atender a la flamante madre, a la beba y a Carlitos, que acababa de cumplir tres años.

En casa de los Menem, Rosa era un personaje de cierta relevancia: manejaba todos los quehaceres. Había tenido de soltera a su único hijo y toda La Rioja comentaba que Eduardo, el hermano menor de Carlos, era el padre.

Zulema se quejaba de tremendos dolores, de no poder ni sentarse, tal era el desgarramiento sufrido, pero su suegro se empeñaba en obligarla a levantarse de la cama para comer en la mesa. A la semana, no aguantó más y le dijo a su marido:

–Me sacás de acá y me llevás a casa o me voy a un hotel.

Durante su infancia Zulemita no dio problemas. Era una chica muy tranquila, cariñosa, muy pegada a la madre y al hermano. Morocha y más bien feuchita, no llamaba la atención. Se pasaba horas jugando a armar autos, aviones y castillos con las piezas plásticas de "Mis ladrillos" y a adornar las casitas de sus muñecas.

Estaba todavía muy lejos de los palacios imperiales, como el que conoció en diciembre de 1998, cuando su padre la llevó a Tokio y ella deslumbró a Oriente con su porte de primera dama y un imponente vestuario, del que no estuvieron ausentes las clásicas capelinas que tanto la identifican con Lady Di.

El vestido de seda natural blanca y cosido íntegramente a mano –valuado en seis mil dólares– que usó en la cena de gala que les ofrecieron el emperador Akihito y la emperatriz Michiko fue uno de los más impactantes que se le hayan visto puestos. Y ni hablar del tapado de chiffón de seda natural con detalles de piel en puños y capucha con el que llegó al banquete del primer ministro nipón Keizo Obuchi.

¿Habría soñado con todo eso mientras armaba castillos de juguete?

¿Jugó alguna vez a que Elsa Serrano llegaría a hacerle seiscientos vestidos de fiesta sin cobrarle un peso y que cargaría en sus viajes entre veinte y cuarenta conjuntos de dos mil quinientos dólares cada uno, para usar según el protocolo?

¿Cómo podría haber imaginado que el protocolo la llevaría al Palacio de Bab Al Salam a darle su pésame a la reina Noor de Jordania, viuda del rey Hussein, y que, sentadas en sendos sillones blancos, con túnicas también blancas sobre sus cabezas, porque ése es el color que tiene el luto entre los islámicos, hablarían de la religión que las une y de lo corta que es la vida en este mundo, y que orarían juntas por sus dos difuntos: Carlitos y el soberano?

¿O que al soberano, enterrado en los jardines del Palacio de Roghadan, en Amman, iría a depositarle un bouquet de rosas?

¿Que por Carlitos volaría de ahí a Arabia Saudita, para rezar en La Meca?

¿Que, antes de llegar a La Meca, visitaría el Palacio Al Barakah para dejarles en propias manos al rey Abdullah, hijo y sucesor de Hussein, y a su esposa, la princesa Rania, la carta que les enviaba el Presidente de la Argentina, la cual decía: *Les envío mi más sentido pésame a través de mi querida hija Zulema, que es parte de mi ser*?

¿Y que ese ser terminaría ese luctuoso periplo de principios de marzo del '99, riendo y haciendo compras en París junto a Elsa Serrano y a

410

Mónica Gostanian, porque los muertos, muertos están, y la vida es maravillosa?

Zulema María Eva Menem es una hija muy especial. No nació en Anillaco. Pero siempre supo dónde está el cielo.

"A MÍ SE ME ANIMARON"

La partida está echada. Tu destino ha concluido.
La fortuna te abandona. No está ya unida a tus pasos.
Te lo ha ofrecido todo, no puede darte nada más. Te ha
satisfecho y ahora, se aleja. Para actuar uno debe estar
convencido de su buena fortuna. Y yo ya no tengo la
sensación de avanzar al paso del destino. Estoy solo,
sin guía. Puedo conseguir por la fuerza algunos favores,
pero son vanas ilusiones. Mi tiempo se ha acabado.

MAX GALLO, *Napoleón. La novela*

–Estoy cansado. Por eso me bajé. Entre los traidores de adentro, que nunca hicieron nada, y los de la oposición, que se pelean por investigar a mi familia, me cansaron. No iba a tolerar que tocaran a mis hijos. Carlitos está muerto y lo único que me queda en el mundo es Zulemita. Y con ella también se empezaron a meter.

En la quinta de Olivos casi no quedaba nadie. Un rato antes –a las 12.35– había anunciado su exclusión de la carrera presidencial del '99 y esperaba la hora del partido de golf. Carlos Menem acomodó en su muñeca izquierda el Rolex que había pertenecido a su hijo y apretó la chicharra para pedir un té.

–¿Por qué nadie dice nada? ¿Por qué nadie me defiende cuando me atacan? ¿Por qué no investigan también a los demás? ¿O son todos unos santos? Al final, yo soy el único que no va a tener cobertura…

El gobernador de La Pampa, Rubén Marín, encargado de monitorear el fallido congreso partidario de Parque Norte, torció la boca en un gesto amargo. Alberto Kohan asintió con aparente cara de nada.

–Muchos jugaron mal, Carlos, como siempre. Al final, el "Flaco" (Bauzá) estuvo todo el tiempo con una pata acá y la otra con el traidor de la provincia, por las dudas. Un tibio que nunca se jugó por vos. Y como él, unos cuantos más. Ahora tenés que bajarlos uno por uno.

Eduardo Bauzá seguía ocupando el lugar preponderante de los odios políticos del secretario general.

Alberto Kohan, "El Alberto", era un personaje enigmático. Alrede-

412

dor de su figura se tejían innumerables hipótesis: que trabajaba para la CIA, que era del Mossad, que andaba en el negocio de las armas y las piedras preciosas y que introdujo en la Argentina al magnate saudita Gaith Faraon, investigado por lavado de dinero en Estados Unidos. Dueño de un cinismo a prueba de balas y de una fidelidad al Jefe pocas veces vista, había pasado dos años en el ostracismo, y a partir del '95, cuando regresó al gabinete, acompañaba a Menem hasta la puerta del baño. Competía con Corach en dar explicaciones públicas a lo inexplicable y había adquirido la costumbre de dar reportajes en el despacho presidencial de Olivos, lo que le generaba grandes odios de sus pares. Esos movimientos le servían para demostrar sus influencias en el trono y, a la par, era una buena manera de enviar señales a la Justicia, en caso de que quisiera investigarlo.

Carlos Menem hizo silencio, volvió a mirar el Rolex y avisó a sus visitantes que se tenía que cambiar de ropa para jugar al golf.

Entró en el dormitorio y se dirigió al retrato de su hijo que está sobre la biblioteca de madera, justo encima del televisor. Lo besó con devoción, como todos los días, y permaneció unos minutos con los ojos cerrados.

Después, caminó despacio hacia el helicóptero, que lo esperaba para llevarlo hasta el Mayling, un campo de golf de un country cercano, que prefería al de la residencia de Olivos.

A la noche, funcionarios y alcahuetes llegaron a la quinta. A pesar de los rostros desencajados, se abalanzaron sobre el champán y las pizzas. Pujaban por intimar con el Jefe y despotricaban contra los culpables del fracaso del proyecto de eternización.

Todos clamaban venganza.

Menem bajó por las escaleras y llamó al ex diputado Roberto Fernández, autor de la primera presentación judicial a favor de la re-reelección, y a Alberto Lestelle, el ex secretario de la lucha contra el narcotráfico, que cayó después de denunciar que en el Congreso los diputados se daban "nariguetazos" de cocaína en el baño. Cerró la puerta de su despacho y se desplomó en el sillón. Ordenó al mozo una medida de whisky importado y encendió un habano. Ese día, había hablado con Zulemita cada quince minutos.

–Carlos, ¿te acordás de Don Corleone? ¿Te acordás lo que el viejo hacía con los traidores? Acordáte de la película *El Padrino*, que tanto te gustó –exclamó el ultramenemista Fernández.

Después de unos segundos de silencio, Menem objetó:

–Muchachos, no podemos andar otra vez a los tiros. Hay que pensar en otra cosa...

413

Ramón le avisó que Zulemita lo esperaba para ir a cenar. Subió al dormitorio, se lavó las manos y clavó los ojos en el espejo inmenso del baño. Tenía el rostro demacrado, los párpados se veían más curvados que nunca y las arrugas que bajaban hacia la boca parecían surcos. Tony Cuozzo lo aguardaba con el cepillo y el spray, para darle los últimos retoques a la cabeza. De la mano de Ramón, al lado de la cama, colgaban una camisa gris perla, un pantalón gris de gabardina, el saco negro y la corbata de seda italiana, en tonos tornasolados naranja.

–Tranquilo Jefe, todo va a salir bien –lo calmó el ladero, mientras le abotonaba la camisa.

El ex cabo de la policía riojana y ex jugador de básquet del club provincial Facundo, que durante la dictadura militar trabajó de "buchón" en la Universidad de Buenos Aires, era el dueño de "la llave del dormitorio del Jefe". Esa era su frase predilecta, la que le permitió acumular más poder que un ministro y filtrar empresarios y políticos que se desvivían por llegar hasta Menem. Por estos días, la estrella de Ramón se había opacado. El ex secretario había desaparecido repentinamente de la primera línea de fuego y de los lugares de la noche, donde habitualmente se lo veía acompañado de modelitos en ascenso y personajes dudosos. En el entorno decían que tenía una enfermedad terminal, otros que estaba cansado y que tenía todo arreglado para irse a vivir a Australia. Ramón es un perro fiel, intrigante y con mentalidad de cana. Un altísimo funcionario dijo que el actual alejamiento de Ramón se debía a un fuerte altercado con Menem por asuntos de plata. "Inventáte una enfermedad y andáte. No te banco más", dicen que fueron las palabras de Menem. Según sus enemigos, el mucamo presidencial –que en el apogeo de su poder llegó a competir con Anzorreguy con una SIDE paralela que funcionaba en la Casa Militar, en la que hacía inteligencia sobre ministros, secretarios de Estado y periodistas– había quedado muy golpeado después del escándalo de su amigo, el manager Guillermo Coppola. En Olivos decían que Ramón tenía pánico de ir preso y que por esa elemental razón de supervivencia había bajado el perfil. En su lugar, aparecía ahora Héctor Fernández, un empresario de una cadena de boutiques que había conocido a Menem cuando estaba confinado en Mar del Plata, a través del cómico Alberto Olmedo y Julio de Grazia. Después de que su negocio quebró, Fernández se dedicó a la política y Menem lo nombró secretario privado en 1989, por debajo de Hernández y Vicco.

Carlos Menem subió al auto y se dirigieron a Tago Mago, "el restaurante de tus sueños", de la Costanera Norte, donde los comensales pueden disfrutar mientras comen de números circenses y shows de acrobacia. Se sentaron a la mesa, además de su hija y su novio, Sebastián Dinardi, Armando Gostanian y su hija Mónica, Constancio Vigil, Gerardo Sofovich, Ramón Hernández y Héctor Fernández. Mientras una odalisca contorsionaba sus caderas, Menem atendió un llamado telefónico. Sin quitar los ojos de las caderas de la mujer, que se retorcía voluptuosamente, escuchó:

–¿Qué me hiciste, Carlos? Me indigestaste. ¿Qué vamos a hacer ahora? Estamos perdidos...

–Quedáte tranquilo, Gordo. Esto no daba para más. Me llevaban a fracturar el partido. Acordáte de quién fue la idea de la consulta en La Rioja. Acordáte de todo lo que vivimos juntos. Vos conocés bien la historia y sabés quiénes son los amigos, los leales de verdad. A los traidores, ya sabés lo que les espera. Veníte mañana a Olivos y hablamos tranquilos.

Era el final de un día agitado. El país entero seguía sacudido por la noticia. Menem despidió afectuosamente a su amigo Bernabé Arnaudo y devolvió el celular a su secretario Héctor Fernández. Su hija no dejó de acariciarlo y besarle la cara. Comió sin ganas el *carpaccio* y los *penne* con mariscos saltados con soja y verduras. Con el postre hizo trampa a la dieta por la diabetes que padecía desde la adolescencia: pidió manzanas acarameladas con azúcar negra y canela.

Gostanian, fiel a su patético estilo de bufón presidencial, no dejó de contar chistes subidos de tono, matizados con palabrotas. Pero aquella noche nadie tenía ánimo para reír.

–Carlos, fue la mejor decisión que pudiste tomar. Te felicito. La historia te lo va a reconocer –dijo alguien en la mesa.

–Puede ser, no sé... Yo todavía tengo mucho para dar, pero los mediocres de este país no me dejan...

Tomó un sorbo de Coca diet y apoyó la cabeza en el hombro de su hija.

La guerra con Duhalde se había desatado hacía largo tiempo.

Con virulencia apocalíptica, los dos colocaron al país al borde del abismo, durante larguísimos meses. Sin embargo, en los últimos días, ambos arriesgaron en el duelo todos los cartuchos. Menem había logrado abroquelar de su lado a casi todo el aparato justicialista, a los diputados nacionales y a la mayoría de los gobernadores.

El 9 de julio de 1998, Duhalde se lanzó con todo a disputarle el poder: propuso un plebiscito en la provincia para dirimir en las urnas un nuevo periodo presidencial y se alió con la oposición al declarar que estaba dispuesto a ordenar a sus diputados y senadores el respaldo al pedido de juicio político a los miembros de la Corte que firmaran un eventual fallo por otra reelección.

Carlos Menem se derrumbó.

Sabía –porque sus hombres le acercaban los números todo el tiempo– que las encuestas le eran adversas, que cualquier consulta pública sobre el tema lo empujaría peligrosamente al filo de la cornisa.

–Carlos, cuando lo elegiste candidato a vice, siempre te dije que te cuidaras. Que este era un hijo de puta y un traidor. Primero lo traicionó a Herminio (Iglesias), después a Antonio (Cafiero), y todo indicaba que también te iba a traicionar a vos –exclamó uno de sus incondicionales.

Sintió el golpe como una cuchillada en la espalda.

Ninguna de las estocadas anteriores lo había sacudido con tanta violencia. Menem nunca imaginó que Duhalde se iba a animar a tanto. Ni siquiera cuando, en plena guerra contra Yabrán, el caudillo bonaerense agitaba el Excalibur volteándole ministros y desnudando las relaciones de sus hombres con el "Cartero". Al contrario, aquellas batallas públicas lo encendían y lo provocaban. La expresión de pánico que exhibían sus ministros más poderosos, que temían que sus negocios con el empresario telepostal saltaran a la luz, lo sumían en un goce perverso.

–¿Yabrán? ¿Y io qué tengo que ver? Si el que lo trajo a Olivos fue Bernardo (Neustadt) –le mintió una mañana a Domingo Cavallo.

–¿Yabrán? ¿Y io qué tengo que ver? Si el amigo de Yabrán es Emir (Yoma) –exclamó un domingo en Anillaco.

La tarde que Menem se enteró –por el gobernador Jorge Busti– de que Alfredo Yabrán se había suicidado, no se movió un músculo de su cara. Imperturbable, pidió a Anzorreguy y a Corach que se ocuparan de averiguar todos los detalles de la muerte, y respiró aliviado. "Muerto el perro, se acabó la rabia", fue la frase que retumbó en el living de los jolgorios. La noche de la muerte, entró al salón y advirtió a sus cortesanos, apenas percibió las expresiones de velorio y los lamentos.

–Se acabó. No quiero oír hablar más de Yabrán. Por suerte, está bien muerto. ¿Quedó claro? Y traigan la comida, que tengo hambre…

Tomó el control remoto y se dispuso a ver a su equipo favorito, que esa noche, en el Monumental, jugaba los cuartos de final de la Copa Libertadores de América contra Colón de Santa Fe.

Emir Yoma salió de Olivos desolado. Desde el auto, habló por teléfono con un amigo, que conocía la intimidad presidencial tanto como él.

–Este es un hijo de puta sin corazón. Lo conocía a Alfredo como yo y ahora se olvidó de todo. Toma champán y mira el fútbol como si nada. Y el cadáver del pobre Alfredo todavía está tibio…

Las verdaderas razones del derrumbe emocional del cuñado tenían mucho más que ver con los negocios y las millonarias prebendas que el empresario telepostal se llevaba a la tumba que con el afecto.

La jugada del bonaerense se le atragantó. Era el poder –su poder– el que estaba en juego.

La palabra clave, la que desencadena todas las furias del Jefe, es "traición". Carlos Menem la pronunció cuando Claudia Bello asumió la Secretaría de la Función Pública, el mismo día que Gustavo Beliz le presentaba la renuncia. "Claudia, tres juramentos y ninguna traición", dijo. La repitió después en relación con Domingo Cavallo. Se lo tiró en la cara de Ruckauf todas las veces que el vicepresidente se desbocó con declaraciones contrarias a sus deseos, y por eso –y otras cuestiones de la intimidad–, dejó de invitarlo a las reuniones de gabinete.

La disparaba ahora contra Eduardo Duhalde.

La disidencia pública era para él la peor de las traiciones.

La decisión de apartarse de la pelea por la reelección había sido tomada en soledad.

Como en cada una de las cuestiones que signaron su vida política y personal, aplicaba el principio sustentado por Perón "de información, secreto y sorpresa". Siempre había sido así. Cuando necesitó tirar por la ventana a un ministro que no le servía y durante el tumultuoso matrimonio con Zulema.

Sin explicaciones y sin conflictos.

Después de una jornada de pesca en Corrientes con Alberto Kohan y Raúl Delgado, todo se mantuvo en el más estricto de los secretos.

A las 20.25 del viernes 17 de julio de 1998, en la habitación que ocupaba algunas noches en el Hotel Alvear, arriba de la suite 234 que utilizaba Eduardo Duhalde, reunió a sus hombres y les comunicó su decisión. Estaban presentes sus íntimos: Alberto Kohan, Eduardo Bauzá, Jorge Rodríguez y Carlos Vladimiro Corach.

–Muchachos, no llegamos. Se terminó. O la paramos acá o el peronismo se parte y terminamos todos presos. Me bajo y no quiero discusiones. Esta decisión es mía, yo me la banco.

417

Ninguno de los presentes se animó a contradecirlo. Cuando tomaba una determinación, ya no quedaba nada más que discutir. Sólo Kohan insistió sobre el final, con el argumento de que todavía quedaban posibilidades de revertir la catástrofe. Menem no contestó y se perdió en disquisiciones sobre las elecciones del '99, sobre las posibilidades reales que el peronismo tenía para ganar y sobre las futuras relaciones con el radicalismo, en el caso de perder. El panorama era apocalíptico. El peronismo, atomizado, no podía recuperarse de la estrepitosa derrota en las elecciones de 1997, cuando la flamante alianza opositora instaló en el firmamento político la figura de Graciela Fernández Meijide. La noche del 26 de octubre, Menem y sus incondicionales habían festejado con champán la imagen que lanzaba el televisor del living, que mostraba a Duhalde y a su mujer llorosos y desencajados frente a la caída electoral en el distrito más importante del país. Pero el goce por la desgracia que sacudía a su ex compañero de fórmula no alcanzaba a calmar la tormenta que lo azotaba internamente. Aunque jamás lo iba a reconocer en público, el creciente desamor popular y las amenazas de los dirigentes de la oposición lo perturbaban hasta límites insospechados. El último día de 1997, mientras celebraba en La Rioja la fiesta del Tinkunako, Carlos "Chacho" Álvarez se despachó con declaraciones en las que prometía –en el caso de llegar al poder– juicios a los jueces de la Corte Suprema de Justicia similares a los realizados a las Juntas militares. En plena operación por la *re-re* había estallado una guerra de metáforas nobiliarias. Álvarez acusó al ex ministro Barra –que trataba de forzar una nueva interpretación a la cláusula que impedía la reelección– de "Bufón del rey", haciendo referencia a su nuevo trabajo de lobbista de la empresa Siemens, en la licitación por los DNI. En realidad, todo había empezado cuando Graciela Fernández Meijide, durante un viaje realizado a Nueva York, había calificado a Menem como el "último caudillo plebeyo". Menem la apodó desde entonces "la condesa".

–Como yo soy plebeyo, no tengo bufones. En cambio, ese perejil de cuarta que se ampara en sus fueros para difamarme es el bufón de la condesa –dijo sonriente desde La Rioja, en respuesta a Álvarez.

En los días anteriores al renunciamiento, otros fantasmas tan peligrosos como las "traiciones" duhaldistas amenazaban con embarrarle el horizonte. El traficante de armas Diego Palleros, preso en una cárcel de Sudáfrica, enviaba mensajes crípticos al gobierno involucrando a Emir Yoma en las coimas del affaire que más le preocupaba; Ibrahim Al Ibrahim aparecía insólitamente detenido en Siria y Monzer Al Kassar advertía que llegaría a la Argentina a enfrentarse públicamente con Domingo Cavallo, quien lo implicaba en el atentado a la sede de la AMIA.

–Por favor, Chacho, decíle a Amira que le diga al "paisano" que por ahora no venga, que hay mucho quilombo con lo de la AMIA… –le pidió una noche, en Olivos, al marido de su ex cuñada.

–¡Decíle a Carlos que se vaya a la puta que lo parió! ¡Andá y decíle que Monzer se pasa a los de la AMIA por las pelotas! ¡Carlos sabe que él no tuvo nada que ver! –gritó Amira desorbitada, en el living de su mansión de Belgrano.

Con el rostro deformado por infinitas cirugías, Amira Yoma había conseguido, bajo amenazas de escándalos, un cargo de asesora en Cascos Blancos por el que cobraba tres mil pesos, otro en el Ministerio de Trabajo y otro más en la Secretaría de Desarrollo Social. Solía movilizarse con varios custodios de la Policía Federal y generar innumerables zafarranchos entre los funcionarios del área, que se quejaban todo el tiempo por sus malos tratos y de su voracidad por los dineros públicos.

Que Amira tenía tres trabajos en el gobierno se supo cuando estalló el escándalo por la jubilación de privilegio de Erman González y éste tuvo que renunciar. En un mes Amira levantó su casa en Buenos Aires y huyó del país para instalar, previo pago de un millón de dólares, un lujoso restaurante en Marbella, el "Buenos Aires", con su amigo Monzer Al Kassar.

Las relaciones con Zulema seguían peor que nunca. Como ella le había jurado aquella noche en Olivos, nunca más volvió a dirigirle la palabra. El fin de año de 1997, madre e hija se alojaron en una casa alquilada por Gostanian en Punta del Este, mientras Menem esperaba las primeras luces del '98 acompañado de un puñado de amigos, en el restaurante "Yabrud", propiedad del presidente de la Casa de la Moneda. Por esa época, según una investigación de la periodista Romina Manguel, de *Veintiuno*, el "Gordo Bolú" acumulaba en Punta del Este un patrimonio en propiedades valuados en siete millones cuatrocientos mil dólares. Tenía cinco restaurantes y cuatro departamentos. Zulema aparecía en los programas de televisión de mayor rating y daba reportajes en diarios y revistas. Denunciaba con estrépito el crimen de su hijo y aseguraba que el cadáver había sido "profanado por los mafiosos". Acusaba a sus entornos y cargaba sus insomnios de los peores vaticinios. Presionado por su hija, que amenazaba con dejar de verlo si no se comprometía con la investigación iniciada por Zulema, Carlos Menem se sumó a la teoría del atentado. Para su pesar –y el de sus incondicionales–, las encuestas le daban a Zulema un altísimo grado de credibilidad pública y los periodistas más importantes desfilaban por el decimoquinto piso de Libertador y San Martín de Tours para mirar el macabro video de la autopsia del cadáver de Junior.

Los primeros meses de 1998, comenzó a circular en la Rosada un informe que le atribuía responsabilidad a Duhalde en la muerte de Junior. "Pobre Carlitos, el Jefe dice que lo mataron y que la policía de la provincia de Buenos Aires tiene la culpa de todo...", confesaba Ramón Hernández en su despacho. El domingo 15 de marzo, exactamente a los tres años de la muerte de Carlitos, *Clarín* publicó una nota firmada por Carlos Eichelbaum. En ella se aseguraba que la operación contra Duhalde se había gestado en la oficina de Alberto Kohan y afirmaba que, después de la caída del helicóptero, había desaparecido de la máquina, además de una valija con treinta mil dólares, medio kilo de cocaína. Menem y Zulema estallaron simultáneamente, con la diferencia de que ella acusó a sus viejos enemigos, Eduardo Menem y Eduardo Bauzá, de "hacer operaciones para ensuciar la memoria de Carlitos". El entorno menemista, enfurecido, creyó que atrás de este artículo había una operación del duhaldismo para perjudicar los planes reeleccionistas del Jefe.

En un mundo empantanado por las intrigas políticas y las venganzas de un lado y del otro, nadie quedaba a salvo. Los bandos en guerra por el poder no respetaban ni a los muertos. El amanecer del 15, Menem se dirigió al cementerio islámico de San Justo, para regresar a las diez de la mañana para la misa preparada, en la capilla de Olivos. Su hija se le colgó del cuello y se quebró en llantos.

–Mirá las cosas que dicen del "Chancho", hacé algo, Papi, la mami está destruida...

–No llores, nena... Te prometo que los voy a bajar a uno por uno, los voy a esperar al final del camino y me las van a pagar todas juntas... –maldijo frente a sus hombres, enceguecido.

Zulemita no lo dejaba, ni a sol ni a sombra. Lo acompañaba en sus periplos por el mundo y mantenía una relación inestable con su madre. Para satisfacerlo, la nena había regresado a su pelo color marrón chocolate, después de andar algunos meses teñida de rubio.

–Nena, por favor, no quiero verte más con ese color en la cabeza...

–¡Basta, Carlos! ¡Te prohíbo que hables! ¡El dueño de la cabeza de tu hija soy yo! –replicaba el coiffeur Romano, acentuando sus palabras con el cepillo en la mano.

A fines de mayo visitaron Suecia, Noruega, Finlandia y Rusia, acompañados de una numerosa comitiva. "En la Argentina, los menemistas ricos ocupan ahora el lugar de la aristocracia ganadera", lo recibió el *Svenska Dabladet*, segundo diario en importancia de Suecia. Alojado con su hija y algunos cortesanos, en el palacio real de Estocolmo –una antiquísima construcción de seiscientas una habitaciones–, Carlos Menem se imaginaba como un rey. Mientras desde la ventana de la suite observaba el imponente buque real *Wasa*, que trescientos setenta años antes se había hundido en su viaje inaugural y que ahora flotaba frente a sus ojos convertido en un museo, contaba los minutos que faltaban para despegar de ese país, que lo enfrentaba con lo que más odiaba en el mundo: responder por el destino de los restos de la adolescente Dagmar Hagelin, desaparecida en la Escuela de Mecánica de la Armada.

En la recepción principal del rey Carlos Gustavo, Menem rompió el protocolo y bailó con la reina Silvia hasta la madrugada. De los viajes programados para ese año, el que más ansiedad le generaba era el de noviembre, cuando llegaría con su hija al Reino Unido, convirtiéndose en el primer presidente argentino que visitaba Inglaterra después de la guerra de 1982. Ahí pensaba hacer flamear como nunca su poderío y su audacia. Casi podía imaginar la escena con lujo de detalles. Él y Zulemita juntos, con los reyes, entre los oropeles del palacio de Buckingham. Y su fama internacional, en el pico más alto.

Cada vez que podía, Zulemita le insistía con que reestableciera su relación con su madre.

–Tenés que volver con Zulema, Carlos. Cuando sean viejos, yo sé que van a estar juntos. No me preguntes cómo sé. Tengo el pálpito... –exclamó Miguelito Romano, que terminaba de hacerle un brushing a su hija.

–Con esa mujer no se puede vivir. Nunca más vuelvo con ella, nunca más...

Menem sabía que volver con Zulema significaba enfrentarse todos los días y a todas horas con el espejo de la verdad más espantosa de su vida.

–Primero me tiene que decir quién lo mató al Carlitos y después me tiene que decir qué hicieron con el cadáver –repetía Zulema como una letanía a los pocos que se animaban a plantearle algún acercamiento a su ex marido.

A veces, cuando estaba con Arnaudo, con Emir o con la misma Zulemita, Carlos Menem preguntaba por ella.

–¿Cómo está Zulema? –decía lacónico, casi por costumbre.

–Carlos, está muy mal. La llamé y me gritó barbaridades. Me dijo que era un cómplice de los mafiosos que mataron a Carlitos... ¿a vos te parece? –le contaba Arnaudo apesadumbrado.

El ex gobernador de La Rioja era el único que había logrado sobrevivir a las violentas turbulencias de la pareja. Era amigo de Menem y de

Zulema y conocía la intimidad familiar como las líneas de la palma de su mano.

Emir le comunicaba el estado de la situación en su dormitorio o caminando por el parque, los dos solos.

–Carlos, no aguanto más, Zulema está loca. No puedo con ella… –decía el cuñado.

–Por favor, Emir, andá y parála. Estoy destruido…

–¿Y qué te pensás que estuve haciendo todos estos años? ¡Treinta años parando los quilombos entre ustedes! ¿Por qué no te animás y vas vos a verla? ¿No tenés huevos? Mirá… ¡váyanse todos a la puta que lo parió! ¡Yo también estoy lleno de quilombos, y vos no hacés nada!

Después de enterarse del clima que se vivía en el piso de Libertador, Menem movía la cabeza en un gesto de resignación y permanecía en silencio, con la mirada perdida.

Por esos días, Zulema, con su obsesión a cuestas, decía que se movía a todas partes con un revólver en la cartera. Era un arma pequeña, calibre 7,65, que le habría regalado un jefe de Gendarmería después de que elaboraron la pericia que aseguraba que el helicóptero en el que viajaba su hijo tenía varios impactos de bala. Zulema tenía grabadas en sus pensamientos las veces que el entorno de su ex marido había intentado sacarla del medio. Siempre contaba de cuando, en La Rioja de los años ochenta, fraguaron un certificado médico que aseguraba que "estaba loca", y de cómo la infidencia del médico, que se compadeció de ella, evitó que terminara encerrada en un psiquiátrico de Córdoba. "Si me quieren matar, que lo hagan, pero antes yo me llevo a uno conmigo. Estos hijos de puta no me van a derrotar así nomás", concluía.

Una mañana, después de regresar del juzgado de San Nicolás, Zulemita sorprendió a su madre limpiando la pistola en el dormitorio. Imaginó lo peor y, presa de un ataque de nervios, llamó a Emir Yoma por el teléfono celular:

–¡Vení rápido, que la mami se quiere matar! –le gritó sacada de sí.

Cuando el tío traspuso la puerta de madera amarilla del piso de Libertador, un jarrón de cristal le pegó de lleno en la cara y cayó al piso de mármol, haciéndose pedazos.

–¡Fuera de acá, delincuente! ¡Decíme por qué escondiste los restos del helicóptero de Carlitos! No me voy a morir hasta verlos pasar a cada uno de ustedes en un cajón. ¡Decíle a Menem que no le voy a dar el gusto de verme muerta! Nunca lo voy a perdonar… ¡nunca!

Emir salió del edificio limpiándose la cara mojada con un pañuelo y, sin dejar de proferir insultos de todo calibre, enfiló hacia Olivos.

La situación judicial del cuñado distaba mucho de ser la mejor.

La desaparición de Alfredo Yabrán lo había sumido en una depresión que asustaba a sus amigos. La ansiedad lo hacía devorar con compulsión enfermiza cantidades increíbles de comida, había engordado quince kilos y fumaba tres atados de cigarrillos por día. Involucrado en las causas judiciales paradigmáticas de la era, con la Curtiembre en bancarrota y el clan familiar atomizado por los escándalos y las desgracias, Emir pasaba sus días rogando al cielo que un milagro lo alejara del centro de la escena. "Si esto sigue así, voy a terminar como Yabrán. Carlos me va a entregar como hizo con el pobre Alfredo", repetía, mientras varios diputados de la oposición investigaban sus negocios, sus sociedades fantasmas en Uruguay, sus testaferros y sus bienes.

Mientras Carlos Menem comunicaba la decisión a sus hombres, en el mismo lugar donde tantas noches se dejó ganar por el amor en los brazos de la dulce Marcela, sintió que la lujosa habitación se desvanecía frente a sus ojos. Sus pensamientos se encontraban a años luz de aquel escenario impensado. Nunca en tantos años se había imaginado en el despoder, lejos de aquella adrenalina que lo transportaba a la cúspide y lo lanzaba al fondo del abismo.

Todo al mismo tiempo, todo el tiempo.

Había destinado una vida a construir el reino que lo cobijaría para siempre de la soledad, de la sombra implacable de la vejez y de la angustia por la muerte de su hijo.

Y ahora, en ese incomprensible invierno de 1998, estaba a punto de perderlo todo.

—Me la va a pagar, por la memoria de Carlitos, juro que este mediocre me la va a pagar… —decía cada vez que alguien le mencionaba a Duhalde.

Al terminar la reunión, envió a Eduardo Bauzá a trasmitirle la novedad a su hermano Eduardo, que participaba de una recepción en la embajada de Alemania. Eduardo Menem se había opuesto furiosamente a forzar la interpretación de la Constitución para lograr la posibilidad de reelección y se reunía periódicamente con Duhalde, con el que mantenía una buena relación desde la época en que aquél ocupó la vicepresidencia. El hermano se había reunido por esos días con su ex socio en el bufete riojano, el presidente de la Corte Suprema de Justicia, Julio Nazareno, con el que coincidió en boicotear cualquier posibilidad de firmar un fallo que facilitara un tercer mandato.

En Olivos, los argumentos del senador provocaban caras de asco.

–Justo éste nos viene a hablar de ética. Hace diecisiete años que está en el cargo porque vos lo pusiste ahí, nunca ganó una elección. Todo lo que tiene te lo debe a vos. Carlos, acordáte cuando fue funcionario de la dictadura y firmaba los decretos que mandaba en cana a los peronistas. Acordáte que cada vez que te visitaba en la cárcel, te puteaba –decía un exaltado integrante del grupo de choque reeleccionista.

El tratamiento que en la intimidad comenzó a recibir el hermano por esos días era el mismo que le dispensaban a Carlos Federico Ruckauf.

Sin embargo, la reacción de Eduardo Menem no era una novedad para nadie que se preciara de conocer la trastienda familiar. Eduardo continuaba teniendo por Carlos sentimientos ambiguos. Lo admiraba con la misma pasión que lo odiaba. Se sometía con la misma intensidad que conspiraba a sus espaldas. Eduardo nunca pudo superar los celos que el amor desmesurado que su madre tenía por su hermano mayor le provocaba. "Mamá siempre lo prefirió a Carlos", confesó en 1988 y con los ojos llorosos al periodista Ernesto Ténembaum, en su despacho del Senado de la Nación. Como toda la vida, Eduardo seguía la contracara de Carlos en todo. Mientras Carlos exhibió abiertamente a sus amantes y su escandalosa vida privada, Eduardo fue siempre un paradigma de la doble moral. Una modelo portuguesa y una riojana candidata a diputada nacional, fueron dos mujeres que los rumores ligaron sentimentalmente con el senador. En su entorno cuentan que la relación que hoy mantiene con su mujer, la asistente social y fanática de la New Age Susana Valente, es puramente formal, "para los de afuera". A fines del '97, de común acuerdo, Eduardo y Susana se habrían divorciado, con separación de bienes incluida, y sería sólo para mantener las apariencias que la pareja continúa habitando la misma casa, aunque cada uno hace su propia vida. Mientras Carlitos y Zulemita siempre odiaron la política, Eduardo alimentó la ambición de su hijo mayor, Adrián, y lo hizo nombrar secretario general de la gobernación riojana y por último, siguió atentamente su postulación como diputado nacional, haciendo caso omiso a la nula popularidad que su hijo cosecha entre los sectores políticos de la provincia.

En el fondo de su alma, Eduardo fantaseó muchas veces con la idea de que un golpe de suerte o un pase mágico lo sentaría algún día en el trono que ocupa su hermano. Él, que siempre se creyó más culto y más inteligente, no podía pasarse la vida a la sombra de Carlos.

En julio de 1998, Eduardo Menem creyó que había llegado la oportunidad de su vida: la de empezar a brillar con luz propia.

El senador era en ese momento el aliado más firme de Duhalde ante la embestida menemista por la *re-re*.

–Quedáte tranquilo, Eduardo, yo me encargué de todo. Para que Nazareno firme ese fallo, hay que meterle una pistola en la cabeza. Y en medio de este clima, no creo que nadie se anime –le dijo eufórico Eduardo Menem al gobernador bonaerense.

Aquella fría noche de julio, el círculo áulico se juramentó a no abrir la boca hasta el lunes 21, cuando, en Olivos, Carlos Menem en persona se encargaría de desnudar su desdicha; una audaz estrategia que le permitiría retirarse temporalmente del campo de batalla hasta que las aguas se aquietaran.

"Nunca busques una batalla. Si te viene, cede, retiráte. Mucho mejor es retirarte que sobrepasarte. Tu fuerza consiste en tu inteligencia: permanece alerta a lo que está ocurriendo. Tu arma no es ninguna arma. Es la luz de tu conciencia. Avanza únicamente cuando no encuentres resistencias", recordó haber leído algunos años antes, en el *Tao de los líderes*, cuando la lectura de aquellas premisas chinas lo habían convencido de que sus pasos en el reino de los poderosos eran idénticos a los que predicaba el sabio oriental.

–Carlos, las encuestas vienen mal. Perdemos en todas partes.

–¿Cómo viene la consulta en la provincia?

–Muy mal. Ochenta y cinco por ciento en contra.

–¿Y Duhalde qué dice?

–No quiere saber nada de levantar si vos no te bajás.

Carlos Menem miró por la ventana y vio moverse a lo lejos la figura rolliza de Alejandro Granados, que preparaba el asado para festejar su cumpleaños. El sábado 18 de julio, la estancia La Celia, del duhaldista intendente de Ezeiza –quien se había comprado un lugarcito en la "corte de los milagros" menemista gracias a que cada semana desembarcaba en Olivos con su 4x4 cargada de reses de primera calidad–, lucía resplandeciente.

En la mesa rústica de madera, frente a él, se acomodó Alberto Pierri. Carlos Menem siempre despreció al "Muñeco", apodo que el presidente de la Cámara de Diputados debía al ingenio de su amigo y socio en las rutas del masserismo, primero, y del yabranismo, después, el director de Migraciones Hugo Franco. En esos momentos, Menem usaba a Pierri como eficiente correveidile en las entrañas del duhaldismo, situación que Pierri prefería disfrazar con la frase: "Soy un puente de plata entre Menem y el Negro".

Carlos Menem lo miró fijamente y no esperó más:

–Mirá, casi todo lo que Duhalde es me lo debe a mí. No entiendo por qué se maneja de esta manera y dice las barbaridades que dice.

–Carlos, vos sabés cómo son las cosas ahí. Vos sabés mejor que nadie el poder que tiene Chiche en la oreja del Negro. Ella te odia –dijo el "Muñeco", que en esos momentos, sangraba por la herida.

Chiche o "la Señora", como la llaman en el entorno del gobernador, lo había expulsado violentamente de las cercanías de su marido con el argumento de que su mala fama era piantavotos. Durante las caravanas duhaldistas por el conurbano, en plena campaña electoral del '97, las manzaneras de Chiche le habían prohibido al diputado asomar la cabeza por la ventanilla del colectivo. Pierri se tuvo que tragar la bronca, pero juró vengarse.

–Alberto, estoy asqueado de todos. Esto se parece cada vez más a una cloaca. Mirá la actitud de Ruckauf: yo lo puse y él se cree que lo eligió la gente. Fijáte cómo trabajó en contra mío todo el tiempo. Cada vez que viajo no hace más que probarse el traje. No quiero verlo ni a un centímetro. Y Reutemann, otro que yo inventé. Nadie confiaba en él y mirá cómo me jugó en contra. Y ahí lo tenés a Obeid, otro que yo traje y que cuando más lo necesité se fue de shopping…

El fallido congreso partidario de Parque Norte había barrido con todas las expectativas. Carlos Reutemann se había atrincherado en un hotel céntrico y ordenado a sus congresales no asistir al encuentro y, efectivamente, el gobernador de Santa Fe, el ex montonero Jorge Obeid, se había ido de compras a un shopping de Recoleta. El "Petiso" Corach fue señalado por todos los sectores como el verdadero culpable del fracaso de la operación *re-re*. Su operador principal, el mendocino Juan Carlos "Chueco" Mazzon, no había logrado reunir la cantidad suficiente de congresales. Con una agravante: el ministro del Interior cargaba con un desprestigio que lo hacía blanco de infinitas críticas, tanto del interior del gobierno como de la oposición. El alejamiento de Bauzá lo había transformado a Corach en el monje negro de la retirada. Sus manipulaciones con la Justicia lo arrojaron al cadalso de un desgaste difícil de remontar. Las estrechas relaciones con el juez federal Norberto Oyarbide, complicado en un affaire de intento de soborno, asesinato y prostitución, lo expusieron hasta límites insospechados. Por esos días, el taxi boy Luciano Garbellano –amigo íntimo del juez federal– recorría las redacciones y los bares del centro desparramando increíbles historias que involucraban a Carlos Vladimiro y a altos jefes de la Federal en tenebrosas transacciones. Sus vínculos con la colectividad judía se habían deteriorado de manera irreversible, hasta el punto de que en las dos últimas movilizaciones de reclamo por la AMIA había sido objeto de fuertísimos insultos y silbidos. Su amigo, el titular de la DAIA, Rubén Beraja, estaba en bancarrota: el Banco Mayo –al que se le atribuían fuertes influencias de Corach– había recibido, antes de explotar, más de cien millones del gobierno.

Para colmo, la vida personal del petiso también había sido más que rozada por varios escándalos, que fueron la comidilla del gabinete y forzaron, alguna vez, la intervención de Menem. Bettina Guardia, su mano derecha, habría sido víctima de la violencia de uno de los hijos de Corach, que le rompió la mandíbula de una trompada, en un acceso de furia. Bettina, una llamativa rubia artificial, que antes de conocer a Corach había sido secretaria privada del senador radical Antonio Berhongaray, apareció internada en el Hospital Alemán, con fuerte custodia de la Policía Federal. Después que Bettina abandonó el ministerio para casarse con el empresario Alejandro Bulgheroni, apareció en escena Cecilia Santa Cruz, una joven de sugestiva belleza, hija de un viejo dirigente de la renovación peronista, Agustín Santa Cruz. Cecilia ocupó el lugar que había dejado vacante Bettina y aprendió rápidamente los códigos del ministerio, los gustos del ministro, hasta el punto de hacerse imprescindible para su jefe. Y con ello, otra vez las violentas disputas con los hijos de Corach, que veían en la mujer una amenaza para sus territorios. Marcelo Zlotogwiazda, en una nota de tapa de *Veintiuno*, escribió que Carlos Vladimiro, en un rapto de generosidad, le habría comprado a Cecilia un lujoso piso en el edificio más caro de Buenos Aires, la torre Kavanagh, por el que había desembolsado la suma de quinientos mil dólares.

"Luego de un análisis meditado, he resuelto excluirme de cualquier curso de acción que conlleve a la posibilidad de competir en 1999."

Con traje de gabardina gris, camisa celeste y corbata de seda al tono, Menem hizo pública su decisión ante un auditorio que lo escuchaba azorado. Desde el estrado, con una sonrisa forzada y el fastidio reflejado en sus ojos, ordenó a sus operadores políticos anular la trama de presentaciones judiciales orientadas a dar pie a un fallo favorable en la Corte. Claudia Bello y Adelina Dalesio de Viola, sus incondicionales féminas, no podían disimular la amargura y lloraban a moco tendido.

Palito Ortega, atrás de la máscara de un rostro surcado por infinitas cirugías plásticas mal hechas, barruntaba que por fin había llegado su hora de acceder al trono del delfín. "Daniel, ahora se vienen responsabilidades mayores", le dijo por lo bajo al diputado Daniel Scioli, sentado a su lado, mientras enfrente, Menem continuaba con su discurso. Carcomido por las ambiciones y el convencimiento de su predestinación, el cantautor tucumano había consultado al rabino Bittón, el estudioso israelí de la cábala que en 1994 le había vaticinado a Menem que iba a ser reelecto. Quería saber si esta vez se iba a concretar su sueño de ocupar el sillón de Rivadavia. Sin embargo, en medio de aquella excitación, algo le hizo pensar que debía mantenerse alerta. Varias veces el menemismo le había prometido un jardín de rosas y después todo se diluía en la nada. O lo que era peor, lo humillaban hasta límites insospechados. Eran *vox populi* las historias que la Rosada desparramaba sobre Evangelina, sus hijos y él mismo. "Es un vago, no le gusta laburar", se le escuchó decir a Corach, varias veces, en referencia a Palito. Las cosas llegaron hasta el extremo que su mujer se había visto obligada a dar un reportaje a la revista *Caras* desmintiendo los rumores de su supuesto alcoholismo. Palito sintió que había llegado su hora. Sin embargo, todavía dudaba.

Carlos Menem, contradictorio y pragmático, había transitado un camino de idas y vueltas que generó grandes descreimientos. Respecto de la re-reelección había tenido varias palabras. Dijo que no quería ser candidato, que quería ser candidato, que la Constitución se lo prohibía, que estaba proscripto, que Zulemita le había pedido que se retirara, que Zulemita había cambiado de opinión. Una de las características de la década menemista fue justamente la devaluación de la palabra.

Era difícil de creer que esta vez sí había renunciado definitivamente a sus sueños de perpetuidad.

Es más, una encuesta de Julio Aurelio señalaba por esos días que más del cincuenta por ciento de los argentinos descreía de su renuncia.

Duhalde levantó el plebiscito, pero no enterró sus temores.

El menemismo clamaba venganza y el gobernador tenía entre sus pesadillas más recurrentes el terminar asesinado como el candidato presidencial del mexicano Partido Revolucionario Institucional, Luis Donaldo Colosio, que nunca llegó al poder. La misma semana de la "renuncia", su miedo lo había llevado al extremo de realizar en la escuela Juan Vucetich un simulacro de atentado contra dos autos blindados por la empresa American Blindage S.A. Los peritos presentes aprobaron el resultado del experimento y aconsejaron a Duhalde que gastara doscientos mil dólares en el blindaje de las dos Traffic que usa para moverse y de dos de los Peugeot grises que componen su custodia. La paranoia del caudillo bonaerense tenía su fundamento. Después del asesinato de José Luis Cabezas había vivido con su familia algunas situaciones confusas que alimentaron viejos fantasmas. El 7 de mayo de 1998, dos policías asignados a la seguridad de una de sus hijas resultaron heridos, uno de ellos de gravedad, al tirotearse con dos delincuentes que habían intentado robarle el auto frente a la casa paterna de Lomas de Zamora. Este ataque no fue el primero: el 8 de febrero de 1998, el equipo de seguridad de Duhalde en Pinamar fue víctima del robo de tres armas de guerra, cuatro cargadores y varias cajas de municiones.

–Ni el blindaje de los autos le va a alcanzar a este traidor hijo de puta para salvarse del infierno que le tiene destinado el Jefe –amenazaban los menemistas fanáticos en las concurridas mesas de Puerto Madero.

–Dígame, ¿es verdad que está acuñando como ciento noventa monedas a la deslealtad? –le lanzó Bernardo Neustadt a Carlos Menem, la mañana siguiente de la renuncia, en su programa de FM Milenium.

Envuelto en una robe de chambre blanca de tela de toalla, se recostó en el viejo sillón de peluquero de cuero negro, en el altillo del chalet de Olivos, al que se accedía por una escalera curva ubicada al lado de la puerta de su dormitorio. Esa pequeña habitación pintada de blanco era el único lugar donde lograba una intimidad absoluta y a la que casi nadie tenía acceso. Ahí tomaba el mate amargo de cada mañana, daba un vistazo a los diarios, contestaba algún reportaje radial o permanecía en silencio mientras Tony Cuozzo le hacía el brushing. O se encerraba a escuchar sus tangos preferidos, mientras decidía cuestiones de Estado.

Esa mañana miró los retratos de Evita y Carlos Gardel que colgaban de la pared. Un poco más allá, un póster de su equipo favorito, "La Máquina", que había llevado a River a la gloria, en la década del cuarenta. Muñoz, Moreno, Pedernera, Labruna y D'Ambrosio lo miraban sonrientes desde el papel descolorido.

–Bernardo, no son tantas...

–No me diga que en estos diez años usted no cosechó deslealtades.

–Yo decía que estaba íntegro física y mentalmente, pero que hay una especie de cansancio moral. ¿Producto de qué? De la deslealtad, de las traiciones y de todo lo que el mundo ya conoce, no tan sólo a nivel nacional sino a nivel internacional. Esos personajes son políticos y economistas que se proyectaron hacia el mundo, y por supuesto en el ámbito nacional, desde las funciones que yo oportunamente les he encomendado.

–¿Usted tiene en su corazón algún delfín?

–No, a los delfines en un régimen democrático los elige el pueblo.

–¿Usted sabe elegir a los amigos?

–Amigos sí. Amigos sé elegir. En lo que por ahí me equivoco es en la elección de algunos funcionarios. Y entonces surgen estas lacras, para mí son una verdadera lacra, o sea, la deslealtad y la falta de sinceridad. Son lacras...

–Doctor, ¿cómo es el cuento del oso?

–Dice que iban dos cazadores en una selva. Se apareció un oso. El más ágil corrió y se trepó a un árbol. Y el otro, pobre, un poco más gordo, ante la inminencia del peligro, se tiró al piso y se hizo el muerto. Entonces, el oso se acercó. Lo olfateó y se alejó. Bajó el que estaba trepado al árbol, y le preguntó al cazador que se había tirado haciéndose el muerto: "¿Qué te dijo el oso?". "El oso –contestó el otro– me dijo que sepa elegir a los amigos." Esa es la anécdota.

Cortó con Bernardo y recostó la cabeza contra el respaldo del sillón.

El domingo 12 de julio había recibido una noticia que lo había golpeado. Un cáncer fulminante se llevó a su amigo y consejero Moisés Constantinovsky, más conocido como Emilio Perina, apellido de ficción que el ex asesor de Arturo Frondizi y del superministro de la dictadura José Alfredo Martínez de Hoz había inventado a partir de las sílabas iniciales de los nombres de su primera mujer y sus hijos (*Per*la, *Ri*ta y *Na*talio). El hombre que le escribía los discursos –un viejo zorro de la política argentina, antiperonista furioso al que lo unía la amistad desde el año 1990, cuando se lo presentó Erman González– era el mismo, que en 1997, le aconsejó cargar contra los periodistas, con la polémica Ley del Palo. Hasta los últimos días de su vida Perina le había aconsejado no insistir con la re-reelección.

–Presidente, tiene que retirarse por la puerta grande. No insista, es un error. Puede irse con todos los honores, y después, la gente le va a pedir que vuelva. Después lo van a extrañar...

Pensó en la premisa que había seguido toda la vida: "El poder es para siempre, el que se aleja del poder pierde".

Y él no había nacido para perder. Ni en la política ni en el amor ni en el juego. Es más, nunca había soportado a los perdedores.

Recordó lo que le dijo Jorge Antonio en el '89, cuando apenas había asumido.

–Los árabes podemos tener un harén, pero siempre volvemos a nuestras esposas. Podemos tener varias casas, pero nunca abandonamos la nuestra. Y cuando un árabe tiene poder, nunca lo deja.

Extendió el brazo hacia la mesa y apagó el antiguo aparato de radio.

Los días y los meses pasaban volando. Como los pájaros entre los cerros azules de Anillaco. A la misma velocidad, Menem percibía que se le escapaba la vida atrás de ese poder que empezaba a escurrírsele como el agua entre los dedos. No quería pensar en fechas, pero sabía que le quedaban un año y algunos meses para abandonar el sillón. Cada día, el espejo del baño le mostraba una nueva arruga que, ante el mínimo gesto, se multiplicaba por mil. Maldijo al arquitecto Rossi, que había tenido la idea de cubrir el baño con espejos. Ahora, él odiaba esos cristales, que sólo le recordaban el pasado de glorias, enfrentándolo a la inminencia del final. El 2 de julio, recién llegado de una gira por los países de la ex Unión Soviética, había festejado por primera vez su cumpleaños en Olivos. Esa mañana, muy temprano, una fuerte neblina le había impedido ir hasta el cementerio islámico de San Justo a visitar la tumba de su hijo. Cambió la visita por un desayuno con Carlos Corach, Jorge Rodríguez, Alito Tfeli y el jefe de su custodia, Guillermo Armentano, en la confitería Selquet, de Palermo. Ahí Corach volvió a compararlo con Yeltsin. "La situación de él es igual a la tuya, no puede ser reelecto." No le contestó. Después de soplar las velitas de la torta de merengue italiano que le había llevado su hija, sopló las velitas de otra torta cuadrada, celeste y blanca, con un mapa de la Argentina y su rostro deformado en la cabecera, con la inscripción "Menem '99". Su hija lo besó todo el tiempo, en la cara, en la frente, en los labios. Había cumplido sesenta y ocho años. Odiaba la vejez, pero era consciente de que a esa altura nada más podía hacer para combatirla. Lo había intentado todo: liftings, injertos de pelo natural, inyecciones de colágeno, de botox, masajes con cremas importadas de Suiza, vitaminas, meditación trascendental…

Pero el tiempo seguía con su rutina de estragos.

Miraba el rostro de su hijo en el portarretratos de su dormitorio y sentía un dolor en el pecho. Había inmolado su vida y su familia en pos de un poder que había creído eterno. Y ahora tomaba conciencia de que también éste empezaba a abandonarlo.

Lo único que lo apartaba del hastío y del aburrimiento eran sus viajes por el mundo. Apenas el *Tango 01* levantaba vuelo, él recuperaba la autoestima perdida. Con Cavallo fuera del gobierno, las peleas en el gabinete ya no tenían el mismo atractivo. Roque Fernández nunca quiso ser otra cosa que un técnico, y administraba la economía sin grandes sobresaltos. Mantenían relaciones cordiales y el ministro le resolvía los temas con aparente prolijidad.

El 17 de septiembre se había dado el gusto de volar en un simulador de taxi espacial en Houston, Texas. En el pasado, sólo se había aventurado a ello Viktor Chernomirdin, cuando era primer ministro ruso. Se encerró en la caja metálica con Zulemita, la paqueta traductora Ana Braun y el veterano astronauta John Young, uno de los primeros en pisar la Luna. Desde afuera se escuchaban las órdenes de Young, que traducía Braun, y la voz de Menem, que respondía: "Sí, sí". Cuando el simulador paró en medio de la pista, Zulemita empezó a gritar, con voz de nena: "¡Bien, Pa! ¡Bien, Pa!". Al bajar de la nave, Menem dijo jocoso: "En una de esas, en los próximos cuatro años, me dedico a hacer un curso de astronauta". Luego, frente a una selecta mesa de empresarios, funcionarios y aduladores, prosiguió con su discurso universalista y negador de la realidad: "Este año la Argentina va a ser el país con más crecimiento del planeta". Los aplausos reconfortaron su ego y le hicieron olvidarse de los números que manejaban los economistas y publicaban los medios. Según datos del INDEC, en 1998 la desocupación seguía siendo preocupante: el 13,4 por ciento. El salario promedio de un trabajador llegaba a quinientos dólares y la Argentina se había convertido en uno de los países más caros del mundo. A esto se sumaba otro tema: la inseguridad. Robos y asaltos ocupaban las primeras páginas de los diarios y el tema se había convertido en la pesadilla de Duhalde. Los guardaespaldas de varios ministros y secretarios de Estado fueron blanco de los asaltantes. Una mañana, en la reunión de gabinete, Claudia Bello relató asustada cómo varios tiros hicieron impacto en el auto que la trasladaba, matando a uno de sus guardias. Aunque con la mirada lo fulminó a Carlos Vladimiro para que se hiciera cargo del tema, Carlos Menem aplicaba el método de toda la vida: se negaba a ver la realidad.

Se sentía el gran transformador de la Argentina y no podía entender por qué la gente no lo quería como antes. Por qué se quejaban. Por qué lo criticaban. Y sobre todo, por qué no le rendían pleitesía.

–Son desagradecidos. Se olvidaron rápido cómo estaban cuando yo los vine a sacar del barro. Andaban muertos de hambre cuando *io* los salvé del incendio. Afuera todos me reconocen la obra extraordinaria que hice, todos me aplauden, y vengo acá y son todas pálidas… –repetía mecánicamente frente al televisor.

Desde mediados del '97 había incorporado en su entorno de viajeros del *Tango 01* al advenedizo Daniel Herrendorf. Mezcla de Gustavo Beliz y el mentalista Tony Kamo, el ex empleado de Carlos Vladimiro Corach y Elías Jassán, a quien le gustaba definirse como un "cobarde en lo físico y un audaz en lo intelectual", había logrado convencerlo de que debía registrar en un libro sus exitosos periplos por el mundo. El nuevo escriba –que le aconsejaba la lectura de los clásicos y hasta lo había acompañado en algunos encuentros con jefes de Estado– grababa las largas conversaciones que mantenían durante los vuelos.

Zulemita, los nueve perros y las aves que en grandes jaulas poblaban la galería del chalet estaban entre las pocas cosas que a Menem le arrancaban una sonrisa. Tenía especial cariño por un mirlo que le había regalado Julio Bárbaro, que cantaba a la perfección la marcha peronista y decía palabrotas. Cuando estuvo de visita el príncipe Andrés, tuvieron que esconder al mirlo bajo una capucha, para evitar los papelones de sus groserías. Hacía poco tiempo que el pájaro había pasado a mejor vida y él había llorado como un chico. Cada mañana, cuando salía al jardín, miraba con nostalgia la jaula vacía. Por sus animales, Carlos Menem era capaz de suspender alguna actividad oficial. John John, un maltés peleador, novio de Yin Yin, el perro que Zulemita tenía en la casa de su madre, era su preferido. Y "Clinton", el perro que le regaló el presidente norteamericano, con el que se entretiene frente a las visitas.

Sisy Adam, la mujer de Octavio Frigerio –el jefe de los Cascos Blancos–, lo visitaba cada tanto y le daba una efímera tranquilidad. La "reeducadora psicofísica", como se definía a sí misma, era una alemana rubia y de formas casi perfectas. Sisy le hacía masajes por todo el cuerpo, practicaba visualizaciones y le abría los centros de energía psíquica. Se habían conocido en el primer aniversario de la muerte de Carlitos, en la capilla de Olivos, cuando él había descubierto su pasión por la Virgen Desatanudos, originaria de Habsburgo, el mismo pueblo de donde era la masajista. Eso sí, cada vez que ella lo visitaba, Menem tenía que tener especial cuidado para que su hija no la viera. Un día, Zulemita llegó a Olivos y lo encontró tendido semidesnudo en una camilla, sometido a las manos expertas de Sisy. La "Nena", en un ataque de celos, echó a la mujer de la quinta y a él lo reprendió con dureza. Por su lado, la reeducadora psicofísica explicó a la periodista María José Grillo: "Yo pienso que soy mágica. Si estoy con él, le trasmito lo que siento. Hay una característica de él que me asombra: es una de las pocas personas que trabaja en armonía con los dos hemisferios del cerebro".

A la noche, antes de dormir, encendía el televisor desde la cama y veía el noticiero de la medianoche de ATC o la CNN en español. No miraba ningún programa político. A Mariano Grondona lo despreció siempre, por lo que se negaba a ver "Hora clave". Cuando a Bernardo Neustadt le levantaron el programa de televisión, respiró tranquilo. Aunque se veían con cierta asiduidad, estaba harto de escuchar sus lamentos y sus críticas. "Bernardo sólo me trae mala onda, me tiene cansado, siempre con la misma cantinela", le decía a Ramón, cuando el periodista se iba de Olivos. Por esa época, Bernardo Neustadt sufría el peor de los ocasos. La pelea entre Cavallo y Yabrán lo había manchado de manera irreversible. En medio de aquel duelo feroz, al que después se sumó el caudillo bonaerense y su pelea por el '99, quedó al descubierto un entramado de negocios que el influyente periodista había tejido con el "Cartero". Sus extensos monólogos, su "doña Rosa me dijo" y sus mensajes crípticos al poder eran ya parte del pasado.

Carlos Menem no leía los diarios y veía en los periodistas a sus nuevos enemigos. "Ellos deforman todo. A veces prefiero no enterarme de algunas noticias antes que leer algunos diarios", decía convencido de que la culpa de todos sus males la tenía el mensajero. Por las tardes, dejaba las actividades oficiales para entretenerse con los chismes de la farándula del programa de Lucho Avilés. Por intermedio de éste había conocido a la vedette Alejandra Pradón, quien contaba que Menem la llamaba personalmente, le dejaba mensajes de amor en el contestador de la casa y la invitaba a volar en el *Tango 01*.

–Alejandrita, dale, vení a conocer el *Tango 01*, que *io* te hago de guía...

Sin embargo, ni el brillo de los palacios que visitaba ni los aplausos externos ni los aduladores nocturnos ni el amor de las mujeres que deseaba lograban hacerle olvidar que el tablero de su vida comenzaba a desarmarse. Que el reloj había empezado a marcar el tiempo de descuento.

Volvió a sumergirse en la lectura de los hombres que admiraba y a los que emulaba con fervor. Sus visitantes lo encontraban en la galería del chalet, enfrascado en la biografía de Napoleón, de Ludwig o de Alejandro Magno. Él sólo levantaba la vista cuando alguien le decía que había encontrado una nueva fórmula para lograr su re-reelección. Cualquier fórmula, no le importaba cuál. Escuchaba atentamente y les daba vía libre a todos. Su obsesión por conservar el poder lo hacía caer en justificaciones místicas.

–Tengo dos hijos: uno que está en el cielo con Dios y el otro, Zulemita, que me sigue a todas partes. El que está con Dios camina conmigo, yo lo veo todo el tiempo y hablo con él. Carlitos me apoya en esta estrategia. Él me va a ayudar a seguir en el poder… –le dijo un mediodía, con lágrimas en los ojos, a un influyente miembro del Poder Judicial que lo visitó en Olivos.

El Rohipnol que tomaba para dormir desde tiempos inmemoriales ya no le hacía el mismo efecto. Se despertaba cinco o seis veces, prendía la luz, hojeaba la Biblia o alguna biografía, encendía el televisor y se quedaba con la mirada clavada en la pantalla. Seguía, como un ritual, con su rutina de duchas nocturnas. Por consejo de sus pitonisas, recurría al agua para limpiar su cuerpo de las malas energías, que –según decía– se le acumulaban durante el día. De vez en cuando atenuaba la soledad con Liliana, una morocha de treinta años, alta, voluptuosa y de piel muy blanca, empleada del sindicato de enfermeras, a la que había conocido a través de unos sindicalistas. Sin embargo, las mujeres ya no le importaban demasiado. Se aburría rápidamente y permanecía mucho tiempo a solas consigo mismo, imaginando estrategias para permanecer en el poder. Su entorno tenía miedo de interrumpirlo, ya que se fastidiaba por cualquier cosa, la mínima cuestión lograba ponerlo de mal humor. Había alejado de su lado a los hombres que se animaron a manifestarle su desacuerdo con la *re-re*. "A esos cobardes no los quiero tener cerca", decía. Prefería pasar largas veladas con la vedette Moria Casán y su marido, Luis Vadalá –amigos de la pareja Amira Yoma-Chacho Marchetti–, que alentaban entusiasmados la *re-re* entre la farándula.

Acorralado como un león herido, se había embarcado otra vez en la aventura re-reeleccionista, sin importarle demasiado que él mismo, pocos meses antes, había renunciado a ella, y que hasta Clinton lo había llamado para felicitarlo por el hecho. Las estrategias absurdas y peligrosas que le inventaban para permanecer, le bastaban para recuperar la fe perdida. Buenos Aires estaba nuevamente empapelada con carteles que decían "Menem '99".

–Y… serán los que sobraron de la última vez –explicaba sonriente, cuando algún periodista le preguntaba.

Estaba convencido de que ese pasado de gloria –al que añoraba desesperadamente a la vez que, cuando se sentía perdido, le provocaba náuseas– lo colocaría nuevamente en el balcón de la historia.

Como al coronel Hugo Chávez, el presidente de Venezuela, su nuevo ídolo.

–Ese sí que es un grande, hizo todo lo que yo tendría que haber hecho, pero el cobarde de mi hermano no me ayudó.

O a Alberto Fujimori.

Recordaba como nunca cuando en el '96 le dijo a Emir que por conservar el poder él era capaz de cerrar el Congreso. Lo tenía todo planificado. Pero sus hombres no quisieron acompañarlo.

A Frei y a Cardoso no los envidiaba.

Al contrario, los despreciaba con ganas. Al chileno, porque es "un tibio que nunca se animó a nada".

Al otro –hombre culto que maneja cinco idiomas–, porque no perdía oportunidad para lucir su superioridad intelectual. (En la última Cumbre de Presidentes de Europa y el Cono Sur, cuando Cardoso recayó en uno de sus despliegues políglotos, Menem se levantó furioso y se retiró, como diciendo "¿Y éste quién se cree que es?".)

Sin embargo, la Argentina no era la misma del '89. Ni la del '95, cuando, contra todos los pronósticos, había sido reelecto por el cincuenta y uno por ciento de los votos.

Y él tampoco era el mismo.

Había mutado tantas veces que ya se había perdido la memoria de quién era. Había mentido, traicionado y escandalizado sin escrúpulos. Nada quedaba del caudillo de patillas y poncho que decía ser la reencarnación de Facundo en su físico devastado por una década vivida a mil. A esa altura de los tiempos, había en su interior tantos Menem, que ni sus detractores ni sus amigos ni sus aduladores podían detectar cuál de todos era el verdadero.

Se había terminado la época de la "plata dulce" y de una estabilidad económica que parecía eterna. La transformación, que había hecho historia, mostraba su costado más cruento. Mientras el mapa de la pobreza se extendía con feroz rapidez, la geografía de los ricos más ricos de la Argentina –los grandes beneficiados– había sufrido fuertes modificaciones. Gracias a las privatizaciones y otros negocios que florecieron al amparo del trono, habían acrecentado sus riquezas hasta el delirio. Ahora coqueteaban con la oposición y en voz baja se oponían a la permanencia de Menem en el poder.

Amalita "Mema" Fortabat había multiplicado las ganancias que obtenía de la cementera gracias al auge de los créditos hipotecarios. Tuvo un ferrocarril, una radio y seguía ostentando el cargo de embajadora itinerante de la Argentina. Franco Macri se había convertido en ultramenemista, compartía las tertulias del living presidencial y hacia el fin de la era dejó los autos y se quedó con Canale y el Correo. El cordobés Benito Roggio era otro de los beneficiados por Menem: había conseguido la concesión de las rutas por peaje y los subtes. Roberto

Rocca siempre había sido antimenemista, sin embargo, también ganó: logró la concesión por las rutas, por la telefónica y Edesur. Gregorio Pérez Companc seguía siendo uno de los hombres más ricos de la Argentina. Siempre que necesitó hablar con Menem, lo hizo sin intermediarios. Aprovechó las privatizaciones con participaciones en Edesur y Telecom, y sus negocios con el Banco Río siguieron viento en popa. Sin embargo, se diversificó tanto que terminó perdiendo: al final de la década sólo le quedaba la empresa Molinos y la energía, y mucho dinero líquido que le dejó la venta de sus empresas. Santiago Soldati es quizá la mejor metáfora del menemismo. Amigo personal del Rey de España, "Santi", como lo llama Menem, tiene intereses en Telefónica, en Aguas Argentinas, en el tren y el Parque de la Costa, en áreas clave del petróleo, en la comercialización del combustible –con la empresa EG3 y Astra– y en el Expreso Pampeano. Se endeudó sobremanera y el fin de la década lo encuentra con menos capital que el que tenía cuando Menem llegó al poder, en el '89. Con una agravante: la empresa está en situación de cesación de pagos. Su estrecha relación con el poder le había permitido conseguir un crédito del Banco Nación por cincuenta y cinco millones de dólares, el segundo más grande, después del otorgado al grupo Yoma.

Otros ricos surgieron y triunfaron bajo el sol de la Argentina menemista de fin de siglo: Raúl Moneta, un mendocino extravagante, coleccionista de ponchos y bailador de caballos, casi concreta el sueño de Menem de poseer un multimedios, para cargar contra *Clarín*, su principal enemigo. En 1998, Moneta era –con el República– el banquero más poderoso del país. En los pasillos de la Rosada y de la City le atribuía una sociedad con Carlos Menem. Es más, Moneta –que apostó con un fanatismo poco habitual a la reelección de su amigo– en 1999 estaba prófugo de la justicia por la caída del banco de Mendoza. En 1996 aparecía en el escenario Juan Navarro, un uruguayo de familia aristocrática, fumador de puros gigantes, que había hecho una carrera descollante en la City y que –en una operación relámpago avalada por la embajada de Estados Unidos– compró todas las empresas de Alfredo Yabrán, tanto las que él reconocía como propias como las que no. En cambio, Eduardo Elsztain tiene las características del empresario del siglo que viene: bajo perfil y distancia pública del poder político. Es el presidente y uno de los dueños de IRSA, sociedad dueña de la mayoría de los shoppings y los edificios más emblemáticos de Buenos Aires. Conduce, además, el Banco Hipotecario.

Por esos días, el establishment se hacía el distraído.

Carlos Menem sentía que, a pesar de que les había dado todo, ellos también empezaban a abandonarlo. Se enteraba de las reuniones con la oposición o de las visitas a la quinta de San Vicente y lo ganaba la desolación.

–Me tenés abandonado, no venís más…

Le dijo una tarde de primavera a Miguel Ángel Vicco. Hablaba por el teléfono celular, con voz titubeante.

–Carlos, no digas boludeces… Si querés voy esta noche, pero si estás con esos alcahuetes, me vuelvo. Con esos tipos, no me siento.

–Veníte hoy a las doce de la noche, te prometo que estamos solos.

Vicco llegó a Olivos tras varios años de ostracismo. La última vez que había estado en la quinta había sido en el '95, durante la fiesta de la reelección. Subió al dormitorio como en los viejos tiempos, cuando ambos compartían largas confesiones nocturnas sobre las mujeres, la política o los negocios. O más atrás todavía. Como en 1981, apenas Menem salió de la cárcel, y los dos, recientemente separados de sus esposas, reventaban la noche en Karim, mirando embobados el streap-tease de Eva Gatica, o dilapidaban fortunas en partidas de truco y póker, en algún tugurio del centro. Mejor dicho, era Vicco el que perdía la plata, porque en esa época Carlos Menem no tenía un peso.

–Flaco, tengo que pagar las expensas, ¿me prestás?

El ex secretario podía verlo, parado en el living de su casa, con mirada lánguida y las manos en los bolsillos de un pantalón gastado por el uso.

"A veces cruzaba las piernas y tenía las suelas de los zapatos con agujeros. Yo lo acompañaba a comprarse la ropa en los mejores lugares…"

Veinte años después, en Olivos, Carlos Menem esperaba a Vicco en calzoncillos, las piernas flacas y velludas; y aquella antigua desviación en la columna –herencia de su padre, don Saud–, que con el paso de los años se había hecho muy evidente. Y el infaltable control remoto apretado entre las manos.

Por la expresión de su rostro, Vicco percibió que las cosas no marchaban bien.

–Flaco, estoy muy mal. Me dejan solo, nadie me defiende, nadie pelea por mí. Y encima, Carlitos está muerto… –dijo, torciendo la boca para contener el llanto. Tenía la cara empapada y con la otra mano acariciaba la fotografía de su hijo.

–Carlos, si empezás a hacerte la víctima como antes, me voy…

–Flaco, por favor, no te vayas… Todos son unos traidores, y Zulema… mirá a Zulema, las cosas que dice de mí en todas partes. Me echa la culpa por lo de Carlitos… Le llena la cabeza a la Nena… Ni siquiera el Gordo Emir puede con ella, está lleno de quilombos… Estoy solo.

–Carlos, no empecés, ya te conozco el jueguito. La culpa de todo la tenés vos. Vos te rodeaste de esta gente de mierda, que te chupa las medias todas las noches. Esos son los que te dicen que está todo bien. Andá a la calle y vas a ver cómo te putea la gente. Carlos: la gente te odia, están cagados de hambre y podridos de este gobierno…

–¿Para eso te invité, eh? ¿Para que me traigas mala onda? Claro, total soy el único que tiene que poner la cara. Mientras todos se borran, soy el único que se la tiene que bancar…

Se despidieron sin demasiados trámites y Menem quedó frente al televisor haciendo zapping.

En octubre el ambiente político estaba enrarecido.

Otra muerte salpicaba al poder y el fantasma de la mafia volvía a cercar al gobierno.

Marcelo Pablo Cattáneo, uno de los principales involucrados en el caso IBM-Banco Nación, hermano de Juan Carlos Cattáneo, ex mano derecha de Alberto Kohan, después de permanecer varios días desaparecido, apareció colgado con una soga de náilon, de una torre de antena, frente a un descampado de la Ciudad Universitaria. El empresario, que manejaba las empresas Consad y CCR, vinculadas al millonario pago de coimas, había desaparecido de su casa vistiendo un prolijo traje gris. Cuando lo encontraron, vestía un jogging azul y un par de zapatillas rojas. En la puerta de la horrible construcción donde apareció ahorcado apareció escrita la palabra "cárcel" y el cadáver tenía en la boca un artículo del diario *La Nación* que hablaba del caso que los involucraba a él, a su hermano y a su empresa.

–¡Me salvó el ahorcado! ¡Me salvó el ahorcado! Esos sí que son amigos… –festejaba Emir Yoma, desaforado.

A los amigos con los que se comunicó ese día les había contado de la alegría que lo embargaba desde la aparición del cadáver de Cattáneo. No era para menos: la tragedia del hombre clave del caso IBM-Banco Nación lo sacaba al cuñado de la primera línea de fuego. Hábil, "el Tío" corrió a ver a Menem a su despacho de la Rosada, ante la lente de varios fotógrafos. A la mañana siguiente, la foto del rollizo pariente sospechado, entrando por la explanada de la avenida Rivadavia, era tapa de los diarios. "Carlos me apoya", explicaba Emir exultante. Ese mismo día, el ministro de Justicia, Raúl Granillo Ocampo, lo había visitado en el trigésimo noveno piso de la torre de la avenida Libertador, para decirle que no estaba solo, que tenía cobertura. En el gobierno tenían miedo de que alguno de los implicados en casos de corrupción, al sentirse abandonado, abriera la boca con algún periodista. Diez días antes, Lourdes Di Natale, su ex secretaria, revelaba a la revista *Noticias* la trama de negocios turbios que se desarrollaban en las oficinas de Emir y acusaba a éste de haberse quedado con un vuelto de cuatrocientos mil dólares del contrabando de armas.

La noche del 4 de octubre, cuando Carlos Menem se enteró de la noticia, se desencajó. No era éste el primer suicidio extraño que sucedía durante su gobierno. Sintió que esta muerte –la tercera en cinco meses– era una mala señal del Más Allá y cayó en una visión apocalíptica de su vida y su futuro.

Las tragedias seguían rondando, como una maldición.

Su viaje al Reino Unido, el más anhelado, lo volvió a la cúspide.

Antes de partir, la inesperada noticia de que el general Augusto Pinochet, el ex dictador chileno, había sido detenido en Londres, le hizo pensar en esos cientos de periodistas europeos persiguiéndolo otra vez para pedirle explicaciones sobre el indulto a los ex comandantes, algo que detestaba. Sin embargo, todo salió como había imaginado. Desembarcó en Londres con una comitiva colorinche y desmesurada de funcionarios, empresarios, parientes, amigas, adulones, peluqueros y modista. Una vez más opacaba a Duhalde, a los dirigentes de la oposición, seducía como antes a empresarios británicos y argentinos, ávidos de futuros negocios. La Argentina era el segundo mercado para las inversiones británicas en América latina, y Zulemita había deslumbrado a los británicos.

Coqueteó con ella todo lo que hizo falta y, al otro día, la foto en la que se ve a su hija besándolo en los labios –sacada durante la recepción en el Palacio– fue tapa de los principales diarios ingleses.

En medio de aquel bullicio palaciego, volvió a sentir que nada lo podía detener. Con el pecho cargado de medallas, estrellas y cintas de colores, se paseó orondo frente a la reina Isabel y el premier Tony Blair, sintiéndose un estadista y con la firme intención de llevar la pelea hasta el último round. Ya no le importaban los costos de la batalla.

Exaltados, en el entorno aseguraban que, después del éxito de este viaje, la *re-re* era imparable: ningún otro Jefe había conseguido tanto prestigio internacional, tanta suerte, tanta gloria.

¿Quién le negaría la reelección a un presidente que aniquiló la inflación y comenzó a devolver las Malvinas a los argentinos?

Estaba convencido de que en el partido no había otro dirigente mejor que él para disputarle a la Alianza las elecciones de 1999 por la Presidencia.

Sin embargo, apenas descendió del avión, la realidad lo volvía a golpear. Miró las encuestas y el halo de felicidad que había creído eterno se desvaneció y él se desmoronó sin consuelo.

La fiesta del Tinkunako era la misma de siempre.

El calor agobiante, la muchedumbre transpirada, el ritual idéntico a sí mismo.

Liliana, esperaba paciente a un costado del salón principal, con un conjunto de seda estampada en amarillo rabioso, tacos altos y labios rojos. A su lado, hacían guardia "Roby" Fernández y Constancio Vigil.

–Hay que darle ánimo al Jefe, hay que decirle que escuchamos que la gente no va a permitir que se vaya…

Dijo el empresario periodístico, con un guiño de complicidad.

Ese 31 de diciembre, Carlos Menem se arrodilló en la vereda, bajo el sol ardiente, y rezó con notable fervor frente a la imagen religiosa.

Era el último festejo en el que participaba como Presidente.

Se secó varias veces el sudor de la frente, apartando los fantasmas de sus pensamientos, y besó a las mujeres y a los chicos, mecánicamente. Como todos los años, en veinte años que llevaba en el poder.

–Napoleón, ese sí que era un número uno. El más grande, el mejor de todos…

–Sí, pero ¿vio el final que tuvo? Murió preso y abandonado. Incluso por su mujer –le dije, sentada frente a él, en la mesa larga del comedor de la residencia de la gobernación riojana.

Me lanzó una mirada fulminante:

–Y qué importa eso? ¿Qué importa Santa Elena o los que lo abandonaron? Miren dónde está él ahora; en la historia del mundo. Además, murió en soledad, como mueren los grandes.

Me contó que estaba leyendo al Napoleón de Emil Ludwig y que el episodio que más le gustaba era este:

"Por primera vez el Papa obedece el llamado de un soberano. El emperador recibe al Santo Padre en las puertas de la ciudad, sin darle las muestras de respeto del beso y la genuflexión. El 2 de diciembre, Notre Dame resplandece con el brillo de los cirios y las piedras preciosas; más se diría una sala de fiestas que una iglesia. El emperador está de buen humor; por la mañana prueba con su propia mano la corona en la cabeza de su esposa... Vestido con un manto imperial a la antigua, Napoleón avanza hacia el altar conduciendo a la emperatriz... Entonces, en el momento en que todos esperan que se arrodille el hombre al que nadie todavía había visto inclinarse, éste toma la corona y en pie, ante millares de miradas asombradas, volviendo la espalda al Papa, de cara al público, se corona a sí mismo, en presencia de su pueblo."

–Cuando le saca la corona al Papa y se corona él mismo...

Se queda pensando unos segundos, mientras hace el gesto con las manos encima de la cabeza.

–...un grande, el más grande... –repitió, con una sonrisa melancólica, mientras jugaba con un escarbadientes que soltaba de punta hacia la mesa, una y otra vez.

Una hora antes había terminado el Tinkunako y Carlos Menem había comido con Guillermo Vilas, la nueva novia de éste, el actor Juan José Camero, Roberto Fernández –siempre al lado de Liliana– Erman González, el operador re-reeleccionista, el diputado César Arias y el empresario Constancio Vigil. Los mozos iban y venían con bandejas repletas de bocaditos fríos de pollo en escabeche, aceitunas, calamarettis fritos y pavo relleno con papas. Había champán Chandon y vinos Menem.

El entorno festejaba con aplausos los comentarios del Presidente sobre Napoleón, mientras él volvía sobre Facundo.

–Otro número uno. Como pasó conmigo, los porteños se burlaban de él, de cómo se vestía, de lo que pensaba. Facundo, igual que yo, jugaba como loco, perdía fortunas en las salas de juego. ¡Hasta jugaba a la riña de gallos!

–Jefe, jefe, tuve una idea que nos va llenar de guita: la próxima cosecha de vinos la voy a llamar "Carlos Menem Junior", como homenaje al pibe, ¿vio? ¿Qué le parece? –le dijo Spadone apenas terminó el oficio religioso en la capilla de Olivos. Era el cuarto aniversario de la muerte de Carlitos.

Carlos Menem hizo una mueca con la boca, mientras Emir fulminaba con la mirada al empresario procesado por la leche podrida y, en ese momento, uno de los referentes nacionales de la *re-re*.

Empezaba el otoño, pero perduraba en el ambiente el calor de un verano denso.

Aquella mañana, se había levantado más irascible que nunca.

Su hijo se había ido para siempre y a él le quedaban doscientos sesenta días en el poder. Ni uno más. Los "racionales" del gabinete advertían los peligros en puerta: desde hacía meses, en el gobierno no se hablaba de otra cosa que de la re-reelección y los números de la economía eran preocupantes. Según los datos de FIEL, la producción industrial había caído doce por ciento, en febrero quince mil argentinos se habían quedado sin trabajo, caían las exportaciones, y Economía aceptaba que caía la recaudación, que se cerraba el crédito externo y que la recesión se profundizaba cada día. La gente se había hartado de la pelea por la sucesión y según los encuestadores él estaba con diecisiete por ciento de imagen positiva.

Lloró desconsolado en la misa y soportó en silencio los saludos y los empalagosos halagos. Algunos integrantes del gabinete lo vieron alejarse rumbo al chalet, con pasos inseguros, abrazado a su hija.

Desde que se animó con el plebiscito, Eduardo Duhalde sintió que el complejo de inferioridad que lo había angustiado durante años se había evaporado. Había nacido con labio leporino y, hasta que lo operaron, vivió acomplejado por la deformación. Con Carlos Menem lo unió, desde que se conocieron, una relación de amor-odio que obligó a Duhalde a regresar en varias ocasiones al consultorio del psicólogo. Es más, después que su mujer perdió las elecciones de 1997, ambos tuvieron que recurrir a una terapia de pareja, porque Chiche se pasaba los días llorando y él no podía cargar más con la culpa de haberla embarcado como candidata. Un cargo que ella detestaba.

—Nunca voy a ser como Carlos, nunca. Yo no tengo esa vocación de poder.

Me dijo Eduardo Duhalde en 1996, durante un reportaje en San Vicente, haciendo pucheros.

Ahora se veía a sí mismo avanzando como una topadora. La alianza con Palito había sido un golpe duro para el menemismo y para la oposición. El duhaldismo y la Alianza habían desmoronado en el Congreso las sesiones de la Comisión de Asuntos Constitucionales, en la que el menemismo intentó reglamentar consultas populares y de paso colar la reelección. El dúo recién nacido se había convertido en un nuevo polo de poder político, alejado del menemismo.

—Sé que no será fácil, que hay un millón de obstáculos. Es que le tienen pavura a este humilde hombre de pueblo; a este humilde hombre del interior que no va a cejar en sus esfuerzos para lograr la justicia social –dijo, empapado por la transpiración, en medio de la euforia patética de un auditorio vacío de dirigentes de peso.

Fue durante el "Congreso para la Victoria" conducido por el secretario de Planeamiento Estratégico, Jorge Castro, la nueva espada de la *re-re*. La presencia del matarife Alberto Samid, Víctor Alderete, Amira Yoma y Alberto Lestelle, apenas unos bufones de la política, mostraban la cara de la batalla, en la que estaba embarcado.

–¡No se olviden de lo que significa lealtad! ¡Ser leales hasta la muerte! –gritaba, con la voz enronquecida.

Sin embargo, cuando los bombos dejaban de sonar, la única lealtad que encontraba era la de su propia sombra.

Casi a la par del salto de Palito, Carlos Reutemann le rechazaba la candidatura a vice y también la propia, para enfrentar a Duhalde. Con la negativa del ex piloto de Fórmula Uno se disipaba la ilusión de inventar un Cámpora tras el cual mantenerse en el poder, como había hecho Perón en 1973.

En Catamarca, latía la última esperanza menemista.

Después de la victoria de De la Sota en Córdoba, Menem había puesto todos los huevos en la canasta de Ramoncito, el "hijo bobo", como le decía en la intimidad, de don Vicente, su padrino. Trescientos funcionarios habían viajado ese mes a la provincia del Norte, cargados de dádivas y varios millones, arrancados arbitrariamente a los ATN, para ayudar el regreso al poder, del dirigente que había encubierto el crimen de María Soledad Morales. El mismo que –cuando cayó en 1992– declaró que "desde Carlos Menem para abajo todos tenían que hacerse una rinoscopía".

–En Catamarca ganamos y de ahí, no paramos. Después, le juntamos al "Presi" un millón de personas en Plaza de Mayo y vamos a ver si los jueces se animan a decirle a la gente que él no puede ser reelecto –decían los operadores.

La realidad le mostraría con crudeza que eran absurdas fantasías de un puñado de fanáticos.

–Taza, taza... –dijo el Negro Meiriño, y los fanáticos reeleccionistas entendieron que el Jefe quería quedarse a solas.

La frase completa era originalmente: "Taza, taza, cada uno a su casa". Y lentamente, como en un jardín de infantes, los cortesanos desaparecían.

En la residencia, los tonos del clima habían virado abruptamente al negro noche. Hacía varios días que el estado de ánimo de Menem había pasado a ser la preocupación principal de los íntimos. Entraba en silencios indescifrables, se quedaba largo tiempo mirando el vacío o desaparecía en el dormitorio o el altillo. De repente estallaba de impaciencia, irritado como nunca antes. Y otra vez enmudecía.

Debatía sus días y sus noches en interminables tormentos.

La derrota de Catamarca hundió en el agua sus sueños de permanecer para siempre.

Y sentía que él también se diluía en ese líquido viscoso.

Los comentarios de sus hombres le llegaban desde otra dimensión. Y fingía no oírlos.

—Comenzó el derrumbe. No sé cómo Carlos va a hacer para salir de esto. Está mal. No habla, está fastidioso. Está rodeado de chupamedias, pero también los desprecia. Por momentos, quiere volver a 1988, cuando todo empezaba. Busca a los amigos de entonces, a los que se subían al camión de basura. Pero no entiende que ya nada es lo mismo —decía Emir Yoma.

—Carlos pasó veinte años en el poder, no conoce otra cosa. No tiene otra cosa. ¿Qué va a ser de él cuando Clinton no le atienda el teléfono, cuando tenga que pasar por Migraciones, cuando tenga que viajar en el avión de Aerolíneas? —decía Bernabé Arnaudo, el amigo de toda la vida.

Se acercaba el fin de una era.

Parecía raro.

Hacía un tiempo que todos en el gabinete —incluido Kohan y Corach— habían tomado conciencia de que el Jefe tenía los días contados en el poder. Sin embargo, acompañaban su empecinamiento para darle el último gusto, por extraña solidaridad. Pero cuanto más insistía Menem, más se equivocaba. Justo él, que en el peronismo se había hecho fama de infalible —el gran mago de la política—, en las últimas semanas de marzo había cometido errores casi infantiles. En su desesperación convocó a una reunión de gobernadores para apoyar la *re-re* y todos le dieron la espalda. Se metió en Catamarca, a apoyar una de las figuras más tenebrosas de la política argentina. Nadie le había pedido que lo hiciera. Sobrestimó sus fuerzas y subestimó a los catamarqueños, a los que quiso sobornar como un puntero de pueblo. Otro fracaso. Mandó a Alberto Kohan a negociar una tregua con Duhalde y se expuso a que el gobernador lo dejara en ridículo, como si estuviera pidiendo la toalla. No vaciló en aferrarse al fallo plagado de sombras y sospechas del juez cordobés Ricardo Bustos Fierro, que lo habilitaba precariamente para presentarse como candidato en la interna peronista. Ni siquiera logró apoyo de sus amigos del Norte, que le dieron una opinión neutral sobre el tema al embajador Diego Guelar.

–Carlos, tengo nueve razones por las cuales creo que ya no conviene insistir con la re-reelección –arrancó Bauzá, y enumeró, entre otros factores: la posible ruptura del PJ, la división del bloque de diputados, las encuestas, la opinión de la Iglesia.

La soledad en la que estaba inmerso se manifestó más que nunca aquella mañana en su despacho de Olivos. Estaban Kohan, Bauzá, Corach y Rodríguez.

–La situación de la Corte es grave –dijo Corach.

Y nadie lo defendió.

Menem hizo un largo silencio y respondió.

–Algunas de las cosas que ustedes dicen, yo las veo diferentes.

Y se fue a jugar al golf con Constancio Vigil.

–Le ofrecí mi cargo de senador, pero me miró mal. Me dijo que no quería darle el gusto a la oposición de que lo acusaran que estaba buscando inmunidad. "¡Que me vengan a buscar! ¡Que se animen a meterme preso!", me contestó. Está ausente, agobiado. Ante las crisis familiares ha llegado a estar días enteros en la cama, por problemas con Zulema o con los chicos. Se abrazaba a nosotros llorando. Tomaba pastillas para dormir. Solo que ahora es distinto. Carlos va a tener que aprender afuera del poder –decía Jorge Yoma.

–Hace pocos días, ante la tumba de Carlitos lloró como nunca. El poder le permitió posponer el duelo por la muerte de su hijo. Cuando se vaya, no va a tener más remedio que enfrentarse con la realidad –decía su médico, Alito Tfeli.

–Lejos del poder, Carlos Menem se va a marchitar como una flor sin agua –decía Zulema.

Recorría con la vista la residencia donde habían transcurrido diez años de su vida. Miraba sus animales, su cancha de golf, su microcine, la huerta en la que él mismo cultivó las hortalizas y la arboleda del camino, que lo condujo diariamente hasta la casa que fue testigo de sus glorias y sus desdichas. Esa quinta era su quinta. Apenas asumió, había destinado millones de dólares del presupuesto para darle al lugar la fastuosidad que él se merecía. Mármoles de Carrara, molduras doradas, arañas, espejos e imponentes cortinados importados de Italia transformaron aquel paraje lúgubre, descuidado y habitado por cucarachas que le había dejado Raúl Alfonsín en la morada digna de quien siempre se creyó "el rey de la Argentina". Allí vivió el sueño de la eternidad. Allí, una noche húmeda de marzo de 1995, recibió el féretro con el cuerpo de su hijo.

Donde amó y traicionó. Donde maldijo a los traidores. Donde perdonó a los dictadores que no le permitieron ver a su madre muerta. Donde se pensó como Roca y como Perón.

Donde por primera vez, frente a los despojos de su hijo, pensó en quitarse la vida.

—Jefe, ¿qué vamos a hacer con todo esto? —le dijo Ramón una mañana, mientras señalaba los galpones, al fondo de la residencia, repletos de costosos regalos.

—¿Cómo que qué vamos a hacer? Voy a juntar todo y me lo voy a llevar a Anillaco.

—Pero Jefe... hay más de mil ponchos, podríamos donar algunos a las escuelitas...

—No voy a regalar nada a nadie. ¡Todo lo que hay acá es mío! ¿Quedó claro?

Menem siempre sintió que los bienes presidenciales eran suyos. En la residencia de La Rioja, su dormitorio y sus pertenencias están tal cual él los dejó en 1989. No podía resignarse a abandonar lo que también sentía como una pertenencia: Olivos y la Rosada.

No podía imaginar su vida más allá del poder.

Sus hombres planeaban levantar en Anillaco un museo que guardara los regalos y condecoraciones que el Jefe recibió a lo largo de los 3.600.000 kilómetros que recorrió en sus viajes, en sus diez años como Presidente. El pueblo no será el mismo cuando el "desocupado" más rico de la Argentina regrese a la soledad del llano. El valor de esas tierras se elevó por la voracidad de los genuflexos que pujaron para asegurarse un lugar desde donde seguir adulando al hombre que los sacó de la mediocridad y les permitió enriquecerse hasta límites insospechados: Alderete, Constancio Vigil, Carlos Spadone, Elías Saad, el funebrero riojano devenido banquero, y el intendente Agost Carreno construyeron sus mansiones, frente a la "Rosadita", de Carlos Menem. Allí vivían también "los ricos de Menem", el séquito riojano que incrementó sus fortunas hasta límites increíbles.

En sus fantasías, los incondicionales vislumbran a Anillaco transformado en un polo de atracción turística con hoteles de lujo, aeropuerto internacional y museo histórico. Pero ninguna de estas cosas podrán llenar el vacío de los días que se avecinan para Carlos Menem. Días de soledad y despoder. La candidatura al premio Nobel de la Paz, el cargo honorario en el Vaticano y el prestigio internacional son nada al lado de lo que pierde. Durante la última reunión de la Internacional Socialista, Felipe González lo visitó en Olivos. Caminaron por el jardín y el ex mandatario español, mirándolo a los ojos, le anticipó, con una metáfora, un futuro que lo aterrorizó: "Los ex presidentes somos como los jarrones de Sèvres. Primero nos colocan en el lugar más importante de la casa. Después, como molestamos el paso, nos mandan a un rincón. Y un día, las mucamas, cansadas de sacarnos el polvo, nos tiran en la habitación de los trastos viejos".

Cuando, el 10 de diciembre de 1999, Carlos Menem descienda por la explanada de la avenida Rivadavia y despida a los granaderos, tendrá sesenta y nueve años, cinco meses y ocho días. Le hubieran faltado sólo veintiún días de mandato para cumplir el sueño expresado ante sus íntimos: saludar la llegada del 2000, con los brazos en alto desde el balcón, con los fuegos artificiales y miles de gargantas coreando su nombre. Y un futuro personal incierto. Sentirá como nunca la ausencia de su hijo, volverá a atormentarse con los vaticinios de Zulema y la culpa que lo embarga crecerá como un incendio. Como lo viene haciendo desde la muerte de Carlitos, seguirá aferrado de modo enfermizo a Zulemita, buscando apaciguar una angustia que no le da tregua. Y, seguramente, deberá encontrar la manera de enfrentarse con dos conflictos familiares, de los que escapó durante años: Carlos Nair y Antonella Carla.

"Abuelita, no tengo para comer." "Abuelita, tengo hambre." "Abuelita, no puedo pagar el alquiler." "Abuelita, me quedo en la calle." Los anónimos llegan diariamente al edificio de Avenida del Libertador y San Martín de Tours. Su destino es el decimoquinto piso, propiedad de Gostanian. Sin embargo, los anónimos no son para el dueño de las camiserías Rigar's. En el sobre dice muy claramente "Zulema Yoma de Menem".

Aunque, como parte del arreglo por divorcio, Carlos Menem le cedió la propiedad del departamento de la calle Posadas donde ella pasó felices momentos con Junior, desde la muerte del muchacho Zulema no quiso volver allí. Lo atesora como algo sagrado, pero a falta de residencia oficial –ella ya no es la primera dama– ha aceptado que Gostanian le ceda el piso de Libertador.

El guardia de seguridad de la planta baja nunca –curiosamente– ha logrado identificar al mensajero que trae los anónimos. Tampoco al remitente. ¿Vienen de Olivos, como sospecha Zulema? ¿O realmente los manda "la Pinetta"?

Ella sabe que a la Pinetta el Presidente le pasa dos mil pesos por mes para que la hija que dice haber tenido con Junior –su nieta– pueda vivie decentemente.

–Lo que pasa es que se tira encima la plata, madre. En vez de darle de comer a la hija, de mandarla a una buena escuela o de pagar el alquiler, vive una vida rumbosa. Así no hay plata que alcance, madre. La viven echando de todas partes porque no paga, no porque no tenga –se enfurece Zulema.

No es ese el único tipo de anónimo que recibe. Últimamente le llegó otro, escrito en computadora, que le informa: "Zulema, su hijastro anda de vuelta en Olivos, nosotros le queremos avisar que Menem lo va a reconocer como hijo".

Dispuesta a acabar con una parte –la única que está a su alcance– de esa enojosa situación, Zulema disca el número de la abogada de Pinetta:

–Madre, dígale a su clienta que ella está apuntando mal, que ella no tiene que buscar los bienes de Carlitos, pobrecito mi hijo, que al lado de lo que tiene el padre es una miseria lo que dejó. Dígale que aguante un poco, que espere a que yo haga una nueva exhumación, que determinemos el ADN real, no ese ADN trucho que hicieron. Y dígale que si de verdad es mi nieta, yo voy a hacer que reclame la herencia de Menem, ¿me entendió, señora doctora? Dígale a la Pinetta que me ayude a saber cuánta plata tiene Menem y que así le va a tocar una tajada más grande que el palo y medio que le puede sacar a mi Carlitos –le dice.

La Pinetta parece haberse tranquilizado. "Abuelita, tengo hambre." "Abuelita, me quedo en la calle." Por el momento estos anónimos quedaron en *stand by*.

En la historia de la Argentina habrá un antes y un después de Carlos Menem. Así como hubo un antes y un después de Juan Domingo Perón. Menem repitió hasta el cansancio que él era el mejor alumno del General. Cuando algún obsecuente le dijo que había superado a Perón, entornó los ojos y con voz casi inaudible, respondió: "Yo nunca voy a ser como Perón. Él sí que era lo más grande. Todos le tenían pánico. Se escondían detrás de los cortinados cuando él llegaba. En cambio, a mí se me animaron". Alguna vez, en Anillaco, hablando sobre la muerte, su mirada se iluminó recordando las magnánimas exequias de su maestro y los miles de argentinos llorando frente al cadáver. Sus gestos denotaron el íntimo deseo de protagonizar un idéntico final. Como el de sus amados Julio César o Alejandro Magno. Su futuro político dependerá del destino y las circunstancias históricas. Él asegura que volverá a renacer como el Ave Fénix. "Ojalá que el 2003 no deba renacer de entre las cenizas. Que reciba una Argentina como la que dejó, pujante con el gobierno más exitoso de todos los tiempos." Sus adláteres, lejos de esa expresión de deseos, presagian que a Carlos Menem se lo devorará el siglo. Y que el fracaso de Eduardo Duhalde, el máximo depositario de su desprecio, lejos de beneficiarlo como él cree, lo arrastrará al territorio de las responsabilidades políticas. Más allá de los errores y la falta de carisma del caudillo bonaerense, Carlos Menem lo menospreció sistemáticamente hasta el final. Y lo obligó a regresar a su lado con la cabeza gacha, demostrándole quién seguía siendo el Jefe, hasta el 10 de diciembre de 1999. La vida de Carlos Menem, con sus victorias y sus fracasos, con sus virtudes y sus miserias, muestran a un hombre del que, mientras viva, nunca se podrá escribir la última palabra...

AGRADECIMIENTOS

Este libro empezó como un sueño. Y, como algunos sueños, fue contradictorio, desmesurado, increíble. El desembarco de Carlos Menem en la política argentina de la última década despertó en mí, como en la mayoría de los periodistas de mi generación, una fascinación por conocer por dentro al hombre que se presentaba como el heredero de Perón. Mi tránsito por la intimidad del menemismo pasó por cuatro revistas clave de la era. Primero, los dos semanarios de Editorial Atlántida: la *Somos* de la etapa democrática y, más tarde, *Gente*. El bagaje de conocimientos que mi curiosidad profesional me permitió adquirir en ellas se profundizó en mi paso posterior por *Noticias,* y actualmente en *Veintidós*.

Siempre sentí que fui una intrusa. En realidad, lo fui. Hubo momentos en los que me costó reconocer dónde estaban los límites. Se me volvían borrosos, difusos. Muchas veces, mis crónicas reflejaron el veinte por ciento de lo que veía o escuchaba. Era imposible no conmoverse frente a Carlos Menem, con la cabeza apoyada sobre mis manos, llorando por la muerte de su hijo, o con el dramático relato de Zulema Yoma sobre las tragedias de su vida. Pido perdón por haber sido una intrusa, pero soy periodista y se me hizo imposible eludir mi responsabilidad como testigo. Era imperativo contar lo que sabía, porque era parte de la historia. "No hay periodismo sin traición", dijo alguna vez Truman Capote.

Agradezco a los protagonistas y testigos de esta historia, quienes abrieron las puertas de su corazón y me revelaron dolores, alegrías y miserias. Los que me permitieron mencionarlos y los que prefirieron permanecer en el anonimato. Sin ellos este libro no habría sido posible.

Siempre estaré en deuda con Jorge Fernández Díaz, maestro, jefe y amigo, que me alentó y aconsejó en este viaje. A Ernesto Ténembaum y Guillermo Alfieri, por bancar mis locuras. Por la paciencia y también por la impaciencia. A Jorge Lanata, con quien seguramente tendremos disidencias sobre este tema, y estará bien que así sea. A María Sacco, Urie Leczickie, Graciela Atencio y Marcelo Dimango, por su colaboración en los inicios. A Tomás Eloy Martínez y Andrés Openheimer, que me alentaron cuando esto era apenas un esbozo improbable. A Sylvina Walger, por su lectura entusiasta. A Amanda Vaquir, por su afectuoso apoyo. A Miguel Bonasso, Enrique Torres, Viviana Gorbato, Uki Goñi, Silvia Naishtat, Miriam Lewin, Suzanne Bilello, Carmen de Carlos, Sebastián Rotela, Clifford Krauss, Greg Torres y mis compañeros de la redacción de *Veintidós*. Especialmente a Andrea Rodríguez, María José Grillo, Romina Manguel, Silvina Chaine y Margarita Peralta. A Anita, por su valiosísima ayuda. A Tim, por mostrarme el sol al final del camino.

O. W.

BIBLIOGRAFÍA

Historia y política nacional y latinoamericana

Alfonsín, Raul, *Democracia y consenso.* Corregidor, 1996.

Barcelona, Eduardo y Villalonga, Julio, *Relaciones carnales.* Planeta, 1992.

Capalbo, Daniel y Pandolfo, Gabriel, *Todo tiene precio.* Planeta, 1992.

Cárpena, Ricardo y Jacquelin, Claudio, *El intocable.* Sudamericana, 1994.

Cavallo, Domingo, *El peso de la verdad.* Planeta, 1997.

Cerruti, Gabriela y Ciancaglini, Sergio, *El octavo círculo.* Planeta, 1991.

Ciancaglini, Sergio y Granovsky, Martín, *Crónicas del Apocalipsis.* Contrapunto, 1986.

Cicerchia, Ricardo, *Historia de la vida privada en la Argentina.* Troquel, 1988.

Cisneros, Andrés (compilador), De la Balze, Felipe y otros, *Política exterior Argentina, 1989-1999.* Nuevohacer, 1998.

Chudnovsky, Daniel; Kosacoff, Bernardo y López, Andrés, *Las multinacionales latinoamericanas: sus estrategias en un mundo globalizado.* EFE, 1999.

Doman, Fabián y Olivera, Martín, *Los Alsogaray.* Aguilar, 1989.

Dutil, Carlos y Ragendorfer, Ricardo, *La Bonaerense.* Planeta, 1997.

Fernández Díaz, Jorge, *Bernardo Neustadt.* Sudamericana,1993.

Granovsky, Martín, *Misión cumplida.* Planeta, 1992.

Halperín Donghi, Tulio, *El espejo de la historia.* Sudamericana, 1987.

Lanata, Jorge, *Cortinas de humo.* Planeta, 1993.

Goobar, Walter, *El tercer atentado*. Sudamericana, 1996.

López Echagüe, Hernán, *El otro*. Planeta, 1996.

López Echagüe, Hernán, *Palito: Detrás de la máscara*. Sudamericana, 1999.

Luna, Félix, *Historia Integral de la Argentina*, T. 8: "Los años de prosperidad". Planeta, 1997.

Majul, Luis, *Por qué cayó Alfonsín*. Sudamericana, 1990.

Majul, Luis, *Los dueños de la Argentina* I y II. Sudamericana, 1992; 1997.

Morstein, Manfred, *Al Kassar*. Planeta, 1992.

Morales Solá, Joaquín, *Asalto a la ilusión*. Planeta, 1993.

Oppenheimer, Andrés, *En la frontera del caos*. Javier Vergara, 1996.

Potash, Robert, *El ejército y la política en la Argentina*. Hyspamérica, 1985.

Reato, Ceferino, *El gran botín*. Sudamericana, 1996.

Rey, Alejandra y Pazos, Luis, *No llores por mí Catamarca*. Sudamericana, 1991.

Rodríguez, Jesús, *Fuera de la ley*. Planeta, 1998.

Salinas, Juan, *AMIA, el atentado*. Planeta, 1997.

Sáenz Quesada, María, *Las mujeres de Rosas*. Planeta, 1991.

Santoro, Daniel, *Los intocables*. Planeta, 1996.

Santoro, Daniel, *Venta de armas*. Planeta, 1998.

Uriarte, Claudio, *Almirante Cero*. Planeta, 1992.

Urien Berri, Jorge y Marín, Dante, *El último colimba*. Temas de Hoy, 1995.

Valiente Noailles, Enrique, *La metamorfosis argentina*. Perfil Libros, 1998.

West, Reo, *Una rosa para Junior*. Ocruxaves, 1995.

Mafia y corrupción

Bonasso, Miguel, *Don Alfredo*. Planeta, 1999.

Davis, John, *La dinastía mafia*. Javier Vergara, 1995.

Pasquini, Gabriel y De Miguel, Eduardo, *Blanca y radiante*. Planeta, 1995.

Salazar, Manuel, *Traficantes y lavadores*. Grijalbo, 1996.

Verbitsky, Horacio, *Robo para la Corona*. Planeta, 1992.

Zlotogwiazda, Marcelo, *La mafia del oro*. Planeta, 1997.

Peronismo

Cordeu, Mora; Mercado, Silvia y Sosa, Nancy, *Peronismo: la mayoría perdida*. Sudamericana-Planeta, 1985.

Granados, Osvaldo, *Jorge Antonio: el testigo*. Peña Lillo, 1988.

Luna, Félix, *Perón y su tiempo*. Sudamericana, 1993.

Page, Joseph, *Perón, una biografía*. Grijalbo, 1999.

Unamuno, Miguel; Barbaro, Julio; Cafiero, Antonio y otros, *El peronismo de la derrota*. Centro Editor de América Latina, 1984.

Carlos Menem

Cerruti Gabriela, *El Jefe*. Planeta, 1993.

Leuco, Alfredo y Díaz, José Antonio, *El heredero de Perón*. Planeta, 1988.

Menem, Carlos Saúl, *Universos de mi tiempo*. Sudamericana, 1997.

Mercado Luna, Ricardo, "La Rioja de los hechos consumados". *El Independiente,* 1991.

Ortiz, Juan Aurelio, *Tinkunaco riojano*. Tiempo Latinoamericano, 1987.

Pavón Pereyra, Enrique (compilador), *Yo, Carlos Saúl Menem*. CEYNE, 1989.

Parrota, Ricardo, *Las mejores anécdotas de Menem*. Aguilar, 1990.

Walger, Silvina, *Pizza con champán*. Espasa Calpe, 1994.

La Rioja

Gutiérrez, Ramón; Vinuales, Graciela y Gutiérrez Zaldívar, Ignacio, *La Rioja, su patrimonio artístico*. Manrique Zago, 1998.

Manrique Zago, *La Rioja*. Manrique Zago, 1997.

Carlos Menem: sus lecturas

Gala, Antonio, *El águila bicéfala*. Planeta, 1993.

Goldsmith, sir James, *La trampa*. Médica Panamericana, 1994.

Graves, Robert, *Yo, Claudio*. Edhasa, 1987.

Graves, Robert, *Claudio el Dios*. Edhasa, 1987.

Luna, Félix, *Los caudillos*. Jorge Álvarez, 1969.

Luna Félix, *Soy Roca*. Sudamericana, 1989.

Heider, John, *El tao de los líderes*. Nuevo Extremo, 1991.

Maquiavelo, Nicolás, *El príncipe*. Bruguera, 1983.

Sarmiento, Domingo Faustino, *Facundo*. Altaya, 1993.

Yourcenar, Marguerite, *Memorias de Adriano*. Sudamericana, 1992.

Warner, Rex, *El joven César*. Sudamericana, 1990.

Weber, Max, *Economía y Sociedad*. EFE, 1983.
West, Morris, *Eminencia*. Javier Vergara, 1998.
West, Morris, *Los amantes*. Javier Vergara, 1992.
Zárate Armando, *Facundo Quiroga, Barranca Yaco*. Plus Ultra, 1985.

Biografías

Belloc, Hilaire, *Luis XIV*. Juventud, 1988.
Bruce, Evangeline, *Napoleón y Josefina*. Javier Vergara, 1996.
Gallo, Max, *Napoleón*. Planeta, 1990.
Luna, Félix, *Yrigoyen*. Sudamericana, 1988.
Ludwig, Emil, *Napoleón*. Juventud, 1997.
Pena, David, *Juan Facundo Quiroga*. Emecé,1999.

Historia y cultura árabes

Adourn, Jorge, *El pueblo de las mil y una noches*. Kier, 1988.
Cahen Claude, *El Islam. I. Desde los orígenes hasta el comienzo del imperio otomano*. Siglo XXI, 1987.
Gala, Antonio, *El manuscrito carmesí*. Planeta, 1990.
El noble Corán y su traducción y comentario a la lengua española. Complejo del Rey Fahd, 1417 de la Hegira.
Hourani, Albert, *La historia de los árabes*. Javier Vergara, 1992.
Lewis, Bernard, *El mundo del Islam. Gente, cultura y fe*. Destino, 1995.
Mirza, Nasseh Ahmad, *Syrian Ismailism*. Curzon, 1997.
Rodinson, Maxime, *La fascinación del Islam*. Jucar Universidad, 1989.
Schuon, Frithjof, *Comprender el Islam*. Tradición unánime, 1987.
Vincent, Bernard, "1492: El año admirable". *Crítica*, 1992.
Von Grunebaun, *El Islam II. Desde la caída de Constantinopla hasta nuestros días*. Siglo XXI, 1984.
Waines, David, *El Islam*. Cambridge, 1998.

Otras lecturas

Las mil y una noches. Planeta, 1998.
Heider, John, *El tao de los líderes*. Nuevo Extremo, 1998.
Puzo, Mario, *El último Don*. Ediciones B, 1996.

Renault, Mary, *El muchacho persa.* Mondadori, 1976.
Sófocles, *Antígona.* Eudeba, 1997.
Sófocles, *Tragedias completas.* Cátedra, 1997.
Yourcenar, Marguerite, *Fuegos.* Alfaguara, 1995.

Archivos consultados

Biblioteca del Congreso.
Hemeroteca del Congreso.
Embajada de los Estados Unidos de América.
Embajada de Francia.
Editorial Atlántida.
Editorial Perfil.
Diario *Clarín.*
Dario *La Nación.*
Revista *Tribuna,* España.

Diarios (1987 y 1999)

Ámbito Financiero.
Clarín.
La Nación.
Página/12.
The New York Times.
The Sun.
The Times.
The Wall Street Journal.
The Washington Post.

Revistas

Caras.
Gente.
La Nación.
Mercado.
Newsweek.
Noticias.

Para Ti.
Somos.
Time.
Trespuntos.
Veintidós.
Viva.
Business Week.
Financial World.
LatinFinance.
Journal of American Culture.
New Stateman and Society.
The Economist.
The New Leader.
Report on the Americas.
Cambio/16.
Tiempo.
Tribuna.
Vanity Fair.

ÍNDICE DE NOMBRES

459

Beraja, Rubén: 169, 170, 427.
Berducci de Menem, Alejandra: 157.
Berendt, John: 353.
Berhongaray, Antonio: 427.
Bermolén, Marcelo: 349.
Berraz de Vidal, Amelia: 197.
Bertolini, Ana María: 56, 112.
Bessone, Tito: 345.
Bestani, Víctor (Chacho): 176.
Bidart, Beba: 396.
Bittel, Deolindo Felipe: 60.
Bittón, Daniel: 285-288, 428.
Blair, Tony: 399, 440.
Blanco Villegas, Jorge: 292.
Bó, Víctor: 21, 142, 208, 210, 303.
Boabdil, sultán: 211, 215.
Bogani, Gino: 68, 263.
Bolla, Jorge: 341, 346.
Bonaparte, Napoleón: 76, 213, 434, 441, 442.
Bonasso, Miguel: 374.
Borbón, Juan Carlos de: 151, 437.
Bordón, José Octavio (Pilo): 9, 133, 139, 284, 285, 290, 294, 307, 312.
Borges, Graciela: 9, 92, 99.
Borgia, familia: 358.
Born, Jorge: 64, 68, 125.
Born, Juan: 64.
Bouzon, Janet: 29, 58, 59, 132.
Bramuglia, Atilio: 47.
Bramuglia, Fernando: 47.
Brasseur, Jorge: 346.
Braun, Ana: 432.
Bravo, Alfredo: 171.
Breard, Noel: 135.
Brizuela, Gustavo: 108, 354.
Brizuela, Jorge (Toto): 253, 254.
Brodsky, Adriana: 139, 208.
Bruch Igartúa de Findor, Estela: 327.
Brunelli, Naldo: 139.
Buda: 116.
Bulgheroni, Alejandro: 427.
Bulgheroni, Carlos: 191.
Bullrich, Patricia: 342.

Burguin, Charlie: 18.
Bush, Barbara: 116.
Bush, George: 70, 71, 95, 98, 101, 115, 116, 137, 138, 151, 166, 394.
Busti, Jorge: 416.
Bustos Fierro, Ricardo: 445.

Caamaño, Graciela: 18.
Cabezas, José Luis: 333-335, 350, 374, 429.
Cabrera, Carlos (Reo West): 346.
Cabrera, Delma: 96, 102, 146.
Cabrera, José María: 22.
Cáceres, Lalo: 241, 252.
Cáceres Freire, Julián: 357, 358.
Cachafaz, el: 398.
Cafiero, Antonio: 62, 65, 94, 173, 195, 260, 261, 366, 416.
Calabresi, Ubaldo: 66, 85, 154, 309, 332, 350, 351, 393.
Calderón, Horacio: 59.
Camero, juan José: 442.
Camilión, Oscar: 327, 328, 371.
Cámpora, Héctor José: 256, 444.
Camus, Albert: 181.
Camus, Jorge: 47.
Canicoba Corral, Rodolfo: 392.
Caputi, Eugenio: 337.
Caputo, Dante: 11.
Cárdenas, Emilio: 115.
Cardoso, Fernando Henrique: 216, 436.
Cardozo, Rubén: 264.
Caresana, Ana María: 327.
Carlos, príncipe: 398, 401.
Carnevale, Gustavo: 198.
Carrasco, Néstor: 59.
Carreras, José: 257.
Carreto, Oscar: 342.
Carrió, Elisa: 369.
Cartey, Carlos: 348, 349.
Casale, Luis Santos: 58, 173, 293.
Casán, Moria: 435.
Casaretto, Jorge: 24, 154.

461

473

ÍNDICE